미적분

최강

TOP OF THE TOP

개념 정리   예제와 참고 자료, 일부 단축키(문제 풀이 시간을 줄여주는 내용 소개)를 통해 학습

단계 구성

STEP 1 1등급 준비하기

1등급 준비를 위해 꼭 확인해야 할 필수 유형을 학습하는 단계. 자칫하면 놓치기 쉬운 개념과 풀이 스킬을 확인합니다.

STEP 2 1등급 굳히기

각 학교에서 실제 시험에 다뤄진 최신 출제 경향을 반영하는 문제를 푸는 단계.
1등급을 목표로 공부한다면 반드시 알아야 할 풀이 스킬을 확인하고 각 문항별로 주어진 목표 시간 안에 1등급 문제 유형을 확실하게 익힙니다.

STEP 3 1등급 뛰어넘기

창의력, 융합형, 신경향, 서술형 문제 등을 경험하고 익히는 단계. 풀기 어렵거나 풀기 까다로운 문제보다는 '이렇게 풀면 되구나!' 하는 경험을 할 수 있는 문제를 포함하고 있으므로 더 다양한 풀이 스킬을 익히면서 적용해 볼 수 있습니다.

정답과 풀이   주로 문제 풀이를 위한 **GUIDE** 와 해설로 이루어져 있습니다.
그리고 다음 요소도 포함하고 있습니다.

주의	자칫하면 실수하기 쉬운 내용을 알려줍니다.
참고	풀이 과정에서 추가 설명이 필요한 경우, 이해를 돕거나 이해해야 하는 내용을 알려줍니다.
LECTURE	풀이 과정에서 등장한 개념을 알려줍니다.
1등급 NOTE	문제 풀이에 필요한 스킬을 알려줍니다.
다른 풀이	말 그대로 소개된 해설과 다른 풀이를 담고 있습니다.

1 수열의 극한

1 수열의 수렴과 발산

(1) 수열 $\{a_n\}$에서 n이 한없이 커질 때, 일반항 a_n의 값이 일정한 값 α에 한없이 가까워지면 수열 $\{a_n\}$은 α에 **수렴**한다고 한다.

(2) 수열 $\{a_n\}$이 수렴하지 않을 때, 수열 $\{a_n\}$은 **발산**한다고 한다.

※ 어떤 수열이 수렴하지도 않고, 양의 무한대나 음의 무한대로 발산하지도 않으면 그 수열은 진동한다고 한다. 진동하는 경우도 수렴하지 않는 수열이므로 발산하는 수열이라 생각한다.

참고

〈수렴〉

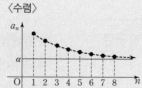

〈발산〉

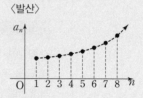

〈진동〉

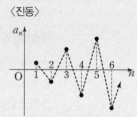

2 수열의 극한값의 계산

① $\dfrac{\infty}{\infty}$ 꼴: 분모의 최고차항으로 분모와 분자를 나누어 구한다.

② $\infty - \infty$ 꼴

　(i) 근호가 있는 경우 ⇨ 유리화를 이용한다.

　(ii) 근호가 없는 경우 ⇨ 최고차항으로 묶는다.

[보기] $\displaystyle\lim_{n \to \infty}(\sqrt{n^2+2n-1}-n)$의 값을 구하여라.

....

[풀이] $\displaystyle\lim_{n \to \infty}(\sqrt{n^2+2n-1}-n)=\lim_{n \to \infty}\frac{2n-1}{\sqrt{n^2+2n-1}+n}=1$

3 수열의 극한의 성질

두 수열 $\{a_n\}$, $\{b_n\}$이 수렴하고, $\displaystyle\lim_{n \to \infty}a_n=\alpha$, $\displaystyle\lim_{n \to \infty}b_n=\beta$일 때

① $\displaystyle\lim_{n \to \infty}(a_n \pm b_n)=\lim_{n \to \infty}a_n \pm \lim_{n \to \infty}b_n=\alpha \pm \beta$ (복부호는 같은 순서)

② $\displaystyle\lim_{n \to \infty}a_n b_n=\lim_{n \to \infty}a_n \times \lim_{n \to \infty}b_n=\alpha\beta$

③ $\displaystyle\lim_{n \to \infty}\frac{a_n}{b_n}=\frac{\displaystyle\lim_{n \to \infty}a_n}{\displaystyle\lim_{n \to \infty}b_n}=\frac{\alpha}{\beta}$ (단, $b_n \neq 0, \beta \neq 0$)

④ $\displaystyle\lim_{n \to \infty}ca_n=c\lim_{n \to \infty}a_n=c\alpha$ (단, c는 상수)

[보기] 두 수열 $\{a_n\}$, $\{b_n\}$에 대하여 $\displaystyle\lim_{n \to \infty}a_n=-2$, $\displaystyle\lim_{n \to \infty}b_n=2$일 때,

$\displaystyle\lim_{n \to \infty}\frac{2a_n-b_n}{a_n b_n+1}$ 의 값을 구하여라.

....

[풀이] $\displaystyle\lim_{n \to \infty}\frac{2a_n-b_n}{a_n b_n+1}=\frac{2\lim_{n \to \infty}a_n-\lim_{n \to \infty}b_n}{\lim_{n \to \infty}a_n \lim_{n \to \infty}b_n+1}=\frac{2\times(-2)-2}{-2\times 2+1}=2$

참고

임의의 실수 a에 대하여 다음과 같이 생각하면 편리하다.

- $a+\infty=\infty$, $a-\infty=-\infty$
- $a>0$이면 $a\times\infty=\infty$
- $a<0$이면 $a\times\infty=-\infty$
- $\dfrac{a}{\infty}=0$, $\dfrac{a}{-\infty}=0$
- $\dfrac{\infty}{\infty}\neq 1$
- $\infty-\infty\neq 0$

4 수열의 극한값의 크기 비교

두 수열 $\{a_n\}$, $\{b_n\}$이 수렴하고 $\lim\limits_{n\to\infty} a_n = \alpha$, $\lim\limits_{n\to\infty} b_n = \beta$일 때

① 모든 자연수 n에 대하여 $a_n \le b_n$이면 $\alpha \le \beta$이다.

② 수열 $\{c_n\}$이 모든 자연수 n에 대하여 $a_n \le c_n \le b_n$이고 $\alpha = \beta$이면 $\lim\limits_{n\to\infty} c_n = \alpha$이다.

참고
$a_n < b_n$이지만 $\lim\limits_{n\to\infty} a_n = \lim\limits_{n\to\infty} b_n$인 예

⇨ 모든 자연수 n에 대하여 $-\dfrac{1}{n} < \dfrac{1}{n}$이지만

$\lim\limits_{n\to\infty}\left(-\dfrac{1}{n}\right) = \lim\limits_{n\to\infty}\dfrac{1}{n} = 0$

보기 수열 $\{a_n\}$이 모든 자연수 n에 대하여 $5n^2 + 2n - 2 \le a_n \le 5n^2 + 2n + 3$을 만족시킬 때, $\lim\limits_{n\to\infty}\dfrac{a_n - 5n^2}{n}$의 값을 구하여라.

풀이 $5n^2 + 2n - 2 \le a_n \le 5n^2 + 2n + 3$에서 $2n - 2 \le a_n - 5n^2 \le 2n + 3$이고

각 변을 n으로 나누면 $\dfrac{2n-2}{n} \le \dfrac{a_n - 5n^2}{n} \le \dfrac{2n+3}{n}$

이때 $\lim\limits_{n\to\infty}\dfrac{2n-2}{n} = 2$, $\lim\limits_{n\to\infty}\dfrac{2n+3}{n} = 2$이므로

$\lim\limits_{n\to\infty}\dfrac{a_n - 5n^2}{n} = 2$

참고
$\dfrac{\infty}{\infty}$ 꼴에서 (분모 차수)=(분자 차수)이면 극한값은 최고차항의 계수비와 같다.

예 $\lim\limits_{n\to\infty}\dfrac{6n-1}{2n} = \dfrac{6}{2} = 3$

5 등비수열의 극한

(1) 등비수열 $\{a_n\}$에서 $a_n = r^n$일 때

① $r > 1$이면 $\lim\limits_{n\to\infty} r^n = \infty$

② $r = 1$이면 $\lim\limits_{n\to\infty} r^n = 1$

③ $-1 < r < 1$이면 $\lim\limits_{n\to\infty} r^n = 0$

④ $r \le -1$이면 $\lim\limits_{n\to\infty} r^n$은 진동한다.

(2) 등비수열의 수렴 조건

① 등비수열 $\{r^n\}$이 수렴 $\Longleftrightarrow$ $-1 < r \le 1$

② 등비수열 $\{ar^{n-1}\}$이 수렴 $\Longleftrightarrow$ $a=0$ 또는 $-1 < r \le 1$

보기 $\lim\limits_{n\to\infty}(4^n - 5^n)$의 값을 구하여라.

풀이 $\lim\limits_{n\to\infty}(4^n - 5^n) = \lim\limits_{n\to\infty} 5^n\left\{\left(\dfrac{4}{5}\right)^n - 1\right\} = -\infty$

$\lim\limits_{n\to\infty} 5^n = \infty$,

$\lim\limits_{n\to\infty}\left\{\left(\dfrac{4}{5}\right)^n - 1\right\} = 0 - 1 = -1$에서

$\infty \times (-1) = -\infty$

보기 수열 $\{(x+1)(x-2)^{n-1}\}$이 수렴하기 위한 x값의 범위를 구하여라.

풀이 첫째항이 $x+1$이고 공비가 $x-2$이므로

(i) $x+1 = 0$에서 $x = -1$

(ii) $-1 < x - 2 \le 1$에서 $1 < x \le 3$

(i), (ii)에서 $x = -1$ 또는 $1 < x \le 3$

STEP 1 | 1등급 준비하기

$\dfrac{\infty}{\infty}$ 꼴의 극한

01

다음 극한값을 구하시오.

$$\lim_{n \to \infty}\left\{\log_2\left(1+\dfrac{1}{n}\right)+\log_2\left(1+\dfrac{1}{n+1}\right)+\cdots \\ +\log_2\left(1+\dfrac{1}{n+n}\right)\right\}$$

$\infty - \infty$ 꼴의 극한

02

양수 a와 실수 b에 대하여

$\lim\limits_{n \to \infty}(\sqrt{an^2+4n}-bn)=\dfrac{1}{5}$일 때, $a+b$의 값을 구하시오.

[2015년 9월 학력평가]

03

양수 a와 실수 b에 대하여

$\lim\limits_{n \to \infty}\sqrt{n+1}(\sqrt{an+1}-\sqrt{bn})=1$일 때, $a+b$의 값은?

① 2   ② 1   ③ $\dfrac{1}{2}$

④ $\dfrac{1}{3}$ ⑤ $\dfrac{1}{5}$

극한의 성질 이용

04*

수열 $\{a_n\}$에 대하여 $\lim\limits_{n \to \infty}\dfrac{2a_n-3}{a_n+1}=\dfrac{1}{3}$이 성립할 때,

$\lim\limits_{n \to \infty}a_n$의 값을 구하시오.

05*

두 수열 $\{a_n\}$, $\{b_n\}$에서 $a_n{}^2-b_n{}^2=4n+1$, $\lim\limits_{n \to \infty}\dfrac{a_n}{n}=1$,

$\lim\limits_{n \to \infty}\dfrac{b_n}{n}=1$일 때, $\lim\limits_{n \to \infty}\dfrac{2}{a_n-b_n}$의 값을 구하시오.

극한의 크기 비교

06

수열 $\{a_n\}$과 모든 자연수 n에 대하여 $n+1\leq\dfrac{n}{a_n}\leq n+2$

가 성립할 때, $\lim\limits_{n \to \infty}\dfrac{3n-1}{na_n}$의 값을 구하시오.

등비수열의 극한

07

첫째항이 1이고 공비가 r $(r>1)$인 등비수열 $\{a_n\}$에 대하여

$S_n = \sum_{k=1}^{n} a_k$일 때, $\lim_{n \to \infty} \dfrac{a_n}{S_n} = \dfrac{3}{4}$이다. r의 값을 구하시오.

[2016학년도 수능]

08

다항식 $x^{n+1} + x^n$을 $x^2 - 5x + 6$으로 나눈 나머지를

$a_n x + b_n$이라 할 때, $\lim_{n \to \infty} \dfrac{b_n}{a_n}$의 값은?

(단, n은 자연수이다.)

① -3 ② -2 ③ -1

④ 1 ⑤ 2

[학력평가 기출]

여러 가지 극한

09

첫째항이 2이고 공차가 3인 등차수열 $\{a_n\}$의 첫째항부터

제 n항까지의 합을 S_n이라 할 때, $\lim_{n \to \infty} \dfrac{S_n}{a_n a_{n+1}}$의 값은?

① 2 ② 1 ③ $\dfrac{1}{2}$

④ $\dfrac{1}{3}$ ⑤ $\dfrac{1}{6}$

[2014년 10월 학력평가]

10*

물 4 L가 들어 있는 물통에서 $\dfrac{3}{4}$만큼을 퍼내고 다시 1 L를 넣는 것을 무한히 반복할 때, 물통에 남아 있는 물의 양은 x L이다. $3x$의 값을 구하시오.

11

자연수 n에 대하여 직선 $y = 2nx$ 위의 점 $P(n, 2n^2)$을 지나고 이 직선과 수직인 직선이 x축과 만나는 점을 Q라 할 때, 선분 OQ의 길이를 l_n이라 하자. $\lim_{n \to \infty} \dfrac{l_n}{n^3}$의 값은?

(단, O는 원점이다.)

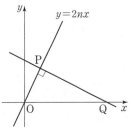

① 1 ② 2 ③ 3

④ 4 ⑤ 5

[2016년 6월 학력평가]

$\frac{\infty}{\infty}$ 꼴의 극한

01
| 제한시간 1.5분 |

두 수열 $\{a_n\}$, $\{b_n\}$에 대하여 다음 조건이 성립한다.

> (가) $\lim\limits_{n\to\infty} a_n = \infty$
>
> (나) $\lim\limits_{n\to\infty} (a_n + 2b_n) = 1$

이때 $\lim\limits_{n\to\infty}\left(\dfrac{a_n}{b_n} - \dfrac{8b_n}{a_n}\right)$의 값을 구하시오.

02
| 제한시간 1.5분 |

자연수 n에 대하여 1부터 $10n$까지 자연수의 총합을 A_n, 1부터 $10n$까지의 자연수 중에서 5의 배수를 제외한 자연수의 총합을 B_n이라 할 때, $\lim\limits_{n\to\infty}\dfrac{A_n}{B_n} = \dfrac{q}{p}$이다. 이때 서로소인 두 자연수 p, q의 합 $p+q$의 값을 구하시오.

03*
| 제한시간 1.5분 |

자연수 n에 대하여 곡선 $y = x^2$과 직선 $y = -x + n$의 두 교점 사이의 거리가 a_n이고, $\lim\limits_{n\to\infty}\dfrac{a_n}{\sqrt{n}} = p$일 때 p^2의 값을 구하시오.

$\infty - \infty$ 꼴의 극한

04
| 제한시간 1분 |

자연수 n에 대하여 x에 대한 이차방정식 $x^2 + 2nx - 4n = 0$의 양의 실근을 a_n이라 하자. $\lim\limits_{n\to\infty} a_n$의 값을 구하시오.

[2016학년도 9월 모의평가]

05*

| 제한시간 1.5분 |

자연수 n에 대하여 곡선

$y=\dfrac{2n}{x}$과 직선 $y=-\dfrac{x}{n}+3$

의 두 교점을 A_n, B_n이라 하자.

선분 A_nB_n의 길이를 l_n이라 할

때, $\lim\limits_{n\to\infty}(l_{n+1}-l_n)$의 값은?

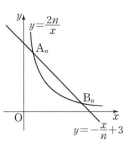

① $\dfrac{1}{2}$ ② $\dfrac{\sqrt{2}}{2}$ ③ 1

④ $\sqrt{2}$ ⑤ 2

[2013년 10월 학력평가]

극한값의 성질 이용

06*

| 제한시간 1.5분 |

두 수열 $\{a_n\}$, $\{b_n\}$이

$$\lim_{n\to\infty}\frac{a_n}{3n}=2,\ \lim_{n\to\infty}\frac{2n+3}{b_n}=6$$

을 만족시킬 때, $\lim\limits_{n\to\infty}\dfrac{a_n}{b_n}$의 값은? (단, $b_n\neq0$)

① 10   ② 12   ③ 14   ④ 16   ⑤ 18

[2017년 4월 학력평가]

07

| 제한시간 2분 |

두 수열 $\{a_n\}$, $\{b_n\}$에 대하여 $\lim\limits_{n\to\infty}a_nb_n=\alpha$일 때,

보기에서 옳은 것을 모두 고른 것은?

(단, $a_nb_n\neq0$이고, $\alpha>0$이다.)

┤ 보기 ├

ㄱ. $\lim\limits_{n\to\infty}a_n=0$이면 $\lim\limits_{n\to\infty}|b_n|=\infty$이다.

ㄴ. $\lim\limits_{n\to\infty}\left(a_n-\dfrac{\alpha}{b_n}\right)=0$

ㄷ. $\lim\limits_{n\to\infty}\dfrac{1}{a_nb_n}=\dfrac{1}{\alpha}$

① ㄱ   ② ㄱ, ㄴ   ③ ㄱ, ㄷ

④ ㄴ, ㄷ   ⑤ ㄱ, ㄴ, ㄷ

극한과 크기 비교

08

| 제한시간 1.5분 |

수열 $\{a_n\}$에 대하여 곡선 $y=x^2-(n+1)x+a_n$은 x축과

만나고, 곡선 $y=x^2-nx+a_n$은 x축과 만나지 않는다.

$\lim\limits_{n\to\infty}\dfrac{a_n}{n^2}$의 값은?

① $\dfrac{1}{20}$ ② $\dfrac{1}{10}$ ③ $\dfrac{3}{20}$

④ $\dfrac{1}{5}$ ⑤ $\dfrac{1}{4}$

[2016학년도 수능]

09
| 제한시간 2분 |

$\lim_{n \to \infty} \frac{1}{n} \left[\frac{n}{5} \right] = a$, $\lim_{n \to \infty} \left(\sqrt{n^2 + \left[\frac{n}{2} \right]} - n \right) = b$일 때,

$5a + 4b$의 값을 구하시오.

(단, $[x]$는 x보다 크지 않은 가장 큰 정수이다.)

등비수열의 극한

10
| 제한시간 1.5분 |

공비가 3인 등비수열 $\{a_n\}$의 첫째항부터 제n항까지의 합

S_n이 $\lim_{n \to \infty} \frac{S_n}{3^n} = 5$를 만족시킬 때, 첫째항 a_1의 값은?

① 8   ② 10   ③ 12   ④ 14   ⑤ 16

[2015년 6월 학력평가]

11
| 제한시간 1.5분 |

수열 $\left\{ \left(x^2 + 2x + \frac{a}{3} \right)^n \right\}$이 $-2 \leq x \leq 0$에서 수렴하도록

하는 모든 정수 a값의 합을 구하시오.

12
| 제한시간 1.5분 |

등비수열 $\{a_n\}$에 대하여 $\lim_{n \to \infty} \frac{3^n + a_n}{3^{n+1} + 2a_n} = \frac{3}{7}$이 성립할

때 $a_1 + a_2$의 값을 구하시오.

13
| 제한시간 1.5분 |

함수 $f(x) = \lim_{n \to \infty} \frac{x^{n+1} + 4^{n+1}}{2x^n + 2^{2n+1}}$에 대하여 $\sum_{k=1}^{11} f(k)$의 값을

구하시오.

14
| 제한시간 1.5분 |

12^n의 약수의 총합을 a_n이라 할 때, $\lim_{n \to \infty} \frac{a_n}{12^n}$의 값을 구하

시오.

15

| 제한시간 1.5분 |

그림과 같이 곡선 $y=f(x)$와 직선 $y=g(x)$가 원점과 점 $(3, 3)$에서 만난다. $h(x)=\lim\limits_{n\to\infty}\dfrac{\{f(x)\}^{n+1}+5\{g(x)\}^{n}}{\{f(x)\}^{n}+\{g(x)\}^{n}}$ 일 때, $h(2)+h(3)$의 값은?

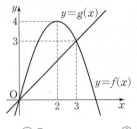

① 6   ② 7   ③ 8
④ 9   ⑤ 10

[2016년 3월 학력평가]

여러 가지 극한

16

| 제한시간 2분 |

수열 $\{a_n\}$에 대하여
$a_1=1$, $(n-1)^2 a_n = n^2 a_{n-1} + n(n-1)$이 성립할 때,
$\lim\limits_{n\to\infty}\dfrac{a_n}{n^2+1}$의 값을 구하시오.

17

| 제한시간 2분 |

원점을 지나고 기울기가 2인 직선이 $y=\sqrt{x}$의 그래프와 만나는 점을 P_1이라 하고, 점 P_1에서 x축에 내린 수선의 발을 $Q_1(x_1, 0)$이라 하자. 점 Q_1을 지나고 기울기가 2인 직선이 $y=\sqrt{x}$의 그래프와 만나는 점을 P_2라 하고, 점 P_2에서 x축에 내린 수선의 발을 $Q_2(x_2, 0)$이라 하자. 이와 같은 과정을 계속 반복하여 x_n을 정할 때, $\lim\limits_{n\to\infty}\dfrac{x_n}{x_{n+1}}$의 값을 구하시오.

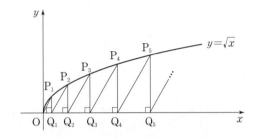

18

| 제한시간 3분 |

그림과 같이 한 변의 길이가 1인 정삼각형 ABC에서 변 BC의 중점을 M이라 하자. 점 M에서 변 AB에 내린 수선의 발을 H_1, 점 H_1에서 변 AC에 내린 수선의 발을 H_2, 점 H_2에서 변 BC에 내린 수선의 발을 H_3이라 하자. 같은 과정을 계속하여 점 H_n을 정할 때, $\overline{AH_{3n-1}}=a_n$, $\overline{BH_{3n-2}}=b_n$, $\overline{CH_{3n}}=c_n$이라 하자. $\lim\limits_{n\to\infty} b_n=k$일 때 $30k$의 값을 구하시오.

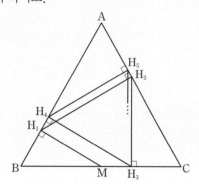

19

| 제한시간 3분 |

그림과 같이 한 변의 길이가 2인 정사각형 A와 한 변의 길이가 1인 정사각형 B는 변이 서로 평행하고, A의 두 대각선의 교점과 B의 두 대각선의 교점이 일치하도록 놓여 있다. A와 B의 내부에서 B의 내부를 제외한 영역을 R라 하자.

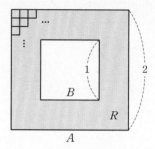

2 이상인 자연수 n에 대하여 한 변의 길이가 $\dfrac{1}{n}$인 작은 정사각형을 다음 규칙에 따라 R에 그린다.

> ㈎ 작은 정사각형의 한 변은 A의 한 변에 평행하다.
> ㈏ 작은 정사각형들의 내부는 서로 겹치지 않도록 한다.

이와 같은 규칙에 따라 그릴 수 있는 한 변의 길이가 $\dfrac{1}{n}$인 작은 정사각형의 최대 개수를 a_n이라 하자. 예를 들어, $a_2=12$, $a_3=20$이다. $\lim\limits_{n\to\infty}\dfrac{a_{2n+1}-a_{2n}}{a_{2n}-a_{2n-1}}=c$라 할 때 $100c$의 값을 구하시오.

[수능 기출]

01

다음 값을 구하시오.

(1) $f(x) = x + 4 - \dfrac{1}{2}|x-2|$ 이고 $x_0 = 3$, $x_1 = f(x_0)$,

$x_2 = f(x_1)$, $x_3 = f(x_2)$, $\cdots$ 라 할 때 $\displaystyle\lim_{n \to \infty} x_n$

(2) 수열 $\{a_n\}$에 대하여 $a_{n+1} = a_n + 1 - \dfrac{1}{2}|a_n - 3|$이 성립

하고, $a_1 = 2$일 때, $\displaystyle\lim_{n \to \infty} a_n$

02

수열 $\{a_n\}$의 일반항이 $a_n = (\sin x)^n$일 때, **보기**에서 옳은 것을 모두 고른 것은?

┤ 보기 ├

ㄱ. 임의의 실수 x에 대하여 $\displaystyle\lim_{n \to \infty} a_n$이 존재한다.

ㄴ. $f(x) = \displaystyle\lim_{n \to \infty} a_n$이라 할 때 $f(x)$가 $x = \alpha$에서 연속이면

$f(\alpha) = 0$이다.

ㄷ. $f(x) = \displaystyle\lim_{n \to \infty} a_n$이라 할 때 $f(\alpha)$의 값이 존재하면

$f(x)$는 $x = \alpha$에서 연속이다.

① ㄱ   ② ㄴ   ③ ㄷ

④ ㄱ, ㄴ   ⑤ ㄱ, ㄴ, ㄷ

03

그림과 같이 자연수 n에 대하여 곡선 $y=x^2$ 위의 점 $P_n(n, n^2)$에서의 접선을 l_n이라 하고, 직선 l_n이 y축과 만나는 점을 Y_n이라 하자. x축에 접하고 점 P_n에서 직선 l_n에 접하는 원을 C_n, y축에 접하고 점 P_n에서 직선 l_n에 접하는 원을 $C_n{}'$이라 할 때, 원 C_n과 x축의 교점을 Q_n, 원 $C_n{}'$과 y축의 교점을 R_n이라 하자.

$\displaystyle\lim_{n\to\infty}\dfrac{\overline{OQ_n}}{\overline{Y_nR_n}}=\alpha$라 할 때, 100α의 값을 구하시오.

(단, O는 원점이고, 점 Q_n의 x좌표와 점 R_n의 y좌표는 양수이다.)

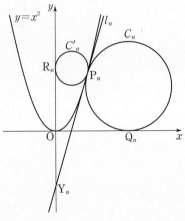

[2017년 7월 학력평가]

04

$\displaystyle\lim_{n\to\infty}(a^n+b^n+c^n)^{\frac{1}{n}}=5$가 되도록 하는 자연수 a, b, c에 대하여 순서쌍 (a, b, c)의 개수를 구하시오.

05

수직선 위에 두 점 $P_1(0)$과 $P_2(90)$이 있다. 그림과 같이 선분 P_1P_2를 $1:2$로 내분하는 점을 $P_3(x_3)$, 선분 P_2P_3을 $1:2$로 내분하는 점을 $P_4(x_4)$라 하자. 이와 같이 반복하여 $P_n(x_n)$을 정의할 때, $\displaystyle\lim_{n\to\infty}x_n$의 값을 구하시오.

$$\begin{array}{cccc} P_1 & P_3 & P_4 & P_2 \\ \bullet\!\!-\!\!\!-\!\!\!- & \bullet\!\!-\!\!\!-\!\!\!- & \bullet\!\!-\!\!\!-\!\!\!- & \bullet \\ 0 & x_3 & x_4 & 90 \end{array}$$

06

다항식 x^n을 $(x-1)(x-2)(x-3)$으로 나눈 나머지를 $f_n(x)$라 하자. 이때 $\lim\limits_{n \to \infty} \dfrac{f_n(-1)}{f_n(0)}$의 값을 구하시오.

07*

비커 A에 12 % 소금물 300 g이 들어 있고, 비커 B에 6 % 소금물 300 g이 들어 있다. 두 비커 A, B에서 동시에 소금물 100 g씩 덜어내어 A의 것은 B에, B의 것은 A에 넣는다고 한다. 이런 과정을 n번 했을 때 비커 A에 들어 있는 소금물의 농도를 a_n %, 비커 B에 들어 있는 소금물의 농도를 b_n %라 하자. 이때 다음을 구하시오.

(1) $a_n + b_n$의 값

(2) $\lim\limits_{n \to \infty} a_n$

08

다음 값을 구하시오.

(1) $\lim\limits_{n \to \infty} \sqrt{n}(3\sqrt{n+2}-2\sqrt{n+1}-\sqrt{n})$의 값

(2) $\lim\limits_{n \to \infty} \sqrt{n}(a_1\sqrt{n+1}+a_2\sqrt{n+2}+\cdots+a_m\sqrt{n+m})$이 수렴할 때 $a_1+a_2+\cdots+a_m$의 값

2 급수

1 급수

(1) 수열 $\{a_n\}$의 각 항을 차례로 $+$로 연결한 식 $a_1+a_2+\cdots+a_n+\cdots$ 을

급수라 하고 $\sum\limits_{n=1}^{\infty} a_n$으로 나타낸다.

(2) 급수의 수렴과 발산

수열 $\{a_n\}$에서 첫째항부터 제 n항까지의 합

$S_n=a_1+a_2+\cdots+a_n=\sum\limits_{k=1}^{n} a_k$를 부분합이라 하고

$\lim\limits_{n\to\infty} S_n=\lim\limits_{n\to\infty}\sum\limits_{k=1}^{n} a_k=S$이면 $\sum\limits_{n=1}^{\infty} a_n$이 S에 수렴한다고 한다.

이때 S를 급수의 합이라 하고, $a_1+a_2+\cdots+a_n+\cdots=S$ 또는

$\sum\limits_{n=1}^{\infty} a_n=S$로 나타낸다.

참고
급수 $a_1+a_2+\cdots+a_n+\cdots$의 부분합 S_n에 대하여 $\lim\limits_{n\to\infty} S_n$이 발산하면 이 급수는 발산한다고 하고, 수렴하지 않을 때는 그 합을 생각하지 않는다.

보기 급수 $\dfrac{2}{3}+\dfrac{2}{15}+\dfrac{2}{35}+\dfrac{2}{63}+\cdots$ 의 수렴, 발산을 조사하여라.

풀이 수열 $\dfrac{2}{3},\ \dfrac{2}{15},\ \dfrac{2}{35},\ \dfrac{2}{63},\ \cdots$의 일반항 $a_n=\dfrac{2}{(2n-1)(2n+1)}$

$S_n=\sum\limits_{k=1}^{n}\dfrac{2}{(2k-1)(2k+1)}=\sum\limits_{k=1}^{n}\left(\dfrac{1}{2k-1}-\dfrac{1}{2k+1}\right)$

$\quad=\left(\dfrac{1}{1}-\dfrac{1}{3}\right)+\left(\dfrac{1}{3}-\dfrac{1}{5}\right)+\cdots+\left(\dfrac{1}{2n-1}-\dfrac{1}{2n+1}\right)=1-\dfrac{1}{2n+1}$

$\therefore\ \lim\limits_{n\to\infty} S_n=\lim\limits_{n\to\infty}\left(1-\dfrac{1}{2n+1}\right)=1$

따라서 $\dfrac{2}{3}+\dfrac{2}{15}+\dfrac{2}{35}+\dfrac{2}{63}+\cdots=1$(수렴)

2 급수와 수열의 극한값의 관계

① 급수 $\sum\limits_{n=1}^{\infty} a_n$이 수렴하면 $\lim\limits_{n\to\infty} a_n=0$이다. (단, 역은 성립하지 않는다.)

② $\lim\limits_{n\to\infty} a_n\neq 0$이면 급수 $\sum\limits_{n=1}^{\infty} a_n$은 발산한다.

참고
· '$\lim\limits_{n\to\infty} a_n=0$이면 급수 $\sum\limits_{n=1}^{\infty} a_n$이 수렴한다.'는 거짓이다.
· '$\sum\limits_{n=1}^{\infty} a_n$이 발산하면 $\lim\limits_{n\to\infty} a_n\neq 0$이다.'는 거짓이다.

보기 급수 $\sum\limits_{n=1}^{\infty}\left(\dfrac{a_n}{\sqrt{n}}-3\right)$이 수렴할 때, $\lim\limits_{n\to\infty}\dfrac{a_n-\sqrt{n}}{a_n+\sqrt{n}}$ 의 값을 구하여라.

풀이 급수 $\sum\limits_{n=1}^{\infty}\left(\dfrac{a_n}{\sqrt{n}}-3\right)$이 수렴하므로 $\lim\limits_{n\to\infty}\left(\dfrac{a_n}{\sqrt{n}}-3\right)=0$에서 $\lim\limits_{n\to\infty}\dfrac{a_n}{\sqrt{n}}=3$

$\lim\limits_{n\to\infty}\dfrac{a_n-\sqrt{n}}{a_n+\sqrt{n}}=\lim\limits_{n\to\infty}\dfrac{\dfrac{a_n}{\sqrt{n}}-1}{\dfrac{a_n}{\sqrt{n}}+1}=\dfrac{3-1}{3+1}=\dfrac{1}{2}$

3 급수의 성질

수렴하는 두 급수 $\sum\limits_{n=1}^{\infty} a_n = \alpha$, $\sum\limits_{n=1}^{\infty} b_n = \beta$에서

① $\sum\limits_{n=1}^{\infty} (a_n \pm b_n) = \sum\limits_{n=1}^{\infty} a_n \pm \sum\limits_{n=1}^{\infty} b_n = \alpha \pm \beta$ (복부호는 같은 순서)

② $\sum\limits_{n=1}^{\infty} ca_n = c \sum\limits_{n=1}^{\infty} a_n = c\alpha$ (단, c는 상수)

참고

• $\sum\limits_{n=1}^{\infty} a_n b_n \neq \sum\limits_{n=1}^{\infty} a_n \sum\limits_{n=1}^{\infty} b_n$

• $\sum\limits_{n=1}^{\infty} \dfrac{a_n}{b_n} \neq \dfrac{\sum\limits_{n=1}^{\infty} a_n}{\sum\limits_{n=1}^{\infty} b_n}$

보기 두 급수 $\sum\limits_{n=1}^{\infty} a_n = 3$, $\sum\limits_{n=1}^{\infty} b_n = -2$에 대하여 다음 급수의 합을 구하여라.

(1) $\sum\limits_{n=1}^{\infty} (3a_n - 2b_n)$ (2) $\sum\limits_{n=1}^{\infty} \left(\dfrac{a_n}{4} + \dfrac{b_n}{2} \right)$

풀이 (1) $\sum\limits_{n=1}^{\infty} (3a_n - 2b_n) = \sum\limits_{n=1}^{\infty} 3a_n - \sum\limits_{n=1}^{\infty} 2b_n = 3\sum\limits_{n=1}^{\infty} a_n - 2\sum\limits_{n=1}^{\infty} b_n$

$= 3 \times 3 - 2 \times (-2) = \mathbf{13}$

(2) $\sum\limits_{n=1}^{\infty} \left(\dfrac{a_n}{4} + \dfrac{b_n}{2} \right) = \sum\limits_{n=1}^{\infty} \dfrac{a_n}{4} + \sum\limits_{n=1}^{\infty} \dfrac{b_n}{2} = \dfrac{1}{4}\sum\limits_{n=1}^{\infty} a_n + \dfrac{1}{2}\sum\limits_{n=1}^{\infty} b_n$

$= \dfrac{1}{4} \times 3 + \dfrac{1}{2} \times (-2) = -\dfrac{\mathbf{1}}{\mathbf{4}}$

4 등비급수의 수렴과 발산

(1) 첫째항이 a, 공비가 r인 등비수열 $\{ar^{n-1}\}$에서 얻은 급수

$\sum\limits_{n=1}^{\infty} ar^{n-1} = a + ar + ar^2 + \cdots + ar^{n-1} + \cdots$을 첫째항이 a, 공비가 r인

등비급수라 한다.

(2) 등비급수 $\sum\limits_{n=1}^{\infty} ar^{n-1} (a \neq 0)$에 대하여

① $|r| < 1$이면 등비급수는 수렴하고 그 합은 $\dfrac{\boldsymbol{a}}{\mathbf{1} - \boldsymbol{r}}$이다.

② $|r| \geq 1$이면 등비급수는 발산한다.

참고

$\sum\limits_{n=1}^{\infty} ar^{n-1}$에서 제 n항까지의 부분합을 S_n이라 하면

$S_n = \dfrac{a(1 - r^n)}{1 - r}$

이때 $|r| < 1$이면 $\lim\limits_{n \to \infty} r^n = 0$이므로

$\lim\limits_{n \to \infty} S_n = \dfrac{a}{1 - r}$

보기 등비급수 $x + x^2(1 - 2x) + x^3(1 - 2x)^2 + \cdots$ 가 수렴하기 위한 실수 x값의 범위를 구하여라.

풀이 첫째항이 x이고, 공비가 $x(1 - 2x)$이므로

$x = 0$ 또는 $-1 < x(1 - 2x) < 1$이면 된다. $\therefore -\dfrac{\mathbf{1}}{\mathbf{2}} < \boldsymbol{x} < \mathbf{1}$

참고

(i) $-1 < x(1 - 2x)$에서 $-\dfrac{1}{2} < x < 1$

(ii) $x(1 - 2x) < 1$에서 $\left(x - \dfrac{1}{4} \right)^2 + \dfrac{7}{16} > 0$

즉 모든 실수에서 성립한다.

보기 등비급수 $\sum\limits_{n=1}^{\infty} \{3 \times 2^{-n} - (-5)^{1-n}\}$의 합을 구하여라.

풀이 $\sum\limits_{n=1}^{\infty} \{3 \times 2^{-n} - (-5)^{1-n}\} = 3\sum\limits_{n=1}^{\infty} \left(\dfrac{1}{2} \right)^n - \sum\limits_{n=1}^{\infty} \left(-\dfrac{1}{5} \right)^{n-1}$

$= 3 \times \dfrac{\dfrac{1}{2}}{1 - \dfrac{1}{2}} - \dfrac{1}{1 - \left(-\dfrac{1}{5} \right)} = \dfrac{\mathbf{13}}{\mathbf{6}}$

※ 문항 번호 오른쪽 *표시는 풀이에 문제 풀이 스킬을 익힐 수 있는 '다른 풀이' 또는 '1등급 Note'가 있음을 나타냅니다.

STEP **1** 1등급 준비하기

2. 급수

급수의 합

01

급수 $\dfrac{1}{1^2+2}+\dfrac{1}{2^2+4}+\dfrac{1}{3^2+6}+\cdots$ 의 합을 구하시오.

02

자연수 n에 대하여 x에 관한 이차방정식
$(4n^2-1)x^2-4nx+1=0$의 두 근이 $\alpha_n,\ \beta_n(\alpha_n>\beta_n)$일 때,
$\displaystyle\sum_{n=1}^{\infty}(\alpha_n-\beta_n)$의 값은?

① 1　　　　② 2　　　　③ 3

④ 4　　　　⑤ 5

[학력평가 기출]

03

$\log_2\left(1-\dfrac{1}{2^2}\right)+\log_2\left(1-\dfrac{1}{3^2}\right)+\cdots+\log_2\left(1-\dfrac{1}{n^2}\right)+\cdots$
의 합을 구하시오.

04

등차수열 $\{a_n\}$에 대하여 $\displaystyle\lim_{n\to\infty}\dfrac{2n+1}{a_n}=\dfrac{1}{2}$이고

$\displaystyle\sum_{n=1}^{\infty}\dfrac{8}{a_na_{n+1}}=1$일 때, a_7의 값을 구하시오.

급수 $\displaystyle\sum_{n=1}^{\infty}a_n$과 $\displaystyle\lim_{n\to\infty}a_n$ 사이의 관계

05

수열 $\{a_n\}$에 대하여 급수 $\displaystyle\sum_{n=1}^{\infty}\dfrac{a_n}{n}$이 수렴할 때,

$\displaystyle\lim_{n\to\infty}\dfrac{a_n+9n}{n}$의 값을 구하시오.

[2015년 6월 학력평가]

06

수열 $\{a_n\}$에 대하여 급수 $\displaystyle\sum_{n=1}^{\infty}\left(a_n-\dfrac{n-2}{2n+3}\right)=3$일 때

$\displaystyle\lim_{n\to\infty}\dfrac{2a_n+1}{4a_n-1}$의 값을 구하시오.

07[*]

수열 $\{a_n\}$에 대하여 $\displaystyle\sum_{n=1}^{\infty} a_n=2$, $\displaystyle\lim_{n\to\infty} n^2 a_n=1$일 때, **보기** 에서 옳은 것을 모두 고른 것은?

┤ 보기 ├
ㄱ. $\displaystyle\lim_{n\to\infty} a_n=0$ ㄴ. $\displaystyle\lim_{n\to\infty} na_{n+1}=0$

ㄷ. $\displaystyle\sum_{n=1}^{\infty} n(a_{n+1}-a_n)=0$

① ㄱ   ② ㄱ, ㄴ   ③ ㄱ, ㄷ
④ ㄴ, ㄷ   ⑤ ㄱ, ㄴ, ㄷ

등비급수의 합

08

등비급수 $\displaystyle\sum_{k=1}^{\infty}(-x)^k=\frac{1}{2}$일 때 $\displaystyle\sum_{k=1}^{\infty}x^{2k-1}=\alpha$일 때 40α의 값을 구하시오.

09[*]

첫째항이 1인 등비수열 $\{a_n\}$에 대하여 $\displaystyle\sum_{n=1}^{\infty} a_n=3$일 때,

$\displaystyle\sum_{n=1}^{\infty}(a_{3n-2}-a_{3n-1})$의 값은?

① $\dfrac{7}{19}$ ② $\dfrac{8}{19}$ ③ $\dfrac{9}{19}$ ④ $\dfrac{10}{19}$ ⑤ $\dfrac{11}{19}$

[학력평가 기출]

등비급수와 도형

10

오른쪽 그림과 같이 반지름 길 이가 1인 원 C_1의 중심을 지나 고 C_1에 내접하는 원을 C_2, 원 C_2의 중심을 지나고 C_2에 내 접하는 원을 C_3이라 하자. 이 와 같은 과정을 계속할 때, 모 든 원의 넓이의 합을 a, 모든 원의 둘레 길이의 합을 b라 하면 $\dfrac{a}{b}$의 값은?

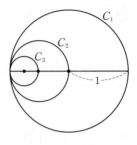

① $\dfrac{1}{4}$ ② $\dfrac{1}{3}$ ③ $\dfrac{1}{2}$ ④ 1   ⑤ 2

11

좌표평면에서 자연수 n에 대하여 네 직선 $x=1$, $x=n+1$, $y=x$, $y=2x$로 둘러싸인 사각형의 넓이를 S_n이라 할 때, $\displaystyle\sum_{n=1}^{\infty}\frac{1}{S_n}$의 값은?

① $\dfrac{1}{2}$ ② 1   ③ $\dfrac{3}{2}$ ④ 2   ⑤ $\dfrac{5}{2}$

[2012년 3월 학력평가]

급수의 합

01
| 제한시간 1.5분 |

수열 $\{a_n\}$이 $a_n = \log_2 \dfrac{n+2}{(n+1)^2} + \log_2 n$일 때, $\sum\limits_{n=1}^{\infty} a_n$의 값을 구하시오.

02
| 제한시간 1.5분 |

수열 $\{a_n\}$에 대하여 $S_n = a_1 + a_2 + \cdots + a_n = n^3$일 때 급수 $\sum\limits_{n=2}^{\infty} \dfrac{3}{a_n - 1}$의 값을 구하시오.

03
| 제한시간 1.5분 |

수열 $\{a_n\}$에 대하여 $S_n = \sum\limits_{k=1}^{n} a_k$라 하자.

$a_1 = \dfrac{2}{5}$, $S_n = a_n + \dfrac{1}{\sqrt{n^2+4n} - \sqrt{n^2+1}}$일 때, $\sum\limits_{n=1}^{\infty} a_n$의 값을 구하시오.

04*
| 제한시간 1.5분 |

수열 $\{a_n\}$의 첫째항부터 제n항까지의 합을 S_n이라 할 때, $S_n = \dfrac{6n}{n+1}$이다. $\sum\limits_{n=1}^{\infty}(a_n + a_{n+1})$의 값을 구하시오.

[2012년 3월 학력평가]

05
| 제한시간 1.5분 |

수열 $\{a_n\}$에서 $\sum\limits_{k=1}^{n} \dfrac{a_k}{k} = n^2 + 3n$일 때, $\sum\limits_{n=1}^{\infty} \dfrac{1}{a_n}$의 값은?

① $\dfrac{1}{3}$ ② $\dfrac{1}{2}$ ③ $\dfrac{2}{3}$

④ $\dfrac{5}{6}$ ⑤ 1

[2015년 9월 학력평가]

06

| 제한시간 1.5분 |

수열 $\{a_n\}$이 임의의 자연수 n에 대하여

$2a_1 + 2^2 a_2 + 2^3 a_3 + \cdots + 2^n a_n = 3n + 1$일 때, $\displaystyle\sum_{n=1}^{\infty} a_n$의

값을 구하시오.

급수 $\displaystyle\sum_{n=1}^{\infty} a_n$과 $\displaystyle\lim_{n \to \infty} a_n$ 사이의 관계

07

| 제한시간 1분 |

두 수열 $\{a_n\}$, $\{b_n\}$에 대하여 $\displaystyle\lim_{n \to \infty} \frac{a_n}{n} = 1$,

$\displaystyle\sum_{n=1}^{\infty} \frac{b_n}{n} = 2$일 때, $\displaystyle\lim_{n \to \infty} \frac{a_n + 4n}{b_n + 3n - 2}$의 값은?

① 1   ② $\dfrac{3}{4}$ ③ $\dfrac{5}{3}$

④ 2   ⑤ $\dfrac{7}{3}$

[2013년 3월 학력평가]

08

| 제한시간 1분 |

수열 $\{a_n\}$에 대하여 $\displaystyle\sum_{n=1}^{\infty} \left(na_n - \frac{n^2 - 1}{n + 2} \right) = 3$일 때,

$\displaystyle\lim_{n \to \infty} a_n$의 값을 구하시오.

등비급수의 합

09

| 제한시간 2분 |

자연수 n에 대하여 다항식 $(2x^2 - x + 1)^n$을 $x^2 - 3x + 2$

로 나눈 나머지를 $a_n x + b_n$이라 할 때 $\displaystyle\sum_{n=1}^{\infty} \frac{a_n + 7b_{n-1}}{3^n}$의

값을 구하시오.

10

| 제한시간 1.5분 |

다음 조건을 만족시키는 x값을 큰 수부터 차례대로 a_1, a_2, a_3, $\cdots$ 라 하자.

$$\left|\sin\left(\frac{\pi}{2}\log_2 x\right)\right|=1,\ x\le 1$$

이때 $\sum\limits_{n=1}^{\infty} a_n$의 값은?

① $\dfrac{1}{3}$ 　　② $\dfrac{1}{2}$ 　　③ $\dfrac{2}{3}$

④ 1 　　⑤ 2

11

| 제한시간 1.5분 |

공차가 d인 등차수열 $\{a_n\}$에 대하여 $\sum\limits_{n=1}^{\infty} 3^{a_{2n}-8n}$과 $\sum\limits_{n=1}^{\infty} 2^{3-a_n}$이 수렴하고 d는 정수이다. 가능한 d의 값을 모두 더한 값을 구하시오.

12

| 제한시간 1.5분 |

자연수 n에 대하여 $[\log_3 k]=n$을 만족시키는 자연수 k의 개수를 a_n이라 할 때. $\sum\limits_{n=1}^{\infty} \dfrac{a_n}{5^n}$의 값을 구하시오.

(단, $[x]$는 x보다 크지 않은 가장 큰 정수이다.)

13

| 제한시간 1.5분 |

등비수열 $\{a_n\}$에 대하여

$$\sum_{n=1}^{\infty} a_n=A,\ \sum_{n=1}^{\infty}(-1)^{n-1}a_n=B$$일 때, $\sum\limits_{n=1}^{\infty}(a_n)^2$

의 값을 A와 B로 나타내면?

① $A+B$ 　　② $A-B$ 　　③ AB

④ $\dfrac{A}{B}$ 　　⑤ $\dfrac{B}{A}$

14

| 제한시간 2분 |

등비수열 $\{a_n\}$에 대하여 $\sum\limits_{n=1}^{\infty} a_{2n}=7$, $\sum\limits_{n=1}^{\infty} a_{3n}=3$이 성립할 때, $\sum\limits_{n=1}^{\infty} a_{6n}$의 값을 구하시오.

15

| 제한시간 2분 |

환자에게 약을 투여하는데 약을 투여한 후 혈액 속에 남아 있는 약의 양은 3시간이 지날 때마다 3시간 전의 양의 절반이 된다고 한다. 12시간마다 약을 투여한다고 할 때, 혈액속에 남아 있는 약의 양을 400 mg 이하로 유지하려면 환자에게 매 회 최대 몇 mg의 약을 투여할 수 있는지 구하시오.

등비급수와 도형

16

| 제한시간 1.5분 |

가로 길이가 7이고 세로 길이가 5인 직사각형을 R_0라 하자. R_0에서 아래 그림과 같이 직사각형의 가로 길이의 $\frac{1}{3}$, 세로 길이의 $\frac{1}{4}$이 되는 십자가 모양의 도형을 잘라내고 남은 도형을 R_1이라 하자. R_1에서 마찬가지 방법으로 각 직사각형에서 십자가 모양의 도형을 잘라내고 남은 도형을 R_2라 하고, 이와 같이 반복하여 n번째에 만들어지는 도형을 R_n이라 하자. R_n의 각 직사각형의 넓이의 합을 S_n이라 할 때, $\sum\limits_{n=1}^{\infty} S_n$의 값을 구하시오.

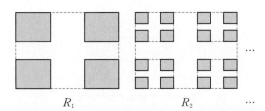

R_1 R_2

17

| 제한시간 2.5분 |

한 변의 길이가 3인 정삼각형 AB_1C_1이 있다. 그림과 같이 선분 AB_1과 선분 AC_1을 2 : 1로 내분하는 점을 각각 B_2, C_2라 하고, 선분 B_2C_2를 지름으로 하는 원의 호 B_2C_2와 선분 B_1C_1으로 둘러싸인 부분의 넓이를 S_1이라 하자. 정삼각형 AB_2C_2에서 선분 AB_2와 선분 AC_2를 2 : 1로 내분하는 점을 각각 B_3, C_3이라 하고, 선분 B_3C_3을 지름으로 하는 원의 호 B_3C_3과 선분 B_2C_2로 둘러싸인 부분의 넓이를 S_2라 하자.

이와 같은 과정을 계속하여 n번째 얻는 부분의 넓이를 S_n이라 할 때, $\sum_{n=1}^{\infty} S_n$의 값은?

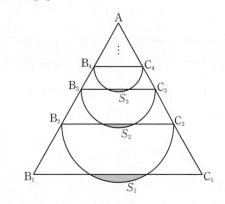

① $\dfrac{3\pi - 5\sqrt{3}}{10}$ ② $\dfrac{6\pi - 9\sqrt{3}}{20}$ ③ $\dfrac{4\pi - 5\sqrt{3}}{10}$

④ $\dfrac{8\pi - 9\sqrt{3}}{20}$ ⑤ $\dfrac{10\pi - 9\sqrt{3}}{20}$

[2013 학력평가]

18

| 제한시간 2.5분 |

그림과 같이 $\angle AOB = 60°$인 두 반직선 OA, OB가 있다. $\overline{OC_1} = 1$이고 점 C_1을 중심으로 하고 두 반직선 OA, OB에 접하는 원이 각 반직선 OA, OB와 만나는 점을 순서대로 P_1, Q_1이라 하자.

점 C_1을 지나고 반직선 OA, OB에 접하는 두 개의 원 중에서 큰 원의 중심을 C_2라 하고 이 원이 반직선 OA, OB와 만나는 점을 순서대로 P_2, Q_2라 하자. 점 C_1을 중심으로 하는 원과 점 C_2를 중심으로 하는 원이 만나는 점을 A_1, B_1이라 할 때, 사각형 $A_1C_1B_1C_2$의 넓이를 S_1이라 하자.

마찬가지로 점 C_2를 지나고 반직선 OA, OB에 접하는 두 개의 원 중에서 큰 원의 중심을 C_3이라 하고, 이 원이 반직선 OA, OB와 만나는 점을 순서대로 P_3, Q_3이라 하자. 점 C_2를 중심으로 하는 원과 점 C_3을 중심으로 하는 원이 만나는 점을 순서대로 A_2, B_2라 할 때, 사각형 $A_2C_2B_2C_3$의 넓이를 S_2라 하자. 이와 같은 과정을 계속할 때 n번째 단계의 사각형 $A_nC_nB_nC_{n+1}$의 넓이를 S_n이라 하자.

$\sum_{n=1}^{\infty} \dfrac{S_n}{5^n} = p$일 때 $64p^2$의 값을 구하시오.

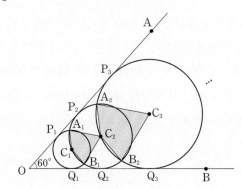

01

수열 $\{S_n\}$을 $S_n = \int_{\frac{1}{n+1}}^{\frac{1}{n}} nx\,dx$라 할 때,

$\sum\limits_{n=1}^{\infty}\left(S_n - \dfrac{1}{2n^2}\right)$의 값을 구하시오.

02

수열 $\{a_n\}$, $\{b_n\}$에서 임의의 자연수 n에 대하여 다음 식이 성립한다.

$$\left|\sum_{k=1}^{n}(a_k+2)-1\right| < \frac{1}{2^n}, \quad \left|\sum_{k=1}^{n}(b_k-1)-3\right| < \frac{1}{3^n}$$

$\lim\limits_{n\to\infty}\dfrac{a_n-2b_n}{2a_n+b_n}=p$일 때 $3p$의 값을 구하시오.

03

방정식 $x^{2n+1}=1$에서 $x=1$을 제외한 나머지 $2n$개의 허근을 $\alpha_1, \alpha_2, \cdots, \alpha_{2n}$이라 할 때,

$f_n(x)=(x-\alpha_1)(x-\alpha_2)\cdots(x-\alpha_{2n})$이라 하자.

$\sum\limits_{n=1}^{\infty}\dfrac{2f_n(3)-f_n(2)}{12^n}$의 값을 구하시오.

04

그림과 같이 평행하게 유리판 A, B가 놓여 있다. 빛을 A에 수직으로 비추었을 때 A에서는 빛의 $\dfrac{1}{6}$이 통과하고 $\dfrac{5}{6}$가 반사되며, B에서는 빛의 $\dfrac{2}{5}$가 통과하고 $\dfrac{3}{5}$이 반사된다. 유리판 A에 수직으로 a만큼의 빛을 비추었을 때, 충분한 시간이 흐른 후 B를 통과한 빛의 양이 $\dfrac{n}{m}a$에 가까워진다. 이때 서로소인 두 자연수 m, n에 대하여 $m+n$의 값을 구하시오.

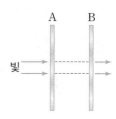

05

그림과 같이 반지름 길이가 2인 원 O_1에 내접하는 정삼각형 $A_1B_1C_1$이 있다. 점 A_1에서 선분 B_1C_1에 내린 수선의 발을 D_1이라 하고, 선분 A_1C_1을 $2:1$로 내분하는 점을 E_1이라 하자. 점 A_1을 포함하지 않는 호 B_1C_1과 선분 B_1C_1로 둘러싸인 도형의 내부와 삼각형 $A_1D_1E_1$의 내부를 색칠하여 얻은 그림을 R_1이라 하자.

그림 R_1에 삼각형 $A_1B_1D_1$에 내접하는 원 O_2와 원 O_2에 내접하는 정삼각형 $A_2B_2C_2$를 그리고, 점 A_2에서 선분 B_2C_2에 내린 수선의 발을 D_2, 선분 A_2C_2를 $2:1$로 내분하는 점을 E_2라 하자. 점 A_2를 포함하지 않는 호 B_2C_2와 선분 B_2C_2로 둘러싸인 도형의 내부와 삼각형 $A_2D_2E_2$의 내부를 색칠하여 얻은 그림을 R_2라 하자.

이와 같은 과정을 계속하여 n번째 얻은 그림 R_n에 색칠되어 있는 부분의 넓이를 S_n이라 할 때, $\lim_{n \to \infty} S_n$의 값은?

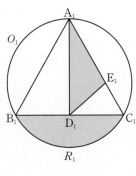

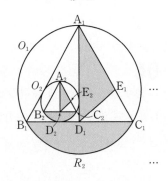

R_1

R_2

① $\dfrac{16(3\sqrt{3}-1)\pi}{69}$

② $\dfrac{16(3\sqrt{3}-1)\pi}{65}$

③ $\dfrac{32(3\sqrt{3}-2)\pi}{69}$

④ $\dfrac{32(3\sqrt{3}-2)\pi}{65}$

⑤ $\dfrac{32(3\sqrt{3}-1)\pi}{65}$

[2018학년도 9월 모의평가]

06*

직사각형 $A_1B_1C_1D_1$에서 $\overline{A_1B_1}=1$, $\overline{A_1D_1}=2$이다. 그림과 같이 선분 A_1D_1과 선분 B_1C_1의 중점을 각각 M_1, N_1이라 하자. 중심이 N_1, 반지름 길이가 $\overline{B_1N_1}$이고 중심각의 크기가 $90°$인 부채꼴 $N_1M_1B_1$을 그리고, 중심이 D_1, 반지름 길이가 $\overline{C_1D_1}$이고 중심각의 크기가 $90°$인 부채꼴 $D_1M_1C_1$을 그린다. 부채꼴 $N_1M_1B_1$의 호 M_1B_1과 선분 M_1B_1로 둘러싸인 부분과 부채꼴 $D_1M_1C_1$의 호 M_1C_1과 선분 M_1C_1로 둘러싸인 부분인 모양에 색칠하여 얻은 그림을 R_1이라 하자. 그림 R_1에 선분 M_1B_1 위의 점 A_2, 호 M_1C_1 위의 점 D_2와 변 B_1C_1 위의 두 점 B_2, C_2를 꼭짓점으로 하고 $\overline{A_2B_2} : \overline{A_2D_2}=1:2$인 직사각형 $A_2B_2C_2D_2$를 그리고, 직사각형 $A_2B_2C_2D_2$에서 그림 R_1을 얻는 것과 같은 방법으로 만들어지는 모양에 색칠하여 얻은 그림을 R_2라 하자. 이와 같은 과정을 계속하여 n번째 얻은 그림 R_n에 색칠되어 있는 부분의 넓이를 S_n이라 할 때, $\lim_{n \to \infty} S_n$의 값은?

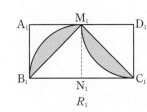

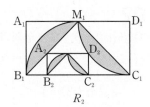

R_1

R_2

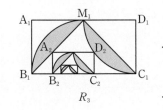

R_3

① $\dfrac{25}{19}\left(\dfrac{\pi}{2}-1\right)$

② $\dfrac{5}{4}\left(\dfrac{\pi}{2}-1\right)$

③ $\dfrac{25}{21}\left(\dfrac{\pi}{2}-1\right)$

④ $\dfrac{25}{22}\left(\dfrac{\pi}{2}-1\right)$

⑤ $\dfrac{25}{23}\left(\dfrac{\pi}{2}-1\right)$

[2014학년도 수능]

나를 이끄는 힘

"자연 현상의 다양성은 너무 대단하고,
하늘에 숨겨진 보물들이 너무 많으니
인간의 마음은 새로운 영양 공급에 결코 부족함이 없다."

요하네스 케플러(Johannes Kepler, 1571-1630)

1571년 독일에서 태어나 목사가 되기 위해 신학교를 다녔으나 별 흥미를 못 느꼈고 그래서 적응도 잘못했습니다. 대신 유클리드 기하학에 심취합니다. 튀빙겐 대학에 들어가자 기하학에 매료된 케플러는 코페르니쿠스의 가설도 배웠습니다.

케플러가 우주에 관심을 갖고 재능을 발휘하게 된 것은 신성로마제국(독일) 궁정에서 왕실 수학자의 지위를 갖고 있던 티코 브라헤(Tycho Brahe)를 만날 수 있었기 때문입니다. 그리고 여기에서 갈릴레오도 만납니다. 1601년 티코가 사망하자 케플러는 그의 후임으로 궁정 수학자가 돼 자료를 볼 수 있었습니다. 자료를 연구하는 데만 20년을 넘게 보냈습니다.

케플러는 평생 질병과 가난, 종교전쟁 속을 헤어나지 못하면서도 연구를 계속한 근대 천문학의 선구자였습니다. 저명한 천문학자인 칼 세이건은 "마음에 드는 환상보다 냉혹한 현실의 진리를 선택한 최초의 천체물리학자이자, 최후의 과학적 점성술사"라고 케플러를 평가했습니다.

3 지수함수와 로그함수의 미분

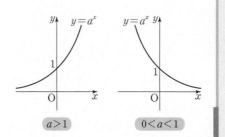

1 지수함수의 극한

$y=a^x\ (a>0,\ a\neq1)$에서

① $a>1$일 때

$$\lim_{x\to\infty}a^x=\infty,\ \lim_{x\to-\infty}a^x=0$$

② $0<a<1$일 때

$$\lim_{x\to\infty}a^x=0,\ \lim_{x\to-\infty}a^x=\infty$$

$a>1$

$0<a<1$

- $\displaystyle\lim_{x\to\infty}2^x=\infty,\ \lim_{x\to-\infty}2^x=0$

- $\displaystyle\lim_{x\to\infty}\left(\frac{1}{2}\right)^x=0,\ \lim_{x\to-\infty}\left(\frac{1}{2}\right)^x=\infty$

- $\displaystyle\lim_{x\to\infty}\frac{2^x-1}{2^x+1}=\lim_{x\to\infty}\frac{1-\dfrac{1}{2^x}}{1+\dfrac{1}{2^x}}=\frac{1-0}{1+0}=1$

2 로그함수의 극한

$y=\log_a x\ (a>0,\ a\neq1)$에서

① $a>1$일 때

$$\lim_{x\to0+}\log_a x=-\infty$$

$$\lim_{x\to\infty}\log_a x=\infty$$

② $0<a<1$일 때

$$\lim_{x\to0+}\log_a x=\infty,\ \lim_{x\to\infty}\log_a x=-\infty$$

$y=\log_a x$

$a>1$

$y=\log_a x$

$0<a<1$

예

- $\displaystyle\lim_{x\to\infty}\log_2 x=\infty,\ \lim_{x\to0+}\log_2 x=-\infty$

- $\displaystyle\lim_{x\to\infty}\log_{\frac{1}{2}}x=-\infty,\ \lim_{x\to0+}\log_{\frac{1}{2}}x=\infty$

[보기] $\displaystyle\lim_{x\to\infty}\{\log_2(x+1)-\log_2 x\}$의 값을 구하여라.

[풀이] $\displaystyle\lim_{x\to\infty}\{\log_2(x+1)-\log_2 x\}=\lim_{x\to\infty}\log_2\frac{x+1}{x}$

$$=\lim_{x\to\infty}\log_2\left(1+\frac{1}{x}\right)=\log_2 1=\mathbf{0}$$

3 무리수 e 와 자연로그

(1) 무리수 e

$$e=\lim_{x\to0}(1+x)^{\frac{1}{x}}=\lim_{x\to\infty}\left(1+\frac{1}{x}\right)^x\ (단,\ e=2.7182\cdots)$$

(2) 자연로그

무리수 e를 밑으로 하는 로그 $\log_e x$를 x의 자연로그라 하고

간단히 $\ln x$로 나타낸다.

참고

$\displaystyle\lim_{x\to-1}(x+2)^{\frac{1}{x+1}}$에서

$x+1=t$로 치환하면

$\displaystyle\lim_{x\to-1}(x+2)^{\frac{1}{x+1}}$

$=\displaystyle\lim_{t\to0}(1+t)^{\frac{1}{t}}=e$

[보기] $\displaystyle\lim_{x\to-1}(x+2)^{\frac{1}{x+1}}$의 값을 구하여라.

[풀이] $\displaystyle\lim_{x\to-1}(x+2)^{\frac{1}{x+1}}=\lim_{x\to-1}\{1+(x+1)\}^{\frac{1}{x+1}}=\boldsymbol{e}$

4 지수함수와 로그함수의 극한 공식

(1) 밑이 e인 지수함수와 로그함수의 극한

① $\displaystyle\lim_{x\to 0}\frac{\ln(1+x)}{x}=1$ ② $\displaystyle\lim_{x\to 0}\frac{e^x-1}{x}=1$

(2) 밑이 e가 아닌 지수함수와 로그함수의 극한 (단, $a>0$, $a\neq 1$)

① $\displaystyle\lim_{x\to 0}\frac{\log_a(1+x)}{x}=\frac{1}{\ln a}$ ② $\displaystyle\lim_{x\to 0}\frac{a^x-1}{x}=\ln a$

참고

- $\displaystyle\lim_{x\to\infty}\frac{\ln(1+ax)}{ax}=1$

- $\displaystyle\lim_{x\to\infty}\frac{e^{ax}-1}{ax}=1$

- $a^x-1=t$ 로 치환하면

  $x\to 0$일 때 $t\to 0$이고,

  $a^x=1+t$에서 $x=\log_a(1+t)$이므로

  $\displaystyle\lim_{x\to 0}\frac{a^x-1}{x}=\lim_{t\to 0}\frac{t}{\log_a(1+t)}$

  $\displaystyle\qquad=\lim_{t\to 0}\frac{1}{\dfrac{\log_a(1+t)}{t}}$

  $\displaystyle\qquad=\frac{1}{\dfrac{1}{\ln a}}=\ln a$

보기 다음 극한값을 구하여라.

(1) $\displaystyle\lim_{x\to 0}\frac{5x}{\log_5(1+x)}$ (2) $\displaystyle\lim_{x\to 0}\frac{6^x-2^x}{x}$ (3) $\displaystyle\lim_{x\to 0}\frac{\ln(1+6x)}{e^{3x}-1}$

풀이 (1) $\displaystyle\lim_{x\to 0}\frac{5x}{\log_5(1+x)}=\lim_{x\to 0}\frac{5}{\dfrac{\log_5(1+x)}{x}}=\frac{5}{\dfrac{1}{\ln 5}}=\mathbf{5\ln 5}$

(2) $\displaystyle\lim_{x\to 0}\frac{6^x-2^x}{x}=\lim_{x\to 0}\frac{(6^x-1)-(2^x-1)}{x}=\ln 6-\ln 2=\mathbf{\ln 3}$

(3) $\displaystyle\lim_{x\to 0}\frac{\ln(1+6x)}{e^{3x}-1}=\lim_{x\to 0}\left\{\frac{\ln(1+6x)}{6x}\times\frac{3x}{e^{3x}-1}\times\frac{6x}{3x}\right\}=\mathbf{2}$

5 지수함수와 로그함수의 미분

① $y=e^x \ \Rightarrow\ y'=e^x$

② $y=a^x\,(a>0,\ a\neq 1)\ \Rightarrow\ y'=a^x\ln a$

③ $y=\ln x \ \Rightarrow\ y'=\dfrac{1}{x}$

④ $y=\log_a x\,(a>0,\ a\neq 1)\ \Rightarrow\ y'=\dfrac{1}{x\ln a}$

참고

① $y=e^{kx}\ \Rightarrow\ y'=ke^{kx}$ ② $y=a^{kx}\ \Rightarrow\ y'=ka^{kx}\ln a$

③ $y=\ln kx\ \Rightarrow\ y'=\dfrac{1}{x}$ ④ $y=\log_a kx\ \Rightarrow\ y'=\dfrac{1}{x\ln a}$

참고

로그함수 $y=\log_a x\,(a>0,\ a\neq 1)$에서

$\log_a x=\dfrac{\ln x}{\ln a}$이므로

$y'=\left(\dfrac{\ln x}{\ln a}\right)'=\dfrac{1}{\ln a}(\ln x)'=\dfrac{1}{\ln a}\times\dfrac{1}{x}$

$\quad=\dfrac{1}{x\ln a}$

※ $(\ln|f(x)|)'=\dfrac{f'(x)}{f(x)}$

보기 다음 함수를 미분하여라.

(1) $y=x^2 e^{-2x+3}$ (2) $y=\log_2(\ln x)$ (단, $x>1$) (3) $y=x^{\ln x}$ (단, $x>0$)

풀이 (1) $y'=2xe^{-2x+3}+x^2 e^{-2x+3}(-2x+3)'=\mathbf{2x(1-x)e^{-2x+3}}$

(2) $y'=\left(\dfrac{\ln(\ln x)}{\ln 2}\right)'=\dfrac{1}{\ln 2}\times\dfrac{(\ln x)'}{\ln x}=\dfrac{1}{x\ln x\ln 2}$

(3) $y=x^{\ln x}$의 양변에 자연로그를 취하면 $\ln y=(\ln x)^2$이고,

양변을 미분하면 $\dfrac{y'}{y}=\dfrac{2}{x}\ln x$이므로

$y'=2yx^{-1}\ln x=\mathbf{2x^{\ln x-1}\ln x}$

$y'=2yx^{-1}\ln x$ 에 $y=x^{\ln x}$을 대입하면

$y'=2\times x^{\ln x}\times x^{-1}\ln x=2x^{\ln x-1}\ln x$

STEP **1** | 1등급 준비하기

지수·로그함수의 극한

01

$\lim\limits_{x\to\infty}\dfrac{2^{3x+1}+3^{2x+1}+5^{x+1}}{2^{3x-1}+3^{2x-1}+5^{x-1}}$의 값을 구하시오.

$$\lim_{x\to 0}(1+x)^{\frac{1}{x}}=e$$

02*

$\lim\limits_{x\to 0}\{(1+x)(1+3x)(1+5x)\cdots(1+19x)\}^{\frac{1}{x}}$의 값은?

① 10   ② 100   ③ 10e

④ e^{10} ⑤ e^{100}

03

$\lim\limits_{x\to -1}(x^2)^{\frac{1}{x+1}}$의 값은?

① e^{-2} ② e^{-1} ③ 1

④ e ⑤ e^2

무리수 e에 대한 극한

04

$\lim\limits_{x\to 0}\dfrac{e^{2x^2+3x}-1}{f(x)}=2$일 때, $\lim\limits_{x\to 0}\dfrac{f(x)}{x^2+x}$의 값은?

① $\dfrac{1}{2}$ ② 1   ③ $\dfrac{3}{2}$

④ 2   ⑤ 3

05

$\lim\limits_{x\to 2}\dfrac{x^2-x-2}{\ln(x-1)}$의 값을 구하시오.

06

함수 $f(x)$가 $x>-1$인 모든 실수 x에 대하여 부등식

$\ln(1+x)\le f(x)\le \dfrac{1}{2}(e^{2x}-1)$을 만족시킬 때,

$\lim\limits_{x\to 0}\dfrac{f(3x)}{x}$의 값은?

① 1   ② e ③ 3

④ 4   ⑤ $2e$

[모의평가 기출]

지수·로그함수와 미분

07

함수 $f(x)=(x^2+x)e^x$에 대하여

$\lim_{h\to 0}\dfrac{f(1+h)-f(1-h)}{h}$의 값은?

① $4e$ ② $6e$ ③ $8e$

④ $10e$ ⑤ $12e$

08

미분가능한 함수 $f(x)$에 대하여 $f'(1)=3$일 때,

$\lim_{x\to 0}\dfrac{f(2^x)-f(1)}{x}$의 값은?

① $\ln 2$ ② $\ln 4$ ③ $\ln 8$

④ $\ln 10$ ⑤ $\ln 12$

09

함수 $f(x)=(x^2+ax)\ln x$에 대하여 $f'(a)=5a$일 때, $f(a)$의 값은?

① e ② $2e$ ③ $4e$

④ e^2 ⑤ $2e^2$

10

함수 $f(x)=ae^x+b$가

$\lim_{n\to\infty} n\left\{f\left(\dfrac{3n+4}{3n+2}\right)-f\left(\dfrac{3n-2}{3n+2}\right)\right\}=6e$, $f(0)=5$를 만

족시킬 때, $a-b$의 값을 구하시오.

지수·로그함수의 연속과 미분가능성

11

다음 함수가 실수 전체에서 연속일 때, $a+b$의 값은?

$$f(x)=\begin{cases} \dfrac{e^x+3x+a}{x} & (x\neq 0) \\ b & (x=0) \end{cases}$$

① -1 ② 1 ③ 3 ④ 4 ⑤ 6

12

다음 함수 $f(x)$가 실수 전체에서 미분가능할 때, $a+b$의 값은?

$$f(x)=\begin{cases} e^x+1 & (x<a) \\ x+b & (x\geq a) \end{cases}$$

① -1 ② 0 ③ 1 ④ 2 ⑤ 3

$$\lim_{n \to 0}(1+x)^{\frac{1}{x}}=e$$

01
| 제한시간 1.5분 |

$$\lim_{n \to \infty}\left\{\left(1+\frac{1}{2n}\right)\left(1+\frac{1}{2n+1}\right)\left(1+\frac{1}{2n+2}\right)\cdots\left(1+\frac{1}{an}\right)-1\right\}^n$$

의 값이 0아닌 실수 b가 될 때, b^a의 값은?

① 2   ② e ③ 4

④ e^2 ⑤ e^3

02
| 제한시간 1.5분 |

함수 $f(x)=\left(\dfrac{x}{x-1}\right)^x\ (x>1)$에 대하여 **보기**에서 옳은 것을 모두 고른 것은?

> **보기**
>
> ㄱ. $\lim_{x \to \infty}f(x)=e$
>
> ㄴ. $\lim_{x \to \infty}f(x-1)f(x+1)=e^2$
>
> ㄷ. 자연수 n에 대하여 $\lim_{x \to \infty}f(nx)=e^n$이다.

① ㄱ   ② ㄴ   ③ ㄱ, ㄴ

④ ㄱ, ㄷ   ⑤ ㄴ, ㄷ

03
| 제한시간 1.5분 |

함수 $f(x)=e^x-1$의 역함수를 $g(x)$라 할 때,

$\lim_{x \to \infty}2x\{g(x+1)-g(x)\}$의 값을 구하시오.

무리수 e에 대한 극한

04
| 제한시간 2분 |

함수 $f(x)=\lim_{n \to \infty}n(x^{\frac{1}{n}}-1)$에 대하여

$\lim_{n \to \infty}n\left\{f\left(\dfrac{2n+3}{n-1}\right)-f\left(\dfrac{2n-1}{n-1}\right)\right\}$의 값을 구하시오.

05
| 제한시간 2분 |

$\lim_{x \to 0}\dfrac{f(x)}{\ln(1+2x+3x^2)}=2$인 함수 $f(x)$에 대하여 다음 중 $\lim_{x \to 0}\dfrac{ax+bx^2}{f(x)}=1$이 되도록 하는 a, b의 조건이 될 수 있는 것은?

① $a=2$ ② $a=4$ ③ $a=0,\ b=3$

④ $a=0,\ b=6$ ⑤ $a=0,\ b=\dfrac{1}{3}$

06

| 제한시간 2분 |

$\lim\limits_{x \to 1} \dfrac{e^{x-1}-a}{\sqrt{x^2+3x}-2}=b$인 상수 a, b에 대하여 $60ab$의 값을 구하시오. (단, $ab \neq 0$)

07

| 제한시간 2분 |

함수 $y=e^x$의 그래프가 y축과 만나는 점을 A, $y=e^x$의 그래프 위의 임의의 점을 P라 할 때, $\overline{\mathrm{AP}}$의 수직이등분선의 x절편을 $f(t)$라 하자. $\lim\limits_{t \to 0} f(t)$의 값을 구하시오.

08

| 제한시간 2분 |

함수 $y=|e^x-1|$과 직선 $y=k$가 두 점 A, B에서 만난다. $\overline{\mathrm{AB}}$의 길이를 $f(k)$라 할 때, $\lim\limits_{k \to 0+} \dfrac{f(k)}{k}$의 값을 구하시오. (단, A의 x좌표가 B의 x좌표보다 작다.)

09

| 제한시간 2분 |

함수 $f(x)$에 대하여 **보기**에서 옳은 것을 모두 고른 것은?

┤ 보기 ├

ㄱ. $f(x)=x^3$이면 $\lim\limits_{x \to 0} \dfrac{e^{f(x)}-1}{x}=0$이다.

ㄴ. $\lim\limits_{x \to 0} \dfrac{e^x-1}{f(x)}=1$이면 $\lim\limits_{x \to 0} \dfrac{2^x-1}{f(x)}=\ln 2$이다.

ㄷ. $\lim\limits_{x \to 0} f(x)=0$이면 $\lim\limits_{x \to 0} \dfrac{e^{f(x)}-1}{x}$이 존재한다.

① ㄱ   ② ㄴ   ③ ㄱ, ㄴ

④ ㄱ, ㄷ   ⑤ ㄱ, ㄴ, ㄷ

지수·로그함수의 연속과 미분가능성

10 | 제한시간 1.5분 |

함수 $f(x)=e^{x+1}+1$과 실수 m에 대하여 함수 $g(x)$를

$$g(x)=\begin{cases} f(x) & (x \geq t) \\ mx & (x < t) \end{cases}$$

라 하자. 함수 $g(x)$가 실수 전체 집합에서 미분가능할 때, $\left(\ln m - \dfrac{1}{m}\right)$의 값을 구하시오.

11 | 제한시간 1.5분 |

$(a^x-1)f(x)=b^{-x}-1$을 만족시키는 함수 $f(x)$가 모든 실수 x에 대하여 연속일 때 $f(0)$의 값은?

(단, a, b는 1이 아닌 양수이고 $a \neq b$이다.)

① $\ln a$ ② $\ln b$ ③ $\log_a b$

④ $\log_b a$ ⑤ $-\log_a b$

12 | 제한시간 2분 |

함수 $y=2^x$ 위의 두 점 $A(0, 1)$, $P(t, 2^t)$에 대하여 직선 AP의 기울기를 $f(t)$라 할 때, **보기**에서 옳은 것을 모두 고르시오.

┤ 보기 ├
ㄱ. 모든 실수 x에 대하여 $f(x) > 0$이다.
ㄴ. $x_1 < x_2$일 때 $f(x_1) < f(x_2)$이다.
ㄷ. $f(0)=\ln 2$이면 함수 $f(x)$가 실수 전체에서 연속이다.

13 | 제한시간 2분 |

함수 $f(x)=e^x[2x]+(ax+b)[e^{x-1}]$가 $x=1$에서 미분가능할 때, $f(2)=pe^2+qe$이다. 이때 $p-q$의 값을 구하시오. (단, $\sqrt{e} \fallingdotseq 1.65$이고 $[x]$는 x보다 크지 않은 가장 큰 정수이다.)

14

| 제한시간 2분 |

두 함수 $f(x)=\begin{cases} \dfrac{1}{2^x-1} & (x\neq 0) \\ 2 & (x=0) \end{cases}$ 와 이차항의 계수가 1인

이차함수 $g(x)$가 존재한다. $f(x)g(x)$가 실수 전체에서 연속일 때, $g(2)$의 값을 구하시오.

지수·로그함수의 미분

15

| 제한시간 1.5분 |

함수 $f(x)=(x-1)e^{2x+1}$에 대하여

$\lim\limits_{h\to 0}\dfrac{1}{h}\left\{\sum\limits_{k=1}^{10}f(kh)-10f(0)\right\}=ke$일 때, 정수 k값을 구하시오.

16

| 제한시간 1.5분 |

함수 $f(x)$가 모든 양수 x, y에 대하여

$f(xy)=f(x)+f(y)-a$이고, $f(1)=\ln 2$, $f'(1)=2$일 때, $f'(2)\times e^a$의 값을 구하시오.

17

| 제한시간 2분 |

두 함수 $f(x), g_n(x)$와 수열 $\{a_n\}$에 대하여 다음이 성립할 때, $\sum\limits_{n=1}^{\infty}\dfrac{n}{a_{n+1}}$의 값은?

> (가) $f(x)=e^x$
>
> (나) $g_n(x)=\dfrac{\{f(x)-1\}\{f(2x)-1\}\cdots\{f(nx)-1\}}{x^n}$
>
> (다) $a_n=\lim\limits_{x\to 0}g_n(x)$

① $\dfrac{1}{4}$　　　　② $\dfrac{1}{2}$　　　　③ 1

④ 2　　　　⑤ 4

18

| 제한시간 2분 |

$\lim\limits_{x\to 2}\dfrac{2^x\ln 2-4\ln x}{x-2}=a(\ln 2)^2-b$일 때, 두 자연수 a, b에 대하여 ab의 값을 구하시오.

19[*] | 제한시간 1.5분 |

함수 $f(x)=e^{ax+1}$에 대하여 $f'(0)=2e$,
$f(x+y)=bf(x)f(y)$가 성립할 때, $abf'(1)$의 값은?

① $-2e$ ② $2e$ ③ $-4e^2$

④ $4e^2$ ⑤ $6e^3$

21 | 제한시간 2분 |

양의 실수 전체 집합에서 미분가능한 함수 $f(x)$에 대하여 함수 $g(x)$를 $g(x)=f(x)\ln x^4$이라 하자. 곡선 $y=f(x)$ 위의 점 $(e,\ -e)$에서의 접선과 곡선 $y=g(x)$ 위의 점 $(e,\ -4e)$에서의 접선이 서로 수직일 때, $100f'(e)$의 값을 구하시오.

[2014년 6월 모의평가]

20 | 제한시간 2분 |

그림과 같이 $y=e^x$의 그래프 위에 점 $\mathrm{A}_n(n,\ e^n)$이 있다. 점 A_n에서 x축에 내린 수선의 발을 점 B_n이라 하고 점 A_n에서 그은 접선이 x축과 만나는 점을 C_n이라 할 때, 삼각형 $\mathrm{A}_n\mathrm{B}_n\mathrm{C}_n$의 넓이를 S_n이라 하자. 이때

$$\lim_{n\to\infty}\frac{S_1+S_2+S_3+\ \cdots\ +S_n}{S_n}$$의 값은?

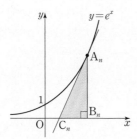

① $\dfrac{e-1}{e}$ ② 1 ③ $\dfrac{e}{e-1}$

④ $e-1$ ⑤ e

22 | 제한시간 2분 |

함수 $f_n(x)=x^3-2x^2+n$이 나타내는 그래프 위의 한 점 $(n,\ f_n(n))$에서 그은 접선이 y축과 만나는 점의 y좌표를 y_n이라 하면 $\lim\limits_{n\to\infty}\left(\dfrac{y_n+k}{y_n-k}\right)^{n^3}=e^2$이 성립한다. 이때 정수 k 값을 구하시오.

01

함수 $f(x) = \lim\limits_{t \to 1} \dfrac{e^{t+x} - e^{1+x}}{t-1}$ 에 대하여

$\sum\limits_{n=1}^{\infty} \dfrac{2}{\ln f(n) \times \ln f(n+1)}$ 의 값을 구하시오.

02

함수 $f(x) = \lim\limits_{n \to \infty} (x^n + x^{2n} + x^{3n})^{\frac{1}{n}}$ 에 대하여

$f(2) + 3f\left(\dfrac{1}{3}\right)$ 의 값을 구하시오.

03

2 이상의 자연수 t에 대하여 함수 $y = 2^x$, $x = t$, x축, y축으로 둘러싸인 영역의 내부에 x, y 좌표가 모두 정수인 점의 개수를 $f(t)$라 할 때, $\lim\limits_{t \to \infty} \left\{ \dfrac{f(t)}{2^t} \right\}^{\frac{f(t)}{t}}$ 의 값은?

(단, 영역의 경계선은 제외한다.)

① $\dfrac{1}{e+1}$ ② $\dfrac{1}{e}$ ③ $\dfrac{1}{e-1}$

④ $e-1$ ⑤ e

04*

함수 $y = \ln x$의 그래프 위의 두 점 $P(t, \ln t)$, $A(1, 0)$와 함수 위에 있지 않은 두 점 $B(0, 2)$, $C(5, -2)$에 대하여 $\triangle ABP$의 넓이를 $A(t)$, $\triangle ACP$의 넓이를 $B(t)$라 할 때, $\lim\limits_{t \to 1} \dfrac{B(t)}{A(t)}$ 의 값을 구하시오. (단, $t > 1$)

05

아래 함수에서 다음 값을 구하시오. (n은 자연수)

$$f_n(x) = 1 + \dfrac{1}{1+e^{-x}} + \dfrac{1}{(1+e^{-x})^2} + \cdots + \dfrac{1}{(1+e^{-x})^{n-1}}$$
$$g(x) = \lim\limits_{n \to \infty} f_n(x)$$

(1) $g(x) = ae^x + b$일 때, $a+b$의 값 (단, a, b는 자연수)

(2) $\lim\limits_{n \to \infty} \dfrac{\sum\limits_{k=1}^{n} \ln g'(k)}{h(n)} = 1$을 만족시키는 함수 $h(n)$에 대하여 $100 \lim\limits_{n \to \infty} \left\{ \dfrac{h(n)}{n^2} \right\}$의 값

4 삼각함수의 미분

1 삼각함수의 덧셈정리

(1) $\sin(\alpha+\beta)=\sin\alpha\cos\beta+\cos\alpha\sin\beta$

$\quad\sin(\alpha-\beta)=\sin\alpha\cos\beta-\cos\alpha\sin\beta$

(2) $\cos(\alpha+\beta)=\cos\alpha\cos\beta-\sin\alpha\sin\beta$

$\quad\cos(\alpha-\beta)=\cos\alpha\cos\beta+\sin\alpha\sin\beta$

(3) $\tan(\alpha+\beta)=\dfrac{\tan\alpha+\tan\beta}{1-\tan\alpha\tan\beta}$, $\tan(\alpha-\beta)=\dfrac{\tan\alpha-\tan\beta}{1+\tan\alpha\tan\beta}$

[보기] $\sin70°\sin140°+\sin20°\sin50°$의 값을 구하여라.

[풀이] $\sin70°\sin140°+\sin20°\sin50°=\sin70°\cos50°+\cos70°\sin50°$

$\qquad\qquad =\sin(70°+50°)=\sin120°=\dfrac{\sqrt{3}}{2}$

> $\sin140°=\sin(90°+50°)=\cos50°$
> $\sin20°=\sin(90°-70°)=\cos70°$

2 덧셈정리의 응용

(1) $\sin(\alpha+\beta)$, $\cos(\alpha+\beta)$, $\tan(\alpha+\beta)$에서 β에 α를 대입하면

$\quad$① $\sin2\alpha=2\sin\alpha\cos\alpha$

$\quad$② $\cos2\alpha=\cos^2\alpha-\sin^2\alpha=2\cos^2\alpha-1=1-2\sin^2\alpha$

$\quad$③ $\tan2\alpha=\dfrac{2\tan\alpha}{1-\tan^2\alpha}$

(2) 위의 ②에서 α에 $\dfrac{\alpha}{2}$를 대입하면

$\quad\sin^2\dfrac{\alpha}{2}=\dfrac{1-\cos\alpha}{2}$, $\cos^2\dfrac{\alpha}{2}=\dfrac{1+\cos\alpha}{2}$, $\tan^2\dfrac{\alpha}{2}=\dfrac{1-\cos\alpha}{1+\cos\alpha}$

(3) $a\sin\theta+b\cos\theta=\sqrt{a^2+b^2}\sin(\theta+\alpha)$

$\qquad\qquad\left(\text{단}, \sin\alpha=\dfrac{b}{\sqrt{a^2+b^2}}, \cos\alpha=\dfrac{a}{\sqrt{a^2+b^2}}\right)$

[참고]
- $\operatorname{cosec}\theta=\dfrac{1}{\sin\theta}$
- $\sec\theta=\dfrac{1}{\cos\theta}$
- $\cot\theta=\dfrac{1}{\tan\theta}$

[참고]
β 대신 2α를 대입해 3배각의 공식을 얻을 수 있다.
즉
$\sin3\alpha=3\sin\alpha-4\sin^3\alpha$
$\cos3\alpha=4\cos^3\alpha-3\cos\alpha$

[참고]
삼각함수의 합성

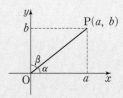

$a\sin\theta+b\cos\theta$

$=\sqrt{a^2+b^2}\left(\dfrac{a}{\sqrt{a^2+b^2}}\sin\theta+\dfrac{b}{\sqrt{a^2+b^2}}\cos\theta\right)$

$=\sqrt{a^2+b^2}(\cos\alpha\sin\theta+\sin\alpha\cos\theta)$

$=\sqrt{a^2+b^2}\sin(\theta+\alpha)$

※ $a\sin\theta+b\cos\theta=\sqrt{a^2+b^2}\cos(\theta-\beta)$

$\qquad\left(\text{단}, \sin\beta=\dfrac{a}{\sqrt{a^2+b^2}}, \cos\beta=\dfrac{b}{\sqrt{a^2+b^2}}\right)$

처럼 코사인으로 합성할 수도 있다.

[보기] $\sin\theta-\cos\theta=\dfrac{1}{3}$일 때, $\sin2\theta$의 값을 구하여라.

[풀이] $(\sin\theta-\cos\theta)^2=\dfrac{1}{9}$에서 $1-2\sin\theta\cos\theta=\dfrac{1}{9}$

$\qquad$ 즉 $2\sin\theta\cos\theta=\sin2\theta=\dfrac{8}{9}$

[보기] $\tan\theta=\sqrt{15}$일 때, $\sin\dfrac{\theta}{2}$의 값을 구하여라. $\left(\text{단}, 0\le\theta<\dfrac{\pi}{2}\right)$

[풀이] $\sin^2\dfrac{\theta}{2}=\dfrac{1-\cos\theta}{2}$이고, $\tan\theta=\sqrt{15}$에서 $\cos\theta=\dfrac{1}{4}$

$\qquad$ 즉 $\sin^2\dfrac{\theta}{2}=\dfrac{3}{8}$이므로 $\sin\dfrac{\theta}{2}=\dfrac{\sqrt{6}}{4}$

3 두 직선이 이루는 각의 크기

두 직선 $y=mx+n$, $y=m'x+n'$이

이루는 예각의 크기를 θ라 하면

$m=\tan\alpha$, $m'=\tan\beta$이므로

$\tan\theta=|\tan(\alpha-\beta)|=\left|\dfrac{m-m'}{1+mm'}\right|$

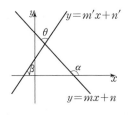

보기 두 직선 $y-mx+2=0$, $x+3y-1=0$이 이루는 예각의 크기가 45°일 때, 가능한 모든 상수 m값의 합을 구하여라.

풀이 $\tan45°=\left|\dfrac{m-\left(-\dfrac{1}{3}\right)}{1+m\times\left(-\dfrac{1}{3}\right)}\right|=1$의 양변을 제곱해 정리하면

$2m^2+3m-2=0$이므로 모든 상수 m값의 합은 $-\dfrac{3}{2}$

4 삼각함수의 극한

$\displaystyle\lim_{x\to0}\dfrac{\sin x}{x}=1$, $\displaystyle\lim_{x\to0}\dfrac{\tan x}{x}=1$ (단, x의 단위는 라디안이다.)

※ 다음 사실도 이용할 수 있다.

$\displaystyle\lim_{x\to0}\dfrac{\sin bx}{ax}=\dfrac{b}{a}$, $\displaystyle\lim_{x\to0}\dfrac{\sin bx}{\sin ax}=\dfrac{b}{a}$, $\displaystyle\lim_{x\to0}\dfrac{\tan bx}{ax}=\dfrac{b}{a}$

$\displaystyle\lim_{x\to0}\dfrac{\tan bx}{\tan ax}=\dfrac{b}{a}$, $\displaystyle\lim_{x\to0}\dfrac{\sin x}{\tan x}=1$, $\displaystyle\lim_{x\to0}\dfrac{\sin bx}{\tan ax}=\dfrac{b}{a}$

참고

① $\displaystyle\lim_{x\to a}\sin x=\sin a$

② $\displaystyle\lim_{x\to a}\cos x=\cos a$

③ $a\neq n\pi+\dfrac{\pi}{2}$ (n은 정수)일 때

  $\displaystyle\lim_{x\to a}\tan x=\tan a$

※ $\displaystyle\lim_{x\to\infty}\sin x$, $\displaystyle\lim_{x\to\infty}\cos x$,

  $\displaystyle\lim_{x\to\infty}\tan x$, $\displaystyle\lim_{x\to\frac{\pi}{2}}\tan x$의 값은

  존재하지 않는다.

보기 $\displaystyle\lim_{x\to0}\dfrac{\sin4x+2x}{\tan3x}$의 값을 구하여라.

풀이 $\displaystyle\lim_{x\to0}\dfrac{\sin4x+2x}{\tan3x}=\lim_{x\to0}\dfrac{\dfrac{\sin4x+2x}{x}}{\dfrac{\tan3x}{x}}=\lim_{x\to0}\dfrac{\dfrac{\sin4x}{x}+2}{\dfrac{\tan3x}{x}}$

$=\dfrac{4+2}{3}=2$

참고

$\displaystyle\lim_{x\to0}\dfrac{\cos x}{x}$의 값은 존재하지 않는다.

5 삼각함수의 도함수

① $(\sin x)'=\cos x$ ② $(\cos x)'=-\sin x$

③ $(\tan x)'=\sec^2 x$ ④ $(\csc x)'=-\csc x\cot x$

⑤ $(\sec x)'=\sec x\tan x$ ⑥ $(\cot x)'=-\csc^2 x$

참고

$f(x)=\tan x$라 할 때

$f'(x)=\displaystyle\lim_{h\to0}\dfrac{\tan(x+h)-\tan x}{h}$

$=\displaystyle\lim_{h\to0}\dfrac{\tan h(1+\tan^2 x)}{h(1-\tan x\tan h)}$

$=\displaystyle\lim_{h\to0}\dfrac{\tan h}{h}\times\lim_{h\to0}\dfrac{\sec^2 x}{1-\tan x\tan h}$

$=\sec^2 x$

STEP 1 | 1등급 준비하기

※ 문항 번호 오른쪽 *표시는 풀이에 문제 풀이 스킬을 익힐 수 있는 '다른 풀이' 또는 '1등급 Note'가 있음을 나타냅니다.

4. 삼각함수의 미분

삼각함수의 덧셈정리

01

그림과 같이 각의 크기가 α, β인 두 동경이 중심이 원점이고, 반지름 길이가 1인 원과 제1사분면에서 만나는 점을 각각 A, B라 하자.

다음은 $\cos(\alpha-\beta)=\cos\alpha\cos\beta+\sin\alpha\sin\beta$임을 밝히는 과정이다. □ 안에 들어갈 알맞은 내용이 아닌 것은?

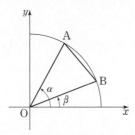

A의 좌표는 (① , $\sin\alpha$), B의 좌표는 ($\cos\beta$, ②)
이고 $\angle AOB = $ ③ 이다.
이때 $\triangle AOB$에서 코사인법칙에 따라
$\overline{AB}^2 = \overline{OA}^2 + \overline{OB}^2 - $ ④ $\times \overline{OA} \times \overline{OB} \times $ ⑤
(① $-\cos\beta)^2 + (\sin\alpha - $ ② $)^2$
$= 1 + 1 - $ ④ $\times 1 \times 1 \times $ ⑤
따라서 $\cos(\alpha-\beta)=\cos\alpha\cos\beta+\sin\alpha\sin\beta$

---

① $\cos\alpha$　　　② $\sin\beta$　　　③ $\alpha-\beta$

④ $\dfrac{1}{2}$　　　⑤ $\cos(\alpha-\beta)$

02

$(\sin 142.5° + \cos 142.5°)(\sin 7.5° + \cos 7.5°)$의 값이 $a+b\sqrt{2}$일 때 $a+b$의 값을 구하시오.

03

x에 대한 이차방정식 $x^2 - 2x + \cos\theta = 0$의 두 근이 $\tan\alpha$, $\tan\beta$이고, $\tan(\alpha+\beta)=3$일 때, $\sin\theta$의 값은?

$\left(단, \dfrac{3}{2}\pi < \theta < 2\pi\right)$

① $-\dfrac{3\sqrt{2}}{4}$　　　② $-\dfrac{2\sqrt{2}}{3}$　　　③ -1

④ $\dfrac{3\sqrt{2}}{4}$　　　⑤ 3

덧셈정리의 응용

04

원점 O를 지나고 기울기가 $\tan\theta$인 직선 l이 있다. 두 점 A(0, 2), B($2\sqrt{3}$, 0)에서 직선 l에 내린 수선의 발을 각각 A′, B′이라 하자. 원점 O로부터 점 A′까지의 거리와 점 B′까지의 거리의 합 $\overline{OA'} + \overline{OB'}$이 최대가 되는 θ의 크기는? $\left(단, 0 < \theta < \dfrac{\pi}{2}이다.\right)$

① $\dfrac{\pi}{12}$　② $\dfrac{\pi}{6}$　③ $\dfrac{\pi}{4}$　④ $\dfrac{\pi}{3}$　⑤ $\dfrac{\pi}{2}$

두 직선이 이루는 각의 크기

05

좌표평면에서 두 직선 $x-y-3=0$, $ax-y+2=0$이 이루는 예각의 크기를 θ라 하자. $\tan\theta = \dfrac{1}{6}$일 때, 상수 a에 대하여 $35a$의 값을 구하시오. (단, $a > 1$)

삼각함수의 극한

06

수열 $\{a_n\}$에 대하여 일반항 a_n을

$$a_n=\lim_{x \to 0}\frac{\tan(4n+5)x-\sin(4n-5)x}{\sin 5nx}$$ 라 할 때,

$$\sum_{n=1}^{\infty}\frac{a_n}{n+1}$$의 값을 구하시오.

07

$$\lim_{x \to 0}\frac{\sin 2x}{\sqrt{ax+b}-1}=2$$일 때, 두 상수 $a+b$의 값을 구하시오.

08

$$\lim_{\theta \to 0}\frac{\sec 3\theta-1}{\sec\theta-1}$$의 값을 구하시오.

09*

$\overline{AB}=\overline{AC}=3$인 삼각형 ABC에 대하여 $\angle A=\theta$ 라 할 때, 삼각형 ABC의 외접원의 지름 길이를 $f(\theta)$라 하자. $\lim_{\theta \to 0}f(\theta)$의 값을 구하시오.

삼각함수의 미분

10

함수 $f(x)=x\sin x$에 대하여 $$\lim_{h \to 0}\frac{f(\pi+h)-f(\pi)}{f\left(\frac{\pi}{2}+h\right)-f\left(\frac{\pi}{2}\right)}$$의 값은?

① $-\pi$ ② $-\dfrac{\pi}{2}$ ③ 0

④ $\dfrac{\pi}{2}$ ⑤ π

11

함수 $f(x)$가

$$f(x)=\begin{cases} \dfrac{x^2\sin 2x}{1-\cos x} & (x \neq 0) \\ 0 & (x=0) \end{cases}$$

일 때 $f'(0)$의 값을 구하시오. (단, $-\pi<x<\pi$)

[수능 기출]

삼각함수의 덧셈정리

01
| 제한시간 1.5분 |

$0 \leq x \leq \dfrac{\pi}{2}$에서 정의된 $f(x)=\sin x$와 $g(x)=\cos x$의

역함수 f^{-1}, g^{-1}에 대하여

$f\left\{f^{-1}\left(\dfrac{3}{5}\right)+g^{-1}\left(\dfrac{12}{13}\right)\right\}=\dfrac{p}{q}$ 일 때, $q-p$의 값을 구하시오.

(단, p, q는 서로소인 자연수)

02
| 제한시간 1.5분 |

함수 $f(x)=\dfrac{x-1}{x+1}$의 그래프 위의 한 점 A의 좌표가

$A(\tan\theta, \tan 4\theta)$일 때, $\tan\theta$의 값을 구하시오.

$\left(\text{단, } 0 \leq \theta < \dfrac{\pi}{2}\right)$

03
| 제한시간 2분 |

연립방정식 $\begin{cases} \sin x - \sin y = 1 \\ \cos x + \cos y = \sqrt{3} \end{cases}$의 해를 (α, β)라 할 때,

$\beta - \alpha$의 값은? (단, $0 \leq x < 2\pi$, $0 \leq y < 2\pi$)

① $\dfrac{\pi}{6}$ ② $\dfrac{\pi}{3}$ ③ $\dfrac{2}{3}\pi$

④ π ⑤ $\dfrac{5}{3}\pi$

도형에서 삼각함수의 덧셈정리

04*
| 제한시간 2분 |

반지름 길이가 1인 원에 내접하는 $\triangle ABC$에 대하여

$\angle BAC = \theta$라 하자. 원 위에 $\angle CAD=45°$, $\angle CAE=45°$

가 되도록 그림과 같이 두 점 D, E를 잡았을 때, 다음 중

$\overline{BD} \times \overline{BE}$를 나타낸 것은? (단, $45° < \theta < 135°$)

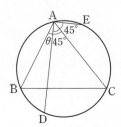

① $-2\cos 2\theta$ ② $2\tan\theta$

③ $2\sin 2\theta$ ④ $2\sin\left(\theta+\dfrac{\pi}{4}\right)$

⑤ $-2\cos\left(\theta+\dfrac{\pi}{4}\right)$

05

| 제한시간 2분 |

다음 등식을 만족시키는 △ABC는 어떤 삼각형인가?

$$\sin(A+B)\sin(A-B)=\sin^2 C$$

① $A=90°$인 직각삼각형

② $B=90°$인 직각삼각형

③ $C=90°$인 직각삼각형

④ $a=b$인 이등변삼각형

⑤ 정삼각형

06

| 제한시간 2분 |

그림과 같이 원 $x^2+y^2=1$ 위의 점 P_1에서의 접선이 x축과 만나는 점을 Q_1이라 할 때, 삼각형 P_1OQ_1의 넓이는 $\dfrac{1}{4}$이다. 점 P_1을 원점 O를 중심으로 $\dfrac{\pi}{3}$만큼 회전시킨 점을 P_2라 하고, 점 P_2에서의 접선이 x축과 만나는 점을 Q_2라 하자. 삼각형 P_2OQ_2의 넓이가 $a+b\sqrt{3}$일 때, 두 유리수 a, b에 대하여 $a+2b$의 값을 구하시오. (단, 점 P_1은 제1사분면 위의 점이다.)

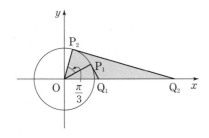

07

| 제한시간 2분 |

그림에서 $\overline{AC}=1$, $\angle B=90°$인 직각삼각형 ABC에 대하여 두 직선 l, m이 각각 두 점 A, C를 지난다. 점 B에서 두 직선 l, m에 내린 수선의 발을 각각 D, E라 하자. $\angle CAB=\alpha$, $\angle BAD=\beta$라 할 때, **보기**에서 옳은 것을 모두 고른 것은? $\left(\text{단, } 0<\alpha<\dfrac{\pi}{2},\ 0<\beta<\dfrac{\pi}{2}\right)$

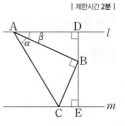

┤ 보기 ├

ㄱ. $\alpha=30°$, $\beta=45°$이면 $\overline{AD}=\dfrac{\sqrt{2}}{4}$

ㄴ. $\overline{DE}=\sin\alpha\cos\beta+\cos\alpha\sin\beta$

ㄷ. 사다리꼴 ACED의 넓이의 최댓값은 $\dfrac{1}{2}$이다.

① ㄱ   ② ㄴ   ③ ㄱ, ㄴ

④ ㄴ, ㄷ   ⑤ ㄱ, ㄴ, ㄷ

덧셈정리의 응용

08
| 제한시간 1.5분 |

함수 $f(x)=\sqrt{2}\cos 2x+2\sqrt{2}\sin x\cos x$의 그래프가 직선 $y=\sqrt{2}$와 만나는 점은 모두 몇 개인지 구하시오.

$$(단, 0\le x<\pi)$$

09
| 제한시간 2분 |

좌표평면에서 직선 $y=mx$ $(0<m<\sqrt{3})$가 x축과 이루는 예각의 크기를 θ_1, 직선 $y=mx$가 직선 $y=\sqrt{3}x$와 이루는 예각의 크기를 θ_2라 하자. $3\sin\theta_1+4\sin\theta_2$의 값이 최대가 되도록 하는 m의 값은?

① $\dfrac{\sqrt{3}}{6}$ ② $\dfrac{\sqrt{3}}{7}$ ③ $\dfrac{\sqrt{3}}{8}$

④ $\dfrac{\sqrt{3}}{9}$ ⑤ $\dfrac{\sqrt{3}}{10}$

[수능 기출]

10
| 제한시간 2분 |

모든 실수 x에서 정의된 함수
$f(x)=2\sin 2x+4\sin x-4\cos x+1$의 최댓값과 최솟값의 합은?

① $4-4\sqrt{2}$ ② $4-3\sqrt{2}$ ③ $4-2\sqrt{2}$

④ $5-2\sqrt{2}$ ⑤ $5-\sqrt{2}$

[사관학교 기출]

11
| 제한시간 2.5분 |

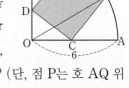

그림과 같이 반지름 길이가 6인 사분원 OAB에서 $\overline{OA}$의 중점을 C, $\overline{OB}$를 $1:2$로 내분하는 점을 D라 하자. 두 점 P, Q가 $\overarc{PQ}=\pi$가 되도록 호 AB 위를 움직일 때, 사각형 CPQD 넓이의 최댓값은? (단, 점 P는 호 AQ 위에 있다.)

① $6+3\sqrt{7}$ ② $6+4\sqrt{7}$ ③ $6+5\sqrt{7}$

④ $6+5\sqrt{3}$ ⑤ $6+6\sqrt{3}$

삼각함수의 극한

12
| 제한시간 1.5분 |

$\lim_{x \to 0} \left\{ \dfrac{x^3}{\sin x} (1 + \cos x + \cos^2 x + \cos^3 x + \cdots) \right\}$의 값은?

① $\dfrac{1}{2}$ ② $\dfrac{2}{3}$ ③ 1

④ $\dfrac{3}{2}$ ⑤ 2

13
| 제한시간 1.5분 |

$\lim_{x \to \frac{\pi}{4}} \dfrac{\ln\left(1 + \frac{\pi}{2} - 2x\right)}{\sin x - \cos x}$의 값은?

① $\sqrt{2}$ ② 1 ③ -1
④ $-\sqrt{2}$ ⑤ $-2\sqrt{2}$

14*
| 제한시간 1.5분 |

두 양수 a, b에 대하여 $\lim_{x \to \infty} x^2 \left(a - \cos \dfrac{2}{x} \right) = b$일 때, $a + b$의 값을 구하시오.

15
| 제한시간 1.5분 |

두 실수 a, b에 대하여 $\lim_{x \to \frac{\pi}{2}} (ax + b)\tan 3x = 4$일 때, $\dfrac{a}{b}\pi$의 값을 구하시오.

16

| 제한시간 **2분** |

자연수 n에 대하여 $\lim_{x \to 0} \dfrac{\tan^n x - \sin^n x}{x^8} = \alpha$가 성립할 때, $n + \alpha$의 값을 구하시오. (단, $\alpha \neq 0$인 실수)

18

| 제한시간 **2.5분** |

반지름 길이가 1인 원에 외접하는 정n각형의 넓이를 S_n, 내접하는 정n각형의 넓이를 T_n이라 할 때,

$\lim_{n \to \infty} \left(n^2 \ln \dfrac{S_n}{T_n} \right)$의 값은?

① π ② $\dfrac{\pi}{2}$ ③ π^2

④ $2\pi^2$ ⑤ 4π

도형에서 삼각함수의 극한

17

| 제한시간 **2분** |

그림과 같이 중심이 O이고, 반지름 길이가 1인 원이 있다. 중심 O에서 이 원에 내접하는 반지름 길이가 $\dfrac{1}{n}$이고, 중심이 O_1인 원에 그은 두 접선이 이루는 예각의 크기를 θ_n이라 하자. 이때 $\lim_{n \to \infty} \left(\dfrac{36n^2 + 6n + 1}{3n - 4} \times \theta_n \right)$의 값을 구하시오. (단, $n > 3$)

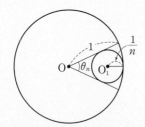

19[*]

| 제한시간 **2.5분** |

그림과 같이 $\overline{AB} = 1$, $\overline{AC} = 3$, $\overline{BD} = 4$이고, $\angle ABC$의 크기 θ가 변함에 따라 점 C는 선분 BD 위를 움직인다. 삼각형 ACD의 넓이를 S라 할 때, $\lim_{\theta \to 0} \dfrac{S}{\theta^3}$의 값은?

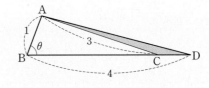

① $\dfrac{1}{3}$ ② $\dfrac{1}{2}$ ③ $\dfrac{2}{3}$ ④ 1 ⑤ $\dfrac{3}{2}$

삼각함수의 미분

20

| 제한시간 1분 |

함수 $f(x)$를

$$f(x) = \begin{cases} a\sin x - x\cos x & \left(x \le \dfrac{\pi}{2}\right) \\ be^{x-\frac{\pi}{2}} & \left(x > \dfrac{\pi}{2}\right) \end{cases}$$

라 하자. 함수 $f(x)$가 $x = \dfrac{\pi}{2}$에서 미분가능할 때, 두 실수 a, b에 대하여 $a+b$의 값은?

① 0 ② $\dfrac{\pi}{2}$ ③ π

④ $-\pi$ ⑤ 1

21

| 제한시간 1.5분 |

함수 $f(x) = e^x \sin x$에 대하여

$\displaystyle\lim_{x \to 0} \dfrac{f(\sin 3x) - f(\tan 2x)}{x}$ 의 값을 구하시오.

22

| 제한시간 1.5분 |

$f(x) = \displaystyle\lim_{t \to x} \dfrac{t\sin x - x\sin t}{t - x}$ 일 때, $f'\left(\dfrac{\pi}{2}\right) = \dfrac{n}{m}\pi$이다.

서로소인 두 자연수 m, n에서 $m+n$의 값을 구하시오.

23

| 제한시간 2분 |

함수 $f(x) = e^x \cos x \, (x > 0)$에 대하여 방정식 $f'(x) = 0$의 근을 작은 것부터 크기순으로 a_1, a_2, $\cdots$, a_n, $\cdots$이라 할 때, **보기**에서 옳은 것을 모두 고른 것은? (단, n은 자연수이다.)

┤ 보기 ├

ㄱ. $a_2 = \dfrac{5}{4}\pi$

ㄴ. 수열 $\{f(a_n)\}$은 등차수열이다.

ㄷ. $\displaystyle\sum_{n=1}^{\infty} \dfrac{f(a_1)}{f(a_n)} = \dfrac{e^\pi}{e^\pi + 1}$이다.

① ㄱ ② ㄱ, ㄴ ③ ㄱ, ㄷ

④ ㄴ, ㄷ ⑤ ㄱ, ㄴ, ㄷ

01

$\displaystyle\lim_{x \to 0} \frac{e^{1+\tan 3x} - e^{1+\sin 7x}}{\tan x - \sin 3x}$ 의 값은?

① 0   ② 1   ③ 2

④ e ⑤ $2e$

02

x에 대한 방정식 $2\cos 2x - 4\cos x + 2 = a$에 대하여 **보기**에서 옳은 것을 모두 고른 것은?

(단, a는 실수이고, $0 \le x < 2\pi$이다.)

┤ 보기 ├
ㄱ. $a > 8$ 또는 $a < -1$이면 실근을 갖지 않는다.
ㄴ. $-1 < a < 0$이면 서로 다른 두 실근을 갖는다.
ㄷ. $a = 0$이면 서로 다른 세 실근을 갖는다.

① ㄱ   ② ㄱ, ㄴ   ③ ㄱ, ㄷ

④ ㄴ, ㄷ   ⑤ ㄱ, ㄴ, ㄷ

03*

삼각형 ABC에서 $\overline{AB} = 1$이고 $\angle A = \theta$, $\angle B = 2\theta$이다. 변 AB 위의 점 D를 $\angle ACD = 2\angle BCD$가 되도록 잡는다. $\displaystyle\lim_{\theta \to 0+} \frac{\overline{CD}}{\theta} = a$일 때, $27a^2$의 값을 구하시오.

$\left(\text{단}, 0 < \theta < \dfrac{\pi}{4}\right)$

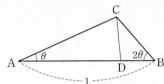

[2013학년도 수능]

04

실수 x, y에 대하여 $17x^2 - 2xy + y^2 = 16$이 성립할 때, $x^2 + xy + 2y^2$의 최댓값과 최솟값의 합을 구하시오.

05*

x에 대한 방정식 $\sin x + \cos x - a \sin x \cos x = 0$이 $0 \le x \le \dfrac{\pi}{2}$에서 실근을 갖도록 하는 양수 a의 최솟값이 m일 때, m^2의 값을 구하시오.

06

두 함수 $f(x)$, $g(x)$가

$$f(x) = a \sin 2x + b \cos 2x + \frac{1}{2}$$

$$g(x) = \lim_{n \to \infty} \frac{|x|^n}{|x|^n + 1}$$

일 때, 합성함수 $(g \circ f)(x)$가 실수 전체 집합에서 연속이 되도록 하는 실수 a, b에 대하여 $a^2 + b^2 < \dfrac{q}{p}$이다. p, q가 서로소인 자연수일 때 $p + q$의 값을 구하시오.

07*

$y = \tan x$ 그래프 위의 점 $\mathrm{A}(\alpha, \tan \alpha)$에서 접하는 접선과 $y = \cos x$의 그래프 위의 점 $\mathrm{B}(\beta, \cos \beta)$에서 접하는 접선이 서로 만나지 않을 때, 가능한 α, β의 값에 대하여 $\dfrac{2\beta}{\alpha}$의 값을 구하시오. (단, $0 < \alpha < 2\pi$, $0 < \beta < 2\pi$)

08*

창의력

그림과 같이 바닥의 한 지점 H에서 5 m 높이에 길이 $5\sqrt{2}$ m인 간판이 45°만큼 기울어져 설치되어 있다. 바닥 위의 한 지점 A에서 이 간판에 조명을 비출 때, 조명과 간판의 양끝이 이루는 각의 크기를 θ라 하자. θ가 최대일 때, 조명이 놓인 지점 A와 H 사이의 거리가 a m이다. a값을 구하시오.

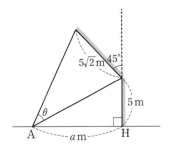

09

다음 조건을 만족시키는 두 함수 $f_n(x)$, $g_n(x)$에 대하여 **보기**에서 옳은 것을 모두 고른 것은?

> (가) $f_1(x) = \sin \dfrac{1}{2} x$이고, $n \geq 2$인 자연수 n에 대하여 $f_n(x) = f(f_{n-1}(x))$이다.
>
> (나) $g_1(x) = \tan 3x$이고, $n \geq 2$인 자연수 n에 대하여 $g_n(x) = g(g_{n-1}(x))$이다.

┤ 보기 ├

ㄱ. $\displaystyle\lim_{x \to 0} \dfrac{f_n(x)}{x} = \dfrac{1}{2^n}$

ㄴ. $\displaystyle\lim_{x \to 0} \dfrac{g_n(x)}{x} = 3^n$

ㄷ. $\displaystyle\sum_{n=1}^{\infty} \left(\lim_{x \to 0} \dfrac{f_n(x)}{g_n(x)} \right) = \dfrac{6}{5}$

① ㄱ   ② ㄱ, ㄴ   ③ ㄱ, ㄷ

④ ㄴ, ㄷ   ⑤ ㄱ, ㄴ, ㄷ

10

그림과 같이 길이가 2인 선분 AB를 지름으로 하는 반원 위에 두 점 P, Q를 $\angle ABP = \angle BAQ = \theta \left(0 < \theta < \dfrac{\pi}{4} \right)$가 되도록 잡는다. $\overline{AQ}$, $\overline{BP}$와 호 PQ에 내접하는 원의 반지름 길이를 $r(\theta)$, $\overline{AQ}$, $\overline{BP}$, $\overline{AB}$에 내접하는 원의 반지름 길이를 $x(\theta)$라 할 때,

$$\lim_{\theta \to \frac{\pi}{4}-} \dfrac{r(\theta)}{\dfrac{\pi}{4} - \theta} \times \lim_{\theta \to 0+} \dfrac{x(\theta)}{\theta} = p\sqrt{2} + q \ \text{이다.}$$

$p-q$의 값을 구하시오. (단, p와 q는 유리수이다.)

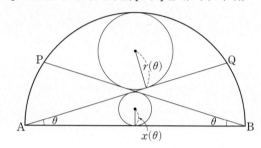

" 아는 것이 없으면 모르는 것도 없습니다."

알베르트 아인슈타인(Albert Einstein, 1879-1955)

말년의 아인슈타인이 연구를 게을리 하지 않는 것을 보고 제자가 물었습니다.
"선생님은 이미 그렇게 해박한 지식을 가지고 계신데 어째서 배움을 멈추지 않습니까?"
이 물음에 아인슈타인은 다음과 같이 대답했습니다.
"이미 알고 있는 지식이 차지하는 부분을 원이라고 하면 원 밖은 모르는 부분이 됩니다. 원이 커지면
원의 둘레도 커서 제가 접촉한 미지의 부분이 여러분보다 더 많습니다. 모르는 게 많다고 할 수 있지
요. 이런데 어찌 게으름을 피울 수 있겠습니까?"

5 여러 가지 미분법

1 몫의 미분법

(1) 미분가능한 두 함수 $f(x)$, $g(x)$ (단, $g(x) \neq 0$)에 대하여

$$\left\{ \frac{f(x)}{g(x)} \right\}' = \frac{f'(x)g(x) - f(x)g'(x)}{\{g(x)\}^2}$$

(2) n이 정수일 때, $y = x^n$의 도함수는 $y' = nx^{n-1}$

보기 함수 $f(x) = \dfrac{x^3 + 2x - 3}{x^2}$에 대하여 도함수 $f'(x)$를 구하여라.

풀이 $f'(x) = \dfrac{(3x^2 + 2) \times x^2 - (x^3 + 2x - 3) \times 2x}{x^4} = \dfrac{x^3 - 2x + 6}{x^3}$

다른 풀이 $f(x) = x + 2x^{-1} - 3x^{-2}$에서

$f'(x) = 1 - 2x^{-2} + 6x^{-3} = \dfrac{x^3 - 2x + 6}{x^3}$

참고

① $\left\{ \dfrac{1}{f(x)} \right\}' = -\dfrac{f'(x)}{\{f(x)\}^2}$ (단, $f(x) \neq 0$)

② 삼각함수의 미분에서

- $y = \tan x$

  $\Rightarrow y' = \left\{ \dfrac{\sin x}{\cos x} \right\}' = \sec^2 x$

- $y = \cot x$

  $\Rightarrow y' = \left\{ \dfrac{\cos x}{\sin x} \right\}' = -\csc^2 x$

- $y = \sec x$

  $\Rightarrow y' = \left\{ \dfrac{1}{\cos x} \right\}' = \sec x \tan x$

- $y = \csc x$

  $\Rightarrow y' = \left\{ \dfrac{1}{\sin x} \right\}' = -\csc x \cot x$

2 합성함수의 미분법

두 함수 $y = f(u)$, $u = g(x)$가 미분가능할 때,

합성함수 $y = f(g(x))$의 도함수는 $\dfrac{dy}{dx} = \dfrac{dy}{du} \times \dfrac{du}{dx} = f'(g(x))g'(x)$

보기 함수 $f(x) = \left(\dfrac{2x}{x^2+1} \right)^3$의 도함수 $f'(x)$를 구하여라.

풀이 $f'(x) = 3\left(\dfrac{2x}{x^2+1} \right)^2 \left(\dfrac{2x}{x^2+1} \right)' = \dfrac{-24x^2(x^2-1)}{(x^2+1)^4}$

3 매개변수로 나타낸 함수의 미분법

$x = f(t)$, $y = g(t)$가 t에 대하여 미분가능하고, $f(t) \neq 0$일 때

$$\frac{dy}{dx} = \frac{\dfrac{dy}{dt}}{\dfrac{dx}{dt}} = \frac{g'(t)}{f'(t)}$$

보기 매개변수로 나타낸 다음 함수 $x = 2t + 5$, $y = 4t^2 + 2$에서 $\dfrac{dy}{dx}$를 구하여라.

풀이 $\dfrac{dx}{dt} = 2$, $\dfrac{dy}{dt} = 8t$이므로 $\dfrac{dy}{dx} = \dfrac{8t}{2} = 4t$

참고

$x = 2t + 5 \Rightarrow dx = 2dt$

$y = 4t^2 + 2 \Rightarrow dy = 8tdt$

$\therefore \dfrac{dy}{dx} = \dfrac{8tdt}{2dt} = 4t$

4 음함수의 미분법

x에 대한 함수 y가 음함수 $f(x, y)=0$ 꼴로 주어질 때, 각 항을 x에 대해

미분하여 $\dfrac{dy}{dx}$ 를 구한다.

[보기] $x-xy+y^3=0$에서 $\dfrac{dy}{dx}$ 를 구하여라.

[풀이] 양변을 x에 대하여 미분하면 $1-\left(y+x\dfrac{dy}{dx}\right)+3y^2\dfrac{dy}{dx}=0$,

$(3y^2-x)\dfrac{dy}{dx}=y-1$에서 $\dfrac{dy}{dx}=\dfrac{\boldsymbol{y-1}}{\boldsymbol{3y^2-x}}$ (단, $x\neq 3y^2$)

※ $x-xy+y^3=0$을 x, y에 대하여 미분하면 $dx-ydx-xdy+3y^2dy=0$

$(1-y)dx=(x-3y^2)dy$에서 $\dfrac{dy}{dx}=\dfrac{y-1}{3y^2-x}$

※ $(xy)'=ydx+xdy$

[참고]

로그를 취해 미분하기

[예] $y=x^x$ $(x>0)$일 때 y' 구하기

$y=x^x$의 양변에 자연로그를 취하면

$\ln y=x\ln x$

양변을 x에 대하여 미분하면

$\dfrac{y'}{y}=\ln x+x\times\dfrac{1}{x}$

$\therefore y'=y(\ln x+1)=x^x(\ln x+1)$

[예] $y^2=\dfrac{x^2(x+1)^3}{(x+2)^5}$일 때 y' 구하기

양변에 절댓값을 취하면

$|y|^2=\dfrac{|x|^2|x+1|^3}{|x+2|^5}$

양변에 자연로그를 취하면

$2\ln|y|=2\ln|x|+3\ln|x+1|-5\ln|x+2|$

양변을 x에 대하여 미분하면

$\dfrac{2y'}{y}=\dfrac{2}{x}+\dfrac{3}{x+1}-\dfrac{5}{x+2}$

$\therefore y'=\dfrac{y}{2}\left(\dfrac{2}{x}+\dfrac{3}{x+1}-\dfrac{5}{x+2}\right)$

$=\dfrac{x^2(x+1)^3}{2(x+2)^5}\left(\dfrac{2}{x}+\dfrac{3}{x+1}-\dfrac{5}{x+2}\right)$

5 역함수의 미분법

함수 $y=f(x)$가 미분가능하고 역함수 $y=g(x)$가 미분가능할 때

$f(g(x))=x$의 양변을 미분하면 $f'(g(x))g'(x)=1$이므로

$\boldsymbol{g'(x)=\dfrac{1}{f'(g(x))}}$ (단, $f'(g(x))\neq 0$)

[참고]

n이 실수일 때, $y=x^n$이면 $y'=nx^{n-1}$

[보기] 함수 $f(x)=x^2+2x+2$ $(x>-1)$의 역함수를 $g(x)$라 할 때, $g'(5)$의 값을 구하여라.

[풀이] $g'(x)=\dfrac{1}{f'(g(x))}$에서 $g'(5)=\dfrac{1}{f'(g(5))}$이므로

$g(5)=k$라 하면 $f(k)=5$에서 $(k+3)(k-1)=0$ $\therefore k=1$ $(\because k>-1)$

즉 $g(5)=1$이고, $f'(x)=2x+2$이므로 $f'(1)=4$

$\therefore g'(5)=\dfrac{1}{f'(g(5))}=\dfrac{1}{4}$

6 이계도함수

함수 $f(x)$의 도함수 $f'(x)$가 미분가능할 때, $f'(x)$의 도함수를 함수

$f(x)$의 **이계도함수**라 하고, 기호로는 다음과 같이 나타낸다.

$\boldsymbol{y'', f''(x), \dfrac{d^2y}{dx^2}, \dfrac{d^2}{dx^2}f(x)}$

[보기] 함수 $f(x)=ae^{2x}+be^{-2x}$에 대하여 $f''(0)-4f(0)$의 값을 구하여라.

(단, a, b는 상수)

[풀이] $f'(x)=2ae^{2x}-2be^{-2x}$, $f''(x)=4ae^{2x}+4be^{-2x}$에서

$f(0)=a+b$, $f''(0)=4a+4b$이므로 $f''(0)-4f(0)=\boldsymbol{0}$

STEP **1** | 1등급 준비하기

※ 문항 번호 오른쪽 *표시는 풀이에 문제 풀이 스킬을 익힐 수 있는 '다른 풀이' 또는 '1등급 Note'가 있음을 나타냅니다.

5. 여러 가지 미분법

몫의 미분법

01

함수 $f(x)=\dfrac{ax^2+1}{x^2+1}$ 에 대하여 $f'(1)=\dfrac{1}{2}$일 때, $f'(2)$의 값은? (단, a는 상수이다.)

① $\dfrac{2}{5}$ ② $\dfrac{4}{5}$ ③ $\dfrac{4}{25}$

④ $\dfrac{6}{25}$ ⑤ $\dfrac{8}{25}$

합성함수의 미분법

02

함수 $f(x)=\log_2|\ln x|$ (단, $x\neq1$)에 대하여 $f'(2)$의 값은?

① $-\dfrac{1}{\ln 2}$ ② $\dfrac{1}{\ln 2}$ ③ $\dfrac{1}{(\ln 2)^2}$

④ $-\dfrac{1}{2(\ln 2)^2}$ ⑤ $\dfrac{1}{2(\ln 2)^2}$

03

함수 $f(x)=\ln\sqrt{\dfrac{2+\sin x}{2-\sin x}}$ 에 대하여 $f'\left(\dfrac{\pi}{6}\right)$의 값은?

① $\dfrac{\sqrt{3}}{3}$ ② $\dfrac{\sqrt{3}}{5}$ ③ $\dfrac{2\sqrt{3}}{5}$

④ $\dfrac{\sqrt{3}}{15}$ ⑤ $\dfrac{4\sqrt{3}}{15}$

매개변수로 나타내어진 함수의 미분법

04*

매개변수 $t(t>0)$으로 나타내어진 함수

$$x=t^2+1,\ y=\dfrac{2}{3}t^3+10t-1$$

에서 $t=1$일 때, $\dfrac{dy}{dx}$의 값을 구하시오.

[2016학년도 6월 모의평가]

음함수의 미분법

05

좌표평면 위에서 곡선 $y^3=\ln(5-x^2)+xy+4$ 위의 점 $(2, 2)$에서의 접선의 기울기는?

① $-\dfrac{3}{5}$ ② $-\dfrac{1}{2}$ ③ $-\dfrac{1}{5}$

④ $-\dfrac{3}{10}$ ⑤ $-\dfrac{1}{5}$

[수능 기출]

역함수의 미분법

06

미분가능한 함수 $f(x)$의 역함수를 $g(x)$라 하자.

$f(2)=-1$, $f'(2)=\dfrac{1}{3}$일 때, $\displaystyle\lim_{x \to -1}\dfrac{g(x)-2}{x+1}$의 값을 구

하시오.

07

함수 $f(x)=x^3-2x^2+3x-3$의 역함수 $g(x)$에 대하여

$\displaystyle\lim_{n \to \infty} n\left\{g\left(3+\dfrac{1}{n}\right)-g\left(3-\dfrac{1}{n}\right)\right\}$의 값은?

① $\dfrac{1}{7}$ ② $\dfrac{2}{7}$ ③ $\dfrac{1}{9}$

④ $\dfrac{2}{9}$ ⑤ $\dfrac{1}{18}$

로그를 취해 미분하기

08

함수 $f(x)=x^{\sin x}\,(x>0)$에 대하여 $f\left(\dfrac{\pi}{2}\right)\times f'\left(\dfrac{\pi}{2}\right)$의

값은?

① 1 ② 2 ③ $\dfrac{\pi}{2}$ ④ $\dfrac{\pi^2}{2}$ ⑤ π

09

함수 $f(x)=\dfrac{(x-3)\sqrt{x+2}}{(x^2+1)^4}$에 대하여 $f'(0)$의 값은?

① $\dfrac{\sqrt{2}}{4}$ ② $\dfrac{\sqrt{2}}{3}$ ③ $\dfrac{\sqrt{2}}{2}$

④ $\dfrac{2\sqrt{2}}{3}$ ⑤ $\dfrac{3\sqrt{2}}{4}$

이계도함수

10[*]

함수 $f(x)=e^{3x}\sin 2x$에 대하여 $\dfrac{f'\left(\dfrac{\pi}{4}\right)}{f''\left(\dfrac{\pi}{4}\right)}$의 값은?

① $\dfrac{1}{2}$ ② $\dfrac{2}{3}$ ③ $\dfrac{3}{4}$

④ $\dfrac{3}{5}$ ⑤ $\dfrac{1}{6}$

지수·로그함수의 연속과 미분가능성

01
| 제한시간 1.5분 |

함수 $f(x)=\dfrac{x+b}{x^2+a}$에 대하여 부등식 $f'(x)>0$을 만족시키는 x의 값의 범위가 $-2<x<6$일 때, $a+b$의 값을 구하시오. (단, $a>0$이고 b는 상수이다.)

02
| 제한시간 2분 |

$f(x)=\displaystyle\lim_{t\to\infty}\dfrac{1+2t\,|4x^2-8x|}{(x+2)\sqrt{4t^2-3x}}$에 대하여 $f'(1)$의 값은?

① $\dfrac{2}{9}$　　　② $\dfrac{4}{9}$　　　③ $-\dfrac{2}{9}$

④ $-\dfrac{4}{9}$　　　⑤ -2

03*
| 제한시간 2분 |

$f(x)=(e^x+a)(e^{2x}+a)(e^{3x}+a)\cdots(e^{10x}+a)$에 대하여 $\dfrac{f'(0)}{f(0)}=11$일 때, 상수 a의 값을 구하시오.

합성함수의 미분법

04
| 제한시간 2분 |

함수 $f(x)=\left(\dfrac{x+1}{x^2+1}\right)^3$과 실수 전체의 집합에서 미분가능한 함수 $g(x)$에 대하여 $g'(1)=-4$일 때,

$\displaystyle\lim_{x\to1}\dfrac{g(f(x))-g(1)}{x-1}$ 의 값을 구하시오.

05
| 제한시간 1.5분 |

미분가능한 두 함수 $f(x)$, $g(x)$에 대하여
$h(x)=(f\circ f\circ g)(x)$이고, 다음 조건을 만족시킬 때, $h'(1)$의 값은?

> (가) $f'\left(\dfrac{1}{2}\right)=3$
>
> (나) $\displaystyle\lim_{x\to2}\dfrac{2f(x)-1}{x-2}=2$
>
> (다) $g(x)=2x^3$

① 9　　　② 18　　　③ 27

④ 36　　　⑤ 45

매개변수로 나타내어진 함수의 미분법

06
| 제한시간 1.5분 |

매개변수 t로 나타내어진 함수

$$x=\frac{2t}{1+t^2},\ y=\frac{1-t^2}{1+t^2}$$

에 대하여 $f(t)=\dfrac{dy}{dx}$일 때, $\displaystyle\sum_{t=2}^{\infty}\frac{f(t)}{t}$의 값은?

① $\dfrac{1}{2}$ ② 1 ③ $\dfrac{3}{2}$

④ 2 ⑤ $\dfrac{5}{2}$

07
| 제한시간 2분 |

매개변수 t로 나타낸 함수

$$x=\frac{e^t+e^{-t}}{2},\ y=\frac{e^t-e^{-t}}{2}$$

에 대하여 **보기**에서 옳은 것을 모두 고르시오.

┤ 보기 ├

ㄱ. $\dfrac{dx}{dt}=y$ ㄴ. $\dfrac{dy}{dx}=\dfrac{e^t-e^{-t}}{e^t+e^{-t}}$

ㄷ. $F(t)=\dfrac{dy}{dx}$라 할 때, $|F(t)|>1$이다.

음함수의 미분법

08
| 제한시간 2분 |

곡선 $(x^2+1)y^3+x^2+4x+4=0$에 대하여 접선의 기울기가 음수가 되는 모든 정수 x는 모두 몇 개인지 구하시오. (단, $y\neq0$)

09
| 제한시간 2분 |

자연수 n에 대하여 곡선 $x^2+nye^x+y^2=n+1$ 위의 점 $(0,\,1)$에서의 접선의 기울기를 $f(n)$이라 하자.

$\displaystyle\sum_{n=1}^{10}\ln|f(n)|=-\ln P$라 할 때, 상수 P의 값을 구하시오.

10

| 제한시간 2분 |

그림과 같이 한 점 P에서 직선 l에 내린 수선의 발을 H, 직선 l 위에서 움직이는 두 점을 A, B라 하면 $\overline{PH}=2$, $\overline{AH}=x$, $\overline{BH}=y$, $\overline{PA}+\overline{PB}=10$이다. $x=2\sqrt{3}$일 때, $\dfrac{dy}{dx}$의 값은?

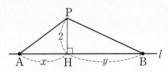

① $-\dfrac{\sqrt{3}}{2}$ ② $-\dfrac{3\sqrt{3}}{4}$ ③ $-\dfrac{\sqrt{6}}{4}$

④ $-\dfrac{3\sqrt{3}}{8}$ ⑤ $-\dfrac{3\sqrt{6}}{8}$

역함수의 미분법

11

| 제한시간 1.5분 |

함수 $f(x)=2x-\sin x$의 역함수를 $g(x)$라 할 때, $\displaystyle\lim_{x\to 2\pi}\dfrac{f(x)-f(2\pi)}{g(x)-g(2\pi)}$의 값을 구하시오.

12

| 제한시간 1.5분 |

실수 전체의 집합에서 증가하고 미분가능한 함수 $f(x)$가 있다. 곡선 $y=f(x)$ 위의 점 $(2, 1)$에서의 접선의 기울기는 1이다. 함수 $f(2x)$의 역함수를 $g(x)$라 할 때, 곡선 $y=g(x)$ 위의 점 $(1, a)$에서의 접선의 기울기는 b이다. $10(a+b)$의 값을 구하시오.

[2013학년도 6월 모의평가]

13

| 제한시간 2분 |

미분가능한 함수 $f(x)$와 그 역함수 $g(x)$에 대하여 -1이 아닌 모든 실수 x에서 $f\left(xg(x)-\dfrac{x^2-x}{x+1}\right)=x$가 성립할 때, $f'\left(\dfrac{2}{3}\right)$의 값을 구하시오.

14 *

| 제한시간 2분 |

함수 $f(x) = \ln(x + \sqrt{x^2+1})$의 역함수를 $g(x)$라 할 때,

$\lim\limits_{x \to \ln 2} \dfrac{g(x) - a}{x - \ln 2} = b$가 성립한다. $a + b$의 값을 구하시오.

로그를 취해 미분하기

15

| 제한시간 2분 |

$x > 0$에서 정의된 함수 $f(x) = (1+x)^{\frac{2}{x}}$에 대하여 **보기**에서 옳은 것을 모두 고른 것은?

| 보기 |
ㄱ. $f(1) > f(2)$ ㄴ. $\lim\limits_{x \to 0+} f(x) = e$

ㄷ. $f'(2) = 1 - \dfrac{\ln 3}{2}$

① ㄱ   ② ㄱ, ㄴ   ③ ㄱ, ㄷ

④ ㄴ, ㄷ   ⑤ ㄱ, ㄴ, ㄷ

이계도함수

16

| 제한시간 2분 |

모든 실수 x에서 정의된 함수 $f(x)$에 대하여

$$2f(x) - f(2-x) = e^x$$

이 항상 성립할 때, $f''(x)$의 최솟값은?

① $-\dfrac{\sqrt{2}}{3} e$ ② $-\dfrac{2\sqrt{2}}{3} e$ ③ $\dfrac{\sqrt{2}}{3} e$

④ $\dfrac{2\sqrt{2}}{3} e$ ⑤ $\sqrt{2} e$

17

| 제한시간 4분 |

함수 $f_1(x) = \sin x + \cos x$에 대하여

$f_{n+1}(x) = f_n'(x) + f_n''(x)$ $(n = 1, 2, 3, \cdots)$라 할 때,

$\sum\limits_{n=1}^{40} f_n\left(\dfrac{\pi}{2}\right)$의 값은?

① $\dfrac{2^{18}-1}{3}$ ② $\dfrac{2^{20}-1}{3}$ ③ $\dfrac{2^{18}-1}{5}$

④ $\dfrac{1-2^{18}}{5}$ ⑤ $\dfrac{1-2^{20}}{5}$

01

양의 실수 t에 대하여 좌표평면에서 x, y에 대한 연립부등식

$$\begin{cases} x^2+(y-1)^2 \leq 1 \\ y \leq tx \end{cases}$$

가 나타내는 영역의 넓이를 $f(t)$라 하자. 다음은 $f'(2)$의 값을 구하는 과정이다.

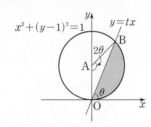

원 $C: x^2+(y-1)^2=1$의 중심을 A, 원 C와
직선 $l: y=tx$가 만나는 두 점을 각각 O, B라 하자.
직선 l이 x축의 양의 방향과 이루는 각의 크기를
$\theta\left(0<\theta<\dfrac{\pi}{2}\right)$라 하면 $\angle OAB=2\theta$이다. 주어진 연립부등식이 나타내는 영역의 넓이를 $g(\theta)$라 하면

$$g(\theta)=\theta- \boxed{(가)}$$

이다. $t=\tan\theta$이므로 $g(\theta)=f(t)=f(\tan\theta)$이고, 합성함수의 미분법에 의하여

$$g'(\theta)=f'(t)\times \boxed{(나)} \text{이다.}$$

$t=2$일 때, $\tan\theta=2$이므로 $f'(2)= \boxed{(다)}$ 이다.

위의 (가), (나)에 알맞은 식을 각각 $h_1(\theta)$, $h_2(\theta)$라 하고, (다)에 알맞은 수를 a라 할 때, $a\times h_1\left(\dfrac{\pi}{4}\right)\times h_2\left(\dfrac{\pi}{4}\right)$의 값은?

① $\dfrac{8}{25}$ ② $\dfrac{2}{5}$ ③ $\dfrac{12}{25}$

④ $\dfrac{14}{25}$ ⑤ $\dfrac{16}{25}$

[2015학년도 6월 모의평가]

02

좌표평면에서 중심이 $(2,0)$이고 반지름 길이가 1인 원 C가 원 $x^2+y^2=1$과 접하고 있다. 그림처럼 원 C가 원 $x^2+y^2=1$에 접하면서 시계반대방향으로 회전한다. 원점과 두 원의 접점이 이루는 각 θ가 $\dfrac{\pi}{4}$일 때, 원 C 위의 점 $P(x, y)$에 대하여 $\dfrac{dy}{dx}$의 값은?

(단, $\theta=0$일 때 점 P의 위치는 $(1, 0)$이다.)

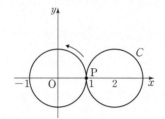

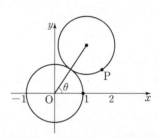

① 1 ② -1 ③ $\sqrt{2}+1$

④ $\sqrt{2}-1$ ⑤ $2\sqrt{2}$

03*

$f_n(x) = \sum\limits_{k=1}^{n} \dfrac{k}{x^k}$에 대하여 **보기**에서 옳은 것을 모두 고른 것은? (단, n은 자연수이다.)

> **│ 보기 │**
> ㄱ. $f_2(1) = 3$
> ㄴ. $60 < |f_n{}'(-1)| < 80$인 모든 n의 합은 23이다.
> ㄷ. $\sum\limits_{n=1}^{10} \dfrac{f_n{}'(1)}{f_n(1)} = -40$

① ㄱ   ② ㄱ, ㄴ   ③ ㄱ, ㄷ

④ ㄴ, ㄷ   ⑤ ㄱ, ㄴ, ㄷ

04

실수 전체의 집합에서 미분가능하고 역함수가 존재하는 함수 $f(x)$에 대하여 다음이 성립한다. 함수 $f(2x^3+3)$의 역함수를 $g(x)$라 할 때, $g(2)+g'(2)$의 값을 구하시오.

> (가) $f(1) = 2$
> (나) $\lim\limits_{x \to 1} \dfrac{f(x^3)-f(x)}{x-1} = \dfrac{1}{6}$

05

삼차함수 $f(x) = 2x^3 + ax^2 - ax$에 대하여 다음 조건을 만족시키는 상수 a의 최댓값을 M, 최솟값을 m이라 할 때, $M-m$의 값을 구하시오.

(단, f^{-1}은 f의 역함수이고, $a \neq -6$이다.)

> (가) $-1 \leq \lim\limits_{x \to 1} \dfrac{f^{-1}(g(x))-f^{-1}(g(1))}{x-1} \leq -\dfrac{1}{3}$
> (나) $g(x) = \dfrac{x+3}{x^2+1}$

06*

$0 < t < 41$인 실수 t에 대하여 곡선 $y = x^3 + 2x^2 - 15x + 5$ 와 직선 $y = t$가 만나는 세 점 중에서 x좌표가 가장 큰 점의 좌표를 $(f(t), t)$, x좌표가 가장 작은 점의 좌표를 $(g(t), t)$라 하자. $h(t) = t\{f(t) - g(t)\}$라 할 때, $h'(5)$의 값은?

① $\dfrac{79}{12}$　　　　② $\dfrac{85}{12}$　　　　③ $\dfrac{91}{12}$

④ $\dfrac{97}{12}$　　　　⑤ $\dfrac{103}{12}$

[2016학년도 수능]

07

두 함수 $f(x)$, $g(x)$에 대하여 다음이 성립할 때, $f'\left(\dfrac{\pi}{6}\right) + g'\left(\dfrac{\pi}{3}\right)$의 값은?

> (가) $f(x) + f''(x) + g''(x) = \sin x$
>
> (나) $g(x) - f''(x) - g''(x) = \cos x$

① $1 - \sqrt{3}$　　　　② $-\sqrt{3}$　　　　③ $\sqrt{3} - 1$

④ $\sqrt{3}$　　　　⑤ $2\sqrt{3} - 1$

08

최고차항의 계수가 1인 사차함수 $f(x)$와 함수
$g(x)=|2\sin(x+2|x|)+1|$에 대하여
$h(x)=f(g(x))$는 실수 전체의 집합에서 이계도함수
$h''(x)$를 갖고, $h''(x)$는 실수 전체의 집합에서 연속이
다. $f'(3)$의 값을 구하시오.

[2017학년도 9월 모의평가]

09

좌표평면에서 x, y에 대한 연립부등식
$$\begin{cases} x \geq 0 \\ y \geq |e^x-2| \end{cases}$$
가 나타내는 영역을 D라 하자. 양의 실수 t에 대하여 영역
D의 서로 다른 네 점을 꼭짓점으로 하는 정사각형 A가
다음 조건을 만족시킨다.

> ㈎ 정사각형 A의 한 변의 길이는 t이다.
> ㈏ 정사각형 A의 한 변은 x축과 평행하다.

정사각형 A에서 두 대각선 교점의 y좌표의 최솟값을 $f(t)$
라 할 때, $f'(\ln 2)+f'(\ln 5)=\dfrac{q}{p}$이다. $p+q$의 값을 구하
시오. (단, p, q는 서로소인 자연수이다.)

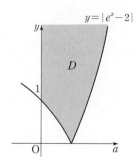

[2016학년도 4월 학력평가]

06 도함수의 활용

1 접선의 방정식

미분가능한 함수 $y=f(x)$의 그래프 위의
점 $(a, f(a))$에서의 접선의 방정식은

$$y=f'(a)(x-a)+f(a)$$

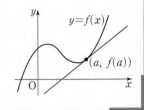

참고

곡선 $y=f(x)$의 접선을 구할 때
• 접점의 좌표가 주어지면 기울기를 먼저 구한다.
• 기울기가 주어지면 접점의 좌표를 구한다.
• 곡선 밖의 한 점이 주어지면 임의의 접점
  $(t, f(t))$에서의 접선의 방정식을 구해 주어진
  점을 대입하여 t값을 구한다.

보기 점 $(-1, 0)$에서 곡선 $y=\sqrt{x}$ 에 그은 접선의 방정식을 구하여라.

풀이 $f(x)=\sqrt{x}$라 하면 $f'(x)=\dfrac{1}{2\sqrt{x}}$

접점의 좌표를 $(t, \sqrt{t})$라 하면 접선의 방정식은 $y=\dfrac{1}{2\sqrt{t}}x+\dfrac{\sqrt{t}}{2}$

점 $(-1, 0)$을 지나므로

$0=-\dfrac{1}{2\sqrt{t}}+\dfrac{\sqrt{t}}{2}$에서 $t=1$ $\therefore y=\dfrac{1}{2}x+\dfrac{1}{2}$

2 함수의 극대와 극소

함수 $f(x)$가 실수 a를 포함하는 어떤 열린구
간에 속하는 모든 x에서
$f(x)\leq f(a)$이면 함수 $f(x)$는 $x=a$에서 **극대**
라 하고, $f(a)$를 **극댓값**이라 한다.
또 함수 $f(x)$가 실수 a를 포함하는 어떤 열린
구간에 속하는 모든 x에서
$f(x)\geq f(a)$이면 함수 $f(x)$는 $x=a$에서 **극소**
라 하고, $f(a)$를 **극솟값**이라 한다.
※ 불연속인 경우에도 극대, 극소가 존재할 수 있다.

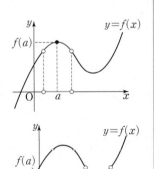

복습

롤의 정리

함수 $y=f(x)$가 닫힌구간 $[a, b]$에서 연속이고, 열
린구간 (a, b)에서 미분가능할 때, $f(a)=f(b)$이
면 $f'(c)=0$인 c가 구간 (a, b)에 존재한다.

평균값의 정리

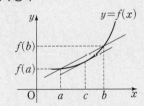

함수 $y=f(x)$가 닫힌구간 $[a, b]$에서 연속이고,
열린구간 (a, b)에서 미분가능할 때,

$$\frac{f(b)-f(a)}{b-a}=f'(c)$$인 c가 구간 (a, b)에 존재

한다.

보기 $0<x<2\pi$에서 함수 $f(x)=\sin x-x\cos x$의 극댓값을 구하여라.

풀이 $f'(x)=x\sin x=0$에서 $x=\pi$일 때 극값을 가진다. ($\because 0<x<2\pi$)

x	(0)	$\cdots$	π	$\cdots$	(2π)
$f'(x)$		$+$	0	$-$	
$f(x)$	(0)	$\nearrow$	π	$\searrow$	(-2π)

증감표가 위와 같으므로 함수 $f(x)$의 극댓값은 π

참고

이계도함수를 갖는 함수 $f(x)$에 대하여 $f'(a)=0$
일 때
① $f''(a)<0$이면 $f(x)$는 $x=a$에서 극대이고,
   극댓값은 $f(a)$
② $f''(a)>0$이면 $f(x)$는 $x=a$에서 극소이고,
   극솟값은 $f(a)$

3 곡선의 오목 볼록과 변곡점

(1) 곡선 $y=f(x)$가 어떤 구간에서

① $f''(x)>0$이면 곡선 $y=f(x)$는 이 구간에서 **아래로 볼록**하다.

② $f''(x)<0$이면 곡선 $y=f(x)$는 이 구간에서 **위로 볼록**하다.

(2) 함수 $f(x)$에서 $f''(a)=0$이고 $x=a$의 좌우에서 $f''(x)$의 부호가 바뀌면 점 $(a, f(a))$는 곡선 $y=f(x)$의 **변곡점**이다.

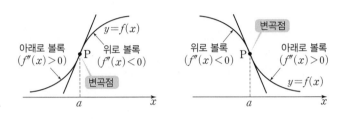

참고

아래로 볼록

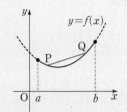

두 점 P, Q 사이에 있는 곡선이 $\overline{PQ}$ 보다 아래쪽에 있다.

위로 볼록

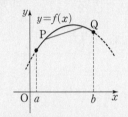

두 점 P, Q 사이에 있는 곡선이 $\overline{PQ}$ 보다 위쪽에 있다.

보기 곡선 $y=x-\sin 2x$ (단, $0<x<\pi$)의 오목과 볼록을 조사하고, 변곡점의 좌표를 구하여라.

풀이 $f(x)=x-\sin 2x$로 놓으면 $f'(x)=1-2\cos 2x$, $f''(x)=4\sin 2x$

$f''(x)=0$, 즉 $\sin 2x=0$에서 $2x=\pi$이므로 $x=\dfrac{\pi}{2}$ $(\because 0<2x<2\pi)$

따라서 곡선 $y=x-\sin 2x$는

$0<x<\dfrac{\pi}{2}$일 때 아래로 볼록

$\dfrac{\pi}{2}<x<\pi$일 때 위로 볼록

x	(0)	$\cdots$	$\dfrac{\pi}{2}$	$\cdots$	(π)
$f''(x)$		$+$	0	$-$	
$f(x)$	(0)	$\cup$	$\dfrac{\pi}{2}$	$\cap$	(π)

또 $x=\dfrac{\pi}{2}$의 좌우에서 $f''(x)$의

부호가 바뀌므로 **변곡점의 좌표**는 $\left(\dfrac{\pi}{2}, \dfrac{\pi}{2}\right)$

4 평면 위를 움직이는 점의 속도와 가속도

좌표평면 위의 점 $P(x, y)$의 시각 t에서 위치가 $x=f(t)$, $y=g(t)$일 때

① 점 P의 속도 $v \Rightarrow v=(f'(t), \ g'(t))$

② 점 P의 가속도 $a \Rightarrow a=(f''(t), \ g''(t))$

③ 점 P의 속력 $\Rightarrow |v|=\sqrt{\{f'(t)\}^2+\{g'(t)\}^2}$

점 P의 가속도 a의 크기 $\Rightarrow |a|=\sqrt{\{f''(t)\}^2+\{g''(t)\}^2}$

참고

위치를 미분하면 속도, 속도를 미분하면 가속도가 된다.

보기 평면 위를 움직이는 점 P의 시각 t에서 좌표 (x, y)가 $x=\sin t$, $y=\cos t$이다. 시각 t에서 점 P의 속력과 가속도의 크기를 각각 구하여라.

풀이 점 P의 시각 t에서 속도 v와 가속도 a는

$v=(\cos t, -\sin t)$, $a=(-\sin t, -\cos t)$이므로

속력은 $|v|=\sqrt{(\cos t)^2+(-\sin t)^2}=\mathbf{1}$,

가속도의 크기는 $|a|=\sqrt{(-\sin t)^2+(-\cos t)^2}=\mathbf{1}$

STEP 1 | 1등급 준비하기

접선의 방정식

01

함수 $f(x)$가 $f(\cos x) = \sin 2x + \tan x \left(0 < x < \dfrac{\pi}{2} \right)$를 만족시킬 때, $\left(\dfrac{1}{2}, f\left(\dfrac{1}{2} \right) \right)$에서 접선의 방정식은?

① $y = -2\sqrt{3}x + \dfrac{\sqrt{3}}{2}$ ② $y = -2\sqrt{3}x + \dfrac{5\sqrt{3}}{2}$

③ $y = 2\sqrt{3}x + \dfrac{\sqrt{3}}{2}$ ④ $y = 2\sqrt{3}x + \dfrac{3\sqrt{3}}{2}$

⑤ $y = \sqrt{3}x + \dfrac{5\sqrt{3}}{2}$

02

양의 실수 전체의 집합에서 미분가능한 함수 $f(x)$에 대하여 함수 $g(x)$를 $g(x) = f(x) \ln x^4$이라 하자.
곡선 $y = f(x)$ 위의 점 $(e, -e)$에서의 접선과 곡선 $y = g(x)$ 위의 점 $(e, -4e)$에서의 접선이 서로 수직일 때, $100f'(e)$의 값을 구하시오.

[2014년 6월 모의평가]

03

곡선 $x^2 - xy + y^2 = 12$에 접하는 직선 중에서 기울기가 1인 두 접선 사이의 거리는?

① $\sqrt{2}$ ② $2\sqrt{2}$ ③ $3\sqrt{2}$

④ $4\sqrt{2}$ ⑤ $5\sqrt{2}$

04

곡선 $y = 3e^{x-1}$ 위의 점 A에서의 접선이 원점 O를 지날 때, 선분 OA의 길이는?

① $\sqrt{6}$ ② $\sqrt{7}$ ③ $2\sqrt{2}$ ④ 3   ⑤ $\sqrt{10}$

[2016학년도 수능]

평균값 정리

05

모든 실수 x에서 미분가능한 함수 $f(x)$가 $\displaystyle\lim_{x \to \infty} f'(x) = 12$를 만족시킬 때, $\displaystyle\lim_{x \to \infty} \left\{ f(e^x + 3) - f\left(e^x + \dfrac{3}{x} \right) \right\}$의 값은?

① 0   ② 12   ③ 36   ④ 48   ⑤ 72

함수의 증가와 감소

06

$f(x)=(ax+2)e^{3x^2}$이 서로 다른 임의의 두 수 x_1, x_2에 대하여 $\dfrac{f(x_2)-f(x_1)}{x_2-x_1}>0$이 항상 성립하도록 하는 실수 a의 조건은?

① $a\geq\sqrt{5}$　　　② $a\geq\sqrt{6}$　　　③ $a\geq\sqrt{7}$

④ $a\geq\sqrt{8}$　　　⑤ $a\geq3$

07

두 함수 $f(x)$와 $g(x)$는 미분가능한 증가함수이고, 함수 $h(x)$는 미분가능한 감소함수일 때, **보기**에서 옳은 것을 모두 고른 것은?

┤ 보기 ├
ㄱ. $y=f(x)g(x)$는 증가함수이다.
ㄴ. $y=(f\circ g)(x)$는 증가함수이다.
ㄷ. $y=\{h(x)\}^3$는 감소함수이다.

① ㄱ　　　　② ㄴ　　　　③ ㄴ, ㄷ

④ ㄱ, ㄷ　　　⑤ ㄱ, ㄴ, ㄷ

함수의 극대, 극소와 변곡점

08

함수 $y=f(x)$의 그래프가 그림과 같을 때, 이 그래프 위의 점 A~H 중에서 두 조건 $f'(x)>0$, $f''(x)>0$을 동시에 만족시키는 점을 모두 고르시오.

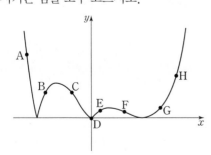

09

구간 $[0, \pi]$에서 정의된 함수 $f(x)=a\cos x+bx$가 $x=\dfrac{5}{6}\pi$에서 극솟값을 가지고, 변곡점이 $\left(c, \dfrac{\pi}{4}\right)$일 때, $f(abc)$의 값은?

① $\dfrac{\pi}{8}+\dfrac{\sqrt{2}}{2}$　　　② $-\dfrac{\pi}{8}+\dfrac{\sqrt{2}}{2}$　　　③ $\dfrac{\pi}{4}-\dfrac{\sqrt{2}}{2}$

④ $\dfrac{\pi}{4}+\dfrac{\sqrt{2}}{2}$　　　⑤ $\dfrac{\pi}{8}-\dfrac{\sqrt{2}}{2}$

도함수 그래프의 해석

10

구간 $(-2, 3)$에서 연속인 함수 $y=f(x)$의 도함수 $y=f'(x)$의 그래프가 그림과 같다.

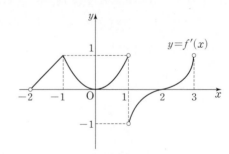

보기에서 옳은 것을 모두 고른 것은?

┤ 보기 ├
ㄱ. 함수 $(x-1)f(x)$는 $x=1$에서 미분가능하다.
ㄴ. 구간 $(-2, 3)$에서 함수 $f(x)$의 최댓값은 $f(1)$이다.
ㄷ. 구간 $(-2, 3)$에서 함수 $f(x)$의 변곡점은 두 개다.

① ㄱ　　　　② ㄷ　　　　③ ㄱ, ㄴ

④ ㄱ, ㄷ　　　⑤ ㄱ, ㄴ, ㄷ

최대와 최소

11

구간 $\left(0, \dfrac{\pi}{2}\right)$에서 정의된 함수 $f(x)=\dfrac{\sqrt{3}}{\cos x}-\tan x$의 최솟값을 m이라 할 때, $120\,m^2$의 값을 구하시오.

12

그림과 같이 좌표평면 위에 네 점 $A(1,\ 0)$, $B(3,\ 0)$, $C(3,\ 2)$, $D(1,\ 2)$를 꼭짓점으로 하는 정사각형 ABCD가 있다. 한 변의 길이가 2인 정사각형 EFGH의 두 대각선의 교점이 원 $x^2+y^2=1$ 위에 있을 때, 두 정사각형에 대하여 공통부분 넓이의 최댓값은? (단, 정사각형의 모든 변은 x축 또는 y축에 수직이다.)

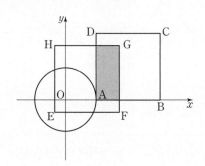

① $\dfrac{2+\sqrt{3}}{4}$ ② $\dfrac{1+\sqrt{2}}{2}$ ③ $\dfrac{2+\sqrt{2}}{2}$

④ $\dfrac{3\sqrt{3}}{4}$ ⑤ $\dfrac{5\sqrt{2}}{4}$

[2014학년도 4월 학력평가]

방정식, 부등식과 미분

13*

모든 양수 x에 대하여 부등식 $\dfrac{e}{x}+\dfrac{3}{e}>k\ln\left(\dfrac{e}{x}+\dfrac{3}{e}\right)$이 항상 성립하기 위한 상수 k값의 범위는?

① $k\leq\dfrac{1}{e}$ ② $k<e$ ③ $k\leq e$

④ $k>e$ ⑤ $k\geq e$

14*

x에 대한 방정식 $\dfrac{6x-8}{x^2+1}=k$의 서로 다른 실근의 개수를 $f(k)$라 하면 함수 $y=f(k)$는 $k=p$에서 불연속이다. 가능한 p의 개수는 n개이고 가장 큰 p의 값은 m일 때, $m+n$의 값을 구하시오.

속도와 가속도

15

원점을 동시에 출발하여 수직선 위를 움직이는 두 점 P, Q의 시각 t에서의 위치 x_P, x_Q는 다음과 같다.

$$x_P=t^2-at,\ x_Q=\ln(t^2-t+1)$$

두 점 P, Q가 서로 반대 방향으로 움직이는 시각 t의 범위가 $\dfrac{1}{2}<t<2$일 때, 실수 a의 값은?

① 2   ② $\dfrac{5}{2}$ ③ 3

④ $\dfrac{7}{2}$ ⑤ 4

[2012년 3월 학력평가]

※ 122~127쪽 '그래프의 개형' 집중 연습

접점이 주어질 때 접선의 방정식

01

| 제한시간 1.5분 |

좌표평면에서 곡선 $y^3 = \ln(5-x^2) + xy + 4$ 위의 점 $(2, 2)$를 지나고 이 점에서의 접선에 수직인 직선의 x 절편은?

① -8 ② $-\dfrac{12}{5}$ ③ $-\dfrac{8}{5}$

④ $\dfrac{8}{5}$ ⑤ $\dfrac{12}{5}$

02

| 제한시간 1.5분 |

곡선 $y = \dfrac{2}{x} \ (x>0)$ 위의 점에서의 접선이 x축과 만나는 점을 A, y축과 만나는 점을 B라 할 때 선분 AB 길이의 최솟값은?

① 2 ② 4 ③ 8
④ 16 ⑤ 32

03

| 제한시간 2분 |

곡선 $y = 4\ln x$ 위의 서로 다른 두 점 A, B에서의 두 접선이 이루는 각 중 예각의 크기가 $\dfrac{\pi}{4}$이다. 두 점 A, B의 x좌표가 각각 $a, b(a<b)$일 때, 정수 a, b의 순서쌍 (a, b)의 개수는?

① 0 ② 1 ③ 2 ④ 3 ⑤ 4

04*

| 제한시간 2분 |

$2f(x) + f(4-x) = \ln x$가 되는 함수 $f(x)$가 있다. 곡선 $f(x)$ 위의 점 $(3, f(3))$에서의 접선의 x절편이 $p + q\ln 3$일 때, $p+q$의 값은? (단 p, q는 유리수)

① $\dfrac{4}{5}$ ② $\dfrac{6}{5}$ ③ $\dfrac{9}{5}$ ④ $\dfrac{11}{5}$ ⑤ $\dfrac{14}{5}$

05

| 제한시간 2분 |

함수 $f(x) = x^{\sin x}(x>0)$에 대하여 $x=\pi$에서의 접선의 방정식이 $y=mx+n$이다. $m\pi+n$의 값을 구하시오.

기울기가 주어질 때 접선의 방정식

06
| 제한시간 2분 |

다음과 같이 매개변수 t로 나타내어진 함수에 대하여 기울기가 $-\dfrac{8}{25}$인 접선이 점 $\left(a, -\dfrac{16}{5}\right)$을 지날 때, 상수 a 값을 구하시오.

$$x = t + \frac{1}{t},\ y = \frac{2t}{1+t^2}\ (t>1)$$

07*
| 제한시간 2분 |

좌표평면 위의 두 점 $A(0, 5)$, $B(-5, 0)$과 곡선 $y = \dfrac{\ln x}{x}$ 위의 한 점 P에 대하여 삼각형 ABP 넓이의 최솟값을 구하시오.

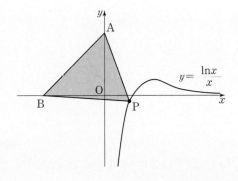

08
| 제한시간 2분 |

함수 $f(x) = \ln(\tan x)\left(0 < x < \dfrac{\pi}{2}\right)$의 역함수 $g(x)$에 대하여 곡선 $y = g(x)$ 위의 한 점 $P(0, a)$에서의 접선이 x축, y축과 만나서 생기는 삼각형의 넓이를 S라 하자. 이때 $\dfrac{S}{a^2}$의 값은?

① $\dfrac{1}{4}$　　　② $\dfrac{1}{2}$　　　③ 1

④ 2　　　⑤ 4

09
| 제한시간 2분 |

미분가능한 함수 $f(x)$와 $f(x)$의 역함수 $g(x)$에 대하여 $g\left(3f(x) - \dfrac{2}{e^x + e^{2x}}\right) = x$가 성립할 때, 곡선 $y = g(x)$ 위의 한 점 $\left(\dfrac{1}{2}, g\left(\dfrac{1}{2}\right)\right)$에서의 접선의 방정식이 $y = mx + n$이다. 이때 $9(m^2 + n^2)$의 값을 구하시오.

10
| 제한시간 2분 |

실수 전체 집합에서 증가하고 미분가능한 함수 $f(x)$가 있다. 곡선 $y=f(x)$ 위의 점 $(4, 3)$에서의 접선의 기울기는 $\frac{1}{4}$이고, 함수 $f(3x-2)$의 역함수를 $g(x)$라 할 때, 곡선 $y=g(x)$ 위의 점 $(3, g(3))$에서 접선과 원점 사이의 거리는 $\frac{q}{p}$이다. p, q는 서로소인 자연수일 때, p^2+q^2의 값을 구하시오.

12*
| 제한시간 3분 |

원점에서 곡선 $y=\sin 2x$에 그은 접선이 점 $P_n(x_n, \sin 2x_n)$에서 접할 때, **보기**에서 옳은 것을 모두 고른 것은? (단, $x_n>0$)

┌ 보기 ┐

ㄱ. $\dfrac{\tan 2x_n}{x_n}=1$ 　　　 ㄴ. $\dfrac{4}{3}\pi<x_1<\dfrac{3}{2}\pi$

ㄷ. $\displaystyle\lim_{n\to\infty}\cos 2x_n=0$

① ㄱ 　　　　 ② ㄴ 　　　　 ③ ㄷ

④ ㄱ, ㄴ 　　　 ⑤ ㄴ, ㄷ

곡선 밖의 한 점이 주어질 때 접선의 방정식

11
| 제한시간 2.5분 |

좌표평면 위의 한 점 $A(6, 0)$에서 매개변수 t로 나타내어진 곡선 $x=3\cos t$, $y=2\sin t$에 접선을 2개 그을 수 있다. 각각의 접점을 P, Q라 할 때, 사각형 OPAQ의 넓이는? (단, O는 원점이다.)

① $\dfrac{\sqrt{3}}{2}$ 　　　 ② $\sqrt{3}$ 　　　 ③ $3\sqrt{3}$

④ $\dfrac{5\sqrt{3}}{2}$ 　　　 ⑤ $6\sqrt{3}$

공통 접선

13
| 제한시간 2.5분 |

두 함수 $f(x)=ax^3$, $g(x)=\ln x^2$의 그래프가 교점에서 공통 접선을 가질 때, 접선의 y절편이 $(0, b)$이다. 이때 $\dfrac{b}{a}$의 값은?(단, $a>0$)

① $-8e$ 　　　 ② $-2e$ 　　　 ③ $-\dfrac{1}{2e}$

④ $4e$ 　　　 ⑤ $8e$

14

| 제한시간 **3분** |

미분가능한 두 함수 $y=f(x)$, $y=g(x)$에 대하여 두 곡선 $y=f(x)$, $y=g(x)$가 $x=t$에서 접할 때, **보기**에서 옳은 것을 모두 고른 것은? (단, 두 함수의 그래프 중 직선은 없으며 그림은 $y=f(x)$와 $y=g(x)$가 나타내는 그래프 중 하나이다.)

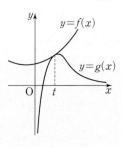

┤ 보기 ├

ㄱ. 두 곡선 $y=\{f(x)\}^3$, $y=\{g(x)\}^3$은 $x=t$에서 공통 접선을 가진다.

ㄴ. 두 곡선 $y=e^{f(2x)}$, $y=e^{g(2x)}$은 $x=t$에서 공통 접선을 가진다.

ㄷ. 두 곡선 $y=f(g(x))$, $y=g(f(x))$는 $x=t$에서 공통 접선을 가진다.

① ㄱ   ② ㄱ, ㄴ   ③ ㄱ, ㄷ

④ ㄴ, ㄷ   ⑤ ㄱ, ㄴ, ㄷ

평균값의 정리

15

| 제한시간 **1.5분** |

$\displaystyle\lim_{x\to 0+}\dfrac{e^{1-\sin(\sin x)}-e^{1-\sin(\tan x)}}{\tan x-\sin x}$의 값은?

① $-e$ ② -1 ③ 0 ④ 1 ⑤ e

함수의 증가와 감소

16

| 제한시간 **2분** |

함수 $y=(a-2)\ln x+x^2+6x\ (a\neq 2)$의 역함수가 존재할 때, 상수 a의 값의 범위는?

① $a>2$ ② $a<2$ ③ $a>\dfrac{13}{2}$

④ $a\leq\dfrac{13}{2}$ ⑤ $2<a\leq\dfrac{13}{2}$

17[*]

| 제한시간 **2.5분** |

함수 $f(x)=ax+\sin 4x-2\cos 2x$가 극값을 갖지 않도록 하는 상수 a값의 범위를 구하시오.

극대, 극소와 변곡점

18
| 제한시간 **3분** |

함수 $f(x)=2\sin\left\{\dfrac{\pi}{2}(x-2)\right\}+2$일 때, 함수 $g(x)$에 대하여 다음이 성립한다.

> (가) $g(x)=\begin{cases}f(-x) & (-2<x<0) \\ f(x) & (0\leq x\leq3)\end{cases}$
>
> (나) $g(x)=g(x+5)$

열린구간 $(-2,\,k)$에 함수 $g(x)$의 극대점이 100개일 때 자연수 k의 최솟값을 p, 구간 $(-2,\,p)$에 있는 극소점의 개수를 q라 하자. $p+q$의 값을 구하시오.

19
| 제한시간 **3.5분** |

모든 실수 x에 대하여 $f(x+2)=f(x)$이고, $0\leq x<2$일 때 $f(x)=\dfrac{(x-a)^2}{x+1}$인 함수 $f(x)$가 $x=0$에서 극댓값을 갖는다. 구간 $(0,\,2)$에서 극솟값을 갖도록 하는 모든 정수 a의 값의 곱은?

① -3 ② -2 ③ -1

④ 1 ⑤ 2

[2017년 3월 학력평가]

20
| 제한시간 **3분** |

$f(x)=k\sin x(1-\sin x)\ (0\leq x\leq2\pi)$이 극댓값 1을 가질 때, 극소점의 개수는 a개이고, 극솟값의 합은 b이다. $100k+10a+b$의 값을 구하시오. (단, $k>0$이다.)

21
| 제한시간 **3분** |

$x>0$일 때, 함수 $f(x)=e^{-x}\sin x$의 극댓값을 큰 것부터 순서대로 $a_1,\,a_2,\,a_3,\,\cdots$이라 하자. 또 변곡점의 x좌표를 작은 것부터 순서대로 $x_1,\,x_2,\,x_3,\,\cdots$라 할 때, **보기**에서 옳은 것을 모두 고른 것은?

> ┤ 보기 ├
>
> ㄱ. $a_4=\dfrac{e^{-\frac{25}{4}\pi}}{\sqrt{2}}$ ㄴ. $\displaystyle\sum_{n=1}^{\infty}\sqrt{2}\,a_n=\dfrac{e^{\frac{7\pi}{4}}}{e^{2\pi}-1}$
>
> ㄷ. $\displaystyle\sum_{n=1}^{\infty}f(x_n)=\dfrac{e^{\frac{\pi}{2}}}{e^{2\pi}-1}$

① ㄱ   ② ㄴ   ③ ㄷ

④ ㄱ, ㄴ   ⑤ ㄴ, ㄷ

최대, 최소

22
| 제한시간 2분 |

닫힌구간 $\left[-\dfrac{\pi}{2}, \dfrac{3}{4}\pi\right]$ 에서 정의된 함수

$f(x)=16x^2+8\cos^2 x-8\sin^2 x+k$의 최댓값을 M, 최솟값을 m이라 할 때, $M+2m=9\pi^2+49$이다. 상수 k의 값을 구하시오.

23
| 제한시간 2분 |

함수 $f(x)=(x-100)e^{-2(x-100)^2}$에 대하여 구간 $[-a, a]$에서 함수 $y=f(x)$의 최댓값과 최솟값을 각각 M, m이라 할 때, $M+m=0$이 되도록 하는 자연수 a의 최솟값을 구하시오.

24*
| 제한시간 2분 |

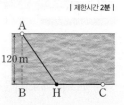

그림과 같이 너비가 120 m인 직선 모양의 강이 있다. 강가의 두 지점 A, B는 서로 정확히 반대편에 있고 $\overline{BC}=300$ m이다. A 지점을 출발하여 초속 2 m로 H까지 수영을 하여 강을 건넌 다음, H에서 초속 $\dfrac{10}{3}$ m로 C까지 달려갈 때, 걸리는 시간의 최솟값은? (단, 강물의 속력은 생각하지 않는다.)

① 1분 15초   ② 1분 30초   ③ 2분 18초

④ 3분   ⑤ 6분

25
| 제한시간 2분 |

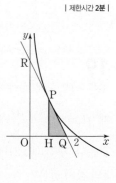

그림과 같이 곡선 $y=-\ln\dfrac{x}{2}$ 위의 점 P에서의 접선이 x축과 만나는 점을 Q라 하고, 점 P에서 x축에 내린 수선의 발을 H라 하자. 삼각형 PHQ의 넓이의 최댓값은? (단, O는 원점이고, 점 P는 제 1사분면 위의 점이다.)

① $\dfrac{3}{2e}$ ② $\dfrac{2}{e}$ ③ $\dfrac{2}{e^2}$ ④ $\dfrac{5}{2e}$ ⑤ $\dfrac{4}{e^2}$

26

| 제한시간 **3분** |

자연수 n에 대하여 함수 $y=f(x)$를 매개변수 t로 나타내면 $x=e^t$, $y=(2t^2+nt+n)e^t$이고, $x \geq e^{-\frac{n}{2}}$일 때 함수 $y=f(x)$는 $x=a_n$에서 최솟값 b_n을 갖는다.

$\dfrac{b_3}{a_3}+\dfrac{b_4}{a_4}+\dfrac{b_5}{a_5}+\dfrac{b_6}{a_6}$의 값은?

① $\dfrac{23}{2}$　　② 12　　③ $\dfrac{25}{2}$　　④ 13　　⑤ $\dfrac{27}{2}$

[2013학년도 9월 학력평가]

방정식, 부등식과 미분

27

| 제한시간 **3분** |

x에 대한 방정식 $\cos\dfrac{2\pi}{x^2+1}=\tan\dfrac{\pi}{n}$의 실근의 개수를

a_n이라 할 때, $\displaystyle\sum_{n=3}^{10} a_n$의 값을 구하시오.

28

| 제한시간 **2분** |

실수 m에 대하여 점 $(0, 2)$를 지나고 기울기가 m인 직선이 곡선 $y=x^3-3x^2+1$과 만나는 점의 개수를 $f(m)$이라 하자. 함수 $f(m)$이 구간 $(-\infty, a)$에서 연속이 되게 하는 실수 a의 최댓값은?

① -3　　② $-\dfrac{3}{4}$　　③ $\dfrac{3}{2}$　　④ $\dfrac{15}{4}$　　⑤ 6

[수능 기출]

29

| 제한시간 **3분** |

$\dfrac{\pi}{4} \leq x \leq \dfrac{\pi}{3}$인 모든 실수 x에 대하여 부등식

$\sin x + k\cos x \leq k$가 항상 성립하도록 하는 실수 k의 최솟값을 p라 하고, 부등식 $\sin x + k\cos x \geq k$가 항상 성립하도록 하는 실수 k의 최댓값을 q라 하자. p^2-q^2의 값은?

① $-2\sqrt{2}$　　　　② $-\sqrt{2}$　　　　③ 0

④ $\sqrt{2}$　　　　⑤ $2\sqrt{2}$

30

| 제한시간 **3분** |

함수 $f(x)=\ln(4+x^2)$에 대하여 **보기**에서 옳은 것을 모두 고른 것은?

┤ 보기 ├

ㄱ. 방정식 $f'(-x)-f'(x)=0$은 오직 하나의 실근을 갖는다.

ㄴ. 구간 $(-2, 2)$에 존재하는 임의의 $x_1, x_2 (x_1<x_2)$에 대하여 $f'(x_1)<\dfrac{f(x_2)-f(x_1)}{x_2-x_1}<f'(x_2)$이다.

ㄷ. 임의의 실수 $a, b (a<b)$에 대하여 $2|f(a)-f(b)|\leq|a-b|$이다.

① ㄱ   ② ㄷ   ③ ㄱ, ㄴ

④ ㄱ, ㄷ   ⑤ ㄱ, ㄴ, ㄷ

31

| 제한시간 **4분** |

$-2\pi\leq x\leq 2\pi$에서 정의된 함수 $f(x)=x\sin x+\cos x$, $g(x)=(f\circ f)(x)$에 대하여 **보기**에서 옳은 것을 모두 고른 것은?

┤ 보기 ├

ㄱ. 방정식 $f(x)(f(x)-1)=0$은 서로 다른 7개의 실근을 가진다.

ㄴ. 모든 x에 대하여 $|f(x)|\leq\dfrac{3}{2}\pi$이다.

ㄷ. $g'(x)=-2$는 적어도 하나의 실근을 가진다.

① ㄱ   ② ㄴ   ③ ㄱ, ㄴ

④ ㄴ, ㄷ   ⑤ ㄱ, ㄴ, ㄷ

32

| 제한시간 **3분** |

함수 $f(x)=e^x-\ln x (x>0)$가 $x=t$에서 최솟값을 가질 때, **보기**에서 옳은 것을 모두 고른 것은?

┤ 보기 ├

ㄱ. $t=\ln t$ ㄴ. $\dfrac{1}{2}<t<1$ ㄷ. $2<f(t)<\dfrac{5}{2}$

① ㄴ   ② ㄷ   ③ ㄱ, ㄷ

④ ㄴ, ㄷ   ⑤ ㄱ, ㄴ, ㄷ

33

| 제한시간 **3분** |

함수 $f(x)=2x\cos x (0<x<\pi)$에 대하여 **보기**에서 옳은 것을 모두 고른 것은?

┤ 보기 ├

ㄱ. $f'(a)=0$이면 $\tan a=\dfrac{1}{a}$

ㄴ. 함수 $f(x)$가 $x=a$에서 극댓값을 가지는 a가 구간 $\left(\dfrac{\pi}{4}, \dfrac{\pi}{3}\right)$에 있다.

ㄷ. 구간 $\left(0, \dfrac{\pi}{2}\right)$에서 방정식 $f(x)=1$의 서로 다른 실근의 개수는 2이다.

① ㄱ   ② ㄴ   ③ ㄱ, ㄴ

④ ㄴ, ㄷ   ⑤ ㄱ, ㄴ, ㄷ

[수능 기출]

34
| 제한시간 **3분** |

모든 실수에서 미분가능한 함수 $f(x)$에 대하여 함수 $g(x)=\dfrac{f(x)}{x}$의 그래프는 그림과 같이 $x=a$에서 극솟값 b를 갖는다.

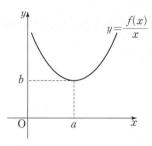

보기에서 옳은 것을 모두 고른 것은? (단, $a>0$, $b>0$)

┤ 보기 ├
ㄱ. $y=g(x)$와 $y=f'(x)$는 $x=a$에서 만난다.
ㄴ. $x=a$에서 $f(x)$와 $f'(x)$는 모두 증가 상태에 있다.
ㄷ. 충분히 작은 양수 h에 대하여 $f'(a+h)<g(a+h)$이다.

① ㄱ   ② ㄴ   ③ ㄱ, ㄴ

④ ㄴ, ㄷ   ⑤ ㄱ, ㄴ, ㄷ

35
| 제한시간 **4분** |

모든 실수에서 미분가능한 함수 $f(x)$가 다음 조건을 만족시킨다.

㈎ 모든 실수 x에 대하여 $f(x)=f(-x)$이다.
㈏ 모든 양의 실수 x에 대하여 $f'(x)>0$이다.
㈐ $\displaystyle\lim_{x\to 0}f(x)=0$, $\displaystyle\lim_{x\to\infty}f(x)=\pi$

함수 $g(x)=\dfrac{\sin f(x)}{x}$에 대하여 **보기**에서 옳은 것을 모두 고른 것은?

┤ 보기 ├
ㄱ. 모든 양의 실수 x에 대하여 $g(x)+g(-x)=0$이다.
ㄴ. $\displaystyle\lim_{x\to 0}g(x)=0$
ㄷ. $f(\alpha)=\dfrac{\pi}{2}$ $(\alpha>0)$이면 방정식 $|g(x)|=\dfrac{1}{\alpha}$의 서로 다른 실근의 개수는 2이다.

① ㄱ   ② ㄴ   ③ ㄱ, ㄴ

④ ㄴ, ㄷ   ⑤ ㄱ, ㄴ, ㄷ

[2016학년도 10월 학력평가]

속도, 가속도

36
| 제한시간 2분 |

좌표평면 위를 움직이는 점 P의 시각 t $(0 \leq t \leq 2\pi)$에서의 위치 (x, y)가 $x = \sqrt{3} \sin 2t$, $y = 2t - 2\cos 2t$일 때, **보기**에서 옳은 것을 모두 고른 것은?

┤ 보기 ├
ㄱ. $t = \pi$일 때, 점 P의 속력은 4이다.
ㄴ. 점 P의 속력의 최댓값은 6이다.
ㄷ. 점 P의 속력이 5가 되는 모든 t값의 합은 3π이다.

① ㄱ　　　　② ㄷ　　　　③ ㄱ, ㄴ
④ ㄴ, ㄷ　　　⑤ ㄱ, ㄴ, ㄷ

37
| 제한시간 2.5분 |

원점을 동시에 출발하여 수직선 위를 움직이는 두 점 A, B의 시각 t에서의 위치가 차례로 $f(t) = \ln(at^2 + b)$, $g(t) = 2t^3 - 6t^2 - 18t + c$이다. 점 A의 속력의 최댓값이 2일 때, **보기**에서 옳은 것을 모두 고른 것은? (단, a, b, c는 상수이고, a는 양수이다.)

┤ 보기 ├
ㄱ. $a + b + c = 5$
ㄴ. 점 A의 가속도의 부호는 두 번 바뀐다.
ㄷ. 출발 후 두 점 A, B는 4초 동안 서로 반대 방향으로 움직인다.

① ㄱ　　　　② ㄷ　　　　③ ㄱ, ㄴ
④ ㄴ, ㄷ　　　⑤ ㄱ, ㄴ, ㄷ

38
| 제한시간 2.5분 |

원 $x^2 + y^2 = 9$ 위의 점 P가 점 A$(3, 0)$을 출발하여 원점을 중심으로 시계반대방향으로 1초에 3만큼 일정한 속력으로 원 위를 움직인다. 그림과 같이 점 P에서의 접선 위에 호 AP의 길이와 선분 PQ의 길이가 같게 되는 점 Q를 잡고 삼각형 OPQ의 무게중심을 G라 할 때, 점 G의 속력을 t로 나타내면? $\left($단, $0 < t < \dfrac{\pi}{2}\right)$

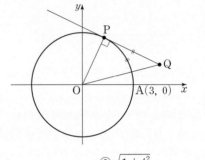

① $\sqrt{1+t}$　　　　　　② $\sqrt{1+t^2}$
③ $t\sqrt{\cos t + \sin t}$　　④ $\sqrt{1 - 2t \sin t \cos t + t^2}$
⑤ $\sqrt{1 + 2t \sin t \cos t + t^2}$

01

함수

$$f(x) = \begin{cases} \dfrac{x}{e^{bx-1}} - a & \left(x > \dfrac{1}{2}\right) \\ \sin \pi x - \dfrac{1}{2} & \left(x \le \dfrac{1}{2}\right) \end{cases}$$

가 실수 전체에서 미분가능할 때, 점 $\left(\dfrac{a+b}{2}, f\left(\dfrac{a+b}{2}\right) \right)$

에서의 접선의 x절편과 y절편을 순서대로 구하면?

① $2, \dfrac{2}{e}$　　　　② $\dfrac{2}{e}, 2$　　　　③ $\dfrac{3}{2}, \dfrac{3}{e}$

④ $\dfrac{3}{e}, \dfrac{3}{2}$　　　　⑤ $\dfrac{e}{2}, \dfrac{1}{2}$

02

점 $P(k, 0)$에서 곡선 $y = \dfrac{x}{e^x}$에 서로 다른 두 접선을 그었

을 때 두 접선의 기울기를 각각 m_1, m_2라 하자. 다음을 구

하시오.

(1) 상수 k값의 범위

(2) $m_1 m_2 = e^2$일 때, 상수 k값

03

그림과 같이 $A_1(2, 0)$을 지나고 x축에 수직인 직선이 곡

선 $y = e^{2x}$과 만나는 점을 B_1이라 하고, 점 B_1에서 이 곡선

에 그은 접선이 x축과 만나는 점을 A_2라 하자. 이와 같은

과정을 한없이 계속하여, 모든 자연수 n에 대하여 점

$A_n(a_n, 0)$을 지나고 x축에 수직인 직선이 곡선 $y = e^{2x}$과

만나는 점을 B_n이라 하고, 점 B_n에서 이 곡선에 그은 접

선이 x축과 만나는 점을 $A_{n+1}(a_{n+1}, 0)$이라 하자. 삼각

형 $A_n B_n A_{n+1}$의 넓이를 S_n이라 할 때, **보기**에서 옳은 것

을 모두 고른 것은?

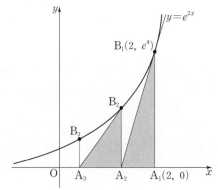

┤ 보기 ├

ㄱ. $a_4 = 0$

ㄴ. $S_1 = \dfrac{1}{4} e^4$

ㄷ. $\displaystyle\sum_{n=1}^{n} S_n = \dfrac{e^5}{4(e-1)}$

① ㄱ　　　　② ㄴ　　　　③ ㄱ, ㄷ

④ ㄴ, ㄷ　　　　⑤ ㄱ, ㄴ, ㄷ

04

함수 $f(x)=\dfrac{2x}{1+x^2}$ 이고, 함수 $g(x)=f(f(x))$ 로 정의할 때 다음에 물음에 답하시오.

(1) $f(x)=\dfrac{2x}{1+x^2}$ 의 그래프 개형을 그리시오.

(2) $|f(x)|=\dfrac{1}{k}$ 의 실근의 개수를 a_k 라 할 때, $\displaystyle\sum_{k=1}^{10} a_k$ 를 구하시오.

(3) 방정식 $g'(x)=0$ 의 서로 다른 실근의 개수를 구하시오.

05

y축 위의 점 $\mathrm{P}(0,\ k)$ 에서 곡선 $y=e^{-x^2}$ 에 그을 수 있는 접선의 개수를 $g(k)$ 라 할 때, $\displaystyle\sum_{k=1}^{5} kg(1)g\left(\sqrt{\dfrac{k}{e}}\right)$ 의 값을 구하시오.

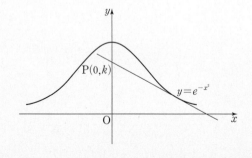

06

함수 $f(x)=kx^2 e^{-x}\ (k>0)$ 과 실수 t 에 대하여 곡선 $y=f(x)$ 위의 점 $(t,\ f(t))$ 에서 x축까지의 거리와 y축까지의 거리 중 크지 않은 값을 $g(t)$ 라 하자. 함수 $g(t)$ 가 한 점에서만 미분가능하지 않도록 하는 k 의 최댓값은?

① $\dfrac{1}{e}$　　　　② $\dfrac{1}{\sqrt{e}}$　　　　③ $\dfrac{e}{2}$

④ $\sqrt{e}$　　　　⑤ e

[2013학년도 수능]

07

다항함수 $f(x)$ 에 대하여 다음 표는 x 의 값에 따른 $f(x),\ f'(x),\ f''(x)$ 의 변화 중 일부를 나타낸 것이다.

x	$x<1$	$x=1$	$1<x<3$	$x=3$
$f'(x)$		0		1
$f''(x)$	+		+	0
$f(x)$		$\dfrac{\pi}{2}$		π

함수 $g(x)=\sin(f(x))$ 에 대하여 **보기**에서 옳은 것을 모두 고른 것은?

보기

ㄱ. $g'(3)=-1$

ㄴ. $1<a<b<3$ 이면 $-1<\dfrac{g(b)-g(a)}{b-a}<0$ 이다.

ㄷ. 점 $\mathrm{P}(1,\ 1)$ 은 곡선 $y=g(x)$ 의 변곡점이다.

① ㄱ　　　　② ㄷ　　　　③ ㄱ, ㄴ

④ ㄴ, ㄷ　　　　⑤ ㄱ, ㄴ, ㄷ

[모의평가 기출]

08

이차함수 $f(x)$에 대하여 함수 $g(x)=f(x)e^{-x}$이 다음 조건을 만족시킨다.

> ㈎ 점 $(1, g(1))$과 점 $(4, g(4))$는 곡선 $y=g(x)$의 변곡점이다.
> ㈏ 점 $(0, k)$에서 곡선 $y=g(x)$에 그은 접선의 개수가 3인 k의 값의 범위는 $-1<k<0$이다.

$g(-2)\times g(4)$의 값을 구하시오.

[2014학년도 수능]

09

양수 t에 대하여 구간 $[1, \infty)$에서 정의된 함수 $f(x)$가

$$f(x)=\begin{cases}\ln x & (1\le x<e)\\ -t+\ln x & (x\ge e)\end{cases}$$

일 때, 다음 조건을 만족시키는 일차함수 $g(x)$ 중에서 직선 $y=g(x)$의 기울기의 최솟값을 $h(t)$라 하자.

> 1 이상의 모든 실수 x에 대하여
> $(x-e)\{g(x)-f(x)\}\ge 0$이다.

미분가능한 함수 $h(t)$에 대하여 양수 a가

$h(a)=\dfrac{1}{e+2}$을 만족시킨다. $h'\left(\dfrac{1}{2e}\right)\times h'(a)$의 값은?

① $\dfrac{1}{(e+1)^2}$ ② $\dfrac{1}{e(e+1)}$ ③ $\dfrac{1}{e^2}$

④ $\dfrac{1}{(e-1)(e+1)}$ ⑤ $\dfrac{1}{e(e-1)}$

[2018학년도 수능]

10*

최고차항의 계수가 1인 다항함수 $f(x)$와 함수

$g(x)=x-\dfrac{f(x)}{f'(x)}$가 다음 조건을 만족시킨다.

> ㈎ 방정식 $f(x)=0$의 실근은 0과 2뿐이고 허근은 존재하지 않는다.
> ㈏ $\displaystyle\lim_{x\to 2}\dfrac{(x-2)^3}{f(x)}$이 존재한다.
> ㈐ 함수 $\left|\dfrac{g(x)}{x}\right|$는 $x=\dfrac{5}{4}$에서 연속이고 미분가능하지 않다.

함수 $g(x)$의 극솟값을 k라 할 때, $27k$의 값을 구하시오.

[2017학년도 4월 학력평가]

07 부정적분

1 함수 $y=x^n$의 부정적분

n이 실수일 때 (C는 적분상수)

① $\int x^n dx = \dfrac{1}{n+1} x^{n+1} + C$ (단, $n \neq -1$)

② $\int x^{-1} dx = \int \dfrac{1}{x} dx = \ln|x| + C$

참고

$\int (ax+b)^n dx = \dfrac{1}{a(n+1)} (ax+b)^{n+1} + C$

(단, $a \neq 0$, $n \neq -1$)

$\int \dfrac{1}{ax+b} dx = \dfrac{1}{a} \ln|ax+b| + C$ (단, $a \neq 0$)

2 지수함수의 부정적분

① $\int e^x dx = e^x + C$

② $\int a^x dx = \dfrac{a^x}{\ln a} + C$ (단, $a > 0$, $a \neq 1$)

참고

$\int e^{ax+b} dx = \dfrac{1}{a} e^{ax+b} + C$ (단, $a \neq 0$)

3 삼각함수의 부정적분

① $\int \sin x dx = -\cos x + C$　　② $\int \cos x dx = \sin x + C$

③ $\int \sec^2 x dx = \tan x + C$　　④ $\int \csc^2 x dx = -\cot x + C$

⑤ $\int \sec x \tan x dx = \sec x + C$　　⑥ $\int \csc x \cot x dx = -\csc x + C$

참고

직접 적분이 어려운 삼각함수는 다음을 이용한다.

· $\sin^2 x = \dfrac{1 - \cos 2x}{2}$

· $\cos^2 x = \dfrac{1 + \cos 2x}{2}$

· $\tan^2 x = \sec^2 x - 1$

· $\cot^2 x = \csc^2 x - 1$

4 치환적분법

미분가능한 함수 $g(t)$에 대하여 $x = g(t)$로 놓으면 $dx = g'(t)dt$이므로

$\int f(x) dx = \int f(g(t)) g'(t) dt$

보기 부정적분 $\int \dfrac{2x}{\sqrt{x^2+1}} dx$를 구하여라.

풀이 $x^2 + 1 = t$이라 하면 $2x dx = dt$이므로

$$\int \dfrac{2x}{\sqrt{x^2+1}} dx = \int \dfrac{1}{\sqrt{t}} dt = 2\sqrt{t} + C = 2\sqrt{x^2+1} + C \text{ (단, } C\text{는 적분상수)}$$

5 분수함수의 부정적분

① $\displaystyle\int \frac{f'(x)}{f(x)}dx = \ln|f(x)| + C$

② $\dfrac{(\text{다항식})}{(\text{다항식})}$ 꼴 함수는 (분자 차수)<(분모 차수)가 되도록 정리하고 부분

분수 꼴로 만든 다음 적분한다.

[예] $\displaystyle\int \frac{x^2+3x+4}{x+2}dx = \int\left(x+1+\frac{2}{x+2}\right)dx = \frac{x^2}{2}+x+2\ln|x+2|+C$

참고

①은 치환적분법을 생각하면 된다.

$f(x)=t$라 하면 $f'(x)dx=dt$이므로

$\displaystyle\int \frac{f'(x)}{f(x)}dx = \int \frac{1}{t}dt$

$\qquad = \ln|t| + C$

$\qquad = \ln|f(x)| + C$

6 부분적분법

$\displaystyle\int f(x)g'(x)dx = f(x)g(x) - \int f'(x)g(x)dx$

참고 다음과 같이 미분할 함수와 적분할 함수를 결정한다.

미분 ←————————————————→ 적분

로그함수(L)　　다항함수(A)　　삼각함수(T)　　지수함수(E)

※ LATE로 기억하면 편리하다.

참고

부분적분법은

$\{f(x)g(x)\}' = f'(x)g(x) + f(x)g'(x)$

에서 양변을 적분한 것이다

[보기] 부정적분 $\displaystyle\int xe^{-x}dx$를 구하여라.

[풀이] $\displaystyle\int xe^{-x}dx = -xe^{-x} - \int(-e^{-x})dx = -xe^{-x} - e^{-x} + C$ (단, C는 적분상수)

참고

$\displaystyle\int \ln x = x\ln x - x + C$

는 공식처럼 기억하고 활용한다.

단축키 | 도표적분법(부분적분 세로셈)

다음과 같이 왼쪽 위에서 오른쪽 아래 방향(화살선)으로 곱한 것을 더한다. 곱한 것의
부호는 번갈아 가며 바뀌는데, 이때 왼쪽 부호를 기억하고 활용한다. 특히 삼각함수나
지수함수를 포함한 부분적분이나 부분적분을 여러 번 할 때 도표적분법이 편리하다.

부호	미분	적분	
(+)	$f(x)$	$g'(x)$	
(−)	$f'(x)$	$g(x)$	$f(x)g(x)$
(+)	$f''(x)$	$\int g(x)dx$	$-f'(x)\int g(x)dx$
(−)	⋮	⋮	⋮

※ 도표적분법이 불편하다면 부분적분법의 정
의를 이용한다.

[예] $\displaystyle\int x^2\sin x\,dx$

부호	미분	적분
(+)	x^2	$\sin x$
(−)	$2x$	$-\cos x$
(+)	2	$-\sin x$
(−)	0	$\cos x$

$\therefore \displaystyle\int x^2\sin x\,dx$

$= -x^2\cos x + 2x\sin x + 2\cos x + C$

참고

미분에서 0이 나오면 무엇을 곱하든 0이므로
더 이상 미분, 적분을 진행하지 않고 끝낸다.

참고

1단계 8번 문제와 2단계 13번 문제 풀이에 있는
도표적분법 보충 설명도 함께 기억한다.

STEP **1** | 1등급 준비하기

지수함수의 부정적분

01

함수 $f(x)$의 도함수가 $f'(x) = \dfrac{(3^x-1)^2}{3^x}$이고 $f(0)=2$

일 때, $f(1)$의 값은?

① $\dfrac{4}{3\ln 3}$　　　② $\dfrac{2}{\ln 3}$　　　③ $\dfrac{8}{3\ln 3}$

④ $\dfrac{10}{3\ln 3}$　　　⑤ $\dfrac{4}{\ln 3}$

삼각함수의 부정적분

02

함수 $f(x) = \displaystyle\int \dfrac{\sin^2 x}{1-\cos x}\,dx$에 대하여 $f(0)=0$일 때,

$f(\pi)$의 값은?

① -2π　　　② $-\pi$　　　③ 0

④ π　　　⑤ 2π

치환적분법

03

함수 $f(x) = \displaystyle\int (2x+1)\sqrt{x^2+x+3}\,dx$이고,

$f(-1)=2\sqrt{3}$일 때, $f(2)$의 값을 구하시오.

04

함수 $f(x) = \displaystyle\int \sin^3 x\,dx$에 대하여 $f(0)=1$일 때

$f(\pi) = \dfrac{q}{p}$이다. 이때 $p+q$의 값을 구하시오. (단, p, q는

서로소인 자연수이다.)

분수함수의 부정적분

05

함수 $f(x) = \displaystyle\int \dfrac{1}{1-e^x}\,dx$일 때, $f(2)-f(1)$의 값은?

① $\ln \dfrac{e}{e-1}$　　　② $\ln \dfrac{e-1}{e}$　　　③ $\ln \dfrac{e}{e+1}$

④ 1　　　⑤ $\ln \dfrac{e+1}{e}$

06

$x \neq 0$에서 정의된 미분가능한 함수 $f(x)$와 $f(x)$의 한 부

정적분 $F(x)$에 대하여 $xf(x)-F(x)=-3x$, $f(e)=0$

일 때, $f(-e^3)$의 값을 구하시오.

07

함수 $f(x) = \displaystyle\int \dfrac{1}{x^2-x-2}\,dx$에 대하여 $f\left(\dfrac{1}{2}\right)=0$일 때,

$f(0)$의 값은?

① $\ln 2$　　　② $\dfrac{1}{2}\ln 2$　　　③ $\dfrac{1}{3}\ln 2$

④ $\dfrac{1}{4}\ln 3$　　　⑤ $\dfrac{1}{5}\ln 3$

부분적분법

08*

$y = f(x)$ 위의 점 $(x, f(x))$에서의 접선의 기울기가 $x \ln x$라 한다. 이 곡선이 점 $(1, 2)$를 지날 때, $f(e)$의 값은?

① $\dfrac{e^2+1}{4}$ ② $\dfrac{e^2+3}{4}$ ③ $\dfrac{e^2+5}{4}$

④ $\dfrac{e^2+7}{4}$ ⑤ $\dfrac{e^2+9}{4}$

09*

함수 $f(x)$의 부정적분을 $F(x)$라 할 때, $f(x) = 2\sin x + x\cos x$, $F(0) = 0$이다. 이때 $F(\pi)$의 값을 구하시오.

10

함수 $f(x)$에 대하여 $f'(x) = (x+1)e^x$이고, $f(x)$의 극솟값이 $e - \dfrac{1}{e}$일 때 함수 $f(x)$는?

① $f(x) = xe^x + 1$ ② $f(x) = e^x + x$

③ $f(x) = xe^x + x$ ④ $f(x) = 2e^x + x$

⑤ $f(x) = xe^x + e$

$\dfrac{f'(x)}{f(x)}$ 꼴 부정적분

11

다음 조건을 만족시키는 미분가능한 함수 $f(x)$에 대하여 $f(2)$의 값은?

> (가) $f'(2x) = 2xf(2x)$ (나) $f(x) > 0$
> (다) $f(0) = 1$

① $\sqrt{e}$ ② e ③ e^2

④ e^3 ⑤ e^4

$f(x) + f'(x)$ 꼴 부정적분

12

미분가능한 함수 $f(x)$에 대하여 $f(0) = 1$, $f(x) + f'(x) = e^{-x} + 1$일 때, $f(1)$의 값은?

① $\dfrac{e}{e-1}$ ② $\dfrac{e+1}{e-1}$ ③ $\dfrac{e-1}{e}$

④ $\dfrac{e+1}{e}$ ⑤ $\dfrac{e-1}{e+1}$

STEP 2 | 1등급 굳히기

부정적분과 미분

01
| 제한시간 1.5분 |

실수 전체에서 미분가능한 함수 $f(x)$, $g(x)$에 대하여 $f(x)$, $g(x)$의 부정적분을 각각 $F(x)$, $G(x)$라 할 때, 다음 두 조건이 성립한다.

> (가) $f(x) = \dfrac{G(x) - g(x)}{3}$, $g(x) = \dfrac{F(x) - f(x)}{3}$
>
> (나) $f'(1) = 1$, $g'(1) = 3$

이때, $F(1) + G(1)$의 값을 구하시오.

지수함수의 부정적분

02
| 제한시간 1분 |

$f(x) = \displaystyle\int 2^x \ln 2 \, dx$에 대하여 $f(0) = 1$일 때,

$\displaystyle\lim_{n \to \infty} \sum_{k=1}^{n} \dfrac{1}{f(k)}$ 을 구하시오.

삼각함수의 부정적분

03
| 제한시간 1.5분 |

함수 $f(x) = \displaystyle\int \dfrac{1 + 2\sin^2 x - 3\sin^3 x}{\sin^2 x} dx$에 대하여

$f\left(\dfrac{\pi}{2}\right) = \pi$일 때 $f\left(\dfrac{3}{2}\pi\right)$의 값을 구하시오.

치환적분법

04*
| 제한시간 1분 |

$\displaystyle\int \sin^3 x \cos^2 x \, dx$는? (단, C는 적분상수)

① $\dfrac{\cos^5 x}{5} - \dfrac{\cos^4 x}{4} + C$ ② $\dfrac{\cos^5 x}{5} - \dfrac{\cos^3 x}{3} + C$

③ $\dfrac{\cos^4 x}{4} - \dfrac{\cos^3 x}{3} + C$ ④ $\dfrac{\cos^4 x}{4} - \dfrac{\cos^2 x}{2} + C$

⑤ $\dfrac{\cos^3 x}{3} - \dfrac{\cos^2 x}{2} + C$

05
| 제한시간 1.5분 |

구간 $[1, 4]$에서 연속인 함수 $f(x)$가 구간 $(1, 4)$에서 미분가능하고 $f'(x) = \dfrac{e^{\sqrt{x}}}{\sqrt{x}}$이다. 구간 $[1, 4]$에서 함수 $f(x)$의 최댓값이 e^2일 때, 이 구간에서 함수 $f(x)$의 최솟값은?

① $e(1-e)$ ② $e(2-e)$ ③ $e(3-e)$

④ $e(4-e)$ ⑤ $e(5-e)$

06

| 제한시간 **2분** |

함수 $f(x)=\displaystyle\int\frac{e^{3x}}{(e^x+1)^4}dx$에 대하여 $f(0)=\dfrac{17}{24}$일 때, $f(\ln 2)$의 값은?

① $\dfrac{62}{81}$ 　② $\dfrac{17}{27}$ 　③ $\dfrac{7}{27}$

④ $\dfrac{5}{9}$ 　⑤ $\dfrac{2}{9}$

07

| 제한시간 **2분** |

구간 $(0,\,1)$에서 정의된 함수 $f(x)$가

$f(x)=\displaystyle\int\frac{1}{x}\cos(\ln x)dx$, $f(e^{-\pi})=-1$일 때,

방정식 $f(x)=0$의 실근을 큰 수부터 차례로 $a_1,\,a_2,\,a_3,\,\cdots$

라 하자. 이때 $\displaystyle\sum_{n=1}^{\infty}a_n$의 값은?

① $\dfrac{e^{\frac{\pi}{2}}}{e^{\pi}-1}$ 　② $\dfrac{e^{\pi}}{e^{\pi}-1}$ 　③ $\dfrac{e^{\frac{3\pi}{2}}}{e^{2\pi}-1}$

③ $\dfrac{e^{\pi}}{e^{2\pi}-1}$ 　⑤ $\dfrac{e^{\frac{\pi}{2}}}{e^{2\pi}-1}$

08

| 제한시간 **2분** |

자연수 n에 대하여 $f_n(x)=\displaystyle\int\sin^n x\sin 2x dx$이고

$f_n(0)=0$일 때, $f_n\!\left(\dfrac{\pi}{2}\right)=\dfrac{1}{20}$을 만족시키는 n의 값을 구하시오.

09

| 제한시간 **2분** |

함수 $f(x)$가

$f(x)=\displaystyle\int e^{\sin^2 x}\tan x dx-\int e^{\sin^2 x}\sin^2 x\tan x dx$이고

$f(0)=\dfrac{1}{2}$일 때, $\left\{f\!\left(\dfrac{\pi}{4}\right)\right\}^2$의 값은?

① $\dfrac{e}{2}$ 　② $\dfrac{e}{3}$ 　③ $\dfrac{e}{4}$

④ $\dfrac{e}{6}$ 　⑤ $\dfrac{e}{8}$

분수함수의 부정적분

10

| 제한시간 **2분** |

함수 $f(x)$는 $f(x)=\displaystyle\int\frac{2x+3}{2x^2-9x+9}dx$이고,

$f(x)$에 대하여 $\displaystyle\lim_{x\to 1}\frac{f(x)}{x-1}=\dfrac{5}{2}$일 때, $f(2)$의 값은?

① $\ln\dfrac{1}{4}$ 　② $\ln\dfrac{1}{5}$ 　③ $\ln\dfrac{1}{6}$

④ $\ln\dfrac{1}{7}$ 　⑤ $\ln\dfrac{1}{8}$

11 *

| 제한시간 2분 |

함수 $f(x)$에 대하여 $f'(x) = \dfrac{2}{x(x^2-1)}$, $f(2) = \ln\dfrac{3}{4}$일 때, $f(3)$의 값은?

① $\ln\dfrac{2}{3}$ 　　　② $\ln\dfrac{7}{9}$ 　　　③ $\ln\dfrac{8}{9}$

④ $\ln\dfrac{10}{9}$ 　　　⑤ $\ln\dfrac{4}{3}$

13 *

| 제한시간 2분 |

함수 $f(x) = \displaystyle\int e^{-x}\sin x\, dx$일 때, $f\left(\dfrac{\pi}{2}\right) = e^{-\frac{\pi}{2}}$이다.

이때 $f(0)$의 값은?

① $-\dfrac{1}{2} + \dfrac{3}{2}e^{-\frac{\pi}{2}}$ 　　　② $-\dfrac{1}{2} - \dfrac{3}{2}e^{-\frac{\pi}{2}}$

③ $1 + 3e^{-\frac{\pi}{2}}$ 　　　④ $\dfrac{1}{2} - \dfrac{3}{2}e^{-\frac{\pi}{2}}$

⑤ $-1 + 3e^{-\frac{\pi}{2}}$

부분적분법

12

| 제한시간 2분 |

원점 $(0, 0)$을 지나는 곡선 $y = f(x)$ 위의 점 $(t, f(t))$에서의 접선의 기울기가 $(t + e^t)e^t$일 때, $f(1)$의 값은?

① $\dfrac{1}{2}(e^2 + 1)$ 　　　② $\dfrac{1}{2}(e^2 + 2)$ 　　　③ $\dfrac{1}{2}(e^2 + 3)$

④ $\dfrac{1}{2}(e^2 + 4)$ 　　　⑤ $\dfrac{1}{2}(e^2 + 5)$

14

| 제한시간 2분 |

미분가능한 함수 $f(x)$에 대하여 $f'(x) = k\ln(x+2)$,

$\displaystyle\lim_{x \to 1}\dfrac{f(x)-1}{x-1} = 2\ln 3$일 때, $f(-1)$의 값은?

① $2 - 3\ln 3$ 　　　② $3 - 4\ln 3$ 　　　③ $4 - 5\ln 3$

④ $5 - 6\ln 3$ 　　　⑤ $6 - 7\ln 3$

15

| 제한시간 2분 |

$0 \le x \le \pi$인 임의의 실수 x에 대하여 함수 $f(x)$에서

$f'(x) = |x\cos x|$이고, $f(0) = 0$일 때, $f\left(\frac{2}{3}\pi\right)$의 값은?

① $\left(1 - \frac{\sqrt{2}}{2}\right)\pi - \frac{1}{2}$ ② $\left(1 - \frac{\sqrt{3}}{3}\right)\pi - \frac{1}{2}$

③ $\left(1 - \frac{\sqrt{2}}{2}\right)\pi + \frac{1}{2}$ ④ $\left(1 - \frac{\sqrt{3}}{3}\right)\pi + \frac{1}{2}$

⑤ $\left(1 - \frac{\sqrt{3}}{2}\right)\pi + \frac{1}{2}$

치환적분법＋부분적분법

16

| 제한시간 2분 |

함수 $f(x) = \int \cos \sqrt{x}\, dx$에 대하여 $f(0) = 4$일 때,

$f\left(\frac{\pi^2}{4}\right)$의 값은?

① $\pi - 2$ ② $\pi - 1$ ③ π

④ $\pi + 1$ ⑤ $\pi + 2$

17

| 제한시간 2분 |

함수 $f(x) = \int \cos(\ln x)\, dx$에 대하여 $f(1) = \frac{1}{2}$일 때,

$f(e^{2\pi})$의 값은?

① $\frac{1}{2}e^{2\pi}$ ② $e^{2\pi}$ ③ $\frac{3}{2}e^{2\pi}$

④ $2e^{2\pi}$ ⑤ $\frac{5}{2}e^{2\pi}$

$\dfrac{f'(x)}{f(x)}$ 꼴 적분

18

| 제한시간 1.5분 |

함수 $f(x)$에 대하여 $f'(x) = \dfrac{e^{2x}-1}{e^{2x}+1}$, $f(0) = 0$일 때,

$f(1)$의 값은?

① $\ln \frac{2}{e}$ ② $\ln \frac{e^2+1}{2e}$ ③ $\ln \frac{e^2+1}{2}$

④ $\ln \frac{e^2+2}{2e}$ ⑤ $\ln \frac{e+1}{2}$

19

| 제한시간 2분 |

함수 $f(x)$에 대하여 $f(x) = \int \dfrac{1}{\sin x}\, dx$, $f\left(\dfrac{\pi}{2}\right) = 0$일 때,

다음 조건을 이용하여 구한 $4f\left(\dfrac{2}{3}\pi\right)$의 값은?

> (가) $\sin x = 2\sin \dfrac{x}{2}\cos \dfrac{x}{2}$
>
> (나) $\displaystyle\int \dfrac{\sec^2 x}{\tan x}\, dx = \ln|\tan x| + C$

① $\ln 2$ ② $\ln 3$ ③ $\ln 5$

④ $\ln 7$ ⑤ $\ln 11$

20

| 제한시간 2분 |

실수 전체의 집합에서 미분가능한 함수 $f(x)$가

$$f(x) = \int (2x-1)f(x)dx, \ f(1) = e$$

를 만족시킬 때, $f(2)$의 값은? (단, $f(x) > 0$이다.)

① e^2　　　　② e^3　　　　③ e^4

④ e^5　　　　⑤ e^6

21

| 제한시간 2.5분 |

실수 전체의 집합에서 미분가능한 함수 $f(x)$, $g(x)$에 대하여 다음 조건이 성립한다.

> (가) 모든 실수 x에 대하여 $f(x) > g(x) > 0$
> (나) $f'(x) = -g(x), \ g'(x) = -f(x)$
> (다) $f(0) = 2e, \ g(0) = e$

이때 $f(1)$의 값은?

① $e+1$　　　② $\dfrac{1}{2}e^2$　　　③ $\dfrac{1}{2}(e^2+1)$

④ $\dfrac{1}{2}(e^2+3)$　　　⑤ e^2

$f'(x)g(x) + f(x)g'(x)$ 꼴 적분

22

| 제한시간 1.5분 |

구간 $(0, \infty)$에서 연속인 함수 $f(x)$의 한 부정적분을 $F(x)$라 할 때, 함수 $F(x)$가 다음 조건을 만족시킨다.

> (가) 모든 양수 x에 대하여 $F(x) + xf(x) = (2x+2)e^x$
> (나) $F(1) = 2e$

$F(3)$의 값은?

① $\dfrac{1}{4}e^3$　　　② $\dfrac{1}{2}e^3$　　　③ e^3

④ $2e^3$　　　⑤ $4e^3$

[2015년 7월 학력평가]

23

| 제한시간 1.5분 |

$x > 0$에서 정의된 미분가능한 함수 $f(x)$가 모든 양의 실수 x에 대하여

$$f'(x)\ln x + \frac{f(x)}{x} = 2x\ln x + x + \frac{1}{x}, \ f(e) = e^2 + 1$$

을 만족시킬 때, $f(2)$의 값을 구하시오.

24

| 제한시간 2분 |

다음 조건을 만족시키는 미분가능한 두 함수 $f(x)$, $g(x)$ 가 있다.

(가) $f(1)=g(1)=1$ (나) $f(x)f'(x)=\dfrac{1}{2}$

(다) $f(x)g'(x)+f'(x)g(x)=2x$

이때 $f(4)+g(4)$의 값을 구하시오.

특수한 꼴의 부정적분

25

| 제한시간 2분 |

미분가능한 함수 $f(x)$에 대하여

$f(0)=-1$, $f(x)-f'(x)=2x-3$일 때, $f(1)$의 값을 구하시오.

26

| 제한시간 2.5분 |

미분가능한 함수 $f(x)$의 한 부정적분 $F(x)$에 대하여

$f(x)=F(x)+e^x\sin x$이고, $f(0)=1$일 때, $f\left(\dfrac{\pi}{2}\right)$의 값은?

① $e^{\frac{\pi}{2}}$ ② $2e^{\frac{\pi}{2}}$ ③ $3e^{\frac{\pi}{2}}$

④ $4e^{\frac{\pi}{2}}$ ⑤ $5e^{\frac{\pi}{2}}$

27

| 제한시간 2.5분 |

$x>0$에서 정의된 미분가능한 함수 $f(x)$가 모든 양수 x에 대하여 $f(x)-xf'(x)=2x-x\ln x$를 만족시킨다. $f(1)=1$일 때, $f(e)f'(e)$의 값은?

① $-e$ ② $-\dfrac{e}{2}$ ③ $\dfrac{e}{4}$

④ $\dfrac{e}{2}$ ⑤ $\dfrac{3}{4}e$

28

| 제한시간 2.5분 |

미분가능한 함수 $f(x)$가 임의의 실수 x, y에 대하여

$f(x+y)=f(x)+f(y)+xy(\sin x^2+\sin y^2)$이 성립하고 $f'(0)=0$일 때, $f(\sqrt{\pi})$의 값을 구하시오.

01

함수 $F(x)$에 대하여 $F(0)=1$이고

$$F(x)=-\int\left(\cos x+\frac{\cos^2 x}{2}+\frac{\cos^3 x}{3}\right.$$
$$\left.+\cdots+\frac{\cos^{100}x}{100}\right)\sin x\,dx$$

일 때 $F\left(\dfrac{\pi}{2}\right)=\dfrac{a}{b}$이다. 이때 $a+b$의 값을 구하시오.

(단, a, b는 서로소인 자연수이다.)

02

$f'(x)=\tan x+\tan^2 x+\tan^3 x\left(-\dfrac{\pi}{2}<x<\dfrac{\pi}{2}\right)$이고,

$f(0)=0$일 때, $f\left(\dfrac{\pi}{4}\right)$의 값은?

① $\dfrac{1}{2}-\dfrac{\pi}{4}$ ② $1-\dfrac{\pi}{2}$ ③ $\dfrac{3}{2}-\dfrac{\pi}{4}$

④ $2-\dfrac{\pi}{2}$ ⑤ $\dfrac{5}{2}-\dfrac{\pi}{4}$

03

실수 전체 집합에서 미분가능한 두 함수 $f(x)$, $g(x)$가 다음 조건을 만족시킨다.

> (가) 모든 실수 x에 대하여 $f(x)g(x)=f'(x)g(x)$이다.
> (나) $\displaystyle\int f(x)g(x)\,dx=e^{2x-1}+C$ (C는 적분상수)

함수 $h(x)=\displaystyle\int f(x)g'(x)\,dx$에 대하여 $h\left(\dfrac{1}{2}\right)=2$일 때, $h(1)$의 값은?

① $e-2$ ② $e-1$ ③ e

④ $e+1$ ⑤ $e+2$

04

$x>0$에서 함수 $f(x)$에 대하여 다음이 성립한다.

> (가) $f(1)=1$
> (나) $x^2f(x)+2xf(x)+x^2f'(x)=e^{-x}+1$

$f(2)=ae^b+c$라 할 때, $3a-b+c$의 값을 구하시오.

(단, a, b, c는 정수)

05

신유형

$0<x\leq2$에서 연속이고, $0<x<2$에서 $f'(x)>0$인 함수 $f(x)$에 대하여 다음 조건이 성립한다.

> (가) $f(2)=2$
> (나) 곡선 $y=f(x)$ 위의 점 $(t,\ f(t))$에서 접선과 x축이
> 만나는 점의 x좌표는 $-\dfrac{1}{2}\{f(t)\}^2$이다.

$f(1)$의 값은?

① $-\sqrt{2}$　　　　② -1　　　　③ 0

④ 1　　　　⑤ $\sqrt{2}$

06

융합형

다음 조건을 만족시키는 미분가능한 함수 $f(x)$, $g(x)$에 대하여 $\ln\{f(5)+g(5)\}$의 값을 구하시오.

> (가) $f(0)=1$, $g(0)=0$, $f'(0)=0$, $g'(0)=1$
> (나) $f(x)+g(x)>0$
> (다) $f(x+y)=f(x)g(y)+g(x)f(y)$
> 　　　$g(x+y)=g(x)g(y)+f(x)f(y)$

07

미분가능하고 $f(x) \neq 0$인 함수 $f(x)$가 임의의 두 실수 x, h에 대하여

$$e^{x+h} f(x+h) - e^x f(x) \leq h^2$$

일 때, **보기**에서 옳은 것을 모두 고르시오.

┤ 보기 ├
ㄱ. 임의의 실수 x, h에 대하여
$$|e^{x+h} f(x+h) - e^x f(x)| \leq h^2$$
ㄴ. $f(x) + f'(x) = 0$
ㄷ. $f(0) = 1$일 때, $|f(-1)| = e$

08

서술형

미분가능한 함수 $f(x)$가 $x \neq -3$인 모든 실수 x에 대하여

$$f'(x) = \frac{1}{4} \{ f(x) + 3 \}^2$$

을 만족시키고 $f(0) = -1$이다. 함수 $f(x)$의 역함수를 $g(x)$라 할 때, 다음을 구하시오.

(1) $f'(g(x)) = a(x+b)^2$일 때 $4ab$의 값

(2) $g(1)$의 값

나를
이끄는
힘

"자연의 새로운 모습을 발견할 때마다 난 어린이처럼 기뻤다."
"새로운 발견을 통해 악보다는 선을 더 얻을 수 있다."

마리 퀴리(Marie Curie, 1867-1934)

새로운 발견에 기뻐하고, 새로운 발견이 선한 일이라 확신했던 마리 퀴리였지만 나중에 노벨상을 받고 나서 자기가 발견한 라듐이 매우 위험할 수 있음을 깨달았습니다.

"라듐이 죄 많은 사람들의 손에 들어갈 때 지극히 위험하다는 것을 안다. 그래서 인류가 자연의 비밀을 많이 아는 게 좋을지, 모르는 것이 좋을지 판단이 안 된다. 과학이 나쁜 의도를 가진 사람에게 넘어가 파괴의 수단이 된다면 그런 지식은 필요 없다."

8 정적분

1 구분구적법

주어진 도형을 넓이 또는 부피를 구할 수 있는 충분히 작은 기본 도형으로 나누어 이들 도형의 넓이나 부피의 합으로 근삿값을 구한 다음, 이 근삿값의 극한으로 주어진 도형의 넓이나 부피를 구하는 방법을 **구분구적법**이라 한다.

[참고]
구분구적법으로 넓이 또는 부피를 구할 때 주어진 도형을 n개로 나눈 다음 도형 n개의 넓이 또는 부피 S_n을 구한다. 이때 구하려는 도형의 넓이 또는 부피는 $\lim_{n \to \infty} S_n$ 또는 $\lim_{n \to \infty} V_n$임을 이용한다.

[보기] 구분적분법을 써서 밑면인 정사각형의 한 변의 길이가 a이고, 높이가 h인 정사각뿔의 부피를 구하여라.

[풀이] 정사각뿔의 높이를 n등분하여 높이가 각각 $\dfrac{h}{n}$인 직육면체를 $(n-1)$개 만들 때, 직육면체의 밑면은 위에서부터 차례로 한 변의 길이가 $\dfrac{a}{n}$, $\dfrac{2a}{n}, \cdots, \dfrac{(n-1)a}{n}$인 정사각형이다.

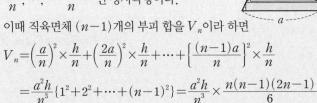

이때 직육면체 $(n-1)$개의 부피 합을 V_n이라 하면

$$V_n = \left(\frac{a}{n}\right)^2 \times \frac{h}{n} + \left(\frac{2a}{n}\right)^2 \times \frac{h}{n} + \cdots + \left\{\frac{(n-1)a}{n}\right\}^2 \times \frac{h}{n}$$

$$= \frac{a^2 h}{n^3}\{1^2 + 2^2 + \cdots + (n-1)^2\} = \frac{a^2 h}{n^3} \times \frac{n(n-1)(2n-1)}{6}$$

$$\therefore V = \lim_{n \to \infty} V_n = \lim_{n \to \infty}\left(\frac{2n^3 - 3n^2 + n}{6n^3} \times a^2 h\right) = \frac{1}{3}a^2 h$$

2 무한급수를 이용한 정적분의 정의

함수 $f(x)$가 구간 $[a, b]$에서 연속이고 $f(x) \geq 0$일 때, 구간 $[a, b]$를 n등분하여 오른쪽 그림과 같이 직사각형을 만들자. 양 끝점을 포함한 각 경계점의 x좌표를 차례로 $a = x_0, x_1, x_2, \cdots,$ $x_{n-1}, x_n = b$라 하면, 각 구간의 길이는

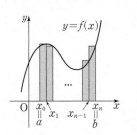

$\Delta x = \dfrac{b-a}{n}$이고, 각 직사각형의 높이는 각각

$f(x_k)(k = 1, 2, 3, \cdots, n)$이므로 모든 직사각형 넓이의 합 S_n은 다음과 같다.

$$S_n = f(x_1)\Delta x + f(x_2)\Delta x + \cdots + f(x_n)\Delta x = \sum_{k=1}^{n} f(x_k)\Delta x$$

이때 극한값 $\lim_{n \to \infty} S_n$을 함수 $f(x)$의 a에서 b까지의 **정적분**이라 한다.

$$\int_a^b f(x)dx = \lim_{n \to \infty} \sum_{k=1}^{n} f(x_k)\Delta x \ \left(\text{단, } \Delta x = \frac{b-a}{n}, x_k = a + k\Delta x_k\right)$$

[보충]
수학 II에서 정적분을 다음과 같이 정의하였다. 닫힌구간 $[a, b]$에서 연속인 함수 $f(x)$의 한 부정적분을 $F(x)$라 하면

$$\int_a^b f(x)dx = F(b) - F(a)$$

※ $\displaystyle\int_a^b f(x)dx = \lim_{n \to \infty} \sum_{k=0}^{n-1} f(x_k)\Delta x$로 구해도 된다.

3 치환적분법과 부분적분법을 이용한 정적분

① 닫힌구간 $[a, b]$에서 연속인 함수 $f(x)$에 대하여 미분가능한 함수 $x=g(t)$ 의 도함수 $g'(t)$가 구간 $[\alpha, \beta]$에서 연속이고 $g(a)=\alpha$, $g(b)=\beta$이면

$$\int_a^b f(x)dx = \int_\alpha^\beta f(g(t))g'(t)dt$$

② 두 함수 $f(x)$, $g(x)$가 미분가능하고, $f'(x)$, $g'(x)$가 닫힌구간 $[a, b]$에 서 연속일 때,

$$\int_a^b f'(x)g(x)dx = \Big[f(x)g(x)\Big]_a^b - \int_a^b f(x)g'(x)dx$$

참고 삼각치환법
① 피적분함수가 $\sqrt{a^2-x^2}$ $(a>0)$ 꼴

⇨ $x=a\sin\theta\left(-\dfrac{\pi}{2}\le\theta\le\dfrac{\pi}{2}\right)$로 치환

⇨ $x=a\cos\theta\left(0\le\theta\le\pi\right)$로 치환

② 피적분함수가 $\dfrac{1}{a^2+x^2}$ $(a>0)$ 꼴

⇨ $x=a\tan\theta\left(-\dfrac{\pi}{2}<\theta<\dfrac{\pi}{2}\right)$로 치환

4 정적분으로 표시된 함수의 미분과 극한 (수학 Ⅱ 과정 복습)

① $\dfrac{d}{dx}\displaystyle\int_a^x f(t)dt = f(x)$　　　② $\dfrac{d}{dx}\displaystyle\int_x^{x+a} f(t)dt = f(x+a)-f(x)$

③ $\displaystyle\lim_{h\to0}\dfrac{1}{h}\int_a^{a+h} f(t)dt = f(a)$　　④ $\displaystyle\lim_{x\to a}\dfrac{1}{x-a}\int_a^x f(t)dt = f(a)$

⑤ $\dfrac{d}{dx}\left\{\displaystyle\int_a^x (x-t)f(t)dt\right\} = \int_a^x f(t)dt$

참고
임의의 실수 a와 연속함수 $f(x)$에 대하여 다음이 성립한다.

・$\displaystyle\int_0^a f(x)dx = \int_0^a f(a-x)dx$

⇨ 100쪽 02

・$\displaystyle\int_{-a}^a f(x)dx = \int_0^a \{f(x)+f(-x)\}dx$

⇨ 100쪽 03

5 급수의 합을 정적분으로 나타내기

① $\displaystyle\lim_{n\to\infty}\sum_{k=1}^n f\left(\dfrac{k}{n}\right)\dfrac{1}{n} = \int_0^1 f(x)dx$

② $\displaystyle\lim_{n\to\infty}\sum_{k=1}^n f\left(\dfrac{ak}{n}\right)\dfrac{a}{n} = \int_0^a f(x)dx$

③ $\displaystyle\lim_{n\to\infty}\sum_{k=1}^n f\left(a+\dfrac{b-a}{n}k\right)\dfrac{b-a}{n} = \int_a^b f(x)dx$

④ $\displaystyle\lim_{n\to\infty}\sum_{k=1}^n f\left(a+\dfrac{p}{n}k\right)\dfrac{p}{n} = \int_0^p f(a+x)dx = \int_a^{a+p} f(x)dx$

참고 급수의 합을 정적분으로 나타내는 방법
1 $\displaystyle\lim_{n\to\infty}\sum_{k=1}^n$ 을 적분기호 $\int$로 놓는다.

2 Δx에 해당하는 값 $\dfrac{a}{n}$를 dx로 놓고, 적분구간

을 $\displaystyle\int_0^a$로 정한다.

3 $\dfrac{a}{n}$에 k를 곱한 것을 x로 놓는다.

예 $\displaystyle\lim_{n\to\infty}\dfrac{1}{n}\left(\dfrac{1^5}{n^5}+\dfrac{2^5}{n^5}+\cdots\cdots+\dfrac{n^5}{n^5}\right)$

$=\displaystyle\lim_{n\to\infty}\sum_{k=1}^n\left(\dfrac{k}{n}\right)^5\dfrac{1}{n} = \int_0^1 x^5 dx = \dfrac{1}{6}$

[보기] 다음 값을 구하여라.

(1) $\displaystyle\lim_{n\to\infty}\sum_{k=1}^n \left(\dfrac{6k}{n}\right)^2\dfrac{2}{n}$　　　　　(2) $\displaystyle\lim_{n\to\infty}\sum_{k=1}^n\left(1+\dfrac{3k}{n}\right)^2\dfrac{3}{n}$

[풀이] (1) (주어진 식)$=\displaystyle\int_0^2 9x^2 dx = \Big[3x^3\Big]_0^2 = \mathbf{24}$

(2) (주어진 식)$=\displaystyle\int_0^3 (1+x)^2 dx = \dfrac{1}{3}\Big[(x+1)^3\Big]_0^3 = \mathbf{21}$

[다른풀이]
(1) $\displaystyle\lim_{n\to\infty}\sum_{k=1}^n\left(\dfrac{6k}{n}\right)^2\dfrac{2}{n}$

$=2\displaystyle\int_0^1 36x^2 dx = \Big[24x^3\Big]_0^1 = 24$

(2) $\displaystyle\lim_{n\to\infty}\sum_{k=1}^n\left(1+\dfrac{3k}{n}\right)^2\dfrac{3}{n}$

$=\displaystyle\int_1^4 x^2 dx = \Big[\dfrac{1}{3}x^3\Big]_1^4 = 21$

STEP 1 | 1등급 준비하기

구분구적법

01

$k \geq 2$일 때 $A = \dfrac{1}{k}$, $B = \displaystyle\int_{k-1}^{k} \dfrac{dx}{x}$, $C = \displaystyle\int_{k}^{k+1} \dfrac{dx}{x}$의 크기

비교를 바르게 나타낸 것은?

① $A < B < C$　　② $B < C < A$　　③ $B < A < C$

④ $C < B < A$　　⑤ $C < A < B$

치환적분법　　　　　　　　　　※ 128쪽 집중 연습 참고

02

$S_n = \displaystyle\int_{1}^{e^n} \dfrac{\ln x}{x} dx$ $(n = 1, 2, 3, \cdots)$에 대하여

$\displaystyle\sum_{n=1}^{\infty} \dfrac{1}{\sqrt{S_n \times S_{n+1}}}$의 값을 구하시오.

부분적분법　　　　　　　　　　※ 128쪽 집중 연습 참고

03

미분가능한 함수 $f(x)$에 대하여 $f(a) = 0$이고,

$\displaystyle\int_{0}^{a} \{f(x)\}^2 dx = A$가 성립할 때,

다음 중 $\displaystyle\int_{0}^{a} 2xf(x)f'(x)dx$와 같은 것은?

① 0　　　　　② $\dfrac{1}{2}A$　　　　③ $-\dfrac{1}{2}A$

④ A　　　　　⑤ $-A$

구간이 나누어진 함수의 정적분

04

$y = f(x)$는 다음과 같은 함수일 때, $\displaystyle\int_{0}^{2} e^{f(x)} dx$의 값은?

> (개) 모든 실수 x에 대하여 $f(x) = f(x+2)$
> (내) $-1 \leq x \leq 1$일 때, $f(x) = |x|$이다.

① $e - 1$　　　　② $e - 2$　　　　③ $e - 3$

④ $2e - 1$　　　⑤ $2e - 2$

대칭인 함수의 정적분

05

정적분 $\displaystyle\int_{-3}^{3} \left(\dfrac{1}{4}x^3 + \dfrac{1}{2}x^2 - x\cos\pi x \right) dx$의 값을 구하시오.

역함수와 정적분

06

함수 $f(x) = e^{x+1} - 1$의 역함수를 $g(x)$라 할 때, 정적분

$\displaystyle\int_{e-1}^{e^2-1} g(x) dx$의 값은?

① e　　　　　② e^2　　　　③ $e^2 - e$

④ $e^2 - e - 1$　　⑤ $e^2 + e - 1$

정적분으로 정의된 함수의 미분

07

$\lim\limits_{x \to 1} \dfrac{1}{x-1} \displaystyle\int_1^{x^2} \left(e^t + \ln t - \sin\dfrac{\pi}{2}t \right) dt$의 값은?

① $e-1$ ② $e-2$ ③ $2e-2$

④ $2e-2$ ⑤ $2e-3$

정적분을 포함한 등식

08

함수 $f(x)$가 $f(x) = x - \displaystyle\int_1^e \dfrac{f(t)}{t} dt$를 만족시킬 때,

$2f\left(\dfrac{e}{2}\right)$의 값을 구하시오. (단, e는 자연로그의 밑이다.)

09

미분가능한 함수 $f(x)$가 $x > 0$에서

등식 $e^x f(x) = e^x \ln x + \displaystyle\int_1^x e^t f(t) dt$를 만족시킬 때, $f(e)$

의 값을 구하시오.

정적분과 급수의 합

10

보기에서 급수의 합을 정적분으로 나타낸 것 중 옳은 것을 모두 고르시오.

┤ 보기 ├

ㄱ. $\lim\limits_{n \to \infty} \dfrac{1}{n} \displaystyle\sum_{k=1}^n \dfrac{k}{n} \sin\dfrac{k\pi}{n} = \dfrac{1}{\pi} \displaystyle\int_0^\pi x\sin x\, dx$

ㄴ. $\lim\limits_{n \to \infty} \dfrac{1}{n} \displaystyle\sum_{k=1}^n \left(\dfrac{k}{n}\right)^2 e^{\frac{k}{n}} = \displaystyle\int_0^1 x^2 e^x\, dx$

ㄷ. $\lim\limits_{n \to \infty} \dfrac{1}{n} \displaystyle\sum_{k=1}^n \ln\left(2+\dfrac{k}{n}\right) = \displaystyle\int_0^1 \ln(2+x)\, dx$

11

다음 값을 구하시오.

(1) $\lim\limits_{n \to \infty} \dfrac{\pi}{n} \displaystyle\sum_{k=1}^n \cos\dfrac{k\pi}{2n}$

(2) $\lim\limits_{n \to \infty} \left(\dfrac{2}{n^2} e^{\frac{1}{n}} + \dfrac{4}{n^2} e^{\frac{2}{n}} + \dfrac{6}{n^2} e^{\frac{3}{n}} + \cdots + \dfrac{2n}{n^2} e^{\frac{n}{n}} \right)$

(3) $\lim\limits_{n \to \infty} \displaystyle\sum_{k=1}^n \dfrac{1}{\sqrt{4n^2 - (n-k)^2}}$

(4) $40 \lim\limits_{n \to \infty} \dfrac{\left(1-\dfrac{2}{n}\right)^4 + 2\left(1-\dfrac{4}{n}\right)^4 + \cdots + n\left(1-\dfrac{2n}{n}\right)^4}{2n^2+1}$

구분구적법

01

| 제한시간 2분 |

$\displaystyle\sum_{k=1}^{400} \frac{1}{\sqrt{k}}$의 정수부분의 값을 구하시오.

정적분

02

| 제한시간 2분 |

다음 물음에 답하시오.

(1) $\displaystyle\int_0^a f(x)dx = \int_0^a f(a-x)dx$임을 보이시오.

(2) (1)을 이용해 $\displaystyle\int_0^{\frac{\pi}{2}} \frac{\sin x}{\sin x + \cos x}dx = \frac{\pi}{k}$일 때, 자연수 k값을 구하시오.

03

| 제한시간 2.5분 |

임의의 실수 a와 연속함수 $f(x)$에 대하여 다음 물음에 답하시오.

(1) $\displaystyle\int_{-a}^a f(x)dx = \int_0^a \{f(x)+f(-x)\}dx$임을 보이시오.

(2) $f(x)+f(-x) = e^x + e^{-x}$일 때, $\displaystyle\int_{-1}^1 f(x)dx$의 값

(3) $\displaystyle\int_{-2}^2 \frac{3x^2}{3^x+1}dx$의 값

04

| 제한시간 2분 |

함수 $f(x) = e^x - 2$에 대하여 정적분 $\displaystyle\int_a^4 \{|f(x)| - f(|x|)\}dx$의 값을 $g(a)$라 할 때, $g(a)$가 최대가 되게 하는 a값은?

① $\ln(2-\sqrt{3})$ ② $\ln(2-\sqrt{2})$ ③ $\ln 2$

④ $\ln(2+\sqrt{2})$ ⑤ $\ln(2+\sqrt{3})$

05

| 제한시간 2분 |

$a_n = \displaystyle\int_0^{\frac{\pi}{4}} \tan^n x\,dx \ (n=1, 2, 3, \cdots)$로 정의할 때, **보기**에서 옳은 것을 모두 고르시오.

> ㄱ. $a_1 + a_3 = \dfrac{1}{2}$
>
> ㄴ. $a_1 + a_2 + a_3 + a_4 = \dfrac{1}{2} + \dfrac{1}{3}$
>
> ㄷ. $\displaystyle\sum_{k=1}^{100} a_k = \dfrac{1}{2} + \dfrac{1}{3} + \dfrac{1}{4} + \cdots + \dfrac{1}{51}$

구간을 나누어 정적분하기

06
| 제한시간 2분 |

실수 전체에서 연속인 함수 $f(x)$에 대하여 다음이 성립할 때 $\int_0^{2\pi} f(x)dx = a+b\pi$이다. 이때 a^2+b^2의 값을 구하시오. (단, a, b는 유리수)

> (가) $0 \le x \le \dfrac{\pi}{2}$일 때, $f(x) = \sin x$
>
> (나) $f\left(x+\dfrac{\pi}{2}\right) = f(x)+k$

07
| 제한시간 2분 |

두 연속함수 $f(x)$, $g(x)$에서 다음이 성립한다.

$$g(\ln x) = \begin{cases} f(x) & (1 \le x < e) \\ g(\ln x - 1) + \ln\sqrt{x} & (e \le x \le e^2) \end{cases}$$

때 $\int_0^2 g(x)dx = \dfrac{19}{4}$일 때, $\int_0^1 f(e^x)dx$의 값은?

① 1　　② $\dfrac{5}{4}$　　③ $\dfrac{3}{2}$　　④ $\dfrac{7}{4}$　　⑤ 2

치환적분법

08
| 제한시간 1.5분 |

자연수 n에 대하여 $f(n) = \int_0^{\frac{\pi}{2}} \sin^n x \cos x \, dx$일 때, **보기**에서 옳은 것을 모두 고르시오.

> ┤ 보기 ├
>
> ㄱ. $f(1) = \dfrac{1}{2}$　　　　ㄴ. $\lim\limits_{n\to\infty} nf(n) = 1$
>
> ㄷ. $\sum\limits_{n=2}^{\infty} f(n^2-2) = \dfrac{3}{4}$

09
| 제한시간 1.5분 |

함수 $f(n) = \int_1^n \dfrac{e^{1-\sqrt{x}}}{\sqrt{x}} dx$에 대하여 $\lim\limits_{n\to\infty} f(n)$의 값은?

① 0　　② 1　　③ 2　　④ e　　⑤ $2e$

10*
| 제한시간 1.5분 |

함수 $f(x) = \int_0^x \dfrac{1}{1+t^2} dt$에 대하여 상수 k는 $f(k) = e-1$을 만족시키고 $g(x) = f(x)+1$일 때, $\int_0^k \dfrac{\ln g(x)}{g(x)(1+x^2)} dx$의 값은?

① $-\dfrac{1}{2}$　　② 0　　③ $\dfrac{1}{3}$　　④ $\dfrac{1}{2}$　　⑤ 1

부분적분법

11
| 제한시간 **2분** |

두 함수 $f(x)$, $g(x)$에 대하여 $f'(x) = \dfrac{1}{(1+\sin^2 x)^3}$,

$g(x) = 2\sin x \cos x$일 때, $\displaystyle\int_0^{\frac{\pi}{2}} f(x)g'(x)dx$의 값은?

① $-\dfrac{3}{8}$ ② $-\dfrac{1}{8}$ ③ 0

④ $\dfrac{1}{8}$ ⑤ $\dfrac{3}{8}$

12
| 제한시간 **2분** |

실수 전체에서 미분가능한 함수 $f(x)$에 대하여 $f(0) = 0$,

$f(4) = 4$를 만족시킨다. 이때

$\displaystyle\int_0^2 x\{f(x^2)\}^2 dx + \int_0^4 x f(x)f'(x)dx$의 값을 구하시오.

13
| 제한시간 **2분** |

미분가능한 함수 $f(x)$에서 다음 조건이 성립한다.

> (가) $f\left(\dfrac{1}{2}\right) = \sqrt{3}$ (나) $\displaystyle\int_{\frac{\pi}{3}}^{\frac{\pi}{2}} \dfrac{f(\cos x)}{\sin^2 x}dx = -2$

이때 $\displaystyle\int_{\frac{\pi}{3}}^{\frac{\pi}{2}} \cos x f'(\cos x)dx$의 값은?

① -1 ② 0 ③ 1 ④ 2 ⑤ 3

14
| 제한시간 **2분** |

$-1 \le x \le 2$에서 정의된 함수 $y = f(x)$의 그래프가 다음과 같을 때, $\displaystyle\int_{-1}^1 e^{x-1}f(x+1)dx$ 의 값은?

① 1 ② $1 - \dfrac{1}{e}$

③ $2 - \dfrac{1}{e}$ ④ $1 + \dfrac{1}{e}$ ⑤ $2 + \dfrac{1}{e}$

부분적분에서 함수의 성질 이용하기

15*
| 제한시간 **2.5분** |

함수 $f(x)$가 두 번 미분가능하고 이계도함수 $f''(x)$가 연속이라 하자. $f(0) = f'(0) = 1$이고, 모든 실수 x에 대하여 $f(x) + f(1-x) = 0$이 성립할 때,

$\displaystyle\int_0^1 (1-x)^2 f''(x)dx$의 값을 구하시오.

16

| 제한시간 **3분** |

함수 $f(x)$에 대하여 다음이 성립한다.

> (가) $-1 \leq x < 1$일 때, $f(x) = \dfrac{(x^2-1)^2}{x^4+1}$이다.
>
> (나) 모든 실수 x에 대하여 $f(x+2) = f(x)$이다.

이때 $\displaystyle\int_1^5 x|f'(x)|\,dx$의 값은?

① 4   ② 8   ③ 12   ④ 16   ⑤ 20

대칭인 함수의 정적분

17*

| 제한시간 **2.5분** |

실수 전체에서 미분가능한 함수 $f(x)$가 있다. 모든 실수 x에 대하여 $f\left(\dfrac{\pi}{4}-x\right) = f\left(\dfrac{\pi}{4}+x\right)$이고,

$\displaystyle\int_0^{\frac{\pi}{2}} f(x)\sin x\,dx = \int_0^{\frac{\pi}{2}} f'(x)\sin x\,dx = a\,(a \neq 0)$ 일 때, 보기에서 옳은 것을 모두 고르시오.

> **보기**
>
> ㄱ. $f\left(\dfrac{\pi}{2}-x\right) = f(x)$ ㄴ. $\displaystyle\int_0^{\frac{\pi}{2}} f(x)\cos x\,dx = a$
>
> ㄷ. $f(0) = 2a$

18

| 제한시간 **2.5분** |

미분가능한 $y = f(x)$의 그래프가 y축에 대하여 대칭이고, 모든 실수 x에 대하여 $f(1) = 1$, $f(x) = \dfrac{\pi}{2}\displaystyle\int_1^{x+1} f(t)\,dt$일 때, $\pi^2\displaystyle\int_0^1 xf(x+1)\,dx$의 값을 구하시오.

역함수와 정적분

19

| 제한시간 **1.5분** |

실수 전체에서 연속인 함수 $y = f(x)$에 대하여 다음이 성립한다.

> (가) 모든 실수 x에 대하여 $f'(x) > 0$이다.
>
> (나) $\displaystyle\int_3^5 f(x)\,dx = 6$
>
> (다) $|3f(3) - 5f(5)| = 8$

$f(x)$의 역함수를 $g(x)$라 할 때, $\displaystyle\int_{f(3)}^{f(5)} g(y)\,dy$의 값은?

① 2   ② 4   ③ 6   ④ 8   ⑤ 10

20

| 제한시간 **1.5분** |

함수 $f(x) = x^3 + x$의 역함수를 $g(x)$라 하자. 미분가능한 함수 $h(x)$에서 $h'(x) = \dfrac{1}{f'(g(x))}$, $h(2) = 12$일 때, $\displaystyle\int_0^2 2g'(x)h(x)\,dx$의 값을 구하시오.

21*

| 제한시간 1.5분 |

$0 \leq x < \dfrac{\pi}{2}$에서 함수 $f(x) = \tan x$의 역함수를 $g(x)$라 할 때, $\displaystyle\int_0^1 g(x)\,dx$의 값은?

① $\ln\dfrac{\sqrt{2}}{2} - \dfrac{3}{4}\pi$ ② $\ln\dfrac{\sqrt{2}}{2} - \dfrac{\pi}{2}$ ③ $\ln\dfrac{\sqrt{2}}{2} - \dfrac{\pi}{4}$

④ $\ln\dfrac{\sqrt{2}}{2}$ ⑤ $\ln\dfrac{\sqrt{2}}{2} + \dfrac{\pi}{4}$

정적분으로 정의된 함수의 미분

22

| 제한시간 1.5분 |

함수 $f(x) = \displaystyle\int_0^x \dfrac{1}{\sqrt{t}(\sqrt{t}+1)}\,dt$일 때,

$\displaystyle\lim_{x \to 1} \dfrac{1}{x-1}\int_1^x f(t)\,dt$의 값은?

① $-2\ln 2$ ② $-\ln 2$ ③ $\ln 2$

④ $2\ln 2$ ⑤ $3\ln 2$

23

| 제한시간 1.5분 |

$\displaystyle\lim_{n \to \infty} 2n\int_0^{\frac{12}{n}} \dfrac{e^x}{6+\sin x}\,dx$의 값을 구하시오.

24

| 제한시간 1.5분 |

미분가능한 함수 $f(x)$에 대하여

$F(x) = \displaystyle\int_0^{x^2} \dfrac{1}{t} f\left(\dfrac{t}{x}\right)dt$, $F'(2)=1$일 때, $f(2)$의 값은?

① 1 ② 2 ③ 3 ④ 4 ⑤ 5

25

| 제한시간 1.5분 |

미분가능한 함수 $f(x)$에 대하여

$\displaystyle\int_0^x t f(x-t)\,dt = -3\sin 2x + ax$일 때, $\displaystyle\int_0^{\frac{\pi}{2}} f(x)\,dx$의 값을 구시오.

정적분을 포함한 등식

26

| 제한시간 1.5분 |

등식 $\displaystyle\int_0^x f(t)\,dt = e^x - ae^{2x}\int_0^1 f(t)e^{-t}\,dt$를 만족시키는 미분가능한 함수 $f(x)$에 대하여 상수 a값을 구하면?

① $\dfrac{1}{1-2e}$ ② $\dfrac{1}{2-e}$ ③ $\dfrac{1}{2-2e}$

④ $\dfrac{1}{2-3e}$ ⑤ $\dfrac{1}{3-2e}$

27

| 제한시간 1.5분 |

$f(x) = \cos^2 x + \cos x + 3 \int_0^{\frac{\pi}{2}} f(t) \sin t \, dt$ 가 모든 실수 x

에 대하여 성립하고, $f(2\pi) = \dfrac{q}{p}$ 일 때 $p^2 - q^2$의 값은?

(단, p, q는 서로소인 두 자연수)

① 6 　　② 7 　　③ 8 　　④ 9 　　⑤ 10

28

| 제한시간 1.5분 |

함수 $f(x)$는 $0 \le x \le 1$에서 연속이고, $0 < t \le 1$인 모든 t

에 대하여 $\int_0^1 \sqrt{x} f(t\sqrt{x}) \, dx = e^t$일 때, $f(1)$의 값은?

① e 　　② $2e$ 　　③ $3e$ 　　④ $4e$ 　　⑤ $5e$

29

| 제한시간 1.5분 |

임의의 실수 x에 대하여 미분가능한 함수 $f(x)$가

$\int_0^x f(t) \, dt = ex + 2 \int_0^x (x-t) f(t) \, dt$를 만족시킬 때,

$f(1)$의 값은? (단, $f(x) > 0$)

① $\dfrac{1}{e}$ 　　② 1 　　③ e 　　④ e^2 　　⑤ e^3

30

| 제한시간 2.5분 |

실수 전체에서 미분가능한 함수 $f(x)$에 대하여

$f(x) = x + 2 + \int_0^x f(t) \sin(x-t) \, dt$가 성립할 때, $f(6)$

의 값을 구하시오.

정적분과 급수의 합

31

| 제한시간 1.5분 |

$\displaystyle\lim_{n \to \infty} \left(\dfrac{1}{n+2} + \dfrac{1}{n+4} + \dfrac{1}{n+6} + \cdots + \dfrac{1}{3n} \right)$과 같은 것을

보기에서 모두 고르시오.

┤ 보기 ├

ㄱ. $\displaystyle\int_0^1 \dfrac{1}{1+2x} \, dx$

ㄴ. $\displaystyle\int_0^2 \dfrac{1}{2+2x} \, dx$

ㄷ. $\displaystyle\int_1^3 \dfrac{1}{2x} \, dx$

32

| 제한시간 **4.5분** |

다음 물음에 답하시오.

(1) $\lim\limits_{n \to \infty}\left\{\left(1+\dfrac{1}{n}\right)\left(1+\dfrac{2}{n}\right)\cdots\left(1+\dfrac{n}{n}\right)\right\}^{\frac{1}{n}}$의 값은?

① $\dfrac{1}{e}$ ② $\dfrac{2}{e}$ ③ $\dfrac{4}{e}$ ④ $2e$ ⑤ $4e$

(2) $a_n=\sqrt{n}$에 대하여 $P_n=\sqrt[n]{a_{n+1}\times a_{n+2}\times\cdots\times a_{2n}}$이라 할 때, $\lim\limits_{n \to \infty}\dfrac{P_n}{\sqrt{n}}$의 값은?

① $\dfrac{\sqrt{e}}{2}$ ② $\dfrac{2\sqrt{e}}{e}$ ③ $\dfrac{\sqrt{2}}{e}$ ④ $\dfrac{e\sqrt{2}}{2}$ ⑤ $\sqrt{2e}$

(3) $\lim\limits_{n \to \infty}\dfrac{\pi^2}{n^2}\left(\left|\cos\dfrac{\pi}{n}\right|+\left|2\cos\dfrac{2\pi}{n}\right|+\cdots+\left|n\cos\dfrac{n\pi}{n}\right|\right)$
의 값을 구하시오.

33 [*]

| 제한시간 **2.5분** |

함수 $f(x)$가 $f(x)=\lim\limits_{n \to \infty}\sum\limits_{k=1}^{n}\left|e^{\frac{kx}{n}}-8\right|\dfrac{x}{2n}$일 때, $f(4\ln2)$의 값은? (단, $x>0$)

① $4-12\ln2$ ② $8-16\ln2$ ③ $8\ln2$

④ $\dfrac{1}{2}+8\ln2$ ⑤ $\dfrac{1}{2}+16\ln2$

34

| 제한시간 **2분** |

실수 전체에서 연속인 함수 $f(x)$에 대하여 다음이 성립한다.

> (가) 모든 실수 x에 대하여 $f(x+2)=f(x)$이다.
> (나) $\displaystyle\int_0^1 f(x)\,dx=3,\ \int_3^4 f(x)\,dx=4$

$\lim\limits_{n \to \infty}\sum\limits_{k=1}^{n}\dfrac{2k}{n^2}f\left(\dfrac{5n^2+4k^2}{n^2}\right)=a$일 때, $10a$의 값은?

(단, a는 상수이다.)

① 25 ② 35 ③ 50

④ 65 ⑤ 70

01

$a_n = \int_n^{n+1} \{e^x + (-e)^n \pi \sin \pi x\} dx$라 할 때, $\sum_{n=1}^{\infty} \dfrac{1}{a_n}$의 값은? (단, n은 자연수이다.)

① $\dfrac{1}{e-1}$ ② $\dfrac{1}{e^2-1}$ ③ $\dfrac{2}{e^2-1}$

④ $\dfrac{1}{(e-1)^2}$ ⑤ $\dfrac{2}{(e-1)^2}$

02

[융합형]

연속인 함수 $f(x)$가 모든 실수 x에 대하여

$f(x) + f(2k\pi - x) = 1 + \cos x$ (단, $k = 0, 1, 2, 3, 4, 5, 6$)

를 만족시킬 때, $\sum_{k=0}^{6} \int_{(k-1)\pi}^{(k+1)\pi} f(x) dx$의 값은?

① -14π ② -7π ③ 0

④ 7π ⑤ 14π

03

모든 실수 x에 대하여 함수 $f(x)$의 도함수 $f'(x)$와 이계도함수 $f''(x)$가 다음을 만족시킨다.

> (가) $f(x) f'(x) f''(x) = \int_0^x (3t^2 - 6t + 2) dt$
>
> (나) $f''(x) \neq 0$

이때 $\int_1^2 \{f'(x)\}^3 dx$의 값은?

① -1 ② $-\dfrac{1}{2}$ ③ 0

④ $\dfrac{1}{2}$ ⑤ 1

04*

등식 $\int_1^{e^{\frac{\pi}{4}}} \sin^2(\ln x)dx = ae^{\frac{\pi}{4}} + b$가 성립하도록 하는 두 유리수 a, b에 대하여 $10(a-b)$의 값을 구하시오.

06

자연수 n에 대하여 $I_n = \int_0^0 x^{n+1}e^x dx$라 할 때, **보기**에서 옳은 것을 모두 고르시오.

┤ 보기 ├

ㄱ. $I_1 = e-2$

ㄴ. $I_{n+1} = e-(n+2)I_n$

ㄷ. $\sum_{k=1}^4 I_k = 100-32e$

05

$\int_0^2 (\sqrt{1+x^3} + \sqrt[3]{x^2+2x})dx$의 값을 구하시오.

07*

모든 실수에서 미분가능한 함수 $f(x)$에 대하여 다음이 성립할 때, $f(2)-f'(2)$의 값을 구하시오.

(가) 도함수 $f'(x)$는 모든 실수에서 연속이다.

(나) 모든 실수 x에 대하여

$$\int_{-x}^x (x-t)f'(x+t)dt = f(2x)+4x$$

08

$\int_0^{\frac{\pi}{2}} \frac{\sin y \cos y}{y+1} dy = a \int_0^{\pi} \frac{\cos x}{(x+2)^2} dx + \frac{b}{\pi+2} + c$ 로 나타낼 때, 상수 a, b, c에 대하여 $100(a+b+c)$의 값을 구하시오.

09

$\lim\limits_{n \to \infty} \sum\limits_{k=1}^{n} \frac{k}{n} \pi \left\{ \sin\left(\frac{k}{n}\pi\right) - \sin\left(\frac{k-1}{n}\pi\right) \right\}$의 값은?

① -2
② $1-\frac{2}{\pi}$
③ $\frac{\pi}{2}-1$
④ $\pi-2$
⑤ 2

10

실수 전체에서 미분가능한 함수 $f(x)$와 그 도함수 $f'(x)$에 대하여 다음이 성립한다.

> (가) 모든 실수 x에 대하여 $f(x)=f(-x)$이다.
> (나) $\int_0^1 f'(x)dx = -\frac{1}{3}$, $f(0)=0$
> (다) $\int_{-1}^0 f(x)dx = -\frac{1}{4}$

이때 $\lim\limits_{n \to \infty} \sum\limits_{k=1}^{n} \frac{k^2}{n^3} f'\left(\frac{2k}{n}-1\right)$의 값은?

① $-\frac{1}{24}$
② $-\frac{1}{12}$
③ $-\frac{1}{8}$
④ $-\frac{1}{6}$
⑤ $-\frac{5}{24}$

9 정적분의 활용

1 곡선과 좌표축 사이의 넓이

함수 $f(x)$가 구간 $[a, b]$에서 연속일 때, 곡선 $y=f(x)$와 x축 및 두 직선 $x=a$, $x=b$로 둘러싸인 도형의 넓이 S는 $S=\int_a^b |f(x)|\,dx$

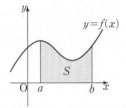 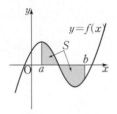

참고
함수 $g(y)$가 닫힌구간 $[c, d]$에서 연속일 때, 곡선 $x=g(y)$와 y축 및 두 직선 $y=c$, $y=d$로 둘러싸인 도형의 넓이 S는 $S=\int_c^d |g(y)|\,dy$

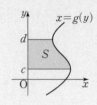

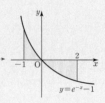

보기 곡선 $y=e^{-x}-1$과 x축 및 두 직선 $x=-1$, $x=2$로 둘러싸인 도형의 넓이를 구하여라.

풀이 $-1<x<0$일 때 $e^{-x}-1>0$이고, $0<x<2$일 때 $e^{-x}-1<0$이므로

$$\int_{-1}^2 |e^{-x}-1|\,dx$$

$$=\int_{-1}^0 (e^{-x}-1)\,dx+\int_0^2 (-e^{-x}+1)\,dx$$

$$=\left[-e^{-x}-x\right]_{-1}^0+\left[e^{-x}+x\right]_0^2=\boldsymbol{e+e^{-2}-1}$$

2 두 곡선 사이의 넓이

두 함수 $f(x)$, $g(x)$가 구간 $[a, b]$에서 연속일 때, 두 곡선 $y=f(x)$, $y=g(x)$ 및 두 직선 $x=a$, $x=b$로 둘러싸인 도형의 넓이 S는

$$S=\int_a^b |f(x)-g(x)|\,dx$$

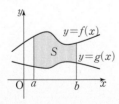 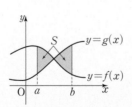

참고
닫힌구간 $[a, b]$에서 두 곡선 $y=f(x)$, $y=g(x)$ 사이의 넓이를 구할 때
❶ 구간 $[a, b]$에서 두 곡선 $y=f(x)$, $y=g(x)$의 교점의 x좌표를 구한다.
❷ 함수 $f(x)-g(x)$의 값이 양수인 구간과 음수인 구간으로 나누어 정적분한다.

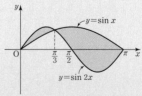

$\sin x=\sin 2x$ $(0\le x\le \pi)$에서
$\sin x=2\sin x\cos x$
즉 $\sin x(2\cos x-1)=0$
따라서 $x=0$, π, $\dfrac{\pi}{3}$

보기 두 곡선 $y=\sin x$, $y=\sin 2x$로 둘러싸인 도형의 넓이를 구하여라.
(단, $0\le x\le \pi$)

풀이 $\int_0^{\frac{\pi}{3}} (\sin 2x-\sin x)\,dx+\int_{\frac{\pi}{3}}^{\pi} (\sin x-\sin 2x)\,dx$

$$=\left[-\frac{1}{2}\cos 2x+\cos x\right]_0^{\frac{\pi}{3}}+\left[-\cos x+\frac{1}{2}\cos 2x\right]_{\frac{\pi}{3}}^{\pi}=\boldsymbol{\frac{5}{2}}$$

3 부피

닫힌구간 $[a, b]$에서 x좌표가 x인 점을 지나고 x축에 수직인 평면으로 잘랐을 때 단면의 넓이가 $S(x)$인 입체도형의 부피 V는

$$V=\int_a^b S(x)dx$$

(단, $S(x)$는 닫힌구간 $[a, b]$에서 연속)

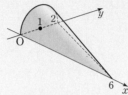

보기 그림과 같은 입체도형을 x축에 수직인 평면으로 자른 단면이 반원일 때, 이 입체도형의 부피를 구하여라.

풀이 닮음인 두 직각삼각형에서

$$\frac{1}{2}\times\pi\times 1^2 : S(x)=6^2 : (6-x)^2$$

즉 $S(x)=\frac{(6-x)^2}{72}\pi$이므로 부피는

$$\int_0^6 \frac{(6-x)^2}{72}\pi dx$$
$$=\frac{\pi}{72}\left[\frac{1}{3}x^3-6x^2+36x\right]_0^6$$
$$=\pi$$

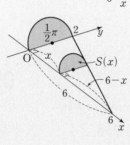

4 위치 변화량과 움직인 거리

(1) 수직선 위의 점 P의 시각 t에서 속도가 $v(t)$ $(a\leq t\leq b)$일 때

　① 점 P의 위치 변화량 $\Rightarrow \int_a^b v(t)dt$

　② 점 P가 움직인 거리 $\Rightarrow \int_a^b |v(t)|dt$

(2) 평면 위의 점 P(x, y)의 시각 t에서의 위치가 $x=f(t), y=g(t)$이고, $a\leq t\leq b$일 때 점 P가 움직인 거리는 $\int_a^b \sqrt{\{f'(t)\}^2+\{g'(t)\}^2}dt$

(3) **곡선의 길이**

　① 곡선 $x=f(t), y=g(t)$ $(a\leq t\leq b)$의 길이는

$$\int_a^b \sqrt{\{f'(t)\}^2+\{g'(t)\}^2}dt$$

　② 곡선 $y=f(x)$ $(a\leq x\leq b)$의 길이는 $\int_a^b \sqrt{1+\{f'(x)\}^2}dx$

참고

점 P(x, y)의 시각 t에서의 위치가 $x=f(t), y=g(t)$일 때

점 P의 속도 $v=(f'(t), g'(t))$

점 P의 속력 $|v|=\sqrt{\{f'(t)\}^2+\{g'(t)\}^2}$

참고

$y=f(x)$에서 $x=t, y=f(t)$ $(a\leq t\leq b)$라 하면

$$\int_a^b \sqrt{\left(\frac{dx}{dt}\right)^2+\left(\frac{dy}{dt}\right)^2}dt$$
$$=\int_a^b \sqrt{1+\{f'(t)\}^2}dt$$

보기 곡선 $y=\frac{2\sqrt{3}}{3}\sqrt{x^3}$ $(0\leq x\leq 5)$의 길이를 구하여라.

풀이 $f(x)=\frac{2\sqrt{3}}{3}\sqrt{x^3}$에서 $f'(x)=\sqrt{3x}$이므로

$$\int_0^5 \sqrt{1+\{f'(x)\}^2}dx=\int_0^5 \sqrt{1+3x}dx=\left[\frac{1}{3}\times\frac{2}{3}(1+3x)^{\frac{3}{2}}\right]_0^5=\mathbf{14}$$

STEP 1 | 1등급 준비하기

곡선과 직선으로 둘러싸인 부분의 넓이

01*

곡선 $y = \ln x$와 x축, y축 및 직선 $y = 1$로 둘러싸인 도형의 넓이는?

① $2e$ ② $1 - \dfrac{1}{e}$ ③ $\dfrac{1}{e} + 1$

④ $e + 1$ ⑤ $e - 1$

02*

자연수 n에 대하여 곡선 $y = e^{-x}$과 x축 및 두 직선 $x = n$, $x = n+1$로 둘러싸인 도형의 넓이를 S_n이라 할 때, $\displaystyle\sum_{n=1}^{\infty} S_n$의 값은?

① $\dfrac{1}{e^2}$ ② $\dfrac{1}{e}$ ③ 1 ④ e ⑤ e^2

03

곡선 $y = \cos x \left(0 \le x \le \dfrac{\pi}{2} \right)$와 곡선 위의 점 $\left(\dfrac{\pi}{6}, \dfrac{\sqrt{3}}{2} \right)$에서 접하는 직선 및 x축으로 둘러싸인 부분의 넓이는?

① $\dfrac{1}{6}$ ② $\dfrac{1}{4}$ ③ $\dfrac{1}{2}$ ④ $\dfrac{\pi}{2}$ ⑤ π

두 곡선으로 둘러싸인 부분의 넓이

04

두 곡선 $y = \dfrac{1}{x}$, $y = \sqrt{x}$와 두 직선 $x = \dfrac{1}{4}$, $x = 4$로 둘러싸인 도형이 넓이는?

① $\dfrac{7}{2}$ ② $\dfrac{15}{4}$ ③ 4

④ $\dfrac{49}{12}$ ⑤ $\dfrac{25}{6}$

05

두 곡선 $y = \sin x$, $y = ax^2$과 $x = \pi$로 둘러싸인 두 도형의 넓이가 서로 같을 때 상수 a값은?(단, $0 < a < 1$)

① $\dfrac{2}{\pi^3}$ ② $\dfrac{4}{\pi^3}$ ③ $\dfrac{6}{\pi^3}$

④ $\dfrac{8}{\pi^3}$ ⑤ $\dfrac{10}{\pi^3}$

입체도형의 부피

06

닫힌구간 $[1, 2]$에 놓여 있는 입체도형을 임의의 점 x에서 x축에 수직인 평면으로 잘랐을 때, 단면 넓이 $S(x)$가 $S(x) = xe^x$이다. 이 입체도형의 부피는?

① e^2 ② $e^2 + e$ ③ $2e^2$

④ $2e^2 + e$ ⑤ $3e^2$

07

그림과 같이 원 $x^2+y^2=4$로 둘러싸인 도형을 밑면으로 하는 입체도형에서 x축과 수직인 단면은 세로 길이가 2인 직사각형일 때, 이 입체도형의 부피는?

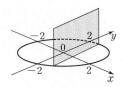

① 4   ② 4π ③ 8

④ 8π ⑤ 16

08

곡선 $y=\tan x \left(0\leq x\leq \dfrac{\pi}{4}\right)$와 x축 및 직선 $x=\dfrac{\pi}{4}$로 둘러싸인 도형을 밑면으로 하는 입체도형이 있다. 이 입체도형을 x축에 수직인 평면으로 자른 단면 모양이 정삼각형일 때, 이 입체도형의 부피는?

① $\dfrac{\sqrt{3}}{16}-\dfrac{\sqrt{3}}{16}\pi$ ② $\dfrac{\sqrt{3}}{4}-\dfrac{\sqrt{3}}{16}\pi$

③ $\dfrac{\sqrt{3}}{4}-\dfrac{\sqrt{3}}{4}\pi$ ④ $\dfrac{\sqrt{3}}{2}-\dfrac{\sqrt{3}}{4}\pi$

⑤ $\dfrac{\sqrt{3}}{2}-\dfrac{\sqrt{3}}{2}\pi$

09*

곡선 $y=\ln x$ $(1\leq x\leq e^2)$와 x축 및 직선 $x=e^2$으로 둘러싸인 도형을 밑면으로 하는 입체도형이 있다. 이 입체도형을 x축에 수직인 평면으로 자른 단면 모양이 정사각형일 때, 이 입체도형의 부피는?

① e^4-2 ② e^2-3 ③ $2e^2-2$

④ $3e^2-1$ ⑤ $4e^2-2$

위치의 변화량과 움직인 거리

10

수직선 위를 움직이는 점 P의 시각 t에서의 속도가 $v(t)=\dfrac{t-2}{e^t}$ 일 때, $t=0$에서 $t=4$까지 점 P가 움직인 거리는?

① $1+\dfrac{2}{e^2}$ ② $1-\dfrac{3}{e^4}$ ③ $\dfrac{2}{e^2}-\dfrac{3}{e^4}$

④ $1+\dfrac{2}{e^2}-\dfrac{3}{e^4}$ ⑤ $1+\dfrac{2}{e^2}+\dfrac{3}{e^4}$

11

$x=e^{-t}\sin t$, $y=e^{-t}\cos t$ $(0\leq t\leq 2)$일 때, 점 (x, y)가 그리는 곡선의 길이는?

① $1-\dfrac{1}{e^2}$ ② $1+\dfrac{1}{e^2}$ ③ $\sqrt{2}\left(1-\dfrac{1}{e^2}\right)$

④ $\sqrt{2}\left(1+\dfrac{1}{e^2}\right)$ ⑤ $\sqrt{2}$

곡선과 직선으로 둘러싸인 부분의 넓이

01*
| 제한시간 1.5분 |

함수 $f(x)=\dfrac{(\ln x)^2-4\ln x+3}{x}$ $(x>0)$의 그래프와 x축으로 둘러싸인 부분의 넓이가 S일 때, $3S$의 값을 구하시오.

02
| 제한시간 2분 |

함수 $f(x)=\sin^2\dfrac{x}{2}$ $(0\le x\le\pi)$의 그래프와 y축 및 두 직선 $y=\dfrac{3}{4}$, $y=1$로 둘러싸인 부분의 넓이는?

① $\dfrac{\pi}{3}-\dfrac{\sqrt{3}}{2}$ ② $\dfrac{\pi}{3}-\dfrac{\sqrt{3}}{4}$ ③ $\dfrac{\pi}{3}$

④ $\dfrac{\pi}{3}+\dfrac{\sqrt{3}}{4}$ ⑤ $\dfrac{\pi}{3}+\dfrac{\sqrt{3}}{2}$

03
| 제한시간 2분 |

함수 $f(x)=\dfrac{1}{x^2}$에 대하여 n이 자연수일 때 점 A_n의 좌표를 $(n,\ f(n))$이라 하자. 선분 A_nA_{n+1}과 곡선 $y=f(x)$로 둘러싸인 도형의 넓이가 S_n이고, $\displaystyle\sum_{n=1}^{\infty}\sqrt{S_n}=a$일 때, $100a^2$의 값을 구하시오.

04
| 제한시간 2.5분 |

좌표평면에서 곡선 $y=\dfrac{xe^{x^2}}{e^{x^2}+1}$과 직선 $y=\dfrac{3}{4}x$로 둘러싸인 두 부분의 넓이의 합은? (단, e는 자연로그의 밑이다.)

① $\dfrac{3}{4}\ln 3-\ln 2$ ② $\dfrac{3}{4}\ln 2-\ln 3$

③ $\dfrac{4}{3}\ln 3-\ln 2$ ④ $\dfrac{4}{3}\ln 4-\ln 3$

⑤ $\dfrac{3}{4}\ln\dfrac{3}{2}$

05
| 제한시간 2분 |

자연수 n에 대하여 닫힌구간 $\left[\left(n-\dfrac{1}{2}\right)\pi,\ \left(n+\dfrac{1}{2}\right)\pi\right]$에서 곡선 $y=\left(\dfrac{1}{3}\right)^n\cos x$와 x축으로 둘러싸인 부분의 넓이를 S_n이라 할 때, $\displaystyle\sum_{n=1}^{\infty}S_n$의 값을 구하시오.

06
| 제한시간 2.5분 |

함수 $f(x)=e^{-x}\sin x\ (x\geq 0)$의 그래프와 x축으로 둘러싸인 도형의 넓이는?

① $\dfrac{2(e^\pi-1)}{e^\pi+1}$ ② $\dfrac{e^\pi+1}{e^\pi+1}$ ③ $\dfrac{e^\pi-1}{e^\pi+1}$

④ $\dfrac{e^\pi+1}{2(e^\pi+1)}$ ⑤ $\dfrac{e^\pi+1}{2(e^\pi-1)}$

두 곡선으로 둘러싸인 부분의 넓이

07
| 제한시간 1.5분 |

두 곡선 $y=e^x$, $y=xe^x$과 y축으로 둘러싸인 도형의 넓이를 A, 두 곡선 $y=e^x$, $y=xe^x$과 직선 $x=2$로 둘러싸인 도형의 넓이를 B라 할 때, $A+B$의 값은?

① 1 ② e ③ $2(e-1)$
④ $e+1$ ⑤ 5

08
| 제한시간 1.5분 |

두 곡선 $y=\sqrt{x-1}$, $y=x^2$과 두 직선 $y=1$, $y=2$로 둘러싸인 부분의 넓이가 $4-p\sqrt{2}$일 때, p의 값은?

① $\dfrac{1}{3}$ ② $\dfrac{2}{3}$ ③ 1 ④ $\dfrac{4}{3}$ ⑤ $\dfrac{5}{3}$

09
| 제한시간 1.5분 |

곡선 $y=|\sin x-\cos x|$와 x축 및 두 직선 $x=0$, $x=2\pi$로 둘러싸인 부분의 넓이가 S일 때, S^2의 값을 구하시오.

10
| 제한시간 3분 |

두 함수 $f(x)=a(x+1)^2$, $g(x)=\ln(x+1)$에 대하여 두 곡선 $y=f(x)$, $y=g(x)$는 제1사분면 위의 한 점에서 만나고 이 점에서의 두 곡선의 접선이 일치한다. 두 함수 $f(x)$, $g(x)$의 그래프와 x축으로 둘러싸인 도형의 넓이는? (단, $a>0$)

① $\dfrac{5\sqrt{e}}{3}-1$ ② $\dfrac{4\sqrt{e}}{3}-1$ ③ $\sqrt{e}-1$
④ $\dfrac{2\sqrt{e}}{3}-1$ ⑤ $\dfrac{\sqrt{e}}{3}-1$

11

| 제한시간 2.5분 |

자연수 n에 대하여 닫힌구간 $[0, 2\pi]$에서 두 함수
$y=\sin nx$와 $y=\cos nx$의 그래프로 둘러싸인 도형의 넓이를 S_n이라 할 때, $\lim_{n \to \infty} S_n$의 값은?

① $\sqrt{2}$ ② $2\sqrt{2}$ ③ $3\sqrt{2}$

④ $4\sqrt{2}$ ⑤ $5\sqrt{2}$

역함수의 그래프와 넓이

12

| 제한시간 1.5분 |

함수 $f(x)=2\sin\dfrac{\pi}{4}x$ $(-2 \le x \le 2)$와 그 역함수
$y=g(x)$의 그래프로 둘러싸인 부분의 넓이는?

① $\dfrac{8}{\pi}-2$ ② $\dfrac{8}{\pi}+2$ ③ $\dfrac{16}{\pi}+4$

④ $\dfrac{32}{\pi}-8$ ⑤ $\dfrac{32}{\pi}+8$

13*

| 제한시간 2.5분 |

함수 $f(x)=x\ln x$ $\left(x>\dfrac{1}{e}\right)$의 역함수를 $g(x)$라 하자.
두 함수 $y=f(x)$, $y=g(x)$의 그래프와 직선 $y=-x$로
둘러싸인 부분의 넓이는?

① $\dfrac{5}{4}\left(e^2-\dfrac{1}{e^2}\right)$ ② $\left(e^2-\dfrac{1}{e^2}\right)$ ③ $\dfrac{3}{4}\left(e^2-\dfrac{1}{e^2}\right)$

④ $\dfrac{1}{2}\left(e^2-\dfrac{1}{e^2}\right)$ ⑤ $\dfrac{1}{4}\left(e^2-\dfrac{1}{e^2}\right)$

넓이 나누기

14

| 제한시간 1.5분 |

곡선 $y=\dfrac{1}{x+1}$ 과 x축, y축 및 직선 $x=3$으로 둘러싸인
도형의 넓이가 직선 $x=k$에 의하여 이등분될 때, 상수 k
의 값은?

① $\dfrac{1}{3}$ ② $\dfrac{1}{2}$ ③ $\dfrac{2}{3}$

④ 1 ⑤ $\dfrac{5}{4}$

15

| 제한시간 2분 |

곡선 $y=\sin x$ $\left(0 \le x \le \dfrac{\pi}{2}\right)$와 x축 및 직선 $x=\dfrac{\pi}{2}$로 둘러
싸인 도형의 넓이를 곡선 $y=a\cos x$가 이등분할 때, 양
수 a의 값은?

① $\dfrac{1}{4}$ ② $\dfrac{\sqrt{2}}{2}$ ③ $\dfrac{3}{4}$

④ $\dfrac{\sqrt{3}}{2}$ ⑤ $\dfrac{\sqrt{5}}{2}$

16

| 제한시간 2분 |

그림과 같이 곡선 $y = \sin 2x \left(0 \leq x \leq \dfrac{\pi}{2} \right)$와 x축으로 둘러싸인 부분이 곡선 $y = k \cos x$로 나누어지는 두 영역의 넓이를 각각 S_1, S_2라 하자. $S_1 : S_2 = 25 : 39$가 되도록 하는 상수 k의 값에 대하여 $4k$의 값을 구하시오.

(단, $0 < k < 1$)

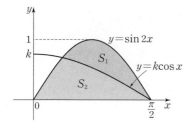

입체도형의 부피

18

| 제한시간 1분 |

어떤 입체도형을 밑면으로부터 높이가 x인 곳에서 밑면과 평행한 평면으로 자른 단면의 넓이가 $\dfrac{3x+5}{x^2+3x+2}$이다.
이 입체도형의 높이가 3일 때, 입체도형의 부피는?

① $\ln 10$ ② $\ln 20$ ③ $\ln 30$
④ $\ln 40$ ⑤ $\ln 50$

17

| 제한시간 2.5분 |

그림과 같이 곡선 $y = \dfrac{3}{x}$ $(x > 0)$과 두 직선 $y = 3x$, $y = \dfrac{1}{3}x$로 둘러싸인 도형을 직선 $y = kx$가 두 부분으로 나눈 도형의 넓이를 A, B라 하자. $A : B = 1 : 3$일 때, 상수 k의 값은?

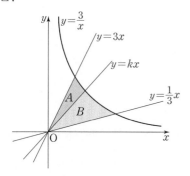

① $\dfrac{\sqrt{3}}{3}$ ② $\dfrac{\sqrt{2}}{2}$ ③ 1 ④ $\sqrt{2}$ ⑤ $\sqrt{3}$

19

| 제한시간 2분 |

실수 전체의 집합에서 연속인 함수 $f(x)$가 모든 양수 x에 대하여

$$\int_0^x (x-t)\{f(t)\}^2 \, dt = 6 \int_0^1 x^3 (x-t)^2 \, dt$$

를 만족시킨다. 곡선 $y = f(x)$와 직선 $x = 1$ 및 x축으로 둘러싸인 도형을 밑면으로 하고, x축에 수직인 평면으로 자른 단면이 모두 정사각형인 입체도형의 부피를 구하시오.

20

| 제한시간 2분 |

그림과 같이 구간 $0 \leq x \leq \dfrac{\pi}{2}$ 에서 두 곡선 $y = \sin x$ 와

$y = -\sin x$ 가 직선 $x = k$ 와 만나는 두 점을 각각 A, B라

하자. 이때 두 곡선과 직선 $x = \dfrac{\pi}{2}$ 로 둘러싸인 도형을 밑면

으로 하고, x축에 수직인 평면으로 자른 단면은 정팔각형

이며 선분 AB는 가장 긴 대각선이다. 이 입체도형의 부

피는?

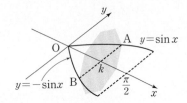

① $\dfrac{\sqrt{2}}{4}\pi$ ② $\dfrac{\sqrt{2}}{2}\pi$ ③ $\dfrac{3\sqrt{2}}{4}\pi$

④ $\sqrt{2}\pi$ ⑤ $\dfrac{5\sqrt{2}}{4}\pi$

21

| 제한시간 2분 |

반지름 길이가 4인 반구 모양의 그릇에 물이 가득 차 있

다. 이때 다음 그림과 같이 반구 밑면의 중심 O를 지나는

단면에서 점 A의 위치에 구멍이 생겨 물이 새어나갔다.

남아 있는 물의 양은?

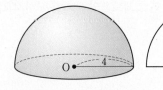

① 29π ② $\dfrac{88}{3}\pi$ ③ $\dfrac{140}{4}\pi$

④ 64π ⑤ $\dfrac{216}{4}\pi$

속도와 거리

22

| 제한시간 1.5분 |

좌표평면 위의 점 P의 시각 t 일 때의 위치 (x, y) 가

$$\begin{cases} x = 4(\cos t + \sin t) \\ y = \cos 2t \end{cases} \quad (0 \leq t \leq 2\pi)$$

이다. 점 P가 $t = 0$ 에서 $t = 2\pi$ 까지 움직인 거리를 $a\pi$ 라

할 때, a^2 의 값을 구하시오.

[수능 기출]

23

| 제한시간 1.5분 |

미분가능한 함수 $f(x)$ 에 대하여

$\displaystyle \lim_{h \to 0} \dfrac{f(x+4h) - f(x-2h)}{3h} = 2x\sqrt{x^2 + 2}$ 가 성립할 때,

구간 [0, 3]에서 곡선 $y = f(x)$ 의 길이를 구하시오.

24

| 제한시간 2분 |

$\displaystyle \int_0^{2x} f(t)\,dt = 2e^x - 2e^{-x}$ 를 만족시키는 연속인 함수 $f(x)$

가 있다. 이 곡선 $y = f(x)$ 에 대하여 $x = 0$ 에서 $x = 2\ln 3$

까지 길이를 l 이라 할 때, $15l$ 의 값을 구하시오.

01

세 양수 a, b, c가 이 순서대로 공비가 e인 등비수열을 이루고 있다. 그림처럼 $x > 0$에서 곡선 $y = \dfrac{1}{x}$과 두 직선 $y = ax$, $y = bx$로 둘러싸인 부분의 넓이를 S_1, 곡선 $y = \dfrac{1}{x}$과 두 직선 $y = bx$, $y = cx$로 둘러싸인 부분의 넓이를 S_2라 할 때, $2S_1 + 4S_2$의 값을 구하시오.

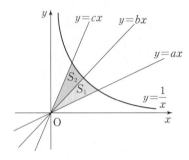

02

$y = \sin x$ $(0 \le x \le \pi)$와 x축으로 둘러싸인 도형 A가 있다. $y = \sin x$를 x축의 양의 방향으로 a만큼 평행이동하면 A의 넓이를 이등분할 때, 양수 a값은?

① $\dfrac{\pi}{6}$ ② $\dfrac{\pi}{4}$ ③ $\dfrac{\pi}{3}$

④ $\dfrac{\pi}{2}$ ⑤ $\dfrac{2}{3}\pi$

03

2 이상인 자연수에 대한 함수 $f(x) = (\ln x)^n$ $(x \ge 1)$의 그래프와 x축, y축, 직선 $y = 1$로 둘러싸인 도형의 넓이를 S_n이라 할 때, $S_n - S_{n+1}$을 이용하여 $\ln\left(S_n + \dfrac{S_{n+1}}{n+1}\right)$의 값을 구하시오.

04 　융합형

실수 전체에서 정의된 두 함수 $f(x) = -x^2 + ax + b$, $g(x) = e^{-x}$에 대하여 **보기**에서 옳은 것을 모두 고르시오. (단, $a > 0$이고, a, b는 상수이다.)

┤ 보기 ├
ㄱ. 방정식 $(g \circ f)(x) = e^{-b}$는 서로 다른 두 실근을 갖는다.

ㄴ. 함수 $y = (f \circ g)(x)$는 $x = \ln\dfrac{2}{a}$에서 극솟값을 갖는다.

ㄷ. 곡선 $y = (2x - a)(g \circ f)(x)$와 x축 및 y축으로 둘러싸인 부분의 넓이는 $e^{-b}\left(1 - e^{-\frac{a^2}{4}}\right)$이다.

05

그림과 같이 곡선 $y=e^{2x}$와 x축 및 두 직선 $x=0$, $x=1$로 둘러싸인 도형을 밑면으로 하는 입체도형이 있다. 이 입체도형을 x좌표가 t $(0 \le t \le 1)$인 점을 지나고 x축에 수직인 평면으로 자른 단면 모양이 곡선 $y=\sin \dfrac{\pi}{e^{2t}} x$ $(0 \le x \le e^{2t})$와 x축으로 둘러싸인 도형과 같고, 이 입체도형의 부피는 $\dfrac{e^a+b}{\pi}$ 이다. 이때 두 정수 a, b에 대하여 $2a+b$의 값을 구하시오.

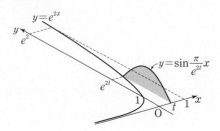

06

밑면의 반지름 길이가 3이고, 높이가 8인 원뿔의 꼭짓점 P에서 내린 수선의 발 H가 A에서 B까지 움직여 생긴 입체의 부피가 $a\pi+b$이다. 두 정수 a, b에 대하여 $a+b$의 값을 구하시오.

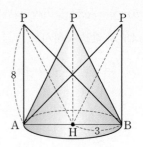

07

실수 전체의 집합에서 이계도함수를 갖고 $f(1)=0$, $f(2)=\sqrt{3}$, $f''(x) \ge 0$을 만족시키는 모든 함수 $f(x)$에 대하여 $\displaystyle\int_{1}^{2} \sqrt{1+\{f'(x)\}^2}\,dx \ge k$이다. 이때 k의 최댓값을 구하시오.

08

좌표평면 위에서 움직이고 있는 점 $P(x, y)$에 대하여 시각 t에서 $x=8t$, $y=\dfrac{1}{2}(t+2)^2-\ln(t+2)^{16}$이 성립한다. $t=0$에서부터 점 P의 속력이 최소가 될 때까지 점 P가 움직인 거리가 $a+b\ln 2$일 때, 두 정수 a, b에 대하여 $a+b$의 값을 구하시오.

09

신유형

구간 $\left[0, \dfrac{\pi}{2}\right]$에서 미분가능한 함수 $f(t)$에 대하여 평면 위를 움직이는 점 P의 시각 t에서의 위치가 $P(t, f(t))$이다. $t=0$에서 $t=k\left(k\le\dfrac{\pi}{2}\right)$까지 움직인 거리 $l(k)$가

$$l(k)=\dfrac{1}{2}\ln\dfrac{1+\sin k}{1-\sin k}$$

일 때, $k=\dfrac{\pi}{3}$에서 점 P의 속력을 구하시오.

10

융합형

스위스의 수학자 베르누이는 1696년에 '최속강하선'이라 불리는 문제를 냈다. 이는 물체가 위에서 아래로 떨어질 때 어떤 경로를 따라 내려가는 것이 가장 빠른지 찾는 것이었다. 직선 경로가 최단 거리이기 때문에 가장 빠르다고 생각할 수 있지만 실제로는 사이클로이드(cycloid)라는 곡선을 따라 내려가는 것이 가장 빠르다고 한다. 사이클로이드는 직선을 따라 원을 미끄러지지 않도록 굴릴 때 그 원 위의 고정된 한 점 P가 그리는 곡선이다.

그림과 같이 반지름 길이가 1인 원이 점 P에서 지면에 접해 있다. 이 원을 미끄러지지 않게 오른쪽으로 한 바퀴 굴릴 때, 점 P가 그리는 자취의 길이를 구하시오.

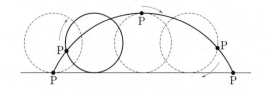

집중 연습

1. 그래프의 개형 그리기 연습

※ 다음 함수의 그래프 개형을 예시 방법을 참고해 그리시오.

┤ 예시 ├

$y=xe^x$

① 정의역: 모든 실수

② 대칭성: 없다.

③ 극점:

$y'=e^x+xe^x=(1+x)e^x$이므로 $y'=0$에서 $x=-1$

④ 변곡점:

$y''=e^x+(1+x)e^x=(2+x)e^x$

$y''=0$에서 $x=-2$

즉 $x=-2$에서 변곡점을 가진다.

⑤ 점근선:

$\lim\limits_{x\to\infty}xe^x=\infty$, $\lim\limits_{x\to-\infty}xe^x=0$이므로

점근선은 x축이다.

⑥ 절편: $(0, 0)$을 지난다.

⑦ 증감표

x	$\cdots$	-2	$\cdots$	-1	$\cdots$
y'	$-$	$-$	$-$	0	$+$
y''	$-$	0	$+$	$+$	$+$
y	$\searrow$	변곡점 $-\dfrac{2}{e^2}$	$\searrow$	극소 $-\dfrac{1}{e}$	$\nearrow$

위 결과를 이용하여 그래프 개형을 그려 보면 아래와 같다.

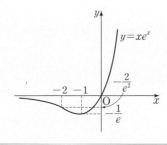

지수함수

01

$y=xe^{-x}$의 그래프 개형

02

$y=x^2e^{-x}$의 그래프 개형

03

$y=x^3 e^{-x}$의 그래프 개형

04

$y=(x+2)e^{-x}$의 그래프 개형

로그함수

05

$y=\dfrac{\ln x^2}{x}$의 그래프 개형

06

$y=x\ln x$의 그래프 개형

07

$y=2\ln(5-x)+\dfrac{1}{4}x^2$의 그래프 개형

분수함수

09

$y=\dfrac{x}{x^2+4}$의 그래프 개형

08

$y=\ln(1+x^2)$의 그래프 개형

10

$y=\dfrac{x^2-3}{x-2}$의 그래프 개형

11

$y=\dfrac{x^2+x-1}{x^3}$ 의 그래프 개형

13

$y=e^{-x}\sin x$ 의 그래프 개형 $(0\leq x\leq 2\pi)$

삼각함수

12

$y=e^x(\sin x-\cos x)$ 의 그래프 개형 $(0\leq x\leq 2\pi)$

14

$y=\sin x(1+\cos x)$ 의 그래프 개형 $(0\leq x\leq 2\pi)$

15

$y=\sin x(1-\sin x)$의 그래프 개형 $(0\le x\le 2\pi)$

17

$y=\sqrt[3]{x^2}(x-4)$의 그래프 개형

무리함수

16

$y=3\sqrt[3]{x^2}$의 그래프 개형

18

$y=x\sqrt{1-x^2}$의 그래프 개형

기타

19

$y=\left(\dfrac{1}{x}\right)^{\ln x}$의 그래프 개형

20

$y=x^x\,(x>0)$의 그래프 개형

2. 정적분 연습

치환적분법

01

다음 정적분의 값을 구하시오.

(1) $\displaystyle\int_0^1 8x(x^2+1)^3\,dx$

(2) $\displaystyle\int_0^{\frac{\pi}{2}} \sin^3 x\sin 2x\,dx$

(3) $\displaystyle\int_0^{\frac{\pi}{4}} \tan^3 x\,dx$

(4) $\displaystyle\int_0^1 (e^{x^2+x}+e^{x+\sqrt{x}})\,dx$

02

다음 정적분의 값을 구하시오.

(1) $\displaystyle\int_{\sqrt{e}}^{e} \frac{\cos(\pi\ln x)}{x}dx$

(2) $\displaystyle\int_{1}^{4} \frac{1}{\sqrt{x}}e^{\sqrt{x}}dx$

(3) $\displaystyle\int_{0}^{3} 3\sqrt{4-x}dx$

(4) $\displaystyle\int_{\ln 2}^{1} \frac{1}{e^x-e^{-x}}dx$

부분적분법

03[*]

다음 정적분의 값을 구하시오.

(1) $\displaystyle\int_{0}^{\frac{\pi}{2}} e^{3x}\cos x\,dx$

(2) $\displaystyle\int_{1}^{e} (\ln x)^2 dx$

(3) $\displaystyle\int_{1}^{e} \frac{\ln x}{x^2}dx$

(4) $\displaystyle\int_{0}^{4} e^{\sqrt{x}}dx$

무겁고 뻐근한 다리에 시원함을!
다리 스트레칭

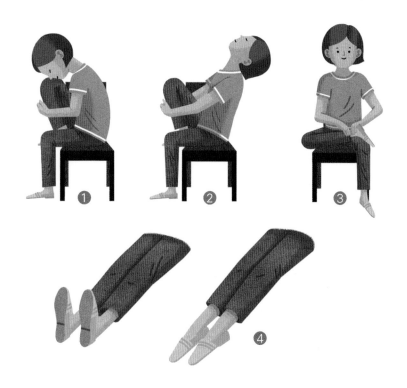

의자에 오래 앉아 있다 보면 다리가 뻐근하고 붓는 느낌이 들 때가 많아요. 실제로 의자에 오래 앉아 있게 되면 우리 몸을 건강하게 지켜 주는 엉덩이, 허벅지 근육이 손실된다고 합니다. 의자에 앉아서도 쉽게 할 수 있는 다리 스트레칭을 통해 소중한 건강을 지켜 주세요.

❶ 의자에 한쪽 다리를 접어서 올리고 두 손으로 정강이 부분을 잡은 후
   고개를 자연스럽게 숙이며 가슴 쪽으로 당겨 주세요.

❷ 같은 자세에서 허리를 쭉 펴고 고개와 등을 뒤로 젖혀 줍니다.
   이때 넘어지지 않게 주의하세요.

❸ 다시 앞을 보고 의자에 바른 자세로 앉은 다음,
   한쪽 다리를 접어 반대쪽 다리 위에 올리고 발목을 돌려 주세요.

❹ 두 발을 앞으로 쭉 뻗어 발목을 몸 쪽으로 꺾어 줍니다.
   10초 정도 유지 후 반대쪽으로 발목을 펴 주면 다리 피로 안녕~!

최강
TOT

1등급 비밀!!
최강
TOT

TOP
OF THE
TOP

미적분

정답과
풀이

천재교육

TOT

TOP

OF THE

TOP

정답과 풀이

미적분

1 수열의 극한

01 답 1

GUIDE

$\log_c a + \log_c b = \log_c ab$를 이용해 정리한다.

$$\lim_{n \to \infty} \left\{ \log\left(1+\frac{1}{n}\right) + \log_2\left(1+\frac{1}{n+1}\right) \right.$$
$$\left. + \cdots + \log_2\left(1+\frac{1}{n+n}\right) \right\}$$
$$= \lim_{n \to \infty} \left\{ \log_2 \frac{n+1}{n} + \log_2 \frac{n+2}{n+1} + \cdots + \log_2 \frac{2n+1}{2n} \right\}$$
$$= \lim_{n \to \infty} \log_2 \left(\frac{n+1}{n} \times \frac{n+2}{n+1} \times \frac{n+3}{n+2} \times \cdots \times \frac{2n+1}{2n} \right)$$
$$= \lim_{n \to \infty} \log_2 \frac{2n+1}{n} = \log_2 2 = 1$$

02 답 110

GUIDE

근호가 있는 $\infty - \infty$ 꼴이므로 유리화를 이용한다.

$$\lim_{n \to \infty} (\sqrt{an^2+4n} - bn) = \lim_{n \to \infty} \frac{(an^2+4n)-b^2 n^2}{\sqrt{an^2+4n}+bn}$$
$$= \lim_{n \to \infty} \frac{(a-b^2)n+4}{\sqrt{a+\frac{4}{n}}+b} = \frac{1}{5}$$

에서 $a=b^2$이므로 $\displaystyle\lim_{n \to \infty} \frac{4}{\sqrt{b^2+\frac{4}{n}}+b} = \frac{4}{|b|+b} = \frac{1}{5}$에서

$b>0$이고 $b=10$ $\therefore a=100$
따라서 $a+b=110$

03 답 ③

GUIDE

근호가 있는 $\infty - \infty$ 꼴이므로 유리화를 이용한다.

$$\lim_{n \to \infty} \sqrt{n+1}(\sqrt{an+1} - \sqrt{bn})$$
$$= \lim_{n \to \infty} \sqrt{n+1} \frac{(a-b)n+1}{\sqrt{an+1}+\sqrt{bn}}$$
$$= \lim_{n \to \infty} \frac{(a-b)\sqrt{n^2+n}+\frac{\sqrt{n+1}}{\sqrt{n}}}{\sqrt{a+\frac{1}{n}}+\sqrt{b}} = 1$$

에서 $a=b$이므로

$$\frac{1}{\sqrt{a}+\sqrt{b}} = \frac{1}{2\sqrt{a}} = 1$$에서 $a=\frac{1}{4}$ $\therefore a+b = \frac{1}{2}$

04 답 2

GUIDE

$$\lim_{n \to \infty} \frac{2a_n-3}{a_n+1} = 2 + \lim_{n \to \infty} \left(-\frac{5}{a_n+1}\right)$$

$$\lim_{n \to \infty} \frac{2a_n-3}{a_n+1} = 2 + \lim_{n \to \infty} \left(-\frac{5}{a_n+1}\right) = \frac{1}{3}$$에서

$$\lim_{n \to \infty} \left(-\frac{5}{a_n+1}\right) = -\frac{5}{3}$$이므로 $$\lim_{n \to \infty}(a_n+1) = 3$$

$$\therefore \lim_{n \to \infty} a_n = 2$$

1등급 NOTE

$\displaystyle\lim_{n \to \infty} a_n$의 값을 구하라고 했으므로 $\displaystyle\lim_{n \to \infty} a_n = \alpha$로 놓고

$$\lim_{n \to \infty} \frac{2a_n-3}{a_n+1} = \frac{2\lim\limits_{n \to \infty} a_n - 3}{\lim\limits_{n \to \infty} a_n + 1} = \frac{2\alpha-3}{\alpha+1} = \frac{1}{3}$$에서 $\alpha=2$

05 답 1

GUIDE

$\dfrac{2}{a_n-b_n}$의 분자와 분모에 a_n+b_n을 곱해 $a_n{}^2-b_n{}^2$ 꼴을 만든다.

$$\lim_{n \to \infty} \frac{2}{a_n-b_n} = \lim_{n \to \infty} \frac{2(a_n+b_n)}{a_n{}^2-b_n{}^2} = \lim_{n \to \infty} \frac{2\left(\frac{a_n}{n}+\frac{b_n}{n}\right)}{4+\frac{1}{n}} = 1$$

다른 풀이

$a_n = n+p$, $b_n = n+q$ (p, q는 상수)로 놓고 주어진 조건에서
$p-q=2$를 구할 수 있다.

이때 $$\lim_{n \to \infty} \frac{2}{a_n-b_n} = \frac{2}{p-q} = 1$$

06 답 3

GUIDE

$\dfrac{n}{a_n}$에 $\dfrac{3n-1}{n^2}$을 곱하면 $\dfrac{3n-1}{na_n}$이 된다.

$n+1 \le \dfrac{n}{a_n} \le n+2$의 각 변에 $\dfrac{3n-1}{n^2}$을 곱하면

$$\frac{(n+1)(3n-1)}{n^2} \le \frac{3n-1}{na_n} \le \frac{(n+2)(3n-1)}{n^2}$$이고,

$$\lim_{n \to \infty} \frac{(n+1)(3n-1)}{n^2} = \lim_{n \to \infty} \frac{(n+2)(3n-1)}{n^2} = 3$$이므로

$$\lim_{n \to \infty} \frac{3n-1}{na_n} = 3$$

07 답 4

GUIDE

$a_n = r^{n-1}$이고, $S_n = \dfrac{r^n-1}{r-1}$

첫째항이 1, 공비가 r인 등비수열 $\{a_n\}$의 일반항 a_n은

$a_n=r^{n-1}$이고, $S_n=\sum\limits_{k=1}^{n}a_k=\dfrac{r^n-1}{r-1}$

$\lim\limits_{n\to\infty}\dfrac{a_n}{S_n}=\lim\limits_{n\to\infty}\dfrac{r^{n-1}}{\dfrac{r^n-1}{r-1}}=\lim\limits_{n\to\infty}\dfrac{r^n-r^{n-1}}{r^n-1}$

$\qquad\quad =\lim\limits_{n\to\infty}\dfrac{r-1}{r-\left(\dfrac{1}{r}\right)^{n-1}}=1-\dfrac{1}{r}=\dfrac{3}{4}\qquad \therefore r=4$

08 답 ②

GUIDE

$x^{n+1}+x^n=(x-2)(x-3)Q(x)+a_nx+b_n$으로 놓고 a_n, b_n을 구한다.

$x^{n+1}+x^n=(x-2)(x-3)Q(x)+a_nx+b_n$이라 하면

$2^{n+1}+2^n=3\times2^n=2a_n+b_n$　　……㉠

$3^{n+1}+3^n=4\times3^n=3a_n+b_n$　　……㉡

㉠, ㉡을 연립해서 풀면

$a_n=4\times3^n-3\times2^n$, $b_n=-8\times3^n+9\times2^n$

$\therefore \lim\limits_{n\to\infty}\dfrac{b_n}{a_n}=\lim\limits_{n\to\infty}\dfrac{-8+9\times\left(\dfrac{2}{3}\right)^n}{4-3\times\left(\dfrac{2}{3}\right)^n}=-2$

09 답 ⑤

GUIDE

$a_n=3n-1$, $S_n=\dfrac{3n^2+n}{2}$

수열 $\{a_n\}$은 $a_1=2$, $d=3$인 등차수열이므로

$a_n=3n-1$, $a_{n+1}=3n+2$

첫째항부터 제n항까지의 합 S_n은

$S_n=\dfrac{n(2+3n-1)}{2}=\dfrac{3n^2+n}{2}$

$\lim\limits_{n\to\infty}\dfrac{S_n}{a_na_{n+1}}=\lim\limits_{n\to\infty}\dfrac{\dfrac{3n^2+n}{2}}{(3n-1)(3n+2)}=\lim\limits_{n\to\infty}\dfrac{3+\dfrac{1}{n}}{18+\dfrac{6}{n}-\dfrac{4}{n^2}}$

$\qquad\qquad =\dfrac{1}{6}$

10 답 4

GUIDE

n번 반복 뒤 남은 물의 양을 a_n이라 할 때, a_{n+1}과 a_n의 관계식을 구한다.

n번 반복한 뒤 남아 있는 물의 양을 a_n이라 하면

$a_0=4$이고, $a_n=\dfrac{1}{4}a_{n-1}+1$

이때 $\lim\limits_{n\to\infty}a_n=x$라 하면 $\lim\limits_{n\to\infty}a_{n-1}=x$이므로

$x=\dfrac{1}{4}x+1$에서 $x=\dfrac{4}{3}$　　$\therefore 3x=4$

다른 풀이

$a_n=\dfrac{1}{4}a_{n-1}+1$에서 $a_n-\dfrac{4}{3}=\dfrac{1}{4}\left(a_{n-1}-\dfrac{4}{3}\right)$이므로

$a_n=\dfrac{4}{3}+\left(\dfrac{1}{4}\right)^{n-1}(a_1-4)$　　$\therefore \lim\limits_{n\to\infty}a_n=\dfrac{4}{3}$

11 답 ④

GUIDE

직선 $y=2nx$와 수직인 직선의 기울기가 $-\dfrac{1}{2n}$임을 이용한다.

직선 $y=2nx$와 수직인 직선의 기울기는 $-\dfrac{1}{2n}$이므로

점 $P(n, 2n^2)$을 지나고 기울기가 $-\dfrac{1}{2n}$인 직선의 방정식은

$y-2n^2=-\dfrac{1}{2n}(x-n)$이다.

이때 x절편은 $x=4n^3+n$이므로 $l_n=4n^3+n$

따라서 $\lim\limits_{n\to\infty}\dfrac{l_n}{n^3}=\lim\limits_{n\to\infty}\dfrac{4n^3+n}{n^3}=4$

STEP 2	1등급 굳히기		p. 8~12
01 2	02 9	03 8	04 2
05 ③	06 ⑤	07 ③	08 ⑤
09 2	10 ②	11 6	12 24
13 36	14 ③	15 ③	16 2
17 1	18 10	19 50	

01 답 2

GUIDE

$a_n+2b_n=c_n$으로 치환하고 $\lim\limits_{n\to\infty}c_n=1$, $\lim\limits_{n\to\infty}a_n=\infty$임을 이용한다.

$a_n+2b_n=c_n$이라 하면 $b_n=\dfrac{c_n-a_n}{2}$이므로

$\lim\limits_{n\to\infty}\left(\dfrac{a_n}{b_n}-\dfrac{8b_n}{a_n}\right)=\lim\limits_{n\to\infty}\left(\dfrac{2a_n}{c_n-a_n}-8\times\dfrac{c_n-a_n}{2a_n}\right)$

$\qquad\qquad =\lim\limits_{n\to\infty}\left\{\dfrac{2}{\dfrac{c_n}{a_n}-1}-4\left(\dfrac{c_n}{a_n}-1\right)\right\}$

$\qquad\qquad =-2+4=2$

02 답 9

GUIDE

$$A_n=\frac{10n(10n+1)}{2},\ B_n=A_n-\sum_{k=1}^{2n}5k$$

$$A_n=\frac{10n(10n+1)}{2}=50n^2+5n$$

$$B_n=A_n-\sum_{k=1}^{2n}5k=50n^2-5n-5(2n^2+n)=40n^2$$

$$\therefore\ \lim_{n\to\infty}\frac{A_n}{B_n}=\lim_{n\to\infty}\frac{50n^2+5n}{40n^2}=\frac{5}{4}$$

따라서 $p+q=9$

03 답 8

GUIDE

❶ 두 교점의 x좌표를 구해 두 교점 사이의 거리를 구한다.
❷ a_n을 n에 대한 식으로 나타낸다.

곡선 $y=x^2$과 직선 $y=-x+n$이 만나서 생기는 두 교점의 x좌
표를 $\alpha_n,\ \beta_n(\alpha_n>\beta_n)$이라 하면
$x^2+x-n=0$의 두 근이 $\alpha_n,\ \beta_n$이고,
두 교점의 좌표가 $(\alpha_n,\ -\alpha_n+n),\ (\beta_n,\ -\beta_n+n)$이므로

$$a_n=\sqrt{(\alpha_n-\beta_n)^2+\{-\alpha_n+n-(-\beta_n+n)\}^2}$$
$$=\sqrt{2}\,(\alpha_n-\beta_n)$$

$$a_n{}^2=2\{(\alpha_n+\beta_n)^2-4\alpha_n\beta_n\}=2\{1-4(-n)\}=8n+2$$

즉 $a_n=\sqrt{8n+2}$ 이므로 $\lim\limits_{n\to\infty}\dfrac{a_n}{\sqrt{n}}=\lim\limits_{n\to\infty}\dfrac{\sqrt{8n+2}}{\sqrt{n}}=2\sqrt{2}$

따라서 $p^2=8$

1등급 NOTE

직선 $y=-x+n$에서 기울기의 절댓값이 1이므로
두 교점 사이의 거리를 $\sqrt{2}\,(\alpha_n-\beta_n)$으로 바로 구할 수 있다.

04 답 2

GUIDE

근의 공식을 이용해 x를 n에 대한 식으로 나타낸다.

$x^2+2nx-4n=0$에서 $x=-n\pm\sqrt{n^2+4n}$이고
$a_n=\sqrt{n^2+4n}-n$이므로

$$\lim_{n\to\infty}(\sqrt{n^2+4n}-n)=\lim_{n\to\infty}\frac{4n}{\sqrt{n^2+4n}+n}=\frac{4}{1+1}=2$$

05 답 ③

GUIDE

$\dfrac{2n}{x}=-\dfrac{x}{n}+3$에서 두 점의 x좌표를 구해 두 점 $A_n,\ B_n$의 좌표를 구한다.

$\dfrac{2n}{x}=-\dfrac{x}{n}+3$에서 $(x-n)(x-2n)=0$

$\therefore\ \mathrm{A}_n(n,\ 2),\ \mathrm{B}_n(2n,\ 1)$

이때 $l_n=\sqrt{n^2+1}$이므로

$$\lim_{n\to\infty}(l_{n+1}-l_n)=\lim_{n\to\infty}(\sqrt{(n+1)^2+1}-\sqrt{n^2+1})$$
$$=\lim_{n\to\infty}\frac{n^2+2n+2-(n^2+1)}{\sqrt{n^2+2n+2}+\sqrt{n^2+1}}$$
$$=\lim_{n\to\infty}\frac{2+\dfrac{1}{n}}{\sqrt{1+\dfrac{2}{n}+\dfrac{2}{n^2}}+\sqrt{1+\dfrac{1}{n^2}}}=1$$

1등급 NOTE

직선 $y=-\dfrac{x}{n}+3$의 기울기의 절댓값
$\dfrac{1}{n}$을 이용해 그림처럼 $l_n=\sqrt{n^2+1}$을
바로 구할 수 있다.

06 답 ⑤

GUIDE

$\dfrac{a_n}{3n}$과 $\dfrac{2n+3}{b_n}$을 각각 치환하고 $\dfrac{a_n}{b_n}$에 대입하여 정리한다.

$\lim\limits_{n\to\infty}\dfrac{a_n}{3n}=2$에서 $c_n=\dfrac{a_n}{3n}$이라 하면 $a_n=3n\times c_n$

또한 $\lim\limits_{n\to\infty}\dfrac{2n+3}{b_n}=6$에서 $d_n=\dfrac{2n+3}{b_n}$이라 하면

$$b_n=\frac{2n+3}{d_n}$$

따라서 $\lim\limits_{n\to\infty}\dfrac{a_n}{b_n}=\lim\limits_{n\to\infty}\dfrac{3n\times c_n\times d_n}{2n+3}=\dfrac{3}{2}\times2\times6=18$

다른 풀이

$a_n=6n+\alpha,\ b_n=\dfrac{1}{3}n+\beta\,(\alpha,\ \beta$는 상수$)$라 생각하면

$$\lim_{n\to\infty}\frac{a_n}{b_n}=18$$

07 답 ③

GUIDE

ㄱ. 귀류법을 이용한다.
ㄴ. 반례를 찾는다.

ㄱ. $\lim\limits_{n\to\infty}|b_n|\neq\infty$이면
　　$\lim\limits_{n\to\infty}a_nb_n=0$이므로 $\lim\limits_{n\to\infty}a_nb_n\neq\alpha$이다.
　　따라서 $\lim\limits_{n\to\infty}|b_n|=\infty$ (◯)

ㄴ. [반례] $a_n=n+1,\ b_n=\dfrac{1}{n}$이라 하면 $\alpha=1$이고
　　$\lim\limits_{n\to\infty}\left(a_n-\dfrac{\alpha}{b_n}\right)=\lim\limits_{n\to\infty}(n+1-n)=1$ (✕)

ㄷ. $\lim\limits_{n\to\infty}\dfrac{1}{a_nb_n}=\dfrac{1}{\lim\limits_{n\to\infty}a_nb_n}=\dfrac{1}{\alpha}$ (◯)

08 답 ⑤

두 판별식에서 a_n의 범위를 n으로 나타낸다.

이차방정식 $x^2-(n+1)x+a_n=0$의 판별식을 D_1이라 하면

$D_1=(n+1)^2-4a_n\geq0$에서 $a_n\leq\dfrac{(n+1)^2}{4}$

또 이차방정식 $x^2-nx+a_n=0$의 판별식을 D_2라 하면

$D_2=n^2-4a_n<0$에서 $a_n>\dfrac{n^2}{4}$

$\therefore \dfrac{n^2}{4}<a_n\leq\dfrac{(n+1)^2}{4}$

이때 $\dfrac{n^2}{4}<a_n\leq\dfrac{(n+1)^2}{4}$에서 $\dfrac{n^2}{4n^2}<\dfrac{a_n}{n^2}\leq\dfrac{(n+1)^2}{4n^2}$

$\displaystyle\lim_{n\to\infty}\dfrac{n^2}{4n^2}=\lim_{n\to\infty}\dfrac{(n+1)^2}{4n^2}=\dfrac{1}{4}$이므로

$\displaystyle\lim_{n\to\infty}\dfrac{a_n}{n^2}=\dfrac{1}{4}$

09 답 2

❶ $\dfrac{n}{5}-1<\left[\dfrac{n}{5}\right]\leq\dfrac{n}{5}$

❷ 유리화를 하고 $\dfrac{n}{2}-1<\left[\dfrac{n}{2}\right]\leq\dfrac{n}{2}$ 을 이용한다.

$\displaystyle\lim_{n\to\infty}\dfrac{1}{n}\left(\dfrac{n}{5}-1\right)<\lim_{n\to\infty}\dfrac{1}{n}\left[\dfrac{n}{5}\right]\leq\lim_{n\to\infty}\dfrac{1}{n}\left(\dfrac{n}{5}\right)$이므로

$\displaystyle\lim_{n\to\infty}\dfrac{1}{n}\left[\dfrac{n}{5}\right]=\dfrac{1}{5}$ $\therefore a=\dfrac{1}{5}$

또 $\sqrt{n^2+\dfrac{n}{2}-1}-n\leq\sqrt{n^2+\left[\dfrac{n}{2}\right]}-n\leq\sqrt{n^2+\dfrac{n}{2}}-n$에서

$\displaystyle\lim_{n\to\infty}\left(\sqrt{n^2+\dfrac{n}{2}-1}-n\right)=\lim_{n\to\infty}\dfrac{n^2+\dfrac{n}{2}-1-n^2}{\sqrt{n^2+\dfrac{n}{2}-1}+n}$

$=\displaystyle\lim_{n\to\infty}\dfrac{\dfrac{n}{2}-1}{\sqrt{n^2+\dfrac{n}{2}-1}+n}$

$=\dfrac{1}{4}$

이고, 마찬가지로

$\displaystyle\lim_{n\to\infty}\sqrt{n^2+\dfrac{n}{2}}-n=\dfrac{1}{4}$

이므로 $\displaystyle\lim_{n\to\infty}\left(\sqrt{n^2+\left[\dfrac{n}{2}\right]}-n\right)=\dfrac{1}{4}$

$\therefore b=\dfrac{1}{4}$

따라서 $5a+4b=2$

10 답 ②

$a_n=a_1\times3^{n-1}$이고, $S_n=\dfrac{a_1(3^n-1)}{3-1}$

$S_n=\dfrac{a_1(3^n-1)}{3-1}=\dfrac{a_1}{2}(3^n-1)$이므로

$\displaystyle\lim_{n\to\infty}\dfrac{S_n}{3^n}=\lim_{n\to\infty}\dfrac{\dfrac{a_1}{2}(3^n-1)}{3^n}=\lim_{n\to\infty}\dfrac{a_1}{2}\left(1-\dfrac{1}{3^n}\right)=\dfrac{a_1}{2}$

따라서 $\dfrac{a_1}{2}=5$에서 $a_1=10$

11 답 6

❶ $-2\leq x\leq0$에서 $x^2+2x+\dfrac{a}{3}=(x+1)^2+\dfrac{a}{3}-1$의 값의 범위를 a로 나타낸다.

❷ $-1<x^2+2x+\dfrac{a}{3}\leq1$임을 이용한다.

$-2\leq x\leq0$에서

$\dfrac{a}{3}-1\leq x^2+2x+\dfrac{a}{3}\leq\dfrac{a}{3}$이고

$\dfrac{a}{3}-1>-1$이고 $\dfrac{a}{3}\leq1$이어야

하므로 $0<a\leq3$

따라서 모든 정수 a값의 합은

$1+2+3=6$

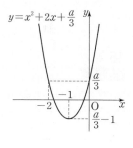

12 답 24

등비수열 $\{a_n\}$의 공비가 3보다 클 때, 3보다 작을 때, 3일 때로 나누어 생각한다.

$\{a_n\}$의 공비가 3보다 크면 $\displaystyle\lim_{n\to\infty}\dfrac{3^n+a_n}{3^{n+1}+2a_n}=\dfrac{1}{2}$이고

공비가 3보다 작으면 $\displaystyle\lim_{n\to\infty}\dfrac{3^n+a_n}{3^{n+1}+2a_n}=\dfrac{1}{3}$이므로

등비수열 $\{a_n\}$의 공비는 3이다. 즉 $a_n=a_1\times3^{n-1}$

이때 $\displaystyle\lim_{n\to\infty}\dfrac{3^n+a_n}{3^{n+1}+2a_n}=\dfrac{3+a_1}{9+2a_1}=\dfrac{3}{7}$에서

$a_1=6$이고 $a_2=18$ $\therefore a_1+a_2=24$

13 답 36

$1\leq x<4$, $x=4$, $x>4$일 때의 $f(x)$를 각각 구한다.

$1\leq x<4$일 때, $f(x)=\displaystyle\lim_{n\to\infty}\dfrac{x^{n+1}+4^{n+1}}{2x^n+2\times4^n}=\dfrac{4}{2}=2$

$x=4$일 때, $f(x)=\displaystyle\lim_{n\to\infty}\frac{4^{n+1}+4^{n+1}}{2\times4^n+2^{2n+1}}=\frac{4+4}{2+2}=2$

$x>4$일 때, $f(x)=\displaystyle\lim_{n\to\infty}\frac{x^{n+1}+4^{n+1}}{2x^n+2\times4^n}=\frac{x}{2}$

$\therefore \displaystyle\sum_{k=1}^{11}f(k)=\sum_{k=1}^{4}2+\sum_{k=5}^{11}\frac{k}{2}=8+(33-5)=36$

14 답 3

GUIDE

$12^n=2^{2n}\times3^n$이므로 모든 양의 약수의 총합은
$(1+2+\cdots+2^{2n-1}+2^{2n})(1+3+\cdots+3^n)$

$\begin{aligned}a_n&=(1+2+\cdots+2^{2n-1}+2^{2n})(1+3+\cdots+3^n)\\&=(2^{2n+1}-1)\left(\frac{3^{n+1}-1}{3-1}\right)\\&=\frac{6\times12^n-2\times4^n-3^{n+1}-1}{2}\end{aligned}$

이므로 $\displaystyle\lim_{n\to\infty}\frac{a_n}{12^n}=3$

15 답 ③

GUIDE

❶ 직선 $y=g(x)$는 원점과 점 $(3,3)$을 지나므로 $y=x$이다.
❷ $h(2), h(3)$의 값을 구해야 하므로 $f(2), g(2), f(3), g(3)$의 값을 확인한다.

직선 $y=g(x)$는 $y=x$이고, $f(2)=4, g(2)=2$이다. 이때
$\begin{aligned}h(2)&=\lim_{n\to\infty}\frac{\{f(2)\}^{n+1}+5\{g(2)\}^n}{\{f(2)\}^n+\{g(2)\}^n}=\lim_{n\to\infty}\frac{4^{n+1}+5\times2^n}{4^n+2^n}\\&=\lim_{n\to\infty}\frac{4+5\times\left(\frac{2}{4}\right)^n}{1+\left(\frac{2}{4}\right)^n}=4\end{aligned}$

또 $f(3)=3, g(3)=3$이므로
$\begin{aligned}h(3)&=\lim_{n\to\infty}\frac{\{f(3)\}^{n+1}+5\{g(3)\}^n}{\{f(3)\}^n+\{g(3)\}^n}=\lim_{n\to\infty}\frac{3^{n+1}+5\times3^n}{3^n+3^n}\\&=\lim_{n\to\infty}\frac{8\times3^n}{2\times3^n}=4\end{aligned}$

따라서 $h(2)+h(3)=8$

16 답 2

GUIDE

a_n과 n, a_{n-1}과 $(n-1)$이 같은 항에 있도록
$(n-1)^2a_n=n^2a_{n-1}+n(n-1)$의 양변을 $n^2(n-1)^2$으로 나눈다.

$(n-1)^2a_n=n^2a_{n-1}+n(n-1)$의 양변을
$n^2(n-1)^2$으로 나누면
$\dfrac{a_n}{n^2}=\dfrac{a_{n-1}}{(n-1)^2}+\dfrac{1}{n(n-1)}$

이때 $\dfrac{a_n}{n^2}=b_n$이라 하면 $b_n=b_{n-1}+\dfrac{1}{n-1}-\dfrac{1}{n}$에서

$b_n=\dfrac{2n-1}{n}$이므로 $\dfrac{a_n}{n^2}=\dfrac{2n-1}{n}$에서 $a_n=2n^2-n$

따라서 $\displaystyle\lim_{n\to\infty}\frac{a_n}{n^2+1}=\lim_{n\to\infty}\frac{2n^2-n}{n^2+1}=2$

참고

$b_n=b_{n-1}+\dfrac{1}{n-1}-\dfrac{1}{n}$에서

$b_2=b_1+1-\dfrac{1}{2}, b_3=b_2+\dfrac{1}{2}-\dfrac{1}{3}, \cdots,$

$b_n=b_{n-1}+\dfrac{1}{n-1}-\dfrac{1}{n}$

을 변끼리 더하면 $b_n=b_1+1-\dfrac{1}{n}=2-\dfrac{1}{n}=\dfrac{2n-1}{n}$

17 답 1

GUIDE

$\dfrac{\overline{P_{n+1}Q_{n+1}}}{\overline{Q_nQ_{n+1}}}=2$를 이용해 x_{n+1}과 x_n의 관계식을 구한다.

직선 Q_nP_{n+1}의 기울기가 2이므로
$\dfrac{\overline{P_{n+1}Q_{n+1}}}{\overline{Q_nQ_{n+1}}}=2$에서 $\dfrac{\sqrt{x_{n+1}}}{x_{n+1}-x_n}=2$이고

$x_{n+1}-x_n=\dfrac{1}{2}\sqrt{x_{n+1}}$의 양변을 x_{n+1}로 나누면

$1-\dfrac{x_n}{x_{n+1}}=\dfrac{1}{2\sqrt{x_{n+1}}}$

이때 $\displaystyle\lim_{n\to\infty}x_n=\infty$이므로 $\displaystyle\lim_{n\to\infty}\frac{1}{2\sqrt{x_{n+1}}}=0$

따라서 $\displaystyle\lim_{n\to\infty}\frac{x_n}{x_{n+1}}=1$

18 답 10

GUIDE

a_n과 b_n의 관계, b_n과 c_n의 관계, c_n과 a_n의 관계를 구해서 b_{n+1}과 b_n에 대한 식을 구한다.

삼각형 $AH_{3n-2}H_{3n-1}$에서
$\cos60°=\dfrac{a_n}{1-b_n}=\dfrac{1}{2}$

$\therefore \dfrac{1-b_n}{2}=a_n$

마찬가지로 생각하면
$\dfrac{1-c_n}{2}=b_{n+1}, \dfrac{1-a_n}{2}=c_n$

a_n, c_n을 $b_{n+1}=\dfrac{1-c_n}{2}$

에 대입하여 정리하면
$8b_{n+1}=-b_n+3$
이므로

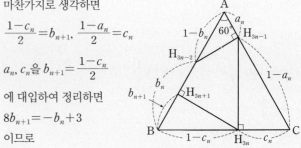

$$b_{n+1}-\frac{1}{3}=-\frac{1}{8}\left(b_n-\frac{1}{3}\right)$$

에서 $b_n=\frac{1}{3}+\left(-\frac{1}{8}\right)^{n-1}\left(b_1-\frac{1}{3}\right)$

$$\therefore \lim_{n\to\infty}b_n=\frac{1}{3}=k$$

따라서 $30k=10$

19 답 50

GUIDE

❶ a_2, a_3를 직접 구해보면서 n이 짝수일 때는 영역 B와 겹치지 않으면서 정사각형을 배열할 수 있고, n이 홀수일 때는 B와 겹치는 부분이 있음을 이용한다.

❷ n이 짝수일 때와 홀수일 때로 나누어 a_{2n}, a_{2n+1} (또는 a_{2n-1})을 구한다.

(i) n이 짝수일 때

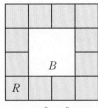

$$a_2=4^2-2^2=12 \qquad a_4=8^2-4^2=48$$

같은 방법으로 생각하면 $a_{2n}=(4n)^2-(2n)^2=12n^2$

(ii) n이 홀수일 때

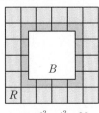 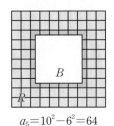

$$a_3=6^2-4^2=20 \qquad a_5=10^2-6^2=64$$

같은 방법으로 생각하면
$$a_{2n+1}=\{2(2n+1)\}^2-(2n+2)^2=12n^2+8n$$

이때 $a_{2n-1}=12(n-1)^2+8(n-1)=12n^2-16n+4$

$$\therefore \frac{a_{2n+1}-a_{2n}}{a_{2n}-a_{2n-1}}=\frac{8n}{16n-4}$$

따라서 $\displaystyle\lim_{n\to\infty}\frac{a_{2n+1}-a_{2n}}{a_{2n}-a_{2n-1}}=\lim_{n\to\infty}\frac{8n}{16n-4}=\frac{1}{2}=c$

이므로 $100c=50$

참고

$a_{2n+1}=(4n+2)^2-(2n+2)^2$
$\quad\quad\ =(16n^2+16n+4)-(4n^2+8n+4)$
$\quad\quad\ =12n^2+8n$

이므로 $a_{2n+1}-a_{2n}=(12n^2+8n)-12n^2=8n$이고

$a_{2n}-a_{2n-1}=12n^2-12(n-1)^2-8(n-1)$
$\quad\quad\quad\quad\ =12n^2-(12n^2-24n+12)-(8n-8)$
$\quad\quad\quad\quad\ =16n-4$

STEP 3 | 1등급 뛰어넘기   p. 13~15

01 (1) 10 (2) 5	**02** ②	**03** 50
04 61	**05** 54	**06** 3	**07** (1) 18 (2) 9
08 (1) 2 (2) 0		

01 답 (1) 10 (2) 5

GUIDE

(1) $x_n>2$임을 확인한다.

(2) 절댓값 기호를 없애는 것을 생각해야 하므로 $a_n>3$이 되는 n값을 확인한다.

(1) $f(x)=x+4-\frac{1}{2}|x-2|$에서 $x_0=3$이므로

$$x_1=f(x_0)=f(3)=\frac{13}{2}$$

$$x_2=f(x_1)=f\left(\frac{13}{2}\right)=\frac{33}{4}$$

모든 자연수 n에서 $x_n>2$

즉 $f(x)=x+4-\frac{1}{2}(x-2)=\frac{1}{2}x+5$

$$\therefore x_{n+1}=f(x_n)=\frac{1}{2}x_n+5$$

이때 $x_{n+1}-10=\frac{1}{2}(x_n-10)$이므로

$x_n-10=-7\times\left(\frac{1}{2}\right)^n$에서 $x_n=10-7\times\left(\frac{1}{2}\right)^n$

$$\therefore \lim_{n\to\infty}x_n=\lim_{n\to\infty}\left\{10-7\times\left(\frac{1}{2}\right)^n\right\}=10$$

(2) $a_1=2$에서 $a_2=2+1-\frac{1}{2}=\frac{5}{2}$이고,

$$a_3=\frac{5}{2}+1-\frac{1}{4}>3$$

이때 $a_n>3$이면 $a_{n+1}=\frac{1}{2}a_n+\frac{5}{2}>3$에서

$n\geq 3$일 때 $a_n>3$이고, n값이 커질수록 a_n값도 커진다.

$n\geq 3$일 때 $a_{n+1}=\frac{1}{2}a_n+\frac{5}{2}$ 를 정리하면

$a_n=5+\left(\frac{1}{2}\right)^{n-3}(a_3-5)$ $\therefore \lim_{n\to\infty}a_n=5$

02 답 ②

GUIDE

$x=2n\pi\pm\frac{1}{2}\pi$일 때와 아닐 때로 나누어 생각한다.

ㄱ. $x=2n\pi-\frac{1}{2}\pi$ (n은 정수)일 때 $\sin x=-1$이고

$\displaystyle\lim_{n\to\infty}a_n=\lim_{n\to\infty}(-1)^n$은 존재하지 않는다. (×)

ㄴ. $x=\alpha$에서 연속이면 $\alpha\neq 2n\pi\pm\frac{1}{2}\pi$ (n은 정수)이고, 이때

$-1<\sin\alpha<1$이므로 $f(\alpha)=0$이다. (◯)

ㄷ. $\alpha=2n\pi+\dfrac{1}{2}\pi$ (n은 정수)일 때 $\sin x=1$이므로 $f(\alpha)=1$이

고 $\lim\limits_{x\to\alpha}f(x)=0$이므로 $x=\alpha$에서 연속이 아니다. (×)

03 답 50

GUIDE

❶ 직선 l_n이 x축과 만나는 점을 X_n이라 하면
$\overline{OQ_n}=\overline{OX_n}+\overline{X_nQ_n}=\overline{OX_n}+\overline{X_nP_n}$

❷ $\overline{Y_nR_n}=\overline{Y_nP_n}$

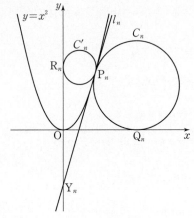

직선 l_n의 방정식은 $y=2nx-n^2$이므로

$Y_n(0,-n^2)$이고 l_n이 x축과 만나는 점을 X_n이라 하면

$X_n\left(\dfrac{1}{2}n,0\right)$에서 $\overline{OX_n}=\dfrac{1}{2}n$

또 $\overline{X_nQ_n}=\overline{X_nP_n}=\sqrt{n^4+\dfrac{1}{4}n^2}$

$\overline{Y_nR_n}=\overline{Y_nP_n}=\sqrt{4n^4+n^2}$이므로

$\alpha=\lim\limits_{n\to\infty}\dfrac{\overline{OQ_n}}{\overline{Y_nR_n}}=\lim\limits_{n\to\infty}\dfrac{\overline{OX_n}+\overline{X_nQ_n}}{\overline{Y_nR_n}}$

$=\lim\limits_{n\to\infty}\dfrac{\dfrac{1}{2}n+\sqrt{n^4+\dfrac{1}{4}n^2}}{\sqrt{4n^4+n^2}}=\lim\limits_{n\to\infty}\dfrac{\dfrac{1}{2n}+\sqrt{1+\dfrac{1}{4n^2}}}{\sqrt{4+\dfrac{1}{n^2}}}=\dfrac{1}{2}$

따라서 $100\alpha=50$

04 답 61

GUIDE

a,b,c 중 가장 큰 값이 5가 되는 경우의 수를 구한다.

a,b,c 중 가장 큰 값을 m이라 할 때

$m^n\leq a^n+b^n+c^n\leq 3m^n$이므로

$m\leq\lim\limits_{n\to\infty}(a^n+b^n+c^n)^{\frac{1}{n}}\leq\lim\limits_{n\to\infty}(3m^n)^{\frac{1}{n}}=m$

$\therefore\lim\limits_{n\to\infty}(a^n+b^n+c^n)^{\frac{1}{n}}=m$

즉 $m=5$이므로 a,b,c 중 가장 큰 값이 5가 되는 경우의 수는

$5^3-4^3=125-64=61$

05 답 54

GUIDE

$x_{n+1}=\dfrac{2x_{n-1}+x_n}{3}$에서

❶ $x_{n+1}-x_n=\left(-\dfrac{2}{3}\right)^{n-1}(x_2-x_1)$

❷ $x_{n+1}+\dfrac{2}{3}x_n=x_n+\dfrac{2}{3}x_{n-1}=\cdots=x_2+\dfrac{2}{3}x_1$

선분 $P_{n-1}P_n$을 $1:2$로 내분한 점이 P_{n+1}이므로

$x_{n+1}=\dfrac{2x_{n-1}+x_n}{3}$

즉 $x_{n+1}-x_n=-\dfrac{2}{3}(x_n-x_{n-1})$ ······ ㉠

$x_{n+1}-x_n=\left(-\dfrac{2}{3}\right)^{n-1}(x_2-x_1)$ ······ ㉡

한편 ㉠에서 $x_{n+1}+\dfrac{2}{3}x_n=x_n+\dfrac{2}{3}x_{n-1}$이므로

$x_{n+1}+\dfrac{2}{3}x_n=x_2+\dfrac{2}{3}x_1$ ······ ㉢

㉢$-$㉡에서 $\dfrac{5}{3}x_n=x_2+\dfrac{2}{3}x_1-\left(-\dfrac{2}{3}\right)^{n-1}(x_2-x_1)$

$x_n=\dfrac{3}{5}\left(x_2+\dfrac{2}{3}x_1\right)-\dfrac{3}{5}\left(-\dfrac{2}{3}\right)^{n-1}(x_2-x_1)$

$\therefore\lim\limits_{n\to\infty}x_n=\dfrac{3}{5}\left(x_2+\dfrac{2}{3}x_1\right)=\dfrac{3}{5}(90+0)=54$

참고

$\lim\limits_{n\to\infty}(3m^n)^{\frac{1}{n}}=\lim\limits_{n\to\infty}(3^{\frac{1}{n}}\times m)=m$

참고

❶ $x_{n+1}=\dfrac{2x_{n-1}+x_n}{3}$과 $x_{n+1}-x_n=p(x_n-x_{n-1})$을 비교해 p값을 구

한다.

❷ $x_{n+1}+\dfrac{2}{3}x_n=x_n+\dfrac{2}{3}x_{n-1}$, $x_n+\dfrac{2}{3}x_{n-1}=x_{n-1}+\dfrac{2}{3}x_{n-2}$, $\cdots$

$x_3+\dfrac{2}{3}x_2=x_2+\dfrac{2}{3}x_1$에서 각 등식을 변끼리 더하면

$x_{n+1}+\dfrac{2}{3}x_n=x_2+\dfrac{2}{3}x_1$

06 답 3

GUIDE

$x^n=(x-1)(x-2)(x-3)Q(x)+f_n(x)$에서 $x-1=t$로 놓고 구한 식

도 이용한다.

$x^n=(x-1)(x-2)(x-3)Q(x)+f_n(x)$ ······ ㉠

라 하고 $x-1=t$로 치환하면

$(t+1)^n=t(t-1)(t-2)Q(t+1)+f_n(t+1)$이고

나머지는 이차 이하의 다항함수이므로

$f_n(t+1)=a_nt^2+b_nt+c_n$ ······ ㉡

으로 놓으면 ㉠에서 $f_n(1)=1$, $f_n(2)=2^n$, $f_n(3)=3^n$

ⓒ에 0, 1, 2를 각각 대입하면

$c_n=1,\ a_n+b_n+c_n=2^n,\ 4a_n+2b_n+c_n=3^n$

이고, ⓒ에 -1을 대입하면 $f_n(0)=a_n-b_n+c_n$

이때 $a_n+b_n=2^n-1,\ 4a_n+2b_n=3^n-1$에서

$a_n=\dfrac{3^n-1-(2^{n+1}-2)}{2}$이고 $\displaystyle\lim_{n\to\infty}\dfrac{c_n}{a_n}=0$

$\displaystyle\lim_{n\to\infty}\dfrac{4a_n+2b_n+c_n}{a_n}=2$이므로 $\displaystyle\lim_{n\to\infty}\dfrac{b_n}{a_n}=-1$

$\therefore\ \displaystyle\lim_{n\to\infty}\dfrac{f_n(-1)}{f_n(0)}=\lim_{n\to\infty}\dfrac{4a_n-2b_n+c_n}{a_n-b_n+c_n}$

$\qquad\qquad\qquad=\displaystyle\lim_{n\to\infty}\dfrac{4-2\dfrac{b_n}{a_n}+\dfrac{c_n}{a_n}}{1-\dfrac{b_n}{a_n}+\dfrac{c_n}{a_n}}=3$

07 답 (1) 18 (2) 9

GUIDE

a_n을 a_{n+1}을 이용한 식으로 나타낸다.

(1) 첫번째 과정에서

$\qquad 300\times\dfrac{a_1}{100}=200\times\dfrac{12}{100}+100\times\dfrac{6}{100}\qquad\therefore\ a_1=10$

$\qquad 300\times\dfrac{b_1}{100}=200\times\dfrac{6}{100}+100\times\dfrac{12}{100}\qquad\therefore\ b_1=8$

n번째 과정에서 소금물의 농도가 각각 $a_n\,\%,\ b_n\,\%$이므로

$\qquad 300\times\dfrac{a_n}{100}=200\times\dfrac{a_{n-1}}{100}+100\times\dfrac{b_{n-1}}{100}$에서

$\qquad 3a_n=2a_{n-1}+b_{n-1}\qquad\cdots\cdots$ ㉠

또 $300\times\dfrac{b_n}{100}=200\times\dfrac{b_{n-1}}{100}+100\times\dfrac{a_{n-1}}{100}$에서

$\qquad 3b_n=2b_{n-1}+a_{n-1}\qquad\cdots\cdots$ ㉡

㉠+㉡에서

$\qquad 3(a_n+b_n)=3(a_{n-1}+b_{n-1})=\cdots=3(a_1+b_1)$

$\qquad\therefore\ a_n+b_n=a_1+b_1=18$

(2) $a_{n-1}+b_{n-1}=18$에서 $b_{n-1}=18-a_{n-1}\qquad\cdots\cdots$ ㉢

㉢을 ㉠에 대입하면 $3a_n=2a_{n-1}+(18-a_{n-1})$

$\qquad\therefore\ a_n=\dfrac{1}{3}(a_{n-1})+6$

이때 $a_n-9=\dfrac{1}{3}(a_{n-1}-9)$이므로 $a_n-9=1\times\left(\dfrac{1}{3}\right)^{n-1}$

즉 $a_n=\left(\dfrac{1}{3}\right)^{n-1}+9$에서 $\displaystyle\lim_{n\to\infty}a_n=9$

1등급 NOTE

7쪽 **1단계 10번** 풀이처럼

$a_n=\dfrac{1}{3}a_{n-1}+6$에서 $\displaystyle\lim_{n\to\infty}a_n=x$라 하면

$\displaystyle\lim_{n\to\infty}a_{n-1}=\lim_{n\to\infty}a_n=x$이므로

$x=\dfrac{1}{3}x+6$에서 $x=9$

08 답 (1) 2 (2) 0

GUIDE

(1) $3\sqrt{n+2}-2\sqrt{n+1}-\sqrt{n}$을
$2\sqrt{n+2}-2\sqrt{n+1}+\sqrt{n+2}-\sqrt{n}$으로 놓고 유리화 한다.

(2) $a_1+a_2+\cdots+a_m=k$로 놓고
$a_m=k-a_1-a_2-\cdots-a_{m-1}$을 이용한다.

(1) $\displaystyle\lim_{n\to\infty}\sqrt{n}(3\sqrt{n+2}-2\sqrt{n+1}-\sqrt{n})$

$\quad=\displaystyle\lim_{n\to\infty}\sqrt{n}(2\sqrt{n+2}-2\sqrt{n+1}+\sqrt{n+2}-\sqrt{n})$

$\quad=\displaystyle\lim_{n\to\infty}\sqrt{n}\left(\dfrac{2}{\sqrt{n+2}+\sqrt{n+1}}+\dfrac{2}{\sqrt{n+2}+\sqrt{n}}\right)$

$\quad=2$

(2) $a_1+a_2+\cdots+a_m=k$로 놓으면

$\quad a_m=k-a_1-a_2-\cdots-a_{m-1}$이므로

$\quad\displaystyle\lim_{n\to\infty}\sqrt{n}(a_1\sqrt{n+1}+a_2\sqrt{n+2}+\cdots+a_m\sqrt{n+m})$

$\quad=\displaystyle\lim_{n\to\infty}\sqrt{n}(a_1\sqrt{n+1}+a_2\sqrt{n+2}+\cdots$

$\qquad\qquad\qquad\qquad\qquad +(k-a_1-a_2-\cdots-a_{m-1})\sqrt{n+m})$

$\quad=\displaystyle\lim_{n\to\infty}\sqrt{n}\{a_1(\sqrt{n+1}-\sqrt{n+m})+a_2(\sqrt{n+2}-\sqrt{n+m})$

$\qquad\qquad\qquad +\cdots+a_{m-1}(\sqrt{n+m-1}-\sqrt{n+m})+k\sqrt{n+m}\}$

$\quad=\displaystyle\lim_{n\to\infty}\sqrt{n}\left(-a_1\dfrac{m-1}{\sqrt{n+m}+\sqrt{n+1}}-a_2\dfrac{m-2}{\sqrt{n+m}+\sqrt{n+2}}\right.$

$\qquad\qquad\qquad\left. -\cdots-a_{m-1}\dfrac{1}{\sqrt{n+m}+\sqrt{n+m-1}}+k\sqrt{n+m}\right)$

$\quad=-\left\{(m-1)\dfrac{a_1}{2}+(m-2)\dfrac{a_2}{2}+\cdots+\dfrac{a_{m-1}}{2}\right\}$

$\qquad\qquad\qquad\qquad\qquad\qquad +\displaystyle\lim_{n\to\infty}k\sqrt{n}\sqrt{n+m}$

따라서 $\displaystyle\lim_{n\to\infty}\sqrt{n}(a_1\sqrt{n+1}+a_2\sqrt{n+2}+\cdots a_m\sqrt{m+n})$이 수

렴하려면 $\displaystyle\lim_{n\to\infty}k\sqrt{n}\sqrt{n+m}$에서 $k=0$이어야 하므로

$a_1+a_2+\cdots+a_m=0$

2 급수

STEP 1 | 1등급 준비하기   p. 18~19

01 $\dfrac{3}{4}$	02 ①	03 -1	04 26
05 9	06 2	07 ②	08 -15
09 ③	10 ②	11 ③	

01 답 $\dfrac{3}{4}$

GUIDE

$\dfrac{1}{1^2+2}+\dfrac{1}{2^2+4}+\dfrac{1}{3^2+6}+\cdots+\dfrac{1}{n^2+2n}+\cdots=\displaystyle\sum_{n=1}^{\infty}\dfrac{1}{n^2+2n}$

$\dfrac{1}{1^2+2}+\dfrac{1}{2^2+4}+\dfrac{1}{3^2+6}+\cdots+\dfrac{1}{n^2+2n}+\cdots$

$=\displaystyle\sum_{n=1}^{\infty}\dfrac{1}{n^2+2n}$

$=\displaystyle\sum_{n=1}^{\infty}\dfrac{1}{2}\left(\dfrac{1}{n}-\dfrac{1}{n+2}\right)$

$=\dfrac{1}{2}\left(\dfrac{1}{1}-\dfrac{1}{3}+\dfrac{1}{2}-\dfrac{1}{4}+\dfrac{1}{3}-\dfrac{1}{5}+\cdots\right)=\dfrac{3}{4}$

02 답 ①

GUIDE

$(4n^2-1)x^2-4nx+1=\{(2n-1)x-1\}\{(2n+1)x-1\}$

$(4n^2-1)x^2-4nx+1=\{(2n-1)x-1\}\{(2n+1)x-1\}=0$

에서 $x=\dfrac{1}{2n-1}$ 또는 $x=\dfrac{1}{2n+1}$ 이므로

$\alpha_n=\dfrac{1}{2n-1}$, $\beta_n=\dfrac{1}{2n+1}$ $(\because \alpha_n>\beta_n)$

$\therefore \displaystyle\sum_{n=1}^{n}(\alpha_n-\beta_n)=\lim_{n\to\infty}\sum_{k=1}^{n}\left(\dfrac{1}{2k-1}-\dfrac{1}{2k+1}\right)$

$=\displaystyle\lim_{n\to\infty}\left(1-\dfrac{1}{2n+1}\right)=1$

03 답 -1

GUIDE

$\log_2\left(1-\dfrac{1}{2^2}\right)+\log_2\left(1-\dfrac{1}{3^2}\right)+\cdots+\log_2\left(1-\dfrac{1}{n^2}\right)+\cdots$

$=\log_2\left(\dfrac{2^2-1}{2^2}\right)+\log_2\left(\dfrac{3^2-1}{3^2}\right)+\cdots+\log_2\left(\dfrac{n^2-1}{n^2}\right)+\cdots$

$\log_2\left(1-\dfrac{1}{2^2}\right)+\log_2\left(1-\dfrac{1}{3^2}\right)+\cdots+\log_2\left(1-\dfrac{1}{n^2}\right)+\cdots$

$=\log_2\left(\dfrac{2^2-1}{2^2}\right)+\log_2\left(\dfrac{3^2-1}{3^2}\right)+\cdots+\log_2\left(\dfrac{n^2-1}{n^2}\right)+\cdots$

$=\log_2\left\{\dfrac{1\times 3}{2^2}\times\dfrac{2\times 4}{3^2}\times\cdots\times\dfrac{(n-1)\times(n+1)}{n^2}\times\cdots\right\}$

$=\log_2\left(\dfrac{1}{2}\times\lim_{n\to\infty}\dfrac{n+1}{n}\right)=-1$

04 답 26

GUIDE

❶ $a_n=\alpha n+\beta$로 놓고 a_n을 구한다.

❷ $\dfrac{8}{a_n a_{n+1}}=\dfrac{8}{a_{n+1}-a_n}\left(\dfrac{1}{a_n}-\dfrac{1}{a_{n+1}}\right)=\dfrac{8}{\alpha}\left(\dfrac{1}{a_n}-\dfrac{1}{a_{n+1}}\right)$

$a_n=\alpha n+\beta$라 하면

$\displaystyle\lim_{n\to\infty}\dfrac{2n+1}{a_n}=\lim_{n\to\infty}\dfrac{2n+1}{\alpha n+\beta}=\dfrac{1}{2}$에서 $\alpha=4$

$\displaystyle\sum_{n=1}^{\infty}\dfrac{8}{a_n a_{n+1}}=\sum_{n=1}^{\infty}\dfrac{8}{a_{n+1}-a_n}\left(\dfrac{1}{a_n}-\dfrac{1}{a_{n+1}}\right)$

$\qquad=\displaystyle\sum_{n=1}^{\infty}2\left(\dfrac{1}{a_n}-\dfrac{1}{a_{n+1}}\right)=\dfrac{2}{a_1}=1$

즉 $a_1=2$이고 $4+\beta=2$에서 $\beta=-2$

따라서 $a_n=4n-2$이므로 $a_7=26$

05 답 9

GUIDE

$\displaystyle\sum_{n=1}^{\infty}\dfrac{a_n}{n}$이 수렴하므로 $\displaystyle\lim_{n\to\infty}\dfrac{a_n}{n}=0$

$\displaystyle\sum_{n=1}^{\infty}\dfrac{a_n}{n}$이 수렴하므로 $\displaystyle\lim_{n\to\infty}\dfrac{a_n}{n}=0$

따라서 $\displaystyle\lim_{n\to\infty}\dfrac{a_n+9n}{n}=\lim_{n\to\infty}\dfrac{a_n}{n}+9=9$

06 답 2

GUIDE

$\displaystyle\sum_{n=1}^{\infty}\left(a_n-\dfrac{n-2}{2n+3}\right)$이 수렴하므로 $\displaystyle\lim_{n\to\infty}\left(a_n-\dfrac{n-2}{2n+3}\right)=0$

$\displaystyle\sum_{n=1}^{\infty}\left(a_n-\dfrac{n-2}{2n+3}\right)$이 수렴하므로 $\displaystyle\lim_{n\to\infty}\left(a_n-\dfrac{n-2}{2n+3}\right)=0$

이때 $\displaystyle\lim_{n\to\infty}\dfrac{n-2}{2n+3}=\dfrac{1}{2}$이므로 $\displaystyle\lim_{n\to\infty}a_n=\dfrac{1}{2}$

$\therefore \displaystyle\lim_{n\to\infty}\dfrac{2a_n+1}{4a_n-1}=\dfrac{1+1}{2-1}=2$

07 답 ②

GUIDE

ㄴ. $c_n=n^2 a_n$으로 놓는 치환을 이용한다.

ㄷ. $\displaystyle\sum_{n=1}^{\infty}n(a_{n+1}-a_n)$을 전개해 본다.

ㄱ. $\displaystyle\sum_{n=1}^{\infty}a_n$이 수렴하므로 $\displaystyle\lim_{n\to\infty}a_n=0$ (○)

ㄴ. $\displaystyle\lim_{n\to\infty}n^2 a_n=1$에서 $c_n=n^2 a_n$이라 하면

$a_n=\dfrac{c_n}{n^2}$, $a_{n+1}=\dfrac{c_{n+1}}{(n+1)^2}$

$\therefore \displaystyle\lim_{n\to\infty}na_{n+1}=\lim_{n\to\infty}\dfrac{nc_{n+1}}{(n+1)^2}=\lim_{n\to\infty}\dfrac{c_{n+1}}{n+2+\dfrac{1}{n}}=0$ (○)

ㄷ. $\sum_{n=1}^{\infty} n(a_{n+1}-a_n)$

$$= \lim_{n\to\infty} \sum_{k=1}^{n} k(a_{k+1}-a_k)$$

$$= \lim_{n\to\infty} (-a_1+a_2-2a_2+2a_3-3a_3+3a_4-\cdots-na_n+na_{n+1})$$

$$= \lim_{n\to\infty} (-a_1-a_2-a_3-\cdots-a_n+na_{n+1})$$

$$= -\sum_{n=1}^{\infty} a_n + \lim_{n\to\infty} na_{n+1}$$

$$= -2+0=-2 \ (\times)$$

1등급 NOTE

$\sum_{n=1}^{\infty} n(a_{n+1}-a_n)$과 같은 꼴은 부분합을 이용해 본다.

08 답 -15

GUIDE

❶ $\sum_{k=1}^{\infty} (-x)^k$이 수렴하므로 $\sum_{k=1}^{\infty} (-x)^k = \frac{-x}{1+x}$

❷ $\sum_{k=1}^{\infty} x^{2k-1} = x+x^3+x^5+\cdots+x^{2n-1}+\cdots = \frac{x}{1-x^2}$

$\sum_{k=1}^{\infty} (-x)^k = \frac{-x}{1+x} = \frac{1}{2}$에서 $x=-\frac{1}{3}$이므로

$\therefore \sum_{k=1}^{\infty} x^{2k-1} = \frac{x}{1-x^2} = \frac{-\frac{1}{3}}{1-\frac{1}{9}} = -\frac{3}{8}$

따라서 $40\alpha = -15$

09 답 ③

GUIDE

❶ 수열 $\{a_n\}$의 공비를 r로 놓고 $\sum_{n=1}^{\infty} a_n=3$에서 $r=\frac{2}{3}$를 구한다.

❷ 수열 $\{a_{3n-2}\}$과 수열 $\{a_{3n-1}\}$의 공비는 r^3이다.

수열 $\{a_n\}$의 공비를 r라 하면 $\sum_{n=1}^{\infty} a_n = \frac{1}{1-r} = 3$에서 $r=\frac{2}{3}$

이때 수열 $\{a_{3n-2}\}$는 첫째항이 1, 공비가 $\frac{8}{27}$이고

수열 $\{a_{3n-1}\}$은 첫째항이 $\frac{2}{3}$, 공비가 $\frac{8}{27}$이므로

$\sum_{n=1}^{\infty} (a_{3n-2}-a_{3n-1}) = \frac{1}{1-\frac{8}{27}} - \frac{\frac{2}{3}}{1-\frac{8}{27}} = \frac{9}{19}$

1등급 NOTE

$a_{3n-2} = \left(\frac{8}{27}\right)^{n-1}$, $a_{3n-1} = \frac{2}{3}\left(\frac{8}{27}\right)^{n-1}$에서

$\sum_{n=1}^{\infty} (a_{3n-2}-a_{3n-1}) = \sum_{n=1}^{\infty} \frac{1}{3}\left(\frac{8}{27}\right)^{n-1} = \frac{\frac{1}{3}}{1-\frac{8}{27}} = \frac{9}{19}$

10 답 ②

GUIDE

C_n과 C_{n+1}의 닮음비를 구해 넓이 비와 둘레 길이의 비를 구한다.

C_1의 넓이는 π이고, 둘레 길이는 2π이다.

이때 C_n과 C_{n+1}의 닮음비가 $2:1$이므로

원 C_n의 넓이는 공비가 $\frac{1}{4}$인 등비수열이고 둘레 길이는 공비가

$\frac{1}{2}$이 등비수열이다.

즉 $a = \frac{\pi}{1-\frac{1}{4}} = \frac{4}{3}\pi$, $b = \frac{2\pi}{1-\frac{1}{2}} = 4\pi$이므로 $\frac{a}{b} = \frac{1}{3}$

11 답 ③

GUIDE

좌표평면에 그래프를 그려 사다리꼴의 넓이를 구한다.

S_n은 그림에서 색칠한 부분과 같으므로 큰 사다리꼴에서 작은 사다리꼴을 뺀 것으로 생각할 수 있다. 즉

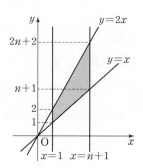

$S_n = \frac{n(n+2)}{2}$

$\sum_{n=1}^{\infty} \frac{1}{S_n} = \sum_{n=1}^{\infty} \frac{2}{n(n+2)}$

$$= \lim_{n\to\infty} \sum_{k=1}^{n} \left(\frac{1}{k} - \frac{1}{k+2}\right)$$

$$= \lim_{n\to\infty} \left(1+\frac{1}{2} - \frac{1}{n+1} - \frac{1}{n+2}\right) = \frac{3}{2}$$

STEP 2	1등급 굳히기		p.20~24
01 -1	02 1	03 $\frac{1}{2}$	04 9
05 ②	06 $\frac{7}{2}$	07 ③	08 1
09 12	10 ③	11 6	12 3
13 ③	14 $\frac{1}{3}$	15 375	16 35
17 ②	18 15		

01 답 -1

GUIDE

$a_n = \log_2(n+2) - 2\log_2(n+1) + \log_2 n$

$a_n = \log_2 \frac{n+2}{(n+1)^2} + \log_2 n$

$\quad = \log_2(n+2) - 2\log_2(n+1) + \log_2 n$

$$\sum_{k=1}^{n} a_k = \sum_{k=1}^{n} \log_2(k+2) - 2\sum_{k=1}^{n} \log_2(k+1) + \sum_{k=1}^{n} \log_2 k$$

$$= \log_2(n+2) - \log_2(n+1) - \log_2 1 + \log_2 2$$

$$\therefore \sum_{n=1}^{\infty} a_n = \lim_{n \to \infty} \{\log_2(n+2) - \log_2(n+1) - \log_2 2 + \log_2 1\}$$

$$= \lim_{n \to \infty} \log_2 \frac{n+2}{n+1} - 1 = -1$$

02 답 1

GUIDE

$n \geq 2$일 때 $a_n = S_n - S_{n-1} = n^3 - (n-1)^3$

$n \geq 2$일 때 $a_n = S_n - S_{n-1} = 3n^2 - 3n + 1$이므로

$$\sum_{n=2}^{\infty} \frac{3}{a_n - 1} = \sum_{n=2}^{\infty} \frac{1}{n^2 - n} = \sum_{n=2}^{\infty} \left(\frac{1}{n-1} - \frac{1}{n} \right) = 1$$

03 답 $\frac{1}{2}$

GUIDE

❶ $S_n = a_1 + a_2 + a_3 + \cdots + a_{n-1} + a_n = a_n + \dfrac{1}{\sqrt{n^2+4n} - \sqrt{n^2+1}}$ 에서

$S_{n-1} = a_1 + a_2 + \cdots + a_{n-1} = \dfrac{1}{\sqrt{n^2+4n} - \sqrt{n^2+1}}$

❷ $\lim_{n \to \infty} S_{n-1} = \lim_{n \to \infty} S_n$

$S_n = a_n + \dfrac{1}{\sqrt{n^2+4n} - \sqrt{n^2+1}}$ 에서

$S_{n-1} = a_1 + a_2 + \cdots + a_{n-1} = \dfrac{1}{\sqrt{n^2+4n} - \sqrt{n^2+1}}$ 이므로

$$\sum_{n=1}^{\infty} a_n = \lim_{n \to \infty} S_n = \lim_{n \to \infty} S_{n-1}$$

$$= \lim_{n \to \infty} \frac{1}{\sqrt{n^2+4n} - \sqrt{n^2+1}}$$

$$= \lim_{n \to \infty} \frac{\sqrt{n^2+4n} + \sqrt{n^2+1}}{4n - 1} = \frac{1}{2}$$

04 답 9

GUIDE

$a_n = S_n - S_{n-1}$ (단, $n \geq 2$)

$a_n = S_n - S_{n-1} = \dfrac{6n}{n+1} - \dfrac{6(n-1)}{n} = \dfrac{6}{n(n+1)}$ $(n \geq 2)$

이고, $a_1 = S_1 = 3$이므로 $a_n = \dfrac{6}{n(n+1)}$ $(n \geq 1)$

$\therefore a_n + a_{n+1} = \dfrac{6}{n(n+1)} + \dfrac{6}{(n+1)(n+2)}$

$$= 6\left(\frac{1}{n} - \frac{1}{n+2} \right)$$

$$\therefore \sum_{n=1}^{\infty} (a_n + a_{n+1}) = 6\sum_{n=1}^{\infty} \left(\frac{1}{n} - \frac{1}{n+2} \right)$$

$$= 6\lim_{n \to \infty} \left(1 + \frac{1}{2} - \frac{1}{n+1} - \frac{1}{n+2} \right) = 9$$

다른 풀이

① $\lim_{n \to \infty} S_n = \lim_{n \to \infty} S_{n+1} = 6$이므로

$$\sum_{n=1}^{\infty} (a_n + a_{n+1}) = \lim_{n \to \infty} \sum_{k=1}^{n} (a_k + a_{k+1})$$

$$= \lim_{n \to \infty} \left(\sum_{k=1}^{n} a_k + \sum_{k=1}^{n} a_{k+1} \right)$$

$$= \lim_{n \to \infty} (S_n + S_{n+1} - a_1)$$

$$= 6 + 6 - 3 = 9$$

② $a_n + a_{n+1} = (S_n - S_{n-1}) + (S_{n+1} - S_n)$

$$= S_{n+1} - S_{n-1}$$

$$= \frac{6(n+1)}{n+2} - \frac{6(n-1)}{n}$$

$$= 6\left(\frac{1}{n} - \frac{1}{n+2} \right) (n \geq 2)$$

이고, $a_1 + a_2 = S_2 = 4$이므로

$a_n + a_{n+1} = 6\left(\dfrac{1}{n} - \dfrac{1}{n+2} \right) (n \geq 1)$

을 이용해도 된다.

05 답 ②

GUIDE

$S_n - S_{n-1}$을 이용해 구한 $\dfrac{a_n}{n}$의 식에서 a_n을 구한다.

$\dfrac{a_n}{n} = \sum_{k=1}^{n} \dfrac{a_k}{k} - \sum_{k=1}^{n-1} \dfrac{a_k}{k} = 2n + 2$ $(n \geq 2)$이고,

$a_1 = 4$이므로 $a_n = 2n^2 + 2n$ $(n \geq 1)$

따라서 $\sum_{n=1}^{\infty} \dfrac{1}{a_n} = \dfrac{1}{2} \sum_{n=1}^{\infty} \left(\dfrac{1}{n} - \dfrac{1}{n+1} \right) = \dfrac{1}{2}$

06 답 $\frac{7}{2}$

GUIDE

$(2a_1 + 2^2 a_2 + 2^3 a_3 + \cdots + 2^n a_n) - (2a_1 + 2^2 a_2 + 2^3 a_3 + \cdots + 2^{n-1} a_{n-1})$
에서 $2^n a_n$을 구한다.

$(2a_1 + 2^2 a_2 + 2^3 a_3 + \cdots + 2^n a_n)$

$- (2a_1 + 2^2 a_2 + 2^3 a_3 + \cdots + 2^{n-1} a_{n-1}) = 3$

에서 $2^n a_n = 3$이므로 $a_n = \dfrac{3}{2^n}$ $(n \geq 2)$이고,

$n = 1$일 때 $2a_1 = 4$에서 $a_1 = 2$이므로

$$\sum_{n=1}^{\infty} a_n = 2 + \sum_{n=2}^{\infty} \frac{3}{2^n} = 2 + \frac{\frac{3}{4}}{1 - \frac{1}{2}} = 2 + \frac{3}{2} = \frac{7}{2}$$

07 답 ③

GUIDE

$$\lim_{n \to \infty} \frac{b_n}{n} = 0 \text{이고, } \lim_{n \to \infty} \frac{a_n + 4n}{b_n + 3n - 2} = \lim_{n \to \infty} \frac{\frac{b_n}{n} + 4}{\frac{b_n}{n} + 3 - \frac{2}{n}}$$

$\sum\limits_{n=1}^{\infty} \frac{b_n}{n} = 2$로 수렴하므로 $\lim\limits_{n \to \infty} \frac{b_n}{n} = 0$

따라서 $\lim\limits_{n \to \infty} \frac{a_n + 4n}{b_n + 3n - 2} = \dfrac{\frac{a_n}{n} + 4}{\frac{b_n}{n} + 3 - \frac{2}{n}} = \dfrac{1+4}{0+3-0} = \dfrac{5}{3}$

08 답 1

GUIDE

$\sum\limits_{n=1}^{\infty} \left(na_n - \frac{n^2-1}{n+2} \right)$이 수렴하므로 $\lim\limits_{n \to \infty} \left(na_n - \frac{n^2-1}{n+2} \right) = 0$

$\sum\limits_{n=1}^{\infty} \left(na_n - \frac{n^2-1}{n+2} \right) = 3$에서 $\lim\limits_{n \to \infty} \left(na_n - \frac{n^2-1}{n+2} \right) = 0$

이므로 $c_n = na_n - \frac{n^2-1}{n+2}$이라 하면 $a_n = \frac{c_n}{n} + \frac{n - \frac{1}{n}}{n+2}$

$\therefore \lim\limits_{n \to \infty} a_n = \lim\limits_{n \to \infty} \left(\frac{c_n}{n} + \frac{n - \frac{1}{n}}{n+2} \right) = 1$

09 답 12

GUIDE

$(2x^2 - x + 1)^n = (x^2 - 3x + 2)Q(x) + a_n x + b_n$으로 놓는다.

나머지정리에서 $(2x^2 - x + 1)^n = (x^2 - 3x + 2)Q(x) + a_n x + b_n$
이라 하고, 이 항등식에 $x = 1$, $x = 2$를 각각 대입하면
$2^n = a_n + b_n$, $7^n = 2a_n + b_n$에서
$a_n = 7^n - 2^n$, $b_n = 2^{n+1} - 7^n$이므로
$\sum\limits_{n=1}^{\infty} \frac{a_n + 7b_{n-1}}{3^n} = \sum\limits_{n=1}^{\infty} \frac{6 \times 2^n}{3^n} = \dfrac{4}{1 - \frac{2}{3}} = 12$

10 답 ③

GUIDE

$\sin \left(\frac{\pi}{2} \log_2 x \right)$의 값이 1 또는 -1이 되도록 하는 $\frac{\pi}{2} \log_2 x$의 값을 생각한다. 이때 $x \leq 1$임을 주의한다.

$\left| \sin \left(\frac{\pi}{2} \log_2 x \right) \right| = 1$이려면 정수 m에 대하여

$\frac{\pi}{2} \log_2 x = \frac{\pi}{2}(2m+1)$이면 되므로 $x = 2^{2m+1}$

이때 $x \leq 1$에서 $2m+1 \leq 0$이므로 $a_n = 2^{-2n+1}$

$\therefore \sum\limits_{n=1}^{\infty} a_n = \sum\limits_{n=1}^{\infty} 2^{-2n+1} = \dfrac{\frac{1}{2}}{1 - \frac{1}{4}} = \dfrac{2}{3}$

11 답 6

GUIDE

두 수열 $\{3^{a_{2n}-8n}\}$과 $\{2^{3-a_n}\}$의 공비가 -1 보다 크고 1 보다 작아야 한다. 즉 $a_{2n} - 8n < 0$이고 $3 - a_n < 0$

$\sum\limits_{n=1}^{\infty} 3^{a_{2n}-8n}$과 $\sum\limits_{n=1}^{\infty} 2^{3-a_n}$이 수렴하려면

$a_{2n} - 8n = a_1 - d + (2d - 8)n$에서 $2d - 8 < 0$
$3 - a_n = 3 - a_1 + d - dn$에서 $-d < 0$이어야 하므로
$0 < d < 4$에서 가능한 정수 d의 값은 1, 2, 3
따라서 합은 6

12 답 3

GUIDE

$[x] = n$이면 $n \leq x < n+1$

$[\log_3 k] = n$에서 $n \leq \log_3 k < n+1$
즉 $3^n \leq k < 3^{n+1}$을 만족시키는 자연수 k의 개수는
$3^{n+1} - 3^n = 2 \times 3^n$ $\therefore a_n = 2 \times 3^n$

따라서 $\sum\limits_{n=1}^{\infty} \frac{a_n}{5^n} = \sum\limits_{n=1}^{\infty} 2 \left(\frac{3}{5} \right)^n = \dfrac{\frac{6}{5}}{1 - \frac{3}{5}} = 3$

13 답 ③

GUIDE

$\{a_n\}$의 첫째항과 공비를 이용해 A, B를 나타낸다.

$\{a_n\}$의 첫째항을 a, 공비를 r라 하면
$a_n = ar^{n-1}$, $(-1)^{n-1} a_n = (-1)^{n-1} \times ar^{n-1} = a(-r)^{n-1}$에서
$\sum\limits_{n=1}^{\infty} a_n = \dfrac{a}{1-r} = A$, $\sum\limits_{n=1}^{\infty} (-1)^{n-1} a_n = \dfrac{a}{1+r} = B$
이므로 $\sum\limits_{n=1}^{\infty} (a_n)^2 = \dfrac{a^2}{1-r^2} = \dfrac{a}{1-r} \times \dfrac{a}{1+r} = AB$

14 답 $\frac{1}{3}$

GUIDE

$\sum\limits_{n=1}^{\infty} a_{2n} = a_2 + a_4 + a_6 + \cdots$, $\sum\limits_{n=1}^{\infty} a_{3n} = a_3 + a_6 + a_9 + \cdots$임을 이용해 $\{a_n\}$의 첫째항과 공비에 대한 방정식을 만들어 첫째항과 공비를 구한다.

$\{a_n\}$의 첫째항을 a, 공비를 r라 하면
$\sum\limits_{n=1}^{\infty} a_{2n} = \dfrac{ar}{1-r^2} = 7$, $\sum\limits_{n=1}^{\infty} a_{3n} = \dfrac{ar^2}{1-r^3} = 3$
$ar = 7(1-r^2)$, $ar^2 = 3(1-r^3)$
이때 $7r(1-r^2) = 3(1-r^3)$이고, $r \neq 1$이므로
$7r(1+r) = 3(1+r+r^2)$에서

$4r^2+4r-3=(2r-1)(2r+3)=0$

$\therefore r=\dfrac{1}{2}$ 또는 $r=-\dfrac{3}{2}$

$\{a_{2n}\}, \{a_{3n}\}$이 수렴하므로 $-1<r^2<1, -1<r^3<1$에서 $r=\dfrac{1}{2}$

이때 $\dfrac{ar}{1-r^2}=7$에서 $a=\dfrac{21}{2}$

$\therefore \displaystyle\sum_{n=1}^{\infty} a_{6n}=\dfrac{ar^5}{1-r^6}=\dfrac{\dfrac{21}{2}\times\dfrac{1}{32}}{1-\dfrac{1}{64}}=\dfrac{1}{3}$

---

15 ▣ 375

GUIDE

매 회 $a\,\mathrm{mg}$의 약을 투여하면 12시간 후 $\dfrac{1}{16}$으로 줄어들므로 $12n$시간 후

$a+\dfrac{a}{16}+\dfrac{a}{16^2}+\cdots+\dfrac{a}{16^n}$ 만큼의 약이 남는다.

매 회 $a\,\mathrm{mg}$의 약을 투여한다고 하면 12시간 후 $a+\dfrac{a}{16}$만큼의

약이 남아 있고 12×2시간 후 $a+\dfrac{a}{16}+\dfrac{a}{16^2}$만큼의 약이 남아

있다.

즉 $12n$시간 후 $a+\dfrac{a}{16}+\dfrac{a}{16^2}+\cdots+\dfrac{a}{16^n}$만큼의 약이 남아 있

으므로 $a+\dfrac{a}{16}+\dfrac{a}{16^2}+\cdots\leq400$이면 된다.

$\therefore \dfrac{a}{1-\dfrac{1}{16}}=\dfrac{16a}{15}\leq400$

따라서 $a\leq375$이므로 매회 최대 투여량은 $375\,\mathrm{mg}$

참고

처음	12시간 후	24시간 후	36시간 후
a →	$\dfrac{a}{16}$ →	$\dfrac{a}{16^2}$ →	$\dfrac{a}{16^3}$ ⋯
	a →	$\dfrac{a}{16}$ →	$\dfrac{a}{16^2}$ ⋯
		a →	$\dfrac{a}{16}$ ⋯
			a ⋯

---

16 ▣ 35

GUIDE

$S_{n+1}=\left(1-\dfrac{1}{3}\right)\left(1-\dfrac{1}{4}\right)S_n$ 이때 $S_0=35$임을 주의한다.

$S_0=35$이고 $S_1=\dfrac{2}{3}\times\dfrac{3}{4}\times S_0=\dfrac{35}{2}$이므로

$S_n(n\geq1)$은 첫째항이 $\dfrac{35}{2}$이고 공비가 $\dfrac{1}{2}$인 등비수열이다.

$\therefore \displaystyle\sum_{n=1}^{\infty} S_n=\dfrac{\dfrac{35}{2}}{1-\dfrac{1}{2}}=35$

---

17 ▣ ②

GUIDE

❶ 두 삼각형 AB_nC_n과 $AB_{n+1}C_{n+1}$의 닮음비에서 등비수열 $\{S_n\}$의 공비를 구한다.

❷ $\angle D_1MD_2$의 크기를 구한다.

$\overline{B_2C_2}=3\times\dfrac{2}{3}=2$이고, 그림과 같이 $\overline{B_2C_2}$의 중점을

M, $\overline{B_1C_1}$과 호 B_2C_2가 만나는 점을 D_1, D_2라 하면

사각형 $B_1B_2MD_1$은 한 변의 길이가 1인 평행사변형(마름모)이

므로 삼각형 MD_1D_2는 한 변의 길이가 1인 정삼각형이다.

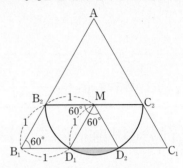

이때 $\triangle AB_nC_n$과 $\triangle AB_{n+1}C_{n+1}$의 닮음비가 $3:2$이므로

넓이 비는 $9:4$, 즉 수열 $\{S_n\}$의 공비는 $\dfrac{4}{9}$

$S_1=\pi\times\dfrac{1}{6}-\dfrac{\sqrt{3}}{4}\times1^2=\dfrac{\pi}{6}-\dfrac{\sqrt{3}}{4}$이므로

$\displaystyle\sum_{n=1}^{\infty} S_n=\dfrac{\dfrac{\pi}{6}-\dfrac{\sqrt{3}}{4}}{1-\dfrac{4}{9}}=\dfrac{6\pi-9\sqrt{3}}{20}$

---

18 ▣ 15

GUIDE

❶ $\overrightarrow{OC}$가 $\angle P_1OQ_1$의 이등분선임을 이용해 각 원의 반지름 길이를 차례대로 구해 본다.

❷ 닮음비를 이용한다.

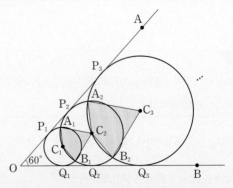

점 C_1을 중심으로 하는 원의 반지름 길이를 r_1이라 하면

$\angle C_1OQ_1=30°$이고, $\overline{OC_1}=1$이므로 $r_1=\dfrac{1}{2}$

이때 $\overline{C_1Q_1}=\overline{C_1A_1}=\overline{C_1B_1}=\dfrac{1}{2}$이다.

점 C_2를 중심으로 하는 원의 반지름 길이를 r_2이라 하면

$\triangle C_2OQ_2$에서 $2r_2 = 1 + r_2$이므로 $r_2 = 1$

이때 $\overline{C_1C_2} = \overline{C_2A_1} = \overline{C_2B_2} = 1$이다.

$\triangle C_1C_2A_1$의 넓이가 $\dfrac{\sqrt{15}}{16}$이므로 사각형 $B_1C_1A_1C_2$의 넓이

$S_1 = \dfrac{\sqrt{15}}{8}$이고 $r_1 : r_2 = 1 : 2$이므로

S_n은 공비가 4인 등비수열이다.

$$\sum_{n=1}^{\infty} \frac{S_n}{5^n} = \sum_{n=1}^{\infty} \frac{\sqrt{15}}{8} \cdot \frac{4^{n-1}}{5^n} = \frac{\dfrac{\sqrt{15}}{40}}{1 - \dfrac{4}{5}} = \frac{\sqrt{15}}{8} = p$$

$$\therefore \ 64p^2 = 64 \times \frac{15}{64} = 15$$

참고

❶ $\triangle C_1C_2A_1$에서 $\overline{C_1C_2} = 1$, $\overline{C_2A_1} = 1$, $\overline{C_1A_1} = \dfrac{1}{2}$이므로

$s = \dfrac{1 + 1 + \dfrac{1}{2}}{2} = \dfrac{5}{4}$라 하면 헤론의 공식에서

$\triangle C_1C_2A_1 = \sqrt{\dfrac{5}{4}\left(\dfrac{5}{4}-1\right)\left(\dfrac{5}{4}-1\right)\left(\dfrac{5}{4}-\dfrac{1}{2}\right)} = \dfrac{\sqrt{15}}{16}$

❷ $\displaystyle\sum_{n=1}^{\infty} \frac{4^{n-1}}{5^n} = \sum_{n=1}^{\infty} \frac{1}{5} \times \left(\frac{4}{5}\right)^{n-1} = \frac{1}{5}\left(\frac{1}{1-\dfrac{4}{5}}\right) = 1$

STEP 3 | 1등급 뛰어넘기
p.25~26

01 0	**02** 4	**03** 8	**04** 17
05 ③	**06** ③		

01 답 0

GUIDE

$S_n = \dfrac{1}{2n} - \dfrac{1}{2(n+1)} + \dfrac{1}{2(n+1)^2}$임을 구한다.

$S_n = \displaystyle\int_{\frac{1}{n+1}}^{\frac{1}{n}} nx\,dx = \left[\frac{nx^2}{2}\right]_{\frac{1}{n+1}}^{\frac{1}{n}}$

$= \dfrac{1}{2n} - \dfrac{n}{2(n+1)^2}$

$= \dfrac{1}{2n} - \dfrac{1}{2(n+1)} + \dfrac{1}{2(n+1)^2}$

$\therefore S_n - \dfrac{1}{2n^2} = \dfrac{1}{2n} - \dfrac{1}{2(n+1)} - \dfrac{1}{2n^2} + \dfrac{1}{2(n+1)^2}$

$\displaystyle\sum_{k=1}^{n}\left(S_k - \frac{1}{2k^2}\right) = \dfrac{1}{2(n+1)^2} - \dfrac{1}{2(n+1)}$

$\therefore \displaystyle\sum_{n=1}^{\infty}\left(S_n - \frac{1}{2n^2}\right) = \lim_{n\to\infty}\left\{\frac{1}{2(n+1)^2} - \frac{1}{2(n+1)}\right\} = 0$

참고

❶ 부분분수의 성질에서 $\dfrac{n}{(n+1)^2} = \dfrac{1}{n+1} - \dfrac{1}{(n+1)^2}$

❷ $\displaystyle\sum_{k=1}^{n}\left\{\frac{1}{2n} - \frac{1}{2(n+1)}\right\} = \frac{1}{2} - \frac{1}{2(n+1)}$

$\displaystyle\sum_{k=1}^{n} -\left\{\frac{1}{2n^2} - \frac{1}{2(n+1)^2}\right\} = -\frac{1}{2} + \frac{1}{2(n+1)^2}$

02 답 4

GUIDE

$\left|\displaystyle\sum_{k=1}^{n}(a_k+2)-1\right| < \dfrac{1}{2^n}$와 $\left|\displaystyle\sum_{k=1}^{n}(b_k-1)-3\right| < \dfrac{1}{3^n}$가 $n \longrightarrow \infty$일 때를 살펴본다.

$\displaystyle\lim_{n\to\infty}\left|\sum_{k=1}^{n}(a_k+2)-1\right| = 0$, $\displaystyle\lim_{n\to\infty}\left|\sum_{k=1}^{n}(b_k-1)-3\right| = 0$

이므로 $\displaystyle\sum_{k=1}^{\infty}(a_k+2) = 1$, $\displaystyle\sum_{k=1}^{\infty}(b_k-1) = 3$

$\therefore \displaystyle\lim_{n\to\infty}a_n = -2$, $\displaystyle\lim_{n\to\infty}b_n = 1$

따라서 $\displaystyle\lim_{n\to\infty}\frac{a_n - 2b_n}{2a_n + b_n} = \frac{-4}{-3} = \frac{4}{3} = p$ $\therefore 3p = 4$

03 답 8

GUIDE

$(x-1)(x-\alpha_1)(x-\alpha_2)\cdots(x-\alpha_{2n}) = x^{2n+1}-1$임을 이용한다.

$x^{2n+1}-1 = (x-1)(x^{2n}+x^{2n-1}+\cdots+x+1)$

$\qquad\qquad = (x-1)(x-\alpha_1)(x-\alpha_2)\cdots(x-\alpha_{2n})$

$\qquad\qquad = (x-1)f_n(x)$

에서 $(x-1)f_n(x) = x^{2n+1}-1$의 양변에

$x=3$, $x=2$를 각각 대입하면

$2f_n(3) = 3^{2n+1}-1$, $f_n(2) = 2^{2n+1}-1$

$\displaystyle\sum_{n=1}^{\infty}\frac{2f_n(3)-f_n(2)}{12^n} = \sum_{n=1}^{\infty}\left\{3\left(\frac{3}{4}\right)^n - 2\left(\frac{1}{3}\right)^n\right\}$

$\qquad\qquad = \dfrac{\dfrac{9}{4}}{1-\dfrac{3}{4}} - \dfrac{\dfrac{2}{3}}{1-\dfrac{1}{3}} = 8$

04 답 17

GUIDE

A를 통과한 빛이 B를 통과하는 것과 함께 B에서 반사된 빛이 다시 A에서 반사되고 B를 통과하는 경우도 생각한다.

처음에 A를 통과한 빛은 $\dfrac{1}{6}a$이다. 이중에서 B를 바로 통과한

빛은 $\dfrac{1}{6}a \times \dfrac{2}{5}$이고, B에 반사되었다가 다시 A에서 반사되어

B를 통과한 빛은 $\dfrac{1}{6}a \times \dfrac{3}{5} \times \dfrac{5}{6} \times \dfrac{2}{5}$이다.

순서대로 B와 A에 n번 반사된 후 B를 통과한 빛은

$\dfrac{1}{6}a \times \left(\dfrac{3}{5} \times \dfrac{5}{6}\right)^n \times \dfrac{2}{5} = \dfrac{1}{6}a \times \left(\dfrac{1}{2}\right)^n \times \dfrac{2}{5}$ 이므로

충분히 시간이 흐른 후 B를 통과한 빛의 양은

$\dfrac{1}{6}a \times \dfrac{2}{5} + \dfrac{1}{6}a \times \dfrac{1}{2} \times \dfrac{2}{5} + \dfrac{1}{6}a \times \left(\dfrac{1}{2}\right)^2 \times \dfrac{2}{5} + \cdots$

$= \dfrac{\dfrac{a}{15}}{1 - \dfrac{1}{2}} = \dfrac{2}{15}a$

따라서 $m = 15$, $n = 2$이므로 $m + n = 17$

05 답 ③

GUIDE

(원 O_1의 반지름 길이) : (원 O_2의 반지름 길이)를 구한다.

원 O_1의 중심을 O_1이라 하면

$\angle O_1 B_1 D_1 = 30°$이고, 원 O_1의

반지름의 길이가 2이므로

$\overline{A_1 D_1} = 2 + 1 = 3$

정삼각형 $A_1 B_1 C_1$의 한 변의 길이를

a라 하면

$\dfrac{\sqrt{3}}{2}a = 3$에서 $a = 2\sqrt{3}$이고, 정삼각형 $A_1 B_1 C_1$의 넓이는

$\dfrac{\sqrt{3}}{4} \times (2\sqrt{3})^2 = 3\sqrt{3}$

$\therefore S_1 = 3\sqrt{3} \times \dfrac{1}{2} \times \dfrac{2}{3} + \dfrac{4}{3}\pi - \sqrt{3} = \dfrac{4}{3}\pi$

또 $A_1 B_1 D_1$에 내접하는 원의 반지름 길이를 r라 하면

$\dfrac{r}{2}(2\sqrt{3} + \sqrt{3} + 3) = \dfrac{1}{2} \times 3 \times \sqrt{3}$

$\therefore r = \dfrac{\sqrt{3}}{\sqrt{3} + 1} = \dfrac{3 - \sqrt{3}}{2}$

즉 R_1과 R_2의 닮음비가

$2 : \dfrac{3 - \sqrt{3}}{2} = 1 : \dfrac{3 - \sqrt{3}}{4}$이므로

$S_2 = S_1 + \left(\dfrac{3 - \sqrt{3}}{4}\right)^2 S_1$

$S_n = S_1 + \left(\dfrac{3 - \sqrt{3}}{4}\right)^2 S_1 + \cdots + \left\{\left(\dfrac{3 - \sqrt{3}}{4}\right)^2\right\}^{n-1} S_1$

$\displaystyle\lim_{n \to \infty} S_n = \dfrac{\dfrac{4}{3}\pi}{1 - \left(\dfrac{3 - \sqrt{3}}{4}\right)^2} = \dfrac{32\pi}{3(3\sqrt{3} + 2)} = \dfrac{32(3\sqrt{3} - 2)\pi}{69}$

06 답 ③

GUIDE

좌표평면 위에서 큰 직사각형과 작은 직사각형의 닮음비를 찾는다.

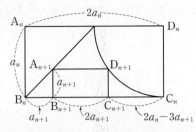

직사각형 $A_n B_n C_n D_n$의 세로 길이를 a_n,

직사각형 $A_{n+1} B_{n+1} C_{n+1} D_{n+1}$의 세로 길이를 a_{n+1}이라 하면

$\overline{B_n B_{n+1}} = \overline{A_{n+1} B_{n+1}}$이므로 $\overline{C_{n+1} C_n} = 2a_n - 3a_{n+1}$

또한 점 D_n을 좌표평면 위의 원점에 놓고 직사각형 $A_n B_n C_n D_n$의 가로와 세로를 x축, y축에 평행하게 놓으면 점

$D_{n+1}(-2a_n + 3a_{n+1}, \ a_{n+1} - a_n)$은

원 $x^2 + y^2 = a_n^2$ 위의 점이 된다.

$(-2a_n + 3a_{n+1})^2 + (a_{n+1} - a_n)^2 = a_n^2$

$(5a_{n+1} - 2a_n)(a_{n+1} - a_n) = 0$

$\therefore a_{n+1} = \dfrac{2}{5}a_n \ (\because a_{n+1} < a_n)$

따라서 닮음비가 $\dfrac{2}{5}$이므로 넓이 비는 $\dfrac{4}{25}$이고

$S_1 = 2\left(\dfrac{\pi}{4} - \dfrac{1}{2} \times 1 \times 1\right) = \dfrac{\pi}{2} - 1$

$\therefore \displaystyle\lim_{n \to \infty} S_n = \dfrac{\dfrac{\pi}{2} - 1}{1 - \dfrac{4}{25}} = \dfrac{25}{21}\left(\dfrac{\pi}{2} - 1\right)$

1등급 NOTE

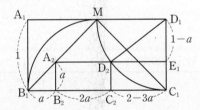

$\overline{B_1 B_2} = a$라 하면 $\cdots$ $\overline{A_2 B_2} : \overline{A_2 D_2} = 1 : 2$이므로

$\overline{A_2 B_2} = a$, $\cdots$ $\overline{A_2 D_2} = \overline{B_2 C_2} = 2a$

이때 $\overline{C_2 C_1} = 2 - 3a$

변 $A_2 D_2$의 연장선이 $\overline{C_1 D_1}$과 만나는 점을 E_1이라 하면

$\overline{D_2 E_1} = \overline{C_2 C_1} = 2 - 3a$, $\overline{D_1 E_1} = 1 - a$

피타고라스 정리에서 $(1-a)^2 + (2-3a)^2 = 1^2$

정리하면 $5a^2 - 7a + 2 = 0$ $\therefore a = \dfrac{2}{5}$

즉, 닮음비가 $1 : \dfrac{2}{5}$이므로 넓이 비는 $1 : \dfrac{4}{25}$임을 이용할 수 있다.

3 지수함수와 로그함수의 미분

01 9	**02** ⑤	**03** ①	**04** ③
05 3	**06** ③	**07** ④	**08** ③
09 ⑤	**10** 1	**11** ③	**12** ④

01 답 9

가장 큰 항으로 분모와 분자를 나눈다.

$$\lim_{x\to\infty}\frac{2^{3x+1}+3^{2x+1}+5^{x+1}}{2^{3x-1}+3^{2x-1}+5^{x-1}}=\lim_{x\to\infty}\frac{2\times8^x+3\times9^x+5\times5^x}{\frac{1}{2}\times8^x+\frac{1}{3}\times9^x+\frac{1}{5}\times5^x}$$

에서 분모, 분자를 9^x으로 나누면

$$\lim_{x\to\infty}\frac{2\times\left(\frac{8}{9}\right)^x+3+5\times\left(\frac{5}{9}\right)^x}{\frac{1}{2}\times\left(\frac{8}{9}\right)^x+\frac{1}{3}+\frac{1}{5}\times\left(\frac{5}{9}\right)^x}=\frac{3}{\frac{1}{3}}=9$$

02 답 ⑤

$\lim_{x\to0}(1+ax)^{\frac{1}{x}}=\lim_{x\to0}(1+ax)^{\frac{1}{ax}\times a}=e^a$

$$\lim_{x\to0}\{(1+x)(1+3x)(1+5x)\cdots(1+19)\}^{\frac{1}{x}}$$
$$=\lim_{x\to0}\{(1+x)^{\frac{1}{x}}(1+3x)^{\frac{1}{x}}(1+5x)^{\frac{1}{x}}\cdots(1+19x)^{\frac{1}{x}}\}$$
$$=\lim_{x\to0}\{(1+x)^{\frac{1}{x}}(1+3x)^{\frac{1}{3x}\times3}(1+5x)^{\frac{1}{5x}\times5}$$
$$\cdots(1+19x)^{\frac{1}{19x}\times19}\}$$
$$=e\times e^3\times e^5\times\cdots\times e^{19}=e^{1+3+5+\cdots+19}=e^{100}$$

$\sum_{k=1}^{2}(2k-1)=1+3=2^2$

$\sum_{k=1}^{3}(2k-1)=1+3+5=3^2$

$\vdots$

$\sum_{k=1}^{n}(2k-1)=n^2$

03 답 ①

$\lim_{\blacksquare\to0}(1+\blacksquare)^{\frac{1}{\blacksquare}}$ 꼴을 만든다.

$$\lim_{x\to-1}(x^2)^{\frac{1}{x+1}}=\lim_{x\to-1}\{1+(x^2-1)\}^{\frac{1}{x+1}}$$
$$=\lim_{x\to-1}\{1+(x^2-1)\}^{\frac{1}{x^2-1}\times(x-1)}=e^{-2}$$

04 답 ③

$\lim_{\blacksquare\to0}\frac{e^{\blacksquare}-1}{\blacksquare}$ 꼴을 만든다.

$$\lim_{x\to0}\frac{e^{2x^2+3x}-1}{f(x)}=\lim_{x\to0}\frac{(e^{2x^2+3x}-1)(2x^2+3x)}{(2x^2+3x)f(x)}=2$$

에서 $\lim_{x\to0}\frac{e^{2x^2+3x}-1}{2x^2+3x}=1$이므로

$$\lim_{x\to0}\frac{2x^2+3x}{f(x)}=2,\ \lim_{x\to0}\frac{f(x)}{2x^2+3x}=\frac{1}{2}$$

이때 $\lim_{x\to0}\frac{f(x)}{x^2+x}=\lim_{x\to0}\frac{f(x)(2x^2+3x)}{(2x^2+3x)(x^2+x)}$ 에서

$$\lim_{x\to0}\frac{2x^2+3x}{x^2+x}=3$$이므로 $\lim_{x\to0}\frac{f(x)}{x^2+x}=\frac{3}{2}$

05 답 3

$\lim_{\blacksquare\to0}\frac{\blacksquare}{\ln(1+\blacksquare)}$ 꼴을 만든다.

$$\lim_{x\to2}\frac{x^2-x-2}{\ln(x-1)}=\lim_{x\to2}\frac{(x+1)(x-2)}{\ln(x-1)}$$ 에서

$x-2=t$로 치환하면 $\lim_{t\to0}\frac{t(t+3)}{\ln(1+t)}=\frac{3}{\ln e}=3$

06 답 ③

$x>0$일 때와 $x<0$일 때로 나누고

$\lim_{x\to0}\frac{\ln(1+x)}{x}=1,\ \lim_{x\to0}\frac{e^{2x}-1}{2x}=1$을 이용한다.

$x>0$일 때 $\frac{\ln(1+x)}{x}\le\frac{f(x)}{x}\le\frac{e^{2x}-1}{2x}$

$x<0$일 때 $\frac{e^{2x}-1}{2x}\le\frac{f(x)}{x}\le\frac{\ln(1+x)}{x}$

그런데 $\lim_{x\to0}\frac{\ln(1+x)}{x}=1,\ \lim_{x\to0}\frac{e^{2x}-1}{2x}=1$이므로

함수의 극한의 대소 관계에서

$$\lim_{x\to0+}\frac{f(x)}{x}=\lim_{x\to0-}\frac{f(x)}{x}=\lim_{x\to0}\frac{f(x)}{x}=1$$

따라서 $\lim_{x\to0}\frac{f(3x)}{x}=\lim_{x\to0}\frac{f(3x)}{3x}\times3=1\times3=3$

07 답 ④

$\lim_{h\to0}\frac{f(1+h)-f(1-h)}{h}=2f'(1)$을 이용한다.

함수 $f(x)$는 미분가능하므로

$$\lim_{h\to0}\frac{f(1+h)-f(1-h)}{h}=2f'(1)$$

$f(x)=(x^2+x)e^x$에서
$f'(x)=(2x+1)e^x+(x^2+x)e^x=(x^2+3x+1)e^x$
이때 $f'(1)=5e$이므로 $2f'(1)=2\times 5e=10e$

08 답 ③

GUIDE

$\lim\limits_{\blacksquare\to\blacktriangle}\dfrac{f(\blacksquare)-f(\blacktriangle)}{\blacksquare-\blacktriangle}=f'(\blacktriangle)$임을 이용한다.

$\lim\limits_{x\to 0}\dfrac{f(2^x)-f(1)}{x}=\lim\limits_{x\to 0}\dfrac{\{f(2^x)-f(1)\}(2^x-1)}{(2^x-1)x}$

$=\lim\limits_{x\to 0}\left\{\dfrac{f(2^x)-f(1)}{2^x-1}\times\dfrac{2^x-1}{x}\right\}$

$=f'(1)\times\ln 2$

$=3\ln 2=\ln 8$

09 답 ⑤

GUIDE

$f(x)=(x^2+ax)\ln a$에서 $f'(x)=(2x+a)\ln x+x+a$를 이용한다.

$f(x)=(x^2+ax)\ln a$에서

$f'(x)=(2x+a)\ln x+(x^2+ax)\times\dfrac{1}{x}$

$\qquad=(2x+a)\ln x+x+a$

이고 $f'(a)=5a$이므로 $f'(a)=3a\ln a+2a=5a$에서

$\ln a=1$ $\quad\therefore a=e$

따라서 $f(a)=f(e)=(e^2+e^2)\ln e=2e^2$

10 답 1

GUIDE

$\dfrac{3n+4}{3n+2}=1+\dfrac{2}{3n+2}$, $\dfrac{3n-2}{3n+2}=1-\dfrac{4}{3n+2}$

$\lim\limits_{n\to\infty}n\left\{f\left(\dfrac{3n+4}{3n+2}\right)-f\left(\dfrac{3n-2}{3n+2}\right)\right\}$

$=\lim\limits_{n\to\infty}n\left\{f\left(1+\dfrac{2}{3n+2}\right)-f\left(1-\dfrac{4}{3n+2}\right)\right\}$

$=\lim\limits_{n\to\infty}\dfrac{6n}{3n+2}\left\{\dfrac{f\left(1+\dfrac{2}{3n+2}\right)-f\left(1-\dfrac{4}{3n+2}\right)}{\dfrac{6}{3n+2}}\right\}$

$=2f'(1)$

$f(x)=ae^x+b$에서 $f'(x)=ae^x$,

즉 $2f'(1)=2ae=6e$에서 $a=3$이고

$f(0)=a+b=5$에서 $b=2$

$\therefore a-b=1$

11 답 ③

GUIDE

❶ $\lim\limits_{x\to 0}f(x)=f(0)$

❷ $\lim\limits_{x\to a}\dfrac{g(x)}{h(x)}=b$에서 $h(a)=0$이면 $g(a)=0$

$x=0$에서 연속이어야 하므로

$\lim\limits_{x\to 0}\dfrac{e^x+3x+a}{x}=b$에서

$\lim\limits_{x\to 0}(e^x+3x+a)=0$ $\quad\therefore a=-1$

$\lim\limits_{x\to 0}\dfrac{e^x-1+3x}{x}=1+3=4$ $\quad\therefore b=4$

따라서 $a+b=3$

12 답 ④

GUIDE

x값에 관계없이 $(x+b)'=1$이므로 $f'(a)=1$을 이용한다.

$(e^x+1)'=e^x$이고, $e^a=1$이어야 하므로 $a=0$

연속이어야 하므로 $e^0+1=0+b$에서 $b=2$

$\therefore a+b=2$

STEP 2	**1등급 굳히기**		p.32~36
01 ④	02 ③	03 2	04 2
05 ②	06 48	07 1	08 2
09 ③	10 2	11 ⑤	12 ㄱ, ㄴ, ㄷ
13 8	14 4	15 -55	16 2
17 ③	18 8	19 ④	20 ③
21 50	22 -2		

01 답 ④

GUIDE

$\left(1+\dfrac{1}{2n}\right)\left(1+\dfrac{1}{2n+1}\right)\left(1+\dfrac{1}{2n+2}\right)\cdots\left(1+\dfrac{1}{an}\right)$

$=\dfrac{2n+1}{2n}\times\dfrac{2n+2}{2n+1}\times\dfrac{2n+3}{2n+2}\times\cdots\times\dfrac{an+1}{an}$

$\lim\limits_{n\to\infty}\left\{\left(1+\dfrac{1}{2n}\right)\left(1+\dfrac{1}{2n+1}\right)\left(1+\dfrac{1}{2n+2}\right)\cdots\left(1+\dfrac{1}{an}\right)-1\right\}^n$

$=\lim\limits_{n\to\infty}\left(\dfrac{2n+1}{2n}\times\dfrac{2n+2}{2n+1}\times\dfrac{2n+3}{2n+2}\times\cdots\times\dfrac{an+1}{an}-1\right)^n$

$=\lim\limits_{n\to\infty}\left(\dfrac{a}{2}-1+\dfrac{1}{2n}\right)^n$

극한값이 존재하려면 $\dfrac{a}{2}-1=1$이어야 하므로 $a=4$

$\lim\limits_{n\to\infty}\left(1+\dfrac{1}{2n}\right)^n=\lim\limits_{n\to\infty}\left(1+\dfrac{1}{2n}\right)^{2n\times\frac{1}{2}}=e^{\frac{1}{2}}$ $\quad\therefore b=e^{\frac{1}{2}}$

따라서 $b^a=e^2$

02 답 ③

$$\left(\frac{x}{x-1}\right)^x=\left(\frac{x-1+1}{x-1}\right)^x=\left(1+\frac{1}{x-1}\right)^{(x-1)\times\frac{x}{x-1}}$$

ㄱ. $\displaystyle\lim_{x\to\infty}f(x)=\lim_{x\to\infty}\left(\frac{x}{x-1}\right)^x$

$$=\lim_{x\to\infty}\left(1+\frac{1}{x-1}\right)^x$$

$$=\lim_{x\to\infty}\left\{\left(1+\frac{1}{x-1}\right)^{x-1}\right\}^{\frac{x}{x-1}}=e\ (\bigcirc)$$

ㄴ. $x-1=t$라 하면 $\displaystyle\lim_{x\to\infty}f(x-1)=\lim_{t\to\infty}f(t)=e$

$x+1=t$라 하면 $\displaystyle\lim_{x\to\infty}f(x+1)=\lim_{t\to\infty}f(t)=e$

$$\therefore\lim_{x\to\infty}f(x-1)f(x+1)=e\times e=e^2\ (\bigcirc)$$

ㄷ. $\displaystyle\lim_{x\to\infty}f(nx)=\lim_{x\to\infty}\left(\frac{nx}{nx-1}\right)^{nx}$

$$=\lim_{x\to\infty}\left(1+\frac{1}{nx-1}\right)^{nx}$$

$$=\lim_{x\to\infty}\left\{\left(1+\frac{1}{nx-1}\right)^{nx-1}\right\}^{\frac{nx}{nx-1}}=e\ (\times)$$

03 답 2

$\ln(1+\blacktriangle)^{\frac{1}{\blacktriangle}}$ 꼴을 만든다.

$y=e^x-1$에서 x와 y를 바꿔 정리하면 $x=e^y-1$, $e^y=1+x$에서 $y=\ln(1+x)$, 즉 $g(x)=\ln(1+x)$이므로

$$g(x+1)-g(x)=\ln(2+x)-\ln(1+x)=\ln\left(1+\frac{1}{1+x}\right)$$

$$\therefore\lim_{x\to\infty}2x\{g(x+1)-g(x)\}$$

$$=\lim_{x\to\infty}\left\{\ln\left(1+\frac{1}{x+1}\right)^{x+1}\right\}^{\frac{2x}{x+1}}$$

$$=\ln e^2=2$$

04 답 2

❶ $t=x^{\frac{1}{n}}-1$로 치환하여 정리한다.

❷ $f\left(\frac{2n+3}{n-1}\right)-f\left(\frac{2n-1}{n-1}\right)=f\left(2+\frac{5}{n-1}\right)-f\left(2+\frac{1}{n-1}\right)$

$t=x^{\frac{1}{n}}-1$이라 하면 $x^{\frac{1}{n}}=1+t$, $x=(1+t)^n$에서

$\ln x=n\ln(1+t)$ $\therefore n=\dfrac{\ln x}{\ln(1+t)}$

$n\to\infty$일 때, $t\to0$이므로

$$f(x)=\lim_{n\to\infty}n\left(x^{\frac{1}{n}}-1\right)$$

$$=\lim_{t\to0}\frac{\ln x}{\ln(1+t)}\times t=\lim_{t\to0}\frac{t}{\ln(1+t)}\times\ln x=\ln x$$

$$\therefore\lim_{n\to\infty}n\left\{f\left(\frac{2n+3}{n-1}\right)-f\left(\frac{2n-1}{n-1}\right)\right\}$$

$$=\lim_{n\to\infty}\frac{4n}{n-1}\left\{\frac{f\left(2+\frac{5}{n-1}\right)-f\left(2+\frac{1}{n-1}\right)}{\frac{4}{n-1}}\right\}=4f'(2)$$

이때 $f'(x)=\dfrac{1}{x}$이므로

$$\lim_{n\to\infty}n\left\{f\left(\frac{2n+3}{n-1}\right)-f\left(\frac{2n-1}{n-1}\right)\right\}=4f'(2)=4\times\frac{1}{2}=2$$

05 답 ②

$\displaystyle\lim_{x\to0}\dfrac{f(x)}{\blacksquare\times\ln(1+\blacksquare)^{\frac{1}{\blacksquare}}}$ 꼴을 만든다.

$$\lim_{x\to0}\frac{f(x)}{\ln(1+2x+3x^2)}$$

$$=\lim_{x\to0}\frac{f(x)}{(2x+3x^2)\ln(1+2x+3x^2)^{\frac{1}{2x+3x^2}}}$$

$$=\lim_{x\to0}\frac{f(x)}{2x+3x^2}=2$$

이때 $\displaystyle\lim_{x\to0}\dfrac{ax+bx^2}{f(x)}=\lim_{x\to0}\dfrac{(2x+3x^2)(ax+bx^2)}{f(x)(2x+3x^2)}=1$에서

$\displaystyle\lim_{x\to0}\dfrac{2x+3x^2}{f(x)}=\dfrac{1}{2}$이므로 $\displaystyle\lim_{x\to0}\dfrac{ax+bx^2}{2x+3x^2}=\lim_{x\to0}\dfrac{a+bx}{2+3x}=2$

따라서 b값에 관계없이 $a=4$

06 답 48

❶ $\displaystyle\lim_{x\to c}\dfrac{g(x)}{h(x)}=d$에서 $h(c)=0$이면 $g(c)=0$

❷ $t=x-1$로 치환한다.

$\displaystyle\lim_{x\to1}\{\sqrt{x^2+3x}-2\}=0$에서 $\displaystyle\lim_{x\to1}(e^{x-1}-a)=0$ $\therefore a=1$

$t=x-1$이라 하면

$$\lim_{x\to1}\frac{e^{x-1}-1}{\sqrt{x^2+3x}-2}=\lim_{t\to0}\frac{e^t-1}{\sqrt{t^2+5t+4}-2}$$

$$=\lim_{t\to0}\frac{(e^t-1)(\sqrt{t^2+5t+4}+2)}{t^2+5t}$$

$$=\lim_{t\to0}\frac{(e^t-1)(\sqrt{t^2+5t+4}+2)}{t(t+5)}=\frac{4}{5}$$

따라서 $b=\dfrac{4}{5}$이므로 $60ab=48$

07 답 1

$A(0,1)$, $P(t,e^t)$에서 중점 조건과 수직 조건을 이용해 $\overline{AP}$의 수직이등분선의 방정식을 구한다.

$A(0, 1)$, $P(t, e^t)$에서 $\overline{AP}$의 중점의 좌표는 $\left(\dfrac{t}{2}, \dfrac{e^t+1}{2}\right)$이고

기울기는 $\dfrac{e^t-1}{t}$이므로 수직이등분선의 방정식은

$y = -\dfrac{t}{e^t-1}\left(x-\dfrac{t}{2}\right)+\dfrac{e^t+1}{2}$

x절편은 $0 = -\dfrac{t}{e^t-1}\left(x-\dfrac{t}{2}\right)+\dfrac{e^t+1}{2}$에서

$x = \dfrac{t}{2}+\dfrac{e^{2t}-1}{2t}$, 즉 $f(t) = \dfrac{t}{2}+\dfrac{e^{2t}-1}{2t}$

$\therefore \lim_{t\to 0} f(t) = \lim_{t\to 0}\left(\dfrac{t}{2}+\dfrac{e^{2t}-1}{2t}\right) = 1$

08 답 ②

GUIDE

❶ $x<0$일 때 $y=-e^x+1$이고 $x\geq 0$일 때 $y=e^x-1$이다.

❷ 두 점 A, B의 x좌표를 구해 $f(k)$를 로그의 극한을 이용할 수 있는 꼴로 바꾼다.

A의 x좌표는 $-e^x+1=k$에서 $x=\ln(1-k)$

B의 x좌표는 $e^x-1=k$에서 $x=\ln(1+k)$

$f(k) = \ln(1+k)-\ln(1-k)$

$\quad = \ln\dfrac{1+k}{1-k} = \ln\left(1+\dfrac{2k}{1-k}\right)$

$\quad = \ln\left\{\left(1+\dfrac{2k}{1-k}\right)^{\frac{1-k}{2k}}\right\}^{\frac{2k}{1-k}}$

$\therefore \lim_{k\to 0+}\dfrac{f(k)}{k} = \lim_{k\to 0+}\dfrac{2k}{k(1-k)}\ln\left(1+\dfrac{2k}{1-k}\right)^{\frac{1-k}{2k}} = 2$

09 답 ③

GUIDE

ㄷ. $\lim_{x\to 0+}\dfrac{e^{f(x)}-1}{x} = \lim_{x\to 0-}\dfrac{e^{f(x)}-1}{x}$인지 확인한다.

ㄱ. $\lim_{x\to 0}\dfrac{e^{x^3}-1}{x^3}\times x^2 = 1\times 0 = 0$ (○)

ㄴ. $\lim_{x\to 0}\dfrac{e^x-1}{f(x)} = \lim_{x\to 0}\dfrac{e^x-1}{x}\times\dfrac{x}{f(x)} = 1$에서

$\lim_{x\to 0}\dfrac{e^x-1}{x} = 1$이므로 $\lim_{x\to 0}\dfrac{x}{f(x)} = 1$

$\therefore \lim_{x\to 0}\dfrac{2^x-1}{f(x)} = \lim_{x\to 0}\dfrac{2^x-1}{x}\times\dfrac{x}{f(x)} = \ln 2$ (○)

ㄷ. (반례) $f(x) = |x|$라 하면

$\lim_{x\to 0+}\dfrac{e^{|x|}-1}{x} = \lim_{x\to 0+}\dfrac{e^{|x|}-1}{|x|}\times\dfrac{|x|}{x} = 1$

$\lim_{x\to 0-}\dfrac{e^{|x|}-1}{x} = \lim_{x\to 0-}\dfrac{e^{|x|}-1}{|x|}\times\dfrac{|x|}{x} = -1$

따라서 $\lim_{x\to 0}\dfrac{e^{|x|}-1}{x}$은 존재하지 않는다. (×)

10 답 ②

GUIDE

함수 $g(x) = \begin{cases} f(x) & (x\geq t) \\ h(x) & (x<t) \end{cases}$가 $x=t$에서 미분가능하면

$f(t) = h(t)$, $f'(t) = h'(t)$

$f(t) = e^{t+1}+1 = mt$ $\quad\cdots\cdots$ ㉠

$f'(t) = e^{t+1} = m$ $\quad\cdots\cdots$ ㉡

㉡에서 $t+1 = \ln m$, 즉 $t = \ln m - 1$이므로

㉠에 $e^{t+1} = m$과 $t = \ln m - 1$을 대입하면

$m+1 = m(\ln m - 1)$, $\ln m - 1 = 1+\dfrac{1}{m}$

$\therefore \ln m - \dfrac{1}{m} = 2$

11 답 ⑤

GUIDE

$f(x)$가 $x=0$에서 연속이므로 $f(0) = \lim_{x\to 0} f(x)$임을 이용한다.

$f(x)$가 모든 실수에서 연속이므로 $x=0$일 때도 연속이다.

즉 $f(0) = \lim_{x\to 0} f(x)$이 성립한다.

$(a^x-1)f(x) = b^{-x}-1$에서 $f(x) = \dfrac{\left(\dfrac{1}{b}\right)^x-1}{a^x-1}$이고

$f(0) = \lim_{x\to 0} f(x) = \lim_{x\to 0}\dfrac{\left(\dfrac{1}{b}\right)^x-1}{a^x-1}$

$\quad = \lim_{x\to 0}\dfrac{\dfrac{\left(\dfrac{1}{b}\right)^x-1}{x}}{\dfrac{a^x-1}{x}} = \dfrac{\ln\left(\dfrac{1}{b}\right)}{\ln a} = \dfrac{-\ln b}{\ln a} = -\log_a b$

12 답 ㄱ, ㄴ, ㄷ

GUIDE

$y=2^x$의 그래프에서 생각한다.

ㄱ. $y=2^x$가 x값이 커지면 y값도 커지는 함수이므로 점 A와 곡선 위의 임의의 점에 대하여 기울기는 항상 양수이다. (○)

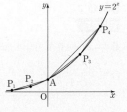

ㄴ. 그림과 같이 점 P의 위치가

$P_1 \longrightarrow P_2 \longrightarrow P_3 \longrightarrow P_4 \longrightarrow \cdots$

의 순서대로 변할 때 직선 AP_n $(n=1, 2, 3, \cdots)$의 기울기는 점점 커진다. (○)

ㄷ. $y=2^x-1$, $y=x$가 각각 연속이므로 $f(x)$도 연속이다.

또 $x=0$일 때 $f(x)$가 정의되지 않지만

$\lim_{x\to 0} f(x) = \lim_{x\to 0}\dfrac{2^x-1}{x} = \ln 2$이므로 $f(0) = \ln 2$이면

$f(x)$가 실수 전체에서 연속이 된다. (○)

13 답 8

$x<1$, $x\geq1$일 때로 나누어 생각한다.

$\dfrac{1}{2}\leq x<1$일 때 $[2x]=1$, $[e^{x-1}]=0$이므로

$f(x)=e^x$, $f'(x)=e^x$

$1\leq x<\dfrac{3}{2}$일 때 $[2x]=2$, $[e^{x-1}]=1$이므로

$f(x)=2e^x+ax+b$, $f'(x)=2e^x+a$

함수 $f(x)$가 $x=1$에서 미분가능하려면

연속이고 좌우미분계수가 같아야 하므로

$e=2e+a+b$, $e=2e+a$에서 $a=-e$, $b=0$

즉 $f(x)=e^x[2x]-ex[e^{x-1}]$이고,

$f(2)=e^2[4]-2e[e]=4e^2-4e$에서 $p=4$, $q=-4$

$\therefore p-q=8$

14 답 4

$f(0)g(0)=\lim\limits_{x\to0}f(x)g(x)$임을 이용한다.

$g(x)=x^2+ax+b$라 하면

$f(x)g(x)=\begin{cases} \dfrac{x^2+ax+b}{2^x-1} & (x\neq0) \\ 2b & (x=0) \end{cases}$

가 $x=0$에서 연속이어야 한다.

$\lim\limits_{x\to0}\dfrac{x^2+ax+b}{2^x-1}$에서 (분모)$\to0$ 이므로

(분자)$\to0$에서 $b=0$

$\lim\limits_{x\to0}f(x)g(x)=\lim\limits_{x\to0}\dfrac{x^2+ax}{2^x-1}=\lim\limits_{x\to0}\dfrac{\dfrac{x^2+ax}{x}}{\dfrac{2^x-1}{x}}=\dfrac{a}{\ln2}$

에서 $f(0)g(0)=2b=0$이므로 $a=0$

따라서 $g(x)=x^2$이고, 이때 $g(2)=4$

15 답 -55

$\lim\limits_{h\to0}\dfrac{f(ah)-f(0)}{h}=\lim\limits_{h\to0}\dfrac{f(0+ah)-f(0)}{ah}\times a=af'(0)$임을 이용한다.

$\lim\limits_{h\to0}\dfrac{1}{h}\left\{\sum\limits_{k=1}^{10}f(kh)-10f(0)\right\}$

$=\lim\limits_{h\to0}\dfrac{1}{h}[\{f(h)-f(0)\}+\{f(2h)-f(0)\}$

$+\cdots+\{f(10h)-f(0)\}]$

$=f'(0)+2f'(0)+\cdots+10f'(0)=55f'(0)$

$f(x)=(x-1)e^{2x+1}$에서 $f'(x)=(2x-1)e^{2x+1}$이고,

이때 $f'(0)=-e$이므로 $55f'(0)=-55e=ke$에서 $k=-55$

16 답 2

$f(x+h)=f\left\{x\left(1+\dfrac{h}{x}\right)\right\}=f(x)+f\left(1+\dfrac{h}{x}\right)-a$임을 이용한다.

$f(xy)=f(x)+f(y)-a$에 $x=1$, $y=1$을 대입하면

$a=f(1)=\ln2$이고,

$f'(x)=\lim\limits_{h\to0}\dfrac{f(x+h)-f(x)}{h}$

$=\lim\limits_{h\to0}\dfrac{f\left\{x\left(1+\dfrac{h}{x}\right)\right\}-f(x)}{h}$

$=\lim\limits_{h\to0}\dfrac{f(x)+f\left(1+\dfrac{h}{x}\right)-\ln2-f(x)}{h}$

$=\lim\limits_{h\to0}\dfrac{f\left(1+\dfrac{h}{x}\right)-\ln2}{h}$

$=\lim\limits_{h\to0}\dfrac{1}{x}\times\dfrac{f\left(1+\dfrac{h}{x}\right)-f(1)}{\dfrac{h}{x}}$

$=\lim\limits_{h\to0}\dfrac{1}{x}f'(1)=\dfrac{2}{x}$

$\therefore f'(2)=1$

따라서 $f'(2)\times e^a=1\times e^{\ln2}=2$

17 답 ③

$f(x)=e^x$, $f'(x)=e^x$이므로

$\lim\limits_{x\to0}\dfrac{f(kx)-1}{x}=\lim\limits_{x\to0}\dfrac{f(kx)-f(0)}{kx-0}\times k=kf'(0)=k$

$f(x)=e^x$에서 $f'(x)=e^x$, $f(0)=1$

$\lim\limits_{x\to0}g_n(x)$

$=\lim\limits_{x\to0}\dfrac{\{f(x)-1\}\{f(2x)-1\}\cdots\{f(nx)-1\}}{x^n}$

$=\lim\limits_{x\to0}\left\{\dfrac{f(x)-f(0)}{x}\times\dfrac{f(2x)-f(0)}{x}\times\cdots\dfrac{f(nx)-f(0)}{x}\right\}$

$=1\times2\times\cdots\times n=n!$

이므로 $a_n=n!$

$\sum\limits_{n=1}^{\infty}\dfrac{n}{a_{n+1}}=\sum\limits_{n=1}^{\infty}\dfrac{n}{(n+1)!}=\sum\limits_{n=1}^{\infty}\dfrac{(n+1)-1}{(n+1)!}$

$=\sum\limits_{n=1}^{\infty}\left(\dfrac{1}{n!}-\dfrac{1}{(n+1)!}\right)=1$

18 답 8

$f(x)=2^x$, $g(x)=\ln x$로 놓고 $f'(2)$, $g'(2)$를 이용한다.

$f(x)=2^x$, $g(x)=\ln x$라 하면

$$\lim_{x \to 2} \frac{2^x \ln 2 - 4\ln x}{x-2}$$

$$=\lim_{x \to 2} \frac{f(x)g(2)-f(2)g(2)+f(2)g(2)-f(2)g(x)}{x-2}$$

$$=\lim_{x \to 2}\left\{\frac{f(x)-f(2)}{x-2}\times g(2)-\frac{g(x)-g(2)}{x-2}\times f(2)\right\}$$

$$=f'(2)g(2)-f(2)g'(2)$$

이때 $f'(x)=2^x\ln 2$, $g'(x)=\dfrac{1}{x}$이므로

$$f'(2)g(2)-f(2)g'(2)=4\ln 2\times \ln 2-4\times \frac{1}{2}$$
$$=4(\ln 2)^2-2$$

따라서 $a=4$, $b=2$이므로 $ab=8$

19 ⓔ ④

GUIDE

$f(x)=e^{ax+1}$에서 $f'(x)=ae^{ax+1}$

$f(x)=e^{ax+1}$에서 $f'(x)=ae^{ax+1}$이므로 $f'(0)=ae=2e$

즉 $a=2$이고, 이때 $f'(1)=2e^{2\times 1+1}=2e^3$

또 $f(x+y)=bf(x)f(y)$에 $x=0$, $y=0$을 대입하면 $b=\dfrac{1}{e}$

다른 풀이

$f(x+y)=e^{ax+ay+1}$, $bf(x)f(y)=be^{ax+1}\times e^{ay+1}$

즉 $e^{ax+ay+1}=be^{ax+ay+2}$에서 $b=\dfrac{1}{e}$

$$f'(0)=\lim_{h \to 0}\frac{f(h)-f(0)}{h}=\lim_{h \to 0}\frac{e^{ah+1}-e}{h}$$
$$=\lim_{h \to 0}\frac{e^{ah}-1}{h}\times e=\lim_{h \to 0}\frac{e^{ah}-1}{ah}\times ae=ae=2e$$

에서 $a=2$

$$f'(1)=\lim_{h \to 0}\frac{f(1+h)-f(1)}{h}=\lim_{h \to 0}\frac{e^{3+2h}-e^3}{h}$$
$$=\lim_{h \to 0}\frac{e^{2h}-1}{h}\times e^3=\lim_{h \to 0}\frac{e^{2h}-1}{2h}\times 2e^3=2e^3$$

$$\therefore abf'(1)=2\times \frac{1}{e}\times 2e^3=4e^2$$

20 ⓔ ③

GUIDE

$y=e^x$에서 $y'=e^x$이므로 곡선 위의 점 $A_n(n, e^n)$에서 그은 접선의 기울기는 e^n이다.

$A_n(n, e^n)$에서 x축에 내린 수선의 발은 $B_n(n, 0)$이고

A_n에서의 접선의 방정식은

$y=e^n(x-n)+e^n$이므로 $C_n(n-1, 0)$

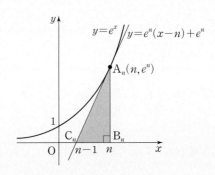

이때 $S_n=\dfrac{1}{2}\times 1\times e^n=\dfrac{1}{2}e^n$이므로

$$S_1+S_2+S_3+\cdots +S_n=\frac{\dfrac{1}{2}e(e^n-1)}{e-1}$$

$$\therefore \lim_{n \to \infty}\frac{S_1+S_2+S_3+\cdots +S_n}{S_n}=\lim_{n \to \infty}\frac{\dfrac{e(e^n-1)}{2(e-1)}}{\dfrac{1}{2}e^n}=\frac{e}{e-1}$$

21 ⓔ 50

GUIDE

$f(e)=-e$, $g(e)=-4e$이고 $f'(e)\times g'(e)=-1$

점 $(e, -e)$는 곡선 $y=f(x)$ 위의 점이므로 $f(e)=-e$

곡선 $y=f(x)$ 위의 점 $(e, -e)$에서의 접선의 기울기를 $f'(e)=a$라 하고 $y=g(x)$를 미분하면

$g'(x)=f'(x)\times \ln x^4+f(x)\times \dfrac{4}{x}$이므로

곡선 $y=g(x)$ 위의 점 $(e, -4e)$에서의 접선의 기울기는

$$g'(e)=f'(e)\times \ln e^4+f(e)\times \frac{4}{e}=4a-4$$

두 접선이 수직이므로

$f'(e)\times g'(e)=-1$에서 $(2a-1)^2=0$ $\therefore a=\dfrac{1}{2}$

따라서 $100f'(e)=100a=50$

22 ⓔ ②

GUIDE

$\lim\limits_{\blacksquare \to \infty}\left(1+\dfrac{1}{\blacksquare}\right)^{\blacksquare}$ 꼴을 만든다.

$f_n(x)=x^3-2x^2+n$에서 $f_n{}'(x)=3x^2-4x$이고, 이때 곡선 $y=f(x)$ 위의 점 $(n, f_n(n))$에서 그은 접선의 방정식은

$$y=f_n{}'(n)(x-n)+f_n(n)$$
$$=(3n^2-4n)(x-n)+n^3-2n^2+n$$
$$=(3n^2-4n)x-2n^3+2n^2+n$$

이 접선의 y절편을 y_n이라 했으므로 $y_n=-2n^3+2n^2+n$

$$\therefore \left(\frac{y_n+k}{y_n-k}\right)^{n^3}=\left(\frac{y_n-k+2k}{y_n-k}\right)^{n^3}=\left(1+\frac{2k}{y_n-k}\right)^{n^3}$$

$$=\left(1+\frac{2k}{y_n-k}\right)^{\frac{y_n-k}{2k}\times \frac{2kn^3}{y_n-k}}$$

그런데 $\displaystyle\lim_{n\to\infty}\dfrac{2k}{y_n-k}=\lim_{n\to\infty}\dfrac{2k}{-2n^3+2n^2+n-k}=0$이므로

$\displaystyle\lim_{n\to\infty}\left(1+\dfrac{2k}{y_n-k}\right)^{\frac{y_n-k}{2k}}=e$이고

$\displaystyle\lim_{n\to\infty}\dfrac{2kn^3}{y_n-k}=\lim_{n\to\infty}\dfrac{2kn^3}{-2n^3+2n^2+n-k}=-k$에서

즉 $\displaystyle\lim_{n\to\infty}\left(\dfrac{y_n+k}{y_n-k}\right)^{n^3}=e^{-k}=e^2$에서 $k=-2$

STEP 3 1등급 뛰어넘기   p. 37

01 1	**02** 9	**03** ②	**04** 2
05 (1) 2	(2) 50		

01 답 1

GUIDE

$f(x)=\displaystyle\lim_{t\to1}\dfrac{e^{t+x}-e^{1+x}}{t-1}=\lim_{t\to1}\dfrac{e^{1+x}(e^{t-1}-1)}{t-1}$이고 $t-1$을 다른 문자로 치환한다.

$f(x)=\displaystyle\lim_{t\to1}\dfrac{e^{t+x}-e^{1+x}}{t-1}=\lim_{t\to1}\dfrac{e^{1+x}(e^{t-1}-1)}{t-1}$

$t-1=a$라 하면

$\displaystyle\lim_{t\to1}\dfrac{e^{1+x}(e^{t-1}-1)}{t-1}=\lim_{a\to0}\dfrac{e^{1+x}(e^a-1)}{a}=e^{1+x}$

즉 $f(x)=e^{1+x}$, $\ln f(x)=1+x$이므로

$\displaystyle\sum_{n=1}^{\infty}\dfrac{2}{\ln f(n)\times\ln f(n+1)}=\sum_{n=1}^{\infty}\dfrac{2}{(n+1)(n+2)}$

$\displaystyle\qquad\qquad\qquad\qquad=\sum_{n=1}^{\infty}\left(\dfrac{2}{n+1}-\dfrac{2}{n+2}\right)=1$

02 답 9

GUIDE

$x>1$, $0<x<1$일 때로 나누어 생각한다.

(i) $x>1$일 때

$x^{3n}<x^n+x^{2n}+x^{3n}<x^{3n}+x^{3n}+x^{3n}$이므로

$(x^{3n})^{\frac{1}{n}}<(x^n+x^{2n}+x^{3n})^{\frac{1}{n}}<(3x^{3n})^{\frac{1}{n}}$,

$x^3<(x^n+x^{2n}+x^{3n})^{\frac{1}{n}}<3^{\frac{1}{n}}\times x^3$

$\therefore \displaystyle\lim_{n\to\infty}x^3\le\lim_{n\to\infty}(x^n+x^{2n}+x^{3n})^{\frac{1}{n}}\le\lim_{n\to\infty}\left(3^{\frac{1}{n}}\times x^3\right)$

이때 $\displaystyle\lim_{n\to\infty}x^3=x^3$, $\displaystyle\lim_{n\to\infty}(3^{\frac{1}{n}}\times x^3)=x^3$에서

$f(x)=\displaystyle\lim_{n\to\infty}(x^n+x^{2n}+x^{3n})^{\frac{1}{n}}=x^3$ $\therefore f(2)=8$

(ii) $0<x<1$일 때

$x^n<x^n+x^{2n}+x^{3n}<x^n+x^n+x^n$이므로

$(x^n)^{\frac{1}{n}}<(x^n+x^{2n}+x^{3n})^{\frac{1}{n}}<(3x^n)^{\frac{1}{n}}$,

$x<(x^n+x^{2n}+x^{3n})^{\frac{1}{n}}<3^{\frac{1}{n}}\times x$

$\therefore \displaystyle\lim_{n\to\infty}x\le\lim_{n\to\infty}(x^n+x^{2n}+x^{3n})^{\frac{1}{n}}\le\lim_{n\to\infty}(3^{\frac{1}{n}}\times x)$

이때 $\displaystyle\lim_{n\to\infty}x=x$, $\displaystyle\lim_{n\to\infty}(3^{\frac{1}{n}}\times x)=x$에서

$f(x)=\displaystyle\lim_{n\to\infty}(x^n+x^{2n}+x^{3n})^{\frac{1}{n}}=x$ $\therefore f\left(\dfrac{1}{3}\right)=\dfrac{1}{3}$

(i), (ii)에서 $f(2)+3f\left(\dfrac{1}{3}\right)=9$

03 답 ②

GUIDE

직선 $x=k$ 위에서 조건을 만족시키는 점이 몇 개인지 확인한다.

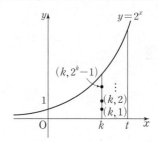

$0<k<t$인 자연수 k에 대하여 직선 $x=k$ 위에서

조건을 만족시키는 점은 $(k,1)$, $(k,2)$, $\cdots$, $(k,2^k-1)$로

(2^k-1)개이므로 $f(t)=\displaystyle\sum_{k=1}^{t-1}(2^k-1)=2^t-t-1$

$\therefore \displaystyle\lim_{t\to\infty}\left\{\dfrac{f(t)}{2^t}\right\}^{\frac{f(t)}{t}}=\lim_{t\to\infty}\left(\dfrac{2^t-t-1}{2^t}\right)^{\frac{2^t-t-1}{t}}$

$\displaystyle\qquad\qquad\qquad=\lim_{t\to\infty}\left(1-\dfrac{t+1}{2^t}\right)^{\frac{2^t-t-1}{t}}$

$\displaystyle\qquad\qquad\qquad=\lim_{t\to\infty}\left(1-\dfrac{t+1}{2^t}\right)^{\left(-\frac{2^t}{t+1}\right)\times\left\{-\frac{(t+1)(2^t-t-1)}{t\times2^t}\right\}}$

이때 $\displaystyle\lim_{t\to\infty}\left(1-\dfrac{t+1}{2^t}\right)^{-\frac{2^t}{t+1}}=e$이고

$\displaystyle\lim_{t\to\infty}\left\{-\dfrac{(t+1)(2^t-t-1)}{t\times2^t}\right\}=-1$이므로

$\displaystyle\lim_{t\to\infty}\left\{\dfrac{f(t)}{2^t}\right\}^{\frac{f(t)}{t}}=e^{-1}=\dfrac{1}{e}$

04 답 2

GUIDE

치환을 이용해 $\displaystyle\lim_{\blacksquare\to0}(1+\blacksquare)^{\frac{1}{\blacksquare}}$ 꼴을 만든다.

$A(t)=\dfrac{1}{2}\ln t+t-1$, $B(t)=2\ln t+t-1$이고

$t=1+x$라 하면

$$\lim_{t\to 1}\dfrac{B(t)}{A(t)}=\lim_{t\to 1}\dfrac{2\ln t+t-1}{\dfrac{1}{2}\ln t+t-1}$$

$$=\lim_{x\to 0}\dfrac{2\ln(1+x)+x}{\dfrac{1}{2}\ln(1+x)+x}$$

$$=\lim_{x\to 0}\dfrac{4\ln(1+x)^{\frac{1}{x}}+2}{\ln(1+x)^{\frac{1}{x}}+2}=\dfrac{4+2}{1+2}=2$$

1등급 NOTE

좌표평면 위의 세 점 $A(a_1,\,a_2)$, $B(b_1,\,b_2)$, $C(c_1,\,c_2)$가 꼭짓점인 삼각형의 넓이는

$\dfrac{1}{2}\begin{vmatrix}a_1 & b_1 & c_1 & a_1\\ a_2 & b_2 & c_2 & d_2\end{vmatrix}=\dfrac{1}{2}|(a_1b_2+b_1c_2+c_1a_2)-(b_1a_2+c_1b_2+a_1c_2)|$

임을 이용할 수 있다.

$A(t)=\dfrac{1}{2}\begin{vmatrix}1 & 0 & t & 1\\ 0 & 2 & \ln t & 0\end{vmatrix}=\dfrac{1}{2}\ln t+t-1$

※ $|2-2t-\ln t|=\ln t+2t-2$ ($\because t>1$이므로 $2-2t-\ln t<0$)

$B(t)=\dfrac{1}{2}\begin{vmatrix}1 & 5 & t & 1\\ 0 & -2 & \ln t & 0\end{vmatrix}=2\ln t+t-1$

05 답 (1) 2 (2) 50

GUIDE

$f_n(x)$의 공비 $\dfrac{1}{1+e^{-x}}$의 범위가 $0<\dfrac{1}{1+e^{-x}}<1$임을 이용한다.

(1) 함수 $f_n(x)$는 초항이 1이고 공비가 $\dfrac{1}{1+e^{-x}}$인

등비급수이고, $1+e^{-x}>1$이므로 $0<\dfrac{1}{1+e^{-x}}<1$

$\therefore g(x)=\dfrac{1}{1-\dfrac{1}{1+e^{-x}}}=e^x+1$

따라서 $a=1$, $b=1$이므로 $a+b=2$

(2) $g'(x)=e^x$이므로

$\displaystyle\sum_{k=1}^{n}\ln g'(k)=\sum_{k=1}^{n}\ln e^k=\sum_{k=1}^{n}k=\dfrac{n(n+1)}{2}$

$\therefore \displaystyle\lim_{n\to\infty}\dfrac{\displaystyle\sum_{k=1}^{n}\ln g'(k)}{h(n)}=\lim_{n\to\infty}\dfrac{\dfrac{n(n+1)}{2}}{h(n)}$

$=\displaystyle\lim_{n\to\infty}\dfrac{n(n+1)}{2h(n)}=1$

이때 $\dfrac{n(n+1)}{2h(n)}=i(n)$이라 하면

$h(n)=\dfrac{n(n+1)}{2i(n)}$이고, $\displaystyle\lim_{n\to\infty}i(n)=1$이므로

$100\displaystyle\lim_{n\to\infty}\dfrac{h(n)}{n^2}=100\lim_{n\to\infty}\dfrac{n(n+1)}{2n^2i(n)}=50$

4 삼각함수의 미분

01 답 ④

GUIDE

※ 코사인법칙
$c^2=a^2+b^2-2ab\cos\theta$
$\cos\theta=\dfrac{a^2+b^2-c^2}{2ab}$

A의 좌표는 ($\boxed{①\cos\alpha}$, $\sin\alpha$),

B의 좌표는 ($\cos\beta$, $\boxed{②\sin\beta}$)이고

$\angle AOB=\boxed{③\,\alpha-\beta}$ 이다.

이때 $\triangle AOB$에서 코사인법칙에 의하여

$\overline{AB}^2=\overline{OA}^2+\overline{OB}^2-\boxed{④\,2}\times\overline{OA}\times\overline{OB}\times\boxed{⑤\cos(\alpha-\beta)}$

$(\boxed{①\cos\alpha}-\cos\beta)^2+(\sin\alpha-\boxed{②\sin\beta})^2$

$=1+1-\boxed{④\,2}\times 1\times 1\times\boxed{⑤\cos(\alpha-\beta)}$

따라서 $\cos(\alpha-\beta)=\cos\alpha\cos\beta+\sin\alpha\sin\beta$

02 답 0

GUIDE

❶ $\sin\alpha\cos\beta+\cos\alpha\sin\beta=\sin(\alpha+\beta)$
❷ $\cos\alpha\cos\beta+\sin\alpha\sin\beta=\cos(\alpha-\beta)$

$\alpha=142.5°$, $\beta=7.5°$라 하면 주어진 식은

$(\sin\alpha+\cos\alpha)(\sin\beta+\cos\beta)$

$=\sin\alpha\sin\beta+\sin\alpha\cos\beta+\cos\alpha\sin\beta+\cos\alpha\cos\beta$

$=\sin(\alpha+\beta)+\cos(\alpha-\beta)$

$=\sin 150°+\cos 135°=\dfrac{1}{2}-\dfrac{\sqrt{2}}{2}$

따라서 $a=\dfrac{1}{2}$, $b=-\dfrac{1}{2}$이므로 $a+b=0$

03 답 ②

GUIDE

이차방정식의 근과 계수의 관계에서
$\tan\alpha+\tan\beta$, $\tan\alpha\tan\beta$의 값 또는 식을 찾는다.

이차방정식 $x^2-2x+\cos\theta=0$의 두 근이 $\tan\alpha$, $\tan\beta$이므로
근과 계수의 관계에서

$\tan\alpha+\tan\beta=2$, $\tan\alpha\tan\beta=\cos\theta$

$\tan(\alpha+\beta)=\dfrac{\tan\alpha+\tan\beta}{1-\tan\alpha\tan\beta}=\dfrac{2}{1-\cos\theta}=3$이므로

$\cos\theta=\dfrac{1}{3}$이고, 이때 $\sin\theta=-\dfrac{2\sqrt{2}}{3}\left(\because\dfrac{3}{2}\pi<\theta<2\pi\right)$

04 답 ②

GUIDE

$\overline{OA'}$, $\overline{OB'}$을 각각 삼각함수로 나타내고 삼각함수의 합성을 이용한다.

직선 l이 x축의 양의 방향과 이루는
각의 크기는 θ이므로 그림에서

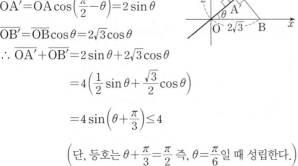

$\overline{OA'}=\overline{OA}\cos\left(\dfrac{\pi}{2}-\theta\right)=2\sin\theta$

$\overline{OB'}=\overline{OB}\cos\theta=2\sqrt{3}\cos\theta$

$\therefore \overline{OA'}+\overline{OB'}=2\sin\theta+2\sqrt{3}\cos\theta$

$\qquad =4\left(\dfrac{1}{2}\sin\theta+\dfrac{\sqrt{3}}{2}\cos\theta\right)$

$\qquad =4\sin\left(\theta+\dfrac{\pi}{3}\right)\leq 4$

$\qquad \left(\text{단, 등호는 } \theta+\dfrac{\pi}{3}=\dfrac{\pi}{2} \text{ 즉, } \theta=\dfrac{\pi}{6}\text{일 때 성립한다.}\right)$

따라서 $\overline{OA'}+\overline{OB'}$이 최대가 되는 θ의 값은 $\dfrac{\pi}{6}$

05 답 49

GUIDE

$\tan(\alpha-\beta)=\dfrac{\tan\alpha-\tan\beta}{1+\tan\alpha\tan\beta}$

직선 $x-y-3=0$의 기울기는 1,
직선 $ax-y+2=0$의 기울기는 a이므로

$\tan\theta=\left|\dfrac{1-a}{1+1\times a}\right|=\dfrac{a-1}{a+1}=\dfrac{1}{6}\ (\because a>1)$

에서 $6a-6=a+1$이므로 $35a=49$

06 답 2

GUIDE

주어진 식을 변형해서 $\displaystyle\lim_{x\to 0}\dfrac{\sin x}{x}=1$, $\displaystyle\lim_{x\to 0}\dfrac{\tan x}{x}=1$을 이용한다.

$a_n=\displaystyle\lim_{x\to 0}\dfrac{\tan(4n+5)x-\sin(4n-5)x}{\sin 5nx}$

$=\displaystyle\lim_{x\to 0}\dfrac{\dfrac{\tan(4n+5)x}{(4n+5)x}\times(4n+5)x-\dfrac{\sin(4n-5)x}{(4n-5)x}\times(4n-5)x}{\dfrac{\sin 5nx}{5nx}\times 5nx}$

$=\dfrac{(4n+5)-(4n-5)}{5n}=\dfrac{2}{n}$

$\therefore \displaystyle\sum_{n=1}^{\infty}\dfrac{a_n}{n+1}=\sum_{n=1}^{\infty}\dfrac{2}{n(n+1)}=2\sum_{n=1}^{\infty}\left(\dfrac{1}{n}-\dfrac{1}{n+1}\right)=2$

07 답 3

GUIDE

$\displaystyle\lim_{x\to \alpha}\dfrac{f(x)}{g(x)}=\beta\ (\beta\neq 0)$일 때 $f(\alpha)=0$이면 $g(\alpha)=0$

$\displaystyle\lim_{x\to 0}\dfrac{\sin 2x}{\sqrt{ax+b}-1}=2$에서 (분자) $\longrightarrow 0$이므로

$\sqrt{b}-1=0 \qquad \therefore b=1$

$\displaystyle\lim_{x\to 0}\dfrac{\sin 2x}{\sqrt{ax+1}-1}=\lim_{x\to 0}\left\{\dfrac{\sin 2x}{2x}\times\dfrac{2x(\sqrt{ax+1}+1)}{ax}\right\}=2$

즉 $\dfrac{4}{a}=2$이므로 $a=2 \qquad \therefore a+b=2+1=3$

08 답 9

GUIDE

$1-\cos\theta=\dfrac{(1-\cos\theta)(1+\cos\theta)}{1+\cos\theta}=\dfrac{\sin^2\theta}{1+\cos\theta}$

$\displaystyle\lim_{\theta\to 0}\dfrac{\sec 3\theta-1}{\sec\theta-1}=\lim_{\theta\to 0}\dfrac{\dfrac{1}{\cos 3\theta}-1}{\dfrac{1}{\cos\theta}-1}$

$\qquad =\displaystyle\lim_{\theta\to 0}\dfrac{\cos\theta(1-\cos 3\theta)}{\cos 3\theta(1-\cos\theta)}$

$\qquad =\displaystyle\lim_{\theta\to 0}\dfrac{\cos\theta\sin^2 3\theta(1+\cos\theta)}{\cos 3\theta\sin^2\theta(1+\cos 3\theta)}$

$\qquad =\displaystyle\lim_{\theta\to 0}\dfrac{\cos\theta(1+\cos\theta)\dfrac{\sin^2 3\theta}{(3\theta)^2}\times 9\theta^2}{\cos 3\theta(1+\cos 3\theta)\dfrac{\sin^2\theta}{\theta^2}\times\theta^2}=9$

09 답 3

GUIDE

❶ 오른쪽 그림에서
$\overline{BC}^2=3^2+3^2-18\cos\theta$

❷ $\dfrac{1-\cos\theta}{2}=\sin^2\dfrac{\theta}{2}$

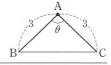

$\overline{BC}^2=3^2+3^2-2\times 3\times 3\times\cos\theta$

$\qquad =\dfrac{36(1-\cos\theta)}{2}=36\sin^2\dfrac{\theta}{2}$

$\therefore \overline{BC}=6\sin\dfrac{\theta}{2}\ \left(\because \sin\dfrac{\theta}{2}>0\right)$

$\triangle ABC$의 외접원의 반지름 길이를 R라 하면

사인법칙 $\dfrac{a}{\sin A}=2R$에서 $f(\theta)=2R=\dfrac{6\sin\dfrac{\theta}{2}}{\sin\theta}$

$\therefore \displaystyle\lim_{\theta\to 0}f(\theta)=\lim_{\theta\to 0}\dfrac{6\sin\dfrac{\theta}{2}}{\sin\theta}=6\times\dfrac{\dfrac{1}{2}}{1}=3$

1등급 NOTE

원주각 크기는 중심각 크기의 절반이고, 지름
에 대한 원주각 크기가 $90°$이므로 그림처럼
특별한 경우를 생각해 $\overline{BC}=6\sin\dfrac{\theta}{2}$로 구
할 수 있다.

10 ⓐ ①

GUIDE

❶ $\displaystyle\lim_{h\to 0}\dfrac{f(\pi+h)-f(\pi)}{f\left(\dfrac{\pi}{2}+h\right)-f\left(\dfrac{\pi}{2}\right)}=\lim_{h\to 0}\dfrac{\dfrac{f(\pi+h)-f(\pi)}{h}}{\dfrac{f\left(\dfrac{\pi}{2}+h\right)-f\left(\dfrac{\pi}{2}\right)}{h}}$

❷ $(\sin x)'=\cos x$

$\displaystyle\lim_{h\to 0}\dfrac{f(\pi+h)-f(\pi)}{f\left(\dfrac{\pi}{2}+h\right)-f\left(\dfrac{\pi}{2}\right)}=\lim_{h\to 0}\dfrac{\dfrac{f(\pi+h)-f(\pi)}{h}}{\dfrac{f\left(\dfrac{\pi}{2}+h\right)-f\left(\dfrac{\pi}{2}\right)}{h}}$

$$=\dfrac{f'(\pi)}{f'\left(\dfrac{\pi}{2}\right)}$$

이때 $f'(x)=\sin x+x\cos x$이므로

$f'(\pi)=-\pi,\ f'\left(\dfrac{\pi}{2}\right)=1$

따라서 $\displaystyle\lim_{h\to 0}\dfrac{f(\pi+h)-f(\pi)}{f\left(\dfrac{\pi}{2}+h\right)-f\left(\dfrac{\pi}{2}\right)}=\dfrac{f'(\pi)}{f'\left(\dfrac{\pi}{2}\right)}=-\pi$

11 ⓐ 4

GUIDE

$f'(0)=\displaystyle\lim_{x\to 0}\dfrac{f(x)-f(0)}{x}$ 을 이용한다.

$f'(0)=\displaystyle\lim_{x\to 0}\dfrac{f(x)-f(0)}{x}=\lim_{x\to 0}\dfrac{\dfrac{x^2\sin 2x}{1-\cos x}}{x}$

$=\displaystyle\lim_{x\to 0}\dfrac{2x\sin x\cos x}{1-\cos x}$

$=\displaystyle\lim_{x\to 0}\dfrac{2x\sin x\cos x(1+\cos x)}{\sin^2 x}$

$=\displaystyle\lim_{x\to 0}\left\{2\cos x(1+\cos x)\dfrac{x}{\sin x}\right\}=4$

STEP 2 1등급 굳히기   p. 42~46

01 9	02 1	03 ⑤	04 ①
05 ①	06 9	07 ④	08 5개
09 ①	10 ①	11 ①	12 ⑤
13 ④	14 3	15 −2	16 9
17 24	18 ③	19 ①	20 ③
21 1	22 3	23 ③	

01 ⓐ 9

GUIDE

$f^{-1}\left(\dfrac{3}{5}\right)=\alpha,\ g^{-1}\left(\dfrac{12}{13}\right)=\beta$로 놓으면 $f(\alpha)=\dfrac{3}{5},\ g(\beta)=\dfrac{12}{13}$임을 이용해 $\sin\alpha,\cos\alpha,\sin\beta,\cos\beta$의 값을 각각 구한다.

$f^{-1}\left(\dfrac{3}{5}\right)=\alpha,\ g^{-1}\left(\dfrac{12}{13}\right)=\beta$라 하면

$f(\alpha)=\sin\alpha=\dfrac{3}{5}$이므로 이때 $\cos\alpha=\dfrac{4}{5}$

마찬가지로 $g(\beta)=\cos\beta=\dfrac{12}{13}$이므로 $\sin\beta=\dfrac{5}{13}$

$\therefore f\left(f^{-1}\left(\dfrac{3}{5}\right)+g^{-1}\left(\dfrac{12}{13}\right)\right)=\sin(\alpha+\beta)$

$$=\sin\alpha\cos\beta+\cos\alpha\sin\beta=\dfrac{56}{65}$$

따라서 $p=56,\ q=65$이므로 $q-p=9$

02 ⓐ 1

GUIDE

❶ $f(\tan\theta)=\dfrac{\tan\theta-1}{\tan\theta+1}=\tan 4\theta$

❷ $\dfrac{\tan\alpha-\tan\theta}{1+\tan\alpha\tan\theta}=\tan(\alpha-\beta)$

$\dfrac{\tan\theta-1}{\tan\theta+1}=\tan 4\theta$에서

$1+\tan 4\theta\tan\theta=-(\tan 4\theta-\tan\theta)$

즉 $\dfrac{\tan 4\theta-\tan\theta}{1+\tan 4\theta\tan\theta}=\tan(4\theta-\theta)=\tan 3\theta=-1$이므로

$3\theta=\dfrac{3}{4}\pi\left(\because 0\leq 3\theta<\dfrac{3}{2}\pi\right)$ $\therefore \theta=\dfrac{\pi}{4}$

따라서 $\tan\dfrac{\pi}{4}=1$

03 ⓐ ⑤

GUIDE

$\begin{cases}\sin x-\sin y=1 & \cdots\cdots ㉠\\ \cos x+\cos y=\sqrt{3} & \cdots\cdots ㉡\end{cases}$ 에서 ㉠, ㉡의 양변을 각각 제곱하여 더하고 $\sin^2\theta+\cos^2\theta=1$을 이용한다.

$\sin x-\sin y=1$과 $\cos x+\cos y=\sqrt{3}$의 양변을 각각 제곱하면

$\sin^2 x+\sin^2 y-2\sin x\sin y=1$

$\cos^2 x+\cos^2 y+2\cos x\cos y=3$

두 식을 변끼리 더하여 정리하면

$2(\cos x\cos y-\sin x\sin y)=2$에서

$\cos(x+y)=1$이므로 $x+y=0$ 또는 $x+y=2\pi$

이때 $x+y=0$이면 $x=y=0$이므로 해가 아니다.

$x+y=2\pi$에서 $y=2\pi-x$이므로

$\sin x-\sin y=2\sin x=1$에서 $\sin x=\dfrac{1}{2}$

$\cos x + \cos y = 2\cos x = \sqrt{3}$에서 $\cos x = \dfrac{\sqrt{3}}{2}$

따라서 $x = \dfrac{1}{6}\pi$, $y = \dfrac{11}{6}\pi$이므로 $\beta - \alpha = \dfrac{11}{6}\pi - \dfrac{1}{6}\pi = \dfrac{5}{3}\pi$

04 정답 ①

GUIDE

사인법칙을 이용해 $\overline{\mathrm{BD}}$, $\overline{\mathrm{BE}}$를 각각 θ를 이용해 나타낸다.

사인법칙에 의해

$\dfrac{\overline{\mathrm{BD}}}{\sin(\angle \mathrm{BAD})} = \dfrac{\overline{\mathrm{BE}}}{\sin(\angle \mathrm{BAE})} = 2$이므로

$\overline{\mathrm{BD}} = 2\sin(\theta - 45°)$, $\overline{\mathrm{BE}} = 2\sin(\theta + 45°)$

따라서

$$\begin{aligned}\overline{\mathrm{BD}} \times \overline{\mathrm{BE}} &= 2\sin(\theta - 45°) \times 2\sin(\theta + 45°) \\ &= 2(\sin\theta - \cos\theta)(\sin\theta + \cos\theta) \\ &= 2(\sin^2\theta - \cos^2\theta) \\ &= -2\cos 2\theta\end{aligned}$$

참고

$\sin(\theta - 45°) = \sin\theta\cos 45° - \cos\theta\sin 45° = \dfrac{\sqrt{2}}{2}(\sin\theta - \cos\theta)$

$\sin(\theta + 45°) = \sin\theta\cos 45° + \cos\theta\sin 45° = \dfrac{\sqrt{2}}{2}(\sin\theta + \cos\theta)$

이므로

$2\sin(\theta - 45°) \times 2\sin(\theta + 45°) = 2(\sin\theta - \cos\theta)(\sin\theta + \cos\theta)$

다른 풀이

$\overline{\mathrm{BD}} = 2\sin\left(\theta - \dfrac{\pi}{4}\right)$, $\overline{\mathrm{BE}} = 2\cos\left(\theta - \dfrac{\pi}{4}\right)$에서

$$\begin{aligned}\overline{\mathrm{BD}} \times \overline{\mathrm{BE}} &= 4\sin\left(\theta - \dfrac{\pi}{4}\right)\cos\left(\theta - \dfrac{\pi}{4}\right) \\ &= 2\sin\left(2\theta - \dfrac{\pi}{2}\right) = -2\sin\left(\dfrac{\pi}{2} - 2\theta\right) \\ &= -2\cos 2\theta\end{aligned}$$

05 정답 ①

GUIDE

❶ $A + B + C = \pi$
❷ $\sin(\pi - \theta) = \sin\theta$

$A + B + C = \pi$에서 $A + B = \pi - C$이고
$C = \pi - (A + B)$이므로
$\sin(A + B)\sin(A - B) = \sin^2 C$
$\sin(\pi - C)\sin(A - B) = \sin C\sin(\pi - (A + B))$
$\sin C\sin(A - B) = \sin C\sin(\pi - (A + B))$
이때 $\sin C \neq 0$이므로 $\sin(A - B) = \sin(A + B)$
$\sin A\cos B - \cos A\sin B = \sin A\cos B + \cos A\sin B$
즉 $\cos A\sin B = 0$이고 $\sin B \neq 0$이므로 $\cos A = 0$
따라서 $A = 90°$인 직각삼각형이다.

참고

삼각형의 한 내각의 크기가 θ일 때 $0 < \theta < \pi$이므로 $\sin\theta \neq 0$

06 정답 9

GUIDE

$\angle \mathrm{OP_1Q_1}$, $\angle \mathrm{OP_2Q_2}$가 직각임을 이용하여 두 삼각형 $\mathrm{P_1OQ_1}$, $\mathrm{P_2OQ_2}$의 넓이를 탄젠트를 이용해 나타낸다.

$\angle \mathrm{P_1OQ_1} = \theta$라 하면 $\tan\theta = \dfrac{\overline{\mathrm{P_1Q_1}}}{\overline{\mathrm{OP_1}}} = \overline{\mathrm{P_1Q_1}}$이므로

$\triangle \mathrm{P_1OQ_1} = \dfrac{1}{2} \times 1 \times \tan\theta$

즉 $\dfrac{\tan\theta}{2} = \dfrac{1}{4}$에서 $\tan\theta = \dfrac{1}{2}$

$\angle \mathrm{P_2OQ_2} = \theta + \dfrac{\pi}{3}$에서 $\tan\left(\theta + \dfrac{\pi}{3}\right) = \dfrac{\overline{\mathrm{P_2Q_2}}}{\overline{\mathrm{OP_2}}} = \overline{\mathrm{P_2Q_2}}$이므로

$$\begin{aligned}\triangle \mathrm{P_2OQ_2} &= \dfrac{1}{2} \times 1 \times \tan\left(\theta + \dfrac{\pi}{3}\right) \\ &= \dfrac{\tan\theta + \tan\dfrac{\pi}{3}}{2\left(1 - \tan\theta\tan\dfrac{\pi}{3}\right)} \\ &= \dfrac{\dfrac{1}{2} + \sqrt{3}}{2\left(1 - \dfrac{1}{2} \times \sqrt{3}\right)} = 4 + \dfrac{5}{2}\sqrt{3}\end{aligned}$$

따라서 $a = 4$, $b = \dfrac{5}{2}$이므로 $a + 2b = 9$

07 정답 ④

GUIDE

$\angle \mathrm{CBE} = 90° - \angle \mathrm{ABD} = \beta$

ㄱ. $\overline{\mathrm{AB}} = \cos\alpha$이고
$\overline{\mathrm{AD}} = \overline{\mathrm{AB}}\cos\beta = \cos\alpha\cos\beta$
이때 $\alpha = 30°$, $\beta = 45°$이면
$\overline{\mathrm{AD}} = \cos 30°\cos 45°$
$= \dfrac{\sqrt{3}}{2} \times \dfrac{\sqrt{2}}{2} = \dfrac{\sqrt{6}}{4}$ (×)

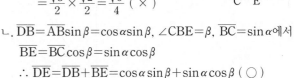

ㄴ. $\overline{\mathrm{DB}} = \overline{\mathrm{AB}}\sin\beta = \cos\alpha\sin\beta$, $\angle \mathrm{CBE} = \beta$, $\overline{\mathrm{BC}} = \sin\alpha$에서
$\overline{\mathrm{BE}} = \overline{\mathrm{BC}}\cos\beta = \sin\alpha\cos\beta$
$\therefore \overline{\mathrm{DE}} = \overline{\mathrm{DB}} + \overline{\mathrm{BE}} = \cos\alpha\sin\beta + \sin\alpha\cos\beta$ (○)

ㄷ. 사다리꼴 ACED의 넓이는

$\dfrac{1}{2}(\overline{\mathrm{AD}} + \overline{\mathrm{CE}}) \times \overline{\mathrm{DE}}$

$= \dfrac{1}{2}(\cos\alpha\cos\beta + \sin\alpha\sin\beta)(\cos\alpha\sin\beta + \sin\alpha\cos\beta)$

$= \dfrac{1}{2}\cos(\alpha - \beta)\sin(\alpha + \beta)$

이때 $0 < \cos(\alpha - \beta) \leq 1$, $0 < \sin(\alpha + \beta) \leq 1$이므로
$\cos(\alpha - \beta) = 1$, $\sin(\alpha + \beta) = 1$일 때 최대이다.

즉 $\alpha = \beta = \dfrac{\pi}{4}$일 때 최댓값은 $\dfrac{1}{2}$ (○)

❶ $\overline{BC}=\sin\alpha$, $\overline{CE}=\overline{BC}\sin\beta=\sin\alpha\sin\beta$

❷ $-\dfrac{\pi}{2}<\alpha-\beta<\dfrac{\pi}{2}$, $0<\alpha+\beta<\pi$이므로

$0<\cos(\alpha-\beta)\leq1$, $0<\sin(\alpha+\beta)\leq1$

08 답 5

❶ $2\sin x\cos x=\sin 2x$

❷ $\cos 2x+\sin 2x=\sqrt{2}\sin\left(2x+\dfrac{\pi}{4}\right)$

$f(x)=\sqrt{2}\cos 2x+2\sqrt{2}\sin x\cos x$

$\quad=\sqrt{2}(\cos 2x+\sin 2x)$

$\quad=2\sin\left(2x+\dfrac{\pi}{4}\right)$

$0\leq x<\pi$에서 $\dfrac{\pi}{4}\leq 2x+\dfrac{\pi}{4}<\dfrac{9}{4}\pi$이므로

함수 $y=f(x)$의 그래프와 $y=\sqrt{2}$는 다음과 같이 그릴 수 있다.

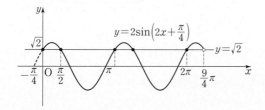

따라서 $y=f(x)$의 그래프가 직선 $y=\sqrt{2}$와 만나는 점은 5개

09 답 ①

$\tan(\theta_1+\theta_2)=\sqrt{3}$에서 $\theta_1+\theta_2=\dfrac{\pi}{3}$이므로 $\theta_1=\dfrac{\pi}{3}-\theta_2$

그림에서 $\tan(\theta_1+\theta_2)=\sqrt{3}$

즉 $\theta_1+\theta_2=\dfrac{\pi}{3}$이므로

$3\sin\theta_1+4\sin\theta_2$

$=3\sin\theta_1+4\sin\left(\dfrac{\pi}{3}-\theta_1\right)$

$=3\sin\theta_1+4\left(\dfrac{\sqrt{3}}{2}\cos\theta_1-\dfrac{1}{2}\sin\theta_1\right)$

$=\sin\theta_1+2\sqrt{3}\cos\theta_1$

$=\sqrt{13}\sin(\theta_1+\alpha)\left(단, \cos\alpha=\dfrac{1}{\sqrt{13}}, \sin\alpha=\dfrac{2\sqrt{3}}{\sqrt{13}}\right)$

이때 최대가 되는 θ_1은 $\theta_1=\dfrac{\pi}{2}-\alpha$이므로

$m=\tan\theta_1=\tan\left(\dfrac{\pi}{2}-\alpha\right)=\cot\alpha=\dfrac{\cos\alpha}{\sin\alpha}=\dfrac{1}{2\sqrt{3}}=\dfrac{\sqrt{3}}{6}$

10 답 ①

$\sin 2x=2\sin x\cos x$이므로 $\sin x-\cos x=t$로 놓고 양변을 제곱해 $2\sin x\cos x$를 t로 나타낸다.

$f(x)=2\sin 2x+4\sin x-4\cos x+1$

$\quad=4\sin x\cos x+4(\sin x-\cos x)+1$

이때 $\sin x-\cos x=t$라 두면 $\sin x\cos x=\dfrac{1-t^2}{2}$이고

$\sin x-\cos x=\sqrt{2}\sin\left(x-\dfrac{\pi}{4}\right)$에서 $-\sqrt{2}\leq t\leq\sqrt{2}$

이차함수 $y=4\left(\dfrac{1-t^2}{2}\right)+4t+1=-2(t-1)^2+5$에서

최댓값은 $t=1$일 때 5이고, 최솟값은 $t=-\sqrt{2}$일 때 $-1-4\sqrt{2}$

$\therefore 5+(-1-4\sqrt{2})=4-4\sqrt{2}$

11 답 ①

$\square CPQD+\triangle OCD=\triangle OQD+\triangle OPQ+\triangle OPC$

오른쪽 그림에서

$\square CPQD+\triangle OCD$

$=\triangle OQD+\triangle OPQ+\triangle OPC$

이므로

$\square CPQD$

$=\triangle OQD+\triangle OPQ+\triangle OPC$

$\quad-\triangle OCD$

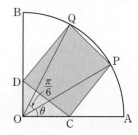

$\overset{\frown}{PQ}=\pi$이므로 $\angle QOP=\dfrac{\pi}{6}$이고 $\angle POC=\theta$라 하면

$\angle QOD=\dfrac{\pi}{2}-\left(\dfrac{\pi}{6}+\theta\right)=\dfrac{\pi}{3}-\theta$

$\triangle OQD=\dfrac{1}{2}\times\overline{OD}\times\overline{OQ}\times\sin\left(\dfrac{\pi}{3}-\theta\right)=6\sin\left(\dfrac{\pi}{3}-\theta\right)$

$\triangle OPQ=\dfrac{1}{2}\times\overline{OP}\times\overline{OQ}\times\sin\dfrac{\pi}{6}=9$

$\triangle OPC=\dfrac{1}{2}\times\overline{OC}\times\overline{OP}\times\sin\theta=9\sin\theta$

$\triangle OCD=\dfrac{1}{2}\times\overline{OC}\times\overline{OD}=3$

$\therefore \square CPQD=6\sin\left(\dfrac{\pi}{3}-\theta\right)+9+9\sin\theta-3$

$\quad=6\left(\sin\dfrac{\pi}{3}\cos\theta-\cos\dfrac{\pi}{3}\sin\theta\right)+9\sin\theta+6$

$\quad=6\sin\theta+3\sqrt{3}\cos\theta+6$

$\quad=3\sqrt{7}\sin(\theta+\alpha)+6$

$\left(단, \sin\alpha=\dfrac{\sqrt{3}}{\sqrt{7}}, \cos\alpha=\dfrac{2}{\sqrt{7}}\right)$

이때 $0<\sin(\theta+\alpha)\leq1$이므로 $\square CPQD$ 넓이의 최댓값은 $6+3\sqrt{7}$이다.

12 답 ⑤

$x \longrightarrow 0$이면 $x \neq 0$이므로 $\cos x \longrightarrow 1$이지만 $\cos x \neq 1$이다.

$x \longrightarrow 0$에서 $x \neq 0$이므로 $|\cos x| < 1$, 이때

$1 + \cos x + \cos^2 x + \cos^3 x + \cdots = \dfrac{1}{1 - \cos x}$ 이므로

$\displaystyle\lim_{x \to 0} \left\{ \dfrac{x^3}{\sin x} (1 + \cos x + \cos^2 x + \cos^3 x + \cdots) \right\}$

$= \displaystyle\lim_{x \to 0} \left(\dfrac{x^3}{\sin x} \times \dfrac{1}{1 - \cos x} \right)$

$= \displaystyle\lim_{x \to 0} \left(\dfrac{x^3}{\sin x} \times \dfrac{1 + \cos x}{\sin^2 x} \right)$

$= \displaystyle\lim_{x \to 0} \left\{ \left(\dfrac{x}{\sin x} \right)^3 \times (1 + \cos x) \right\} = 2$

13 답 ④

❶ $\sin x - \cos x = \sqrt{2} \sin \left(x - \dfrac{\pi}{4} \right)$

❷ $x - \dfrac{\pi}{4} = t$로 치환한다.

$\sin x - \cos x = \sqrt{2} \sin \left(x - \dfrac{\pi}{4} \right)$이므로

$\displaystyle\lim_{x \to \frac{\pi}{4}} \dfrac{\ln \left(1 + \dfrac{\pi}{2} - 2x \right)}{\sin x - \cos x} = \lim_{x \to \frac{\pi}{4}} \dfrac{\ln \left(1 + \dfrac{\pi}{2} - 2x \right)}{\sqrt{2} \sin \left(x - \dfrac{\pi}{4} \right)}$

이때 $x - \dfrac{\pi}{4} = t$ 라 하면

$\displaystyle\lim_{t \to 0} \dfrac{\ln(1 - 2t)}{\sqrt{2} \sin t} = \lim_{t \to 0} \left\{ \dfrac{\ln(1 - 2t)}{t} \times \dfrac{t}{\sqrt{2} \sin t} \right\}$

$= (-2) \times \dfrac{1}{\sqrt{2}} = -\sqrt{2}$

$\displaystyle\lim_{t \to 0} \dfrac{\ln(1 - 2t)}{t} = \lim_{t \to 0} \left\{ (-2) \times \dfrac{1}{-2t} \ln(1 - 2t) \right\}$

$= \displaystyle\lim_{t \to 0} \left\{ -2 \ln(1 - 2t)^{\frac{1}{-2t}} \right\} = -2$

14 답 3

$\dfrac{1}{x} = t$로 치환하고, $\displaystyle\lim_{t \to 0} \dfrac{\sin t}{t} = 1$을 이용한다.

$\displaystyle\lim_{x \to \infty} x^2 \left(a - \cos \dfrac{2}{x} \right) = b$에서 $\dfrac{1}{x} = t$ 라 하면

$\displaystyle\lim_{t \to 0} \dfrac{(a - \cos 2t)}{t^2} = b$에서

$\displaystyle\lim_{t \to 0} (a - \cos 2t) = 0$이므로 $a = 1$

$\displaystyle\lim_{t \to 0} \dfrac{1 - \cos 2t}{t^2} = \lim_{t \to 0} \dfrac{2 \sin^2 t}{t^2} = 2 \qquad \therefore b = 2$

따라서 $a + b = 3$

$\displaystyle\lim_{t \to 0} \dfrac{1 - \cos 2t}{t^2} = \lim_{t \to 0} \dfrac{1 - \cos^2 2t}{t^2 (1 + \cos 2t)}$

$= \displaystyle\lim_{t \to 0} \dfrac{\sin^2 2t}{t^2 (1 + \cos 2t)}$

$= \displaystyle\lim_{t \to 0} \dfrac{4 \sin^2 2t}{(2t)^2 (1 + \cos 2t)} = 2$

15 답 -2

❶ $t = \dfrac{\pi}{2} - x$로 치환한다.

❷ $\tan \left(\dfrac{\pi}{2} - t \right) = \dfrac{1}{\tan t}$

$\displaystyle\lim_{x \to \frac{\pi}{2}} (ax + b) \tan 3x = 4$에서 $t = \dfrac{\pi}{2} - x$라 하면

$\displaystyle\lim_{x \to \frac{\pi}{2}} (ax + b) \tan 3x = \lim_{t \to 0} \left\{ a \left(\dfrac{\pi}{2} - t \right) + b \right\} \tan 3 \left(\dfrac{\pi}{2} - t \right)$

$= \displaystyle\lim_{t \to 0} \dfrac{-at + b + \dfrac{a\pi}{2}}{\tan 3t} = 4$

이때 $-at + b + \dfrac{a}{2}\pi = 12t$ 이어야 하므로

$a = -12, \ b = 6\pi \qquad \therefore \dfrac{a}{b}\pi = -2$

16 답 9

$\tan^n x$를 $\dfrac{\sin^n x}{\cos^n x}$ 로 바꾸고 식을 정리한다.

$\displaystyle\lim_{x \to 0} \dfrac{\tan^n x - \sin^n x}{x^8}$

$= \displaystyle\lim_{x \to 0} \dfrac{\dfrac{\sin^n x}{\cos^n x} - \sin^n x}{x^8}$

$= \displaystyle\lim_{x \to 0} \dfrac{\sin^n x (1 - \cos^n x)}{x^8 \cos^n x}$

$= \displaystyle\lim_{x \to 0} \dfrac{\sin^n x (1 - \cos x)(1 + \cos x + \cdots + \cos^{n-1} x)}{x^8 \cos^n x}$

$= \displaystyle\lim_{x \to 0} \dfrac{\sin^{n+2} x (1 + \cos x + \cdots + \cos^{n-1} x)}{x^8 \cos^n x (1 + \cos x)}$

이 값이 존재하려면 n은 6 이상이어야 한다.

$n = 6$일 때

$\displaystyle\lim_{x \to 0} \dfrac{\sin^8 x (1 + \cos x + \cdots + \cos^5 x)}{x^8 \cos^6 x (1 + \cos x)} = \dfrac{6}{2} = 3$이고

$n \geq 7$일 때는 0이므로

$n = 6, \ \alpha = 3 \qquad \therefore n + \alpha = 9$

17 답 24

GUIDE

$\sin\dfrac{\theta_n}{2}$ 을 구해 본다.

그림과 같이 한 접선의 접점을 P라 하자.

$\overline{OO_1}=1-\dfrac{1}{n}=\dfrac{n-1}{n}$ 이므로

$\sin\dfrac{\theta_n}{2}=\dfrac{\overline{O_1P}}{\overline{OO_1}}=\dfrac{1}{n-1}$

$\therefore \lim_{n\to\infty}\left(\dfrac{36n^2+6n+1}{3n-4}\times\theta_n\right)$

$=\lim_{n\to\infty}\left(\dfrac{36n^2+6n+1}{3n-4}\times\dfrac{\dfrac{\theta_n}{2}}{\sin\dfrac{\theta_n}{2}}\times2\sin\dfrac{\theta_n}{2}\right)$

$=\lim_{n\to\infty}\left(\dfrac{36n^2+6n+1}{3n-4}\times\dfrac{\dfrac{\theta_n}{2}}{\sin\dfrac{\theta_n}{2}}\times\dfrac{2}{n-1}\right)=24$

18 답 ③

GUIDE

정n각형의 넓이는
오른쪽 그림과 같이
$n\times\triangle AOB$로 구한다.

정n각형의 한 변을 $\overline{PQ}$, 내접하는
원의 중심을 O, $\overline{PQ}$의 중점을 T
라 하면

$\angle POQ=\dfrac{2\pi}{n}$, $\angle POT=\dfrac{\pi}{n}$

$\triangle OPQ=2\times\dfrac{1}{2}\times1\times\tan\dfrac{\pi}{n}=\tan\dfrac{\pi}{n}$

$\therefore S_n=n\tan\dfrac{\pi}{n}$

또 $\triangle AOB=\dfrac{1}{2}\times1\times1\times\sin\dfrac{2\pi}{n}=\sin\dfrac{\pi}{n}\cos\dfrac{\pi}{n}$ 이므로

$T_n=n\sin\dfrac{\pi}{n}\cos\dfrac{\pi}{n}$

이때 $\dfrac{S_n}{T_n}=\dfrac{1}{\cos^2\dfrac{\pi}{n}}=1+\tan^2\dfrac{\pi}{n}$ 에서

$\lim_{n\to\infty}\left(n^2\ln\dfrac{S_n}{T_n}\right)=\lim_{n\to\infty}\left\{n^2\ln\left(1+\tan^2\dfrac{\pi}{n}\right)\right\}$

$=\lim_{n\to\infty}\left\{n^2\tan^2\dfrac{\pi}{n}\times\ln\left(1+\tan^2\dfrac{\pi}{n}\right)^{\frac{1}{\tan^2\frac{\pi}{n}}}\right\}$

$=\lim_{n\to\infty}\left\{\pi^2\dfrac{\tan^2\dfrac{\pi}{n}}{\left(\dfrac{\pi}{n}\right)^2}\times\ln\left(1+\tan^2\dfrac{\pi}{n}\right)^{\frac{1}{\tan^2\frac{\pi}{n}}}\right\}$

$n\longrightarrow\infty$일 때 $\dfrac{\pi}{n}\longrightarrow0$, $\tan\dfrac{\pi}{n}\longrightarrow0$이므로

$\lim_{n\to\infty}\left(n^2\ln\dfrac{S_n}{T_n}\right)=\pi^2$

19 답 ①

GUIDE

❶ $\overline{BC}$를 θ를 이용해 나타낸다.
❷ $\overline{CD}=\overline{BD}-\overline{BC}$임을 이용해 S를 구한다.

$\triangle ABC$에서 코사인법칙을 이용하면

$\overline{BC}^2-2\overline{BC}\cos\theta-8=0$이고, $\overline{BC}>0$이므로

근의 공식을 써서 $\overline{BC}$를 구하면

$\overline{BC}=\cos\theta+\sqrt{\cos^2\theta+8}$

$\therefore \overline{CD}=4-\cos\theta-\sqrt{\cos^2\theta+8}$

이때 $\overline{CD}$를 밑변으로 생각하면 ACD의 높이는 $\sin\theta$이므로

$S=\dfrac{1}{2}(4-\cos\theta-\sqrt{\cos^2\theta+8})\sin\theta$

$\therefore \lim_{\theta\to0}\dfrac{S}{\theta^3}=\lim_{\theta\to0}\dfrac{\dfrac{1}{2}(4-\cos\theta-\sqrt{\cos^2\theta+8})\sin\theta}{\theta^3}$

$=\lim_{\theta\to0}\dfrac{(1-\cos\theta+3-\sqrt{\cos^2\theta+8})\sin\theta}{2\theta^3}$

$=\lim_{\theta\to0}\dfrac{\left(\dfrac{\sin^2\theta}{1+\cos\theta}+\dfrac{\sin^2\theta}{3+\sqrt{\cos^2\theta+8}}\right)\sin\theta}{2\theta^3}$

$=\lim_{\theta\to0}\left\{\dfrac{\sin^3\theta}{2\theta^3(1+\cos\theta)}+\dfrac{\sin^3\theta}{2\theta^3(3+\sqrt{\cos^2\theta+8})}\right\}$

$=\dfrac{1}{4}+\dfrac{1}{12}=\dfrac{1}{3}$

다른 풀이

$\triangle ACD=\triangle ABD-\triangle ABC$에서

$S=\dfrac{1}{2}\times1\times4\times\sin\theta-\dfrac{1}{2}\times1\times\overline{BC}\times\sin\theta$

$=\dfrac{1}{2}(4-\cos\theta-\sqrt{\cos^2\theta+8})\sin\theta$

20 답 ③

GUIDE

함수 $f(x)$가 $x=a$에서 미분가능하면
❶ $f(a)=\lim_{x\to a-}f(x)=\lim_{x\to a+}f(x)$
❷ $\lim_{x\to a-}f'(x)=\lim_{x\to a+}f'(x)$

함수 $f(x)$가 $x=\dfrac{\pi}{2}$에서 연속이어야 하므로

$f\left(\dfrac{\pi}{2}\right)=\lim_{x\to\frac{\pi}{2}-}f(x)=\lim_{x\to\frac{\pi}{2}+}f(x)$에서 $a=b$

또 함수 $f(x)$가 $x=\dfrac{\pi}{2}$에서 미분가능하려면

$$f'(x)=\begin{cases} a\cos x-\cos x+x\sin x & \left(x<\dfrac{\pi}{2}\right) \\ be^{x-\frac{\pi}{2}} & \left(x>\dfrac{\pi}{2}\right) \end{cases} \text{에서}$$

$\displaystyle\lim_{x\to\frac{\pi}{2}^-} f'(x)=\lim_{x\to\frac{\pi}{2}^+} f'(x)$이어야 하므로 $\dfrac{\pi}{2}=b$

따라서 $a=b=\dfrac{\pi}{2}$이므로 $a+b=\pi$

21 답 1

GUIDE

$\displaystyle\lim_{h\to 0}\dfrac{f(\sin 3x)-f(\tan 2x)}{x}$ 를 $3f'(0)-2f'(0)$ 꼴로 바꾼다.

$f(0)=0$이므로

$\displaystyle\lim_{x\to 0}\dfrac{f(\sin 3x)-f(\tan 2x)}{x}$

$=\displaystyle\lim_{x\to 0}\dfrac{\{f(\sin 3x)-f(0)\}-\{f(\tan 2x)-f(0)\}}{x}$

$=\displaystyle\lim_{x\to 0}\left\{\dfrac{f(\sin 3x)-f(0)}{\sin 3x-0}\times\dfrac{\sin 3x}{3x}\times 3\right\}$

$\quad-\displaystyle\lim_{x\to 0}\left\{\dfrac{f(\tan 2x)-f(0)}{\tan 2x-0}\times\dfrac{\tan 2x}{2x}\times 2\right\}$

$=f'(0)\times 1\times 3-f'(0)\times 1\times 2=f'(0)$

이때 $f(x)=e^x\sin x$에서

$f'(x)=e^x\sin x+e^x\cos x$이므로 $f'(0)=1$

22 답 3

GUIDE

$f(x)=\displaystyle\lim_{t\to x}\dfrac{t\sin x-x\sin t}{t-x}$ 를 변형하여 $\displaystyle\lim_{t\to x}\dfrac{\sin t-\sin x}{t-x}$ 꼴이 있는 형태로 만든다.

$f(x)=\displaystyle\lim_{t\to x}\dfrac{t\sin x-x\sin t}{t-x}$

$\quad=\displaystyle\lim_{t\to x}\dfrac{t\sin x-x\sin x-x\sin t+x\sin x}{t-x}$

$\quad=\displaystyle\lim_{t\to x}\dfrac{(t-x)\sin x-x(\sin t-\sin x)}{t-x}$

$\quad=\sin x-x\displaystyle\lim_{t\to x}\dfrac{\sin t-\sin x}{t-x}$

$\quad=\sin x-x(\sin x)'$

$\quad=\sin x-x\cos x$

따라서 $f'(x)=\cos x-\cos x+x\sin x=x\sin x$이므로

$f'\left(\dfrac{\pi}{2}\right)=\dfrac{\pi}{2}$이고 $m=2,\ n=1$ $\quad\therefore m+n=3$

23 답 ③

GUIDE

$f'(x)=e^x\cos x-e^x\sin x=0$에서 $\cos x=\sin x$

$f'(x)=e^x\cos x-e^x\sin x=0$에서 $\cos x=\sin x$,

즉 $\tan x=1$이므로

$x=\dfrac{\pi}{4}+(n-1)\pi$ (단, n은 자연수)

ㄱ. $a_2=\dfrac{\pi}{4}+\pi=\dfrac{5}{4}\pi$ (○)

ㄴ. $f(a_1)=\dfrac{\sqrt 2}{2}e^{\frac{\pi}{4}},\ f(a_2)=-\dfrac{\sqrt 2}{2}e^{\frac{5}{4}\pi},\ f(a_3)=\dfrac{\sqrt 2}{2}e^{\frac{9}{4}\pi},\cdots$

이므로 수열 $\{f(a_n)\}$은 첫째항이 $\dfrac{\sqrt 2}{2}e^{\frac{\pi}{4}}$이고, 공비가 $-e^{\pi}$

인 등비수열이다. (×)

ㄷ. 수열 $\left\{\dfrac{f(a_1)}{f(a_n)}\right\}$은 첫째항이 1, 공비가 $-\dfrac{1}{e^{\pi}}$ 인 등비수열이다.

이때 $\left|-\dfrac{1}{e^{\pi}}\right|<1$이므로

$\displaystyle\sum_{n=1}^{n}\dfrac{f(a_1)}{f(a_n)}=\dfrac{1}{1+\dfrac{1}{e^{\pi}}}=\dfrac{e^{\pi}}{e^{\pi}+1}$ (○)

STEP 3	1등급 뛰어넘기		p. 48~50
01 ⑤	**02** ③	**03** 16	**04** 36
05 8	**06** 5	**07** 3	**08** 5
09 ②	**10** 2		

01 답 ⑤

GUIDE

$\displaystyle\lim_{\blacksquare\to 0}\dfrac{e^{\blacksquare}-1}{\blacksquare}=1$ 꼴을 이용할 수 있도록 식을 변형한다.

$\displaystyle\lim_{x\to 0}\dfrac{e^{1+\tan 3x}-e^{1+\sin 7x}}{\tan x-\sin 3x}$

$=\displaystyle\lim_{x\to 0}\dfrac{e^{1+\sin 7x}(e^{\tan 3x-\sin 7x}-1)}{\tan x-\sin 3x}$

$=\displaystyle\lim_{x\to 0}\left\{e^{1+\sin 7x}\times\dfrac{e^{\tan 3x-\sin 7x}-1}{\tan 3x-\sin 7x}\times\dfrac{\dfrac{\tan 3x}{x}-\dfrac{\sin 7x}{x}}{\dfrac{\tan x}{x}-\dfrac{\sin 3x}{x}}\right\}$

$=e\times 1\times\dfrac{3-7}{1-3}=2e$

02 답 ③

GUIDE

$\cos 2x=2\cos^2 x-1$로 바꾸고 $\cos x=t$로 치환한다.

$2\cos 2x - 4\cos x + 2 = a$에서

$4\cos^2 x - 4\cos x = a$

$\cos x = t$라 하면 $-1 \le t \le 1$이고

주어진 방정식은 $4t^2 - 4t = a$이다.

이때 함수 $f(t) = 4t^2 - 4t$의 그래프는

오른쪽 그림과 같다.

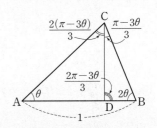

ㄱ. $a < -1$, $a > 8$일 때 $y = f(t)$의 그래
프와 직선 $y = a$의 교점이 존재하지 않으므로 실근이 존재하지 않는다. (○)

ㄴ. $-1 < a < 0$일 때 $y = f(t)$의 그래프와 직선 $y = a$는 두 점에서 만난다. 만나는 두 점의 t값을 각각 t_1, t_2 $(t_1 < t_2)$라 하면 $0 < t_1 < t_2 < 1$이므로 $0 \le x < 2\pi$에서 $\cos x = t_1$, $\cos x = t_2$의 근은 그림과 같이 생각할 수 있다. 즉 서로 다른 네 실근을 갖는다. (×)

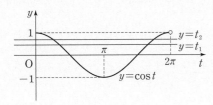

ㄷ. $a = 0$일 때 $t = 0$, 1이므로

$\cos x = 0$에서 $x = \dfrac{\pi}{2}$, $\dfrac{3}{2}\pi$, $\cos x = 1$에서 $x = 0$

따라서 서로 다른 세 실근을 갖는다. (○)

---

03 답 16

GUIDE

사인법칙을 이용해 $\overline{CD}$와 $\overline{AD}$의 관계, $\overline{CD}$와 $\overline{BD}$의 관계를 찾는다.

$\angle BCD = \alpha$라 하면

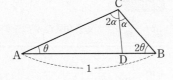

$\dfrac{\overline{CD}}{\sin \theta} = \dfrac{\overline{AD}}{\sin 2\alpha}$,

$\dfrac{\overline{CD}}{\sin 2\theta} = \dfrac{\overline{BD}}{\sin \alpha}$

$\overline{AD} = \dfrac{\sin 2\alpha}{\sin \theta}\overline{CD}$, $\overline{BD} = \dfrac{\sin \alpha}{\sin 2\theta}\overline{CD}$

$\overline{AD} + \overline{BD} = 1$이므로 $\overline{CD} = \dfrac{1}{\dfrac{\sin 2\alpha}{\sin \theta} + \dfrac{\sin \alpha}{\sin 2\theta}}$

이때 $3\theta + 3\alpha = \pi$이므로 $\alpha = \dfrac{\pi}{3} - \theta$

$\therefore \displaystyle\lim_{\theta \to 0+} \dfrac{\overline{CD}}{\theta} = \lim_{\theta \to 0+} \dfrac{1}{\dfrac{\sin 2\alpha}{\sin \theta} \times \theta + \dfrac{\sin \alpha}{\sin 2\theta} \times \theta}$

$= \displaystyle\lim_{\alpha \to \frac{\pi}{3}} \dfrac{1}{\sin 2\alpha + \dfrac{1}{2}\sin \alpha} = \dfrac{1}{\dfrac{\sqrt{3}}{2} + \dfrac{\sqrt{3}}{4}} = \dfrac{4}{3\sqrt{3}}$

$\therefore 27a^2 = 27 \times \dfrac{16}{27} = 16$

다른 풀이

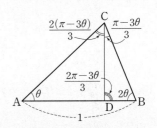

위 그림처럼 각의 크기를 생각해 보자.

이때 $\triangle ABC$에서 사인법칙에 따라

$\dfrac{1}{\sin(\pi - 3\theta)} = \dfrac{\overline{BC}}{\sin \theta}$, 즉 $\dfrac{1}{\sin 3\theta} = \dfrac{\overline{BC}}{\sin \theta}$이고

$\triangle BCD$에서 사인법칙에 따라

$\dfrac{\overline{BC}}{\sin\left(\dfrac{2}{3}\pi - \theta\right)} = \dfrac{\overline{CD}}{\sin 2\theta}$이므로

$\overline{CD} = \dfrac{\sin 2\theta}{\sin\left(\dfrac{2}{3}\pi - \theta\right)} \times \overline{BC} = \dfrac{\sin 2\theta}{\sin\left(\dfrac{2}{3}\pi - \theta\right)} \times \dfrac{\sin \theta}{\sin 3\theta}$

따라서

$\displaystyle\lim_{\theta \to 0+} \dfrac{\overline{CD}}{\theta} = \left\{ \dfrac{1}{\sin\left(\dfrac{2}{3}\pi - \theta\right)} \times \dfrac{\sin 2\theta}{\theta} \times \dfrac{\sin \theta}{\sin 3\theta} \right\}$

$= \dfrac{1}{\dfrac{\sqrt{3}}{2}} \times 2 \times \dfrac{1}{3} = \dfrac{4}{3\sqrt{3}}$

---

04 답 36

GUIDE

주어진 식을 $●^2 + ■^2 = 1$ 꼴로 바꾸고 $\sin$, $\cos$을 이용한다.

$17x^2 - 2xy + y^2 = 16$에서

$16x^2 + x^2 - 2xy + y^2 = 16$, 즉 $x^2 + \left(\dfrac{x-y}{4}\right)^2 = 1$이다.

이때 $x = \cos \theta$, $\dfrac{x-y}{4} = \sin \theta$로 치환하면

$y = \cos \theta - 4\sin \theta$이므로

$x^2 + xy + 2y^2$

$= \cos^2 \theta + \cos \theta(\cos \theta - 4\sin \theta) + 2(\cos \theta - 4\sin \theta)^2$

$= 4\cos^2 \theta - 20\cos \theta \sin \theta + 32\sin^2 \theta$

$= -20\cos \theta \sin \theta + 32 - 28\cos^2 \theta$

$= -10(2\sin \theta \cos \theta) - 14(2\cos^2 \theta - 1) + 18$

$= -10\sin 2\theta - 14\cos 2\theta + 18$

$= -2\sqrt{74}\sin(2\theta + \alpha) + 18$

따라서 최댓값은 $2\sqrt{74} + 18$, 최솟값은 $-2\sqrt{74} + 18$이므로

합은 36

05 답 8

GUIDE

❶ $\sin x + \cos x = t$ 로 치환하면 $\sin x \cos x = \dfrac{1}{2}(t^2 - 1)$

❷ $\sin x + \cos x = \sqrt{2}\sin\left(x + \dfrac{\pi}{4}\right)$에서 t 값의 범위를 구한다.

$\sin x + \cos x = t$ 라 하면 $t = \sqrt{2}\sin\left(x + \dfrac{\pi}{4}\right)$이고

$0 \le x \le \dfrac{\pi}{2}$에서 $1 \le t \le \sqrt{2}$이다.

또 $\sin x \cos x = \dfrac{1}{2}(t^2 - 1)$이므로

$\sin x + \cos x - a\sin x \cos x = 0$은

$t - \dfrac{a}{2}(t^2 - 1) = 0$과 같고, $1 \le t \le \sqrt{2}$에서 실근을 가지면 된다.

$t = \dfrac{a}{2}(t^2 - 1)$로 놓으면 그림에서

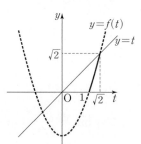

$\sqrt{2} \le \dfrac{a}{2}\{(\sqrt{2})^2 - 1\}$

$\therefore a \ge 2\sqrt{2}$

따라서 $m = 2\sqrt{2}$이므로

$m^2 = 8$

1등급 NOTE

❶ $f(t) = \dfrac{a}{2}(t^2 - 1)$이라 할 때 왼쪽 그림처럼 $f(\sqrt{2}) > \sqrt{2}$이면 $y = t$와 $y = f(t)$의 교점이 존재하고, 오른쪽 그림처럼 $f(\sqrt{2}) < \sqrt{2}$이면 $y = t$ 와 $y = f(t)$의 교점은 없다.

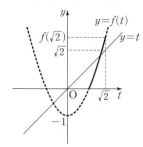 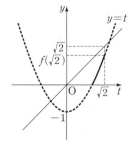

❷ $\dfrac{2t}{a} = t^2 - 1$처럼 포물선을 고정해 놓고 생각해도 된다.

06 답 ①

GUIDE

함수 $g(x)$는 $|x| = 1$에서 불연속이다.

함수 $g(f(x))$가 실수 전체의 집합에서 연속이려면 모든 실수 x에 대하여 $|f(x)| \ne 1$이어야 한다. 이때

$f(x) = a\sin 2x + b\cos 2x + \dfrac{1}{2} = \sqrt{a^2 + b^2}\sin(2x + \alpha) + \dfrac{1}{2}$

$\left($단, $\sin \alpha = \dfrac{b}{\sqrt{a^2 + b^2}},\ \cos \alpha = \dfrac{a}{\sqrt{a^2 + b^2}}\right)$

이므로 모든 실수 x에 대하여

$\sqrt{a^2 + b^2}\sin(2x + \alpha) \ne \dfrac{1}{2}$이려면 $\sqrt{a^2 + b^2} < \dfrac{1}{2}$ ……㉠

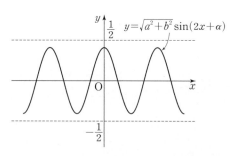

$\sqrt{a^2 + b^2}\sin(2x + \alpha) \ne -\dfrac{3}{2}$이려면 $\sqrt{a^2 + b^2} < \dfrac{3}{2}$ ……㉡

㉠, ㉡에서 $a^2 + b^2 < \dfrac{1}{4}$이므로

$p = 4,\ q = 1$ $\quad \therefore p + q = 5$

참고

함수 $g(x) = \begin{cases} 0 & (0 \le |x| < 1) \\ \dfrac{1}{2} & (|x| = 1) \\ 1 & (|x| > 1) \end{cases}$ 이므로 $|x| = 1$일 때 불연속이다.

07 답 3

GUIDE

두 직선이 서로 만나지 않는다. ⇨ 두 직선이 서로 평행하다. ⇨ 두 직선의 기울기가 서로 같다. ⇨ 기울기는 미분계수와 같다.

점 A에서 접하는 접선의 기울기는 $\sec^2 \alpha$이고
점 B에서 접하는 접선의 기울기는 $-\sin \beta$이다.
이때 $\sec^2 \alpha = -\sin \beta$에서 $\cos^2 \alpha \times \sin \beta = -1$이므로
$\cos^2 \alpha = 1,\ \sin \beta = -1$, 즉 $\cos \alpha = -1,\ \sin \beta = -1$에서

$\alpha = \pi,\ \beta = \dfrac{3}{2}\pi$ $\quad \therefore \dfrac{2\beta}{\alpha} = 3$

1등급 NOTE

$0 \le \cos^2 \alpha \le 1,\ -1 \le \sin \beta \le 1$이므로 $\cos^2 \alpha \times \sin \beta = -1$에서 가능한 경우는 $\cos^2 \alpha = 1,\ \sin \beta = -1$뿐이다.
이때 $0 < \alpha < 2\pi$에서 $\cos \alpha \ne 1$이므로 $\cos \alpha = -1$

08 답 5

GUIDE

❶ $\overline{AH} \ne 5$ m일 때와 $\overline{AH} = 5$ m일 때로 나누어 생각한다.

❷ $\overline{AH} \ne 5$ m일 때 $\theta = \beta - \alpha$로 생각할 수 있는 두 각 α, β를 두 직각삼각형에서 잡는다.

※ 점 A가 어떤 위치에 있을 때 θ가 최대가 되는지 생각해 보면 의외로 간단한 문제이다.

(i) $\overline{AH} \ne 5$ m일 때 그림과 같이
$\angle BAH = \beta$, $\angle DAH = \alpha$라
하면 $\theta = \beta - \alpha$이다.
이때 $\overline{AH} = x$ m라 하면

$\tan \alpha = \dfrac{5}{x}$, $\tan \beta = \dfrac{10}{x - 5}$

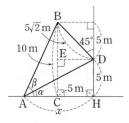

$$\tan\theta=\tan(\beta-\alpha)=\frac{\tan\beta-\tan\alpha}{1+\tan\beta\tan\alpha}$$

$$=\frac{\dfrac{10}{x-5}-\dfrac{5}{x}}{1+\dfrac{10}{x-5}\times\dfrac{5}{x}}=\frac{5x+25}{x^2-5x+50}$$

$$=\frac{5}{\dfrac{x^2-5x+50}{x+5}}=\frac{5}{x-10+\dfrac{100}{x+5}}$$

에서

$$x-10+\frac{100}{x+5}=(x+5)+\frac{100}{x+5}-15$$
$$\geq 2\sqrt{100}-15=5$$

이다. 등호는 $x=5$일 때 성립하므로 $\tan\theta<1$

즉 $\theta<45°$

(ii) $\overline{AH}=5\,m$일 때 $\theta=90°-45°=45°$

따라서 $\theta=45°$일 때 최대이고

이때 $\overline{AH}=5\,m$이므로 $a=5$

참고

그림과 같이 $\overline{AH}<5\,m$인 경우에
$\overline{AH}=x\,m$라 하면 $\triangle BCA$에서

$$\tan(\pi-\beta)=\frac{10}{5-x}$$

따라서 $\tan\beta=\dfrac{10}{x-5}$

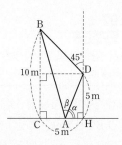

다른 풀이

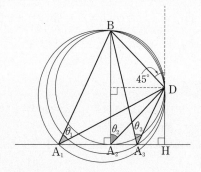

그림에서 $\triangle BA_2D$의 외접원의 반지름 길이가 가장 작다.

따라서 θ_2가 θ의 최댓값이므로 $\theta=45°$일 때 최대이고, 이때
$\overline{AH}=5\,m$이므로 $a=5$

09 답 ②

GUIDE

수학적 귀납법을 이용하여 $\lim\limits_{x\to0}\dfrac{f_n(x)}{x}$, $\lim\limits_{x\to0}\dfrac{g_n(x)}{x}$ 을 각각 구한다.

ㄱ. $\lim\limits_{x\to0}f_1(x)=0$이고 $\lim\limits_{x\to0}f_k(x)=0$이라 하면

$\lim\limits_{x\to0}f_{k+1}(x)=\lim\limits_{x\to0}\sin\dfrac12 f_k(x)=0$이므로

$\lim\limits_{x\to0}f_n(x)=0$

또한 $\lim\limits_{x\to0}\dfrac{f_1(x)}{x}=\lim\limits_{x\to0}\dfrac{\sin\dfrac12 x}{x}=\dfrac12$이고

$\lim\limits_{x\to0}\dfrac{f_k(x)}{x}=\dfrac{1}{2^k}$이라 하면

$$\lim_{x\to0}\frac{f_{k+1}(x)}{x}=\lim_{x\to0}\frac{\sin\dfrac12 f_k(x)}{x}$$

$$=\lim_{x\to0}\left\{\frac{\sin\dfrac12 f_k(x)}{\dfrac12 f_k(x)}\times\frac{\dfrac12 f_k(x)}{x}\right\}$$

$$=\frac{1}{2^{k+1}}$$

따라서 $\lim\limits_{x\to0}\dfrac{f_n(x)}{x}=\dfrac{1}{2^n}$ (○)

ㄴ. $\lim\limits_{x\to0}g_1(x)=0$이고 $\lim\limits_{x\to0}g_k(x)=0$이라 하면

$\lim\limits_{x\to0}g_{k+1}(x)=\lim\limits_{x\to0}\tan 3g_k(x)=0$이므로

$\lim\limits_{x\to0}g_n(x)=0$

또한 $\lim\limits_{x\to0}\dfrac{g_1(x)}{x}=\lim\limits_{x\to0}\dfrac{\tan 3x}{x}=3$이고

$\lim\limits_{x\to0}\dfrac{g_k(x)}{x}=3^k$이라 하면

$$\lim_{x\to0}\frac{g_{k+1}(x)}{x}=\lim_{x\to0}\frac{\tan 3g_k(x)}{x}$$

$$=\lim_{x\to0}\left\{\frac{\tan 3g_k(x)}{3g_k(x)}\times\frac{3g_k(x)}{x}\right\}=3^{k+1}$$

따라서 $\lim\limits_{x\to0}\dfrac{g_n(x)}{x}=3^n$ (○)

ㄷ. $\displaystyle\sum_{n=1}^{\infty}\left(\lim_{x\to0}\frac{f_n(x)}{g_n(x)}\right)$

$$=\sum_{n=1}^{\infty}\left\{\lim_{x\to0}\frac{\dfrac{f_n(x)}{x}}{\dfrac{g_n(x)}{x}}\right\}=\sum_{n=1}^{\infty}\frac{1}{6^n}=\frac15 \;(\times)$$

10 답 2

GUIDE

반원의 중심과 두 내접원의 중심은 같은 선분 위에 있음을 생각한다. 이
때 내접하는 각 원의 중심에서 $\overline{PB}$ 또는 $\overline{AQ}$에 수선의 발을 내리고 크
기가 θ인 각을 찾아본다.

반원의 중심을 O, 큰 내접원의 중심을 C, C에서 $\overline{PB}$에 내린 수
선의 발을 H, $\overline{AQ}$와 $\overline{PB}$의 교점을 R라 하자.

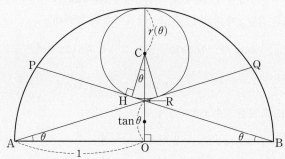

$\angle HRC = \angle BRO$이므로 $\angle HCR = \theta$이다.

큰 내접원의 반지름 길이를 $r(\theta)$라 하면

$\overline{OC} = 1 - r(\theta)$, $\overline{OR} = \tan\theta$에서 $\overline{CR} = 1 - r(\theta) - \tan\theta$

$r(\theta) = \overline{CH} = \overline{CR}\cos\theta$, 즉

$r(\theta) = \{1 - r(\theta) - \tan(\theta)\}\cos\theta$

$\quad\quad = \cos\theta - r(\theta)\cos\theta - \sin\theta$

에서 $r(\theta) = \dfrac{\cos\theta - \sin\theta}{1 + \cos\theta} = \dfrac{-\sqrt{2}\sin\left(\theta - \dfrac{\pi}{4}\right)}{1 + \cos\theta}$

$\therefore \displaystyle\lim_{\theta \to \frac{\pi}{4}-} \dfrac{r(\theta)}{\dfrac{\pi}{4} - \theta} = \lim_{\theta \to \frac{\pi}{4}-} \dfrac{-\sqrt{2}\sin\left(\theta - \dfrac{\pi}{4}\right)}{(1 + \cos\theta)\left(\dfrac{\pi}{4} - \theta\right)}$

$\quad\quad = \displaystyle\lim_{\theta \to \frac{\pi}{4}-} \dfrac{\sin\left(\theta - \dfrac{\pi}{4}\right)}{\theta - \dfrac{\pi}{4}} \times \dfrac{\sqrt{2}}{1 + \cos\theta}$

$\quad\quad = \dfrac{\sqrt{2}}{1 + \dfrac{\sqrt{2}}{2}} = 2\sqrt{2} - 2$

마찬가지 방법으로 생각하면

$x(\theta) = \{\overline{OR} - x(\theta)\}\cos\theta$에서 $x(\theta) = \dfrac{\sin\theta}{1 + \cos\theta}$

$\displaystyle\lim_{\theta \to 0+} \dfrac{x(\theta)}{\theta} = \dfrac{1}{2}$

$\displaystyle\lim_{\theta \to \frac{\pi}{4}-} \dfrac{r(\theta)}{\dfrac{\pi}{4} - \theta} \times \lim_{\theta \to 0+} \dfrac{r(\theta)}{\theta} = \sqrt{2} - 1$

따라서 $p - q = 1 - (-1) = 2$

---

5 여러 가지 미분법

STEP 1 | 1등급 준비하기   p. 54~55

01 ③	02 ⑤	03 ⑤	04 6
05 ⑤	06 3	07 ②	08 ③
09 ①	10 ④		

01 답 ③

GUIDE

$\left\{\dfrac{f(x)}{g(x)}\right\}' = \dfrac{f'(x)g(x) - f(x)g'(x)}{\{g(x)\}^2}$

$f'(x) = \dfrac{2ax(x^2 + 1) - (ax^2 + 1)2x}{(x^2 + 1)^2} = \dfrac{(2a - 2)x}{(x^2 + 1)^2}$

이고 $f'(1) = \dfrac{2a - 2}{4} = \dfrac{a - 1}{2} = \dfrac{1}{2}$이므로 $a = 2$

따라서 $f'(x) = \dfrac{2x}{(x^2 + 1)^2}$에서 $f'(2) = \dfrac{4}{25}$

02 답 ⑤

GUIDE

$\log_a b = \dfrac{\log_c b}{\log_c a}$에서 $\log_2 |\ln x| = \dfrac{\ln|\ln x|}{\ln 2}$

$f(x) = \log_2 |\ln x| = \dfrac{\ln|\ln x|}{\ln 2}$이므로

$f'(x) = \dfrac{1}{\ln 2} \times \dfrac{(\ln x)'}{\ln x} = \dfrac{1}{\ln 2} \times \dfrac{1}{x \ln x}$에서

$f'(2) = \dfrac{1}{2(\ln 2)^2}$

03 답 ⑤

GUIDE

$\ln\sqrt{\dfrac{2 + \sin x}{2 - \sin x}} = \dfrac{1}{2}\{\ln(2 + \sin x) - \ln(2 - \sin x)\}$

$f(x) = \ln\sqrt{\dfrac{2 + \sin x}{2 - \sin x}} = \dfrac{1}{2}\{\ln(2 + \sin x) - \ln(2 - \sin x)\}$

에서 $f'(x) = \dfrac{1}{2}\left(\dfrac{\cos x}{2 + \sin x} + \dfrac{\cos x}{2 - \sin x}\right)$이므로

$f'\left(\dfrac{\pi}{6}\right) = \dfrac{1}{2}\left(\dfrac{\dfrac{\sqrt{3}}{2}}{2 + \dfrac{1}{2}} + \dfrac{\dfrac{\sqrt{3}}{2}}{2 - \dfrac{1}{2}}\right) = \dfrac{4\sqrt{3}}{15}$

04 답 6

GUIDE

$\dfrac{dy}{dt}$, $\dfrac{dx}{dt}$를 구해 $\dfrac{dy}{dx}$를 정한다.

$x=t^2+1$의 양변을 t에 대하여 미분하면 $\dfrac{dx}{dt}=2t$

$y=\dfrac{2}{3}t^3+10t-1$의 양변을 t에 대하여 미분하면

$\dfrac{dy}{dt}=2t^2+10$

$\therefore \dfrac{dy}{dx}=\dfrac{2t^2+10}{2t}$

따라서 $t=1$일 때 $\dfrac{dy}{dx}=\dfrac{12}{2}=6$

다른 풀이

$x=t^2+1$에서 $dx=2tdt$,

$y=\dfrac{2}{3}t^3+10t-1$에서 $dy=(2t^2+10)dt$이므로

$\dfrac{dy}{dx}=\dfrac{2t^2+10}{2t}$

05 답 ⑤
GUIDE

주어진 식을 $x,\ y$에 대해 미분하여 y를 구한다.

$y^3=\ln(5-x^2)+xy+4$의 양변을 $x,\ y$에 대하여 미분하면

$3y^2dy=\dfrac{-2x}{5-x^2}dx+ydx+xdy$

즉 $(3y^2-x)dy=\left(\dfrac{-2x}{5-x^2}+y\right)dx$이고,

$(2, 2)$를 대입하여 정리하면

$10dy=-2dx \qquad \therefore \dfrac{dy}{dx}=-\dfrac{1}{5}$

06 답 3
GUIDE

❶ $f(a)=b$이면 $g(b)=a$

❷ $g'(x)=\dfrac{1}{f'(g(x))}$

$f(2)=-1$이므로 $g(-1)=2$이고 $f'(2)=\dfrac{1}{3}$에서

$\displaystyle\lim_{x\to-1}\dfrac{g(x)-2}{x+1}=\lim_{x\to-1}\dfrac{g(x)-g(-1)}{x-(-1)}=g'(-1)$

$\therefore g'(-1)=\dfrac{1}{f'(g(-1))}=\dfrac{1}{f'(2)}=3$

07 답 ②
GUIDE

$\dfrac{1}{n}=h$로 치환하여 $\displaystyle\lim_{h\to0}\dfrac{\{g(3+h)-g(3)\}-\{g(3-h)-g(3)\}}{h}$ 꼴을 만든다.

$\dfrac{1}{n}=h$라 하면 $n\longrightarrow\infty$일 때 $h\longrightarrow0$이므로

$\displaystyle\lim_{n\to\infty}n\left\{g\left(3+\dfrac{1}{n}\right)-g\left(3-\dfrac{1}{n}\right)\right\}$

$=\displaystyle\lim_{h\to0}\dfrac{\{g(3+h)-g(3)\}-\{g(3-h)-g(3)\}}{h}$

$=\displaystyle\lim_{h\to0}\dfrac{g(3+h)-g(3)}{h}+\lim_{h\to0}\dfrac{g(3-h)-g(3)}{-h}$

$=g'(3)+g'(3)=2g'(3)$

이때 $g(3)=a$라 하면 $f(a)=3$이므로

$f(a)=a^3-2a^2+3a-3=3$에서 $a=2$

$f'(x)=3x^2-4x+3$에서 $f'(2)=7$이고

$g'(x)=\dfrac{1}{f'(g(x))}$이므로

$2g'(3)=\dfrac{2}{f'(g(3))}=\dfrac{2}{f'(2)}=\dfrac{2}{7}$

08 답 ③
GUIDE

$f(x)=x^{\sin x}$의 양변에 자연로그를 취하고 미분하여 $f(x)$를 구한다.

$f\left(\dfrac{\pi}{2}\right)=\left(\dfrac{\pi}{2}\right)^{\sin\frac{\pi}{2}}=\dfrac{\pi}{2}$ ······ ㉠

또한 $x>0$에서 $x^{\sin x}>0$이고

$f(x)=x^{\sin x}$의 양변에 자연로그를 취하면

$\ln f(x)=\ln x^{\sin x}=\sin x\ln x$

위 식의 양변을 x에 대하여 미분하면

$\dfrac{f'(x)}{f(x)}=\cos x\ln x+\dfrac{\sin x}{x}$

$f'(x)=x^{\sin x}\left(\cos x\ln x+\dfrac{\sin x}{x}\right)$

$\therefore f'\left(\dfrac{\pi}{2}\right)=\left(\dfrac{\pi}{2}\right)^{\sin\frac{\pi}{2}}\left(\cos\dfrac{\pi}{2}\times\ln\dfrac{\pi}{2}+\dfrac{\sin\frac{\pi}{2}}{\frac{\pi}{2}}\right)=1$ ······ ㉡

㉠, ㉡에서 $f\left(\dfrac{\pi}{2}\right)\times f'\left(\dfrac{\pi}{2}\right)=\dfrac{\pi}{2}$

09 답 ①
GUIDE

$f(x)=\dfrac{(x-3)\sqrt{x+2}}{(x^2+1)^4}$의 양변에 절댓값을 취하고 자연로그를 이용해 $f'(x)$를 구한다.

양변에 절댓값을 취하면 $|f(x)|=\left|\dfrac{(x-3)\sqrt{x+2}}{(x^2+1)^4}\right|$

양변에 자연로그를 취하면

$\ln|f(x)|=\ln\left|\dfrac{(x-3)\sqrt{x+2}}{(x^2+1)^4}\right|$

$\qquad\qquad=\ln|x-3|+\dfrac{1}{2}\ln|x+2|-4\ln|x^2+1|$

양변을 x에 대하여 미분하면

$$\frac{f'(x)}{f(x)}=\frac{1}{x-3}+\frac{1}{2(x+2)}-\frac{8x}{x^2+1}$$

$$\therefore f'(x)=\frac{(x-3)\sqrt{x+2}}{(x^2+1)^4}\left\{\frac{1}{x-3}+\frac{1}{2(x+2)}-\frac{8x}{x^2+1}\right\}$$

따라서 $f'(0)=\dfrac{-3\times\sqrt{2}}{1^4}\times\left(-\dfrac{1}{3}+\dfrac{1}{4}-0\right)=\dfrac{\sqrt{2}}{4}$

10 답 ④

GUIDE

$\{g(x)h(x)\}'=g'(x)h(x)+g(x)h'(x)$

$f(x)=e^{3x}\sin 2x$에서

$f'(x)=e^{3x}(3\sin 2x+2\cos 2x)$

$f''(x)=e^{3x}(5\sin 2x+12\cos 2x)$이므로

$f'\left(\dfrac{\pi}{4}\right)=e^{\frac{3\pi}{4}}\left(3\sin\dfrac{\pi}{2}+2\cos\dfrac{\pi}{2}\right)=3e^{\frac{3\pi}{4}}$

$f''\left(\dfrac{\pi}{4}\right)=e^{\frac{3\pi}{4}}\left(5\sin\dfrac{\pi}{2}+12\cos\dfrac{\pi}{2}\right)=5e^{\frac{3\pi}{4}}$

$\therefore \dfrac{f'\left(\dfrac{\pi}{4}\right)}{f''\left(\dfrac{\pi}{4}\right)}=\dfrac{3}{5}$

다른 풀이

$\{\ln|f'(x)|\}'=\dfrac{f''(x)}{f'(x)}$이므로

$\ln|e^{3x}(3\sin 2x+2\cos 2x)|$, 즉

$3x+\ln|3\sin 2x+2\cos 2x|$를 미분하면

$3+\dfrac{6\cos 2x-4\sin 2x}{3\sin 2x+2\cos 2x}=\dfrac{f''(x)}{f'(x)}$

따라서 $\dfrac{f''\left(\dfrac{\pi}{4}\right)}{f'\left(\dfrac{\pi}{4}\right)}=\dfrac{5}{3}$이므로 $\dfrac{f'\left(\dfrac{\pi}{4}\right)}{f''\left(\dfrac{\pi}{4}\right)}=\dfrac{3}{5}$

STEP 2 1등급 굳히기   p. 56~59

01 10	**02** ④	**03** 4	**04** 6
05 ②	**06** ③	**07** ㄱ, ㄷ	**08** 2개
09 66	**10** ⑤	**11** 3	**12** 15
13 9	**14** 2	**15** ①	**16** ④
17 ⑤			

01 답 10

GUIDE

$f'(x)=\dfrac{1\times(x^2+a)-(x+b)\times 2x}{(x^2+a)^2}$에서 항상 $(x^2+a)^2>0$임을 이용한다.

$f(x)=\dfrac{x+b}{x^2+a}$에서 $f'(x)=\dfrac{-x^2-2bx+a}{(x^2+a)^2}$

이때 $f'(x)>0$이려면 $(x^2+a)^2>0$이므로 $-x^2-2bx+a>0$

즉 $x^2+2bx-a<0$의 해가 $-2<x<6$

$x^2+2bx-a=(x+2)(x-6)=x^2-4x-12$

따라서 $a=12,\ b=-2$이다.

$\therefore a+b=10$

02 답 ④

GUIDE

$t\to\infty$일 때 $\dfrac{\infty}{\infty}$ 꼴이므로 분모와 분자를 $2t$로 나눈다.

$f(x)=\lim\limits_{t\to\infty}\dfrac{1+2t|4x^2-8x|}{(x+2)\sqrt{4t^2-3x}}$에서 분모와 분자를 $2t$로 나누면

$\lim\limits_{t\to\infty}\dfrac{\dfrac{1}{2t}+|4x^2-8x|}{(x+2)\sqrt{1-\dfrac{3x}{4t^2}}}=\dfrac{|4x^2-8x|}{x+2}$

$\therefore f(x)=\begin{cases}\dfrac{-4x^2+8x}{x+2} & (0<x<2)\\[2mm]\dfrac{4x^2-8x}{x+2} & (x\neq-2,\ x\leq 0,\ x\geq 2)\end{cases}$

$0<x<2$일 때 $f'(x)=\dfrac{-4x^2-16x+16}{(x+2)^2}$이므로

$f'(1)=-\dfrac{4}{9}$

03 답 4

GUIDE

$\{f_1(x)f_2(x)\cdots f_n(x)\}'=f'_1(x)f_2(x)\cdots f_n(x)+f_1(x)f'_2(x)\cdots f_n(x)$
$\qquad\vdots$
$\qquad\qquad +f_1(x)f_2(x)\cdots f'_n(x)$

$f'(x)=e^x(e^{2x}+a)(e^{3x}+a)\cdots(e^{10x}+a)$
$\qquad +2e^{2x}(e^x+a)(e^{3x}+a)\cdots(e^{10x}+a)$
$\qquad +3e^{3x}(e^x+a)(e^{2x}+a)\cdots(e^{10x}+a)$
$\qquad\qquad\vdots$
$\qquad +10e^{10x}(e^x+a)(e^{2x}+a)\cdots(e^{9x}+a)$

에서

$f'(0)=(e^0+a)(e^0+a)\cdots(e^0+a)$
$\qquad +2(e^0+a)(e^0+a)\cdots(e^0+a)$
$\qquad +3(e^0+a)(e^0+a)\cdots(e^0+a)$
$\qquad\qquad\vdots$
$\qquad +10(e^0+a)(e^0+a)\cdots(e^0+a)$
$\quad =(1+2+3+\cdots 10)(1+a)^9=55(1+a)^9$

$f(0)=(e^0+a)(e^0+a)(e^0+a)\cdots(e^0+a)=(1+a)^{10}$

즉 $\dfrac{f'(0)}{f(0)}=\dfrac{55(1+a)^9}{(1+a)^{10}}=\dfrac{55}{1+a}=11$에서 $a=4$

$f(x)=(e^x+a)(e^{2x}+a)(e^{3x}+a)\cdots(e^{10x}+a)$의 양변에 절댓값

과 자연로그를 취하면

$\ln|f(x)|=\ln|e^x+a|+\ln|e^{2x}+a|+\cdots+\ln|e^{10x}+a|$

위 식의 양변을 x에 대하여 미분하면

$\dfrac{f'(x)}{f(x)}=\dfrac{e^x}{e^x+a}+\dfrac{2e^{2x}}{e^{2x}+a}+\cdots+\dfrac{10e^{10x}}{e^{10x}+a}$

$\dfrac{f'(0)}{f(0)}=\dfrac{1}{1+a}+\dfrac{2}{1+a}+\cdots+\dfrac{10}{1+a}$

$\qquad\quad =\dfrac{55}{1+a}=11$

$\therefore\ a=4$

04 ⑤ 6

$\{g(f(x))\}'=g'(f(x))f'(x)$

$h(x)=g(f(x))$라 하면 $h'(x)=g'(f(x))f'(x)$

$f(x)=\left(\dfrac{x+1}{x^2+1}\right)^3$에서 $f(1)=1$이고

$f'(x)=3\left(\dfrac{x+1}{x^2+1}\right)^2\left(\dfrac{x+1}{x^2+1}\right)'=3\left(\dfrac{x+1}{x^2+1}\right)^2\times\dfrac{1-2x-x^2}{(x^2+1)^2}$

에서 $f'(1)=-\dfrac{3}{2}$이므로

$\displaystyle\lim_{x\to1}\dfrac{g(f(x))-g(1)}{x-1}=\lim_{x\to1}\dfrac{g(f(x))-g(f(1))}{x-1}$

$\qquad\qquad\qquad\qquad\quad =h'(1)$

$\qquad\qquad\qquad\qquad\quad =g'(f(1))f'(1)=g'(1)\times f'(1)$

$\qquad\qquad\qquad\qquad\quad =(-4)\times\left(-\dfrac{3}{2}\right)=6$

05 ⑤ ②

❶ $h'(x)=f'(f(g(x)))\cdot f'(g(x))\cdot g'(x)$

❷ $\displaystyle\lim_{x\to2}\dfrac{2f(x)-1}{x-2}=2$에서 $f(2)$, $f(2)$ 값을 구한다.

$h(x)=(f\circ f\circ g)(x)=f(f(g(x)))$의 양변을 미분하면

$h'(x)=f'(f(g(x)))f'(g(x))g'(x)$ $\quad\cdots\cdots\ \bigcirc$

(나) $\displaystyle\lim_{x\to2}\dfrac{2f(x)-1}{x-2}=2$에서 $2f(2)=1$이므로

$\displaystyle\lim_{x\to2}\dfrac{2\{f(x)-f(2)\}}{x-2}=2$에서 $2f'(2)=2$

$\therefore\ f'(2)=1$ $\quad\cdots\cdots\ \bigcirc$

$g(x)=2x^3$에서 $g'(x)=6x^2$ $\quad\cdots\cdots\ \bigcirc$

$\bigcirc$, $\bigcirc$, $\bigcirc$에서

$h'(1)=f'(f(g(1)))f'(g(1))g'(1)$

$\qquad =f'(f(2))f'(2)\times6$

$\qquad =f'\left(\dfrac{1}{2}\right)\times1\times6$

$\qquad =3\times1\times6=18$

06 ⑤ ③

$x=g(t)$, $y=h(t)$에서 각각의 양변을 미분해 dx, dy를 구한다.

$x=\dfrac{2t}{1+t^2}$, $y=\dfrac{1-t^2}{1+t^2}$에서

$dx=\dfrac{2(1+t^2)-2t\times2t}{(1+t^2)^2}dt=\dfrac{2(1-t^2)}{(1+t^2)^2}dt$

$dy=\dfrac{-2t(1+t^2)-2t(1-t^2)}{(1+t^2)^2}dt=\dfrac{-4t}{(1+t^2)^2}dt$ 이므로

$f(t)=\dfrac{dy}{dx}=\dfrac{\dfrac{-4t}{(1+t^2)^2}dt}{\dfrac{2(1-t^2)}{(1+t^2)^2}dt}=\dfrac{2t}{t^2-1}$이고 $\dfrac{f(t)}{t}=\dfrac{2}{t^2-1}$

따라서

$\displaystyle\sum_{t=2}^{n}\dfrac{f(t)}{t}=\lim_{n\to\infty}\sum_{t=2}^{n}\dfrac{2}{t^2-1}$

$\qquad\qquad =\lim_{n\to\infty}\sum_{t=2}^{n}\left(\dfrac{1}{t-1}-\dfrac{1}{t+1}\right)$

$\qquad\qquad =\lim_{n\to\infty}\left\{\left(1-\dfrac{1}{3}\right)+\left(\dfrac{1}{2}-\dfrac{1}{4}\right)+\left(\dfrac{1}{3}-\dfrac{1}{5}\right)\right.$

$\qquad\qquad\qquad\qquad\qquad\left.+\cdots+\left(\dfrac{1}{n-1}-\dfrac{1}{n+1}\right)\right\}$

$\qquad\qquad =\lim_{n\to\infty}\left(1+\dfrac{1}{2}-\dfrac{1}{n}-\dfrac{1}{n+1}\right)=\dfrac{3}{2}$

07 ⑤ ㄱ, ㄷ

ㄷ. $\dfrac{e^t+e^{-t}}{e^t-e^{-t}}=\dfrac{e^{2t}+1}{e^{2t}-1}$에서 $e^{2t}=X$로 치환하고 그래프를 그려본다.

$x=\dfrac{e^t+e^{-t}}{2}$, $y=\dfrac{e^t-e^{-t}}{2}$에서

$dx=\dfrac{e^t-e^{-t}}{2}dt$, $dy=\dfrac{e^t+e^{-t}}{2}dt$

ㄱ. $\dfrac{dx}{dt}=\dfrac{e^t-e^{-t}}{2}=y$ (○)

ㄴ. $\dfrac{dy}{dx}=\dfrac{e^t+e^{-t}}{e^t-e^{-t}}$ (×)

ㄷ. $F(t)=\dfrac{dy}{dx}=\dfrac{e^t+e^{-t}}{e^t-e^{-t}}$ 이므로

분자와 분모에 e^t을 곱하면 $F(t)=\dfrac{e^{2t}+1}{e^{2t}-1}$

이때 $e^{2t}=X$ ($X>0$), $F(t)=G(X)$라 하면

$F(t)=G(X)=\dfrac{X+1}{X-1}$ ($X>0$)에서

$G(X)=\dfrac{X-1+2}{X-1}=\dfrac{2}{X-1}+1$

이때 $G(0)=-1$이므로 그래프 개형은 다음과 같다.

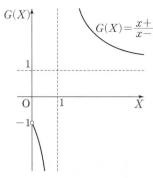

$G(X) < -1$ 또는 $G(X) > 1$이므로 $|G(X)| > 1$

$\therefore |F(t)| > 1$ ($\bigcirc$)

---

08 🔘 2개

❶ $(xy)' = ydx + xdy$임을 이용한다.

❷ $f(x, y) = 0$의 양변을 미분해 접선의 기울기 $\dfrac{dy}{dx}$ 를 구한다.

$(x^2+1)y^3 + x^2 + 4x + 4 = 0$의 양변을 x, y에 대하여 미분하면

$2xy^3 dx + 3y^2(x^2+1)dy + 2xdx + 4dx = 0$에서

$(2xy^3 + 2x + 4)dx = -3y^2(x^2+1)dy$

$\therefore \dfrac{dy}{dx} = -\dfrac{2xy^3 + 2x + 4}{3(x^2+1)y^2} < 0$

이때 $3(x^2+1)y^2 > 0$이므로 $2xy^3 + 2x + 4 > 0$ $\cdots\cdots$ ㉠

한편 $(x^2+1)y^3 + x^2 + 4x + 4 = 0$에서

$y^3 = -\dfrac{x^2 + 4x + 4}{x^2 + 1}$ 이므로 ㉠에 대입하면

$2x \times \left(-\dfrac{x^2 + 4x + 4}{x^2+1} \right) + 2x + 4 > 0$

$\dfrac{x^3 + 4x^2 + 4x}{x^2 + 1} - x - 2 < 0$

위 식의 양변에 (x^2+1)을 곱하면

$x^3 + 4x^2 + 4x - x^3 - 2x^2 - x - 2 < 0$

$(x+2)(2x-1) < 0$ $\therefore -2 < x < \dfrac{1}{2}$

따라서 조건에 맞는 정수 x는 -1, 0으로 2개다.

---

09 🔘 66

$f(n) = \dfrac{dy}{dx}$임을 이용한다.

$x^2 + nye^x + y^2 = n+1$의 양변을 x, y에 대하여 미분하면

$2xdx + nye^x dx + ne^x dy + 2ydy = 0$

즉 $(2x + nye^x)dx = -(2y + ne^x)dy$에서

$\dfrac{dy}{dx} = \dfrac{-2x - nye^x}{2y + ne^x}$ (단, $2y \neq -ne^x$)

점 $(0, 1)$에서의 접선의 기울기는 $\dfrac{dy}{dx}$에 $x=0, y=1$을 대입한

$-\dfrac{n}{n+2}$이므로 $f(n) = -\dfrac{n}{n+2}$에서

$|f(n)| = \dfrac{n}{n+2}$ ($\because$ n은 자연수)

$\therefore \sum\limits_{n=1}^{10} \ln|f(n)| = \sum\limits_{n=1}^{10} \ln \dfrac{n}{n+2}$

$= \ln\dfrac{1}{3} + \ln\dfrac{2}{4} + \ln\dfrac{3}{5} + \cdots + \ln\dfrac{9}{11} + \ln\dfrac{10}{12}$

$= \ln\left(\dfrac{1}{3} \times \dfrac{2}{4} \times \dfrac{3}{5} \times \dfrac{4}{6} \times \cdots \times \dfrac{9}{11} \times \dfrac{10}{12} \right)$

$= \ln\left(\dfrac{1}{11} \times \dfrac{2}{12} \right) = \ln\dfrac{1}{66} = -\ln 66$

$\therefore P = 66$

---

10 🔘 ⑤

$\overline{PA}$와 $\overline{PB}$를 각각 x, y에 대하여 나타낸다.

$\overline{PA} = \sqrt{x^2 + 4}$, $\overline{PB} = \sqrt{y^2 + 4}$이고 $\overline{PA} + \overline{PB} = 10$이므로

$\sqrt{x^2 + 4} + \sqrt{y^2 + 4} = 10$ $\cdots\cdots$ ㉠

㉠에 $x = 2\sqrt{3}$을 대입하면 $\sqrt{12 + 4} + \sqrt{y^2 + 4} = 10$

$y^2 = 32$ $\therefore y = 4\sqrt{2}$($\because$ $y > 0$)

㉠의 양변을 x, y에 대하여 미분하면

$\dfrac{2x}{2\sqrt{x^2+4}} dx + \dfrac{2y}{2\sqrt{y^2+4}} dy = 0$

즉 $\dfrac{x}{\sqrt{x^2+4}} dx = -\dfrac{y}{\sqrt{y^2+4}} dy$에서

$\dfrac{dy}{dx} = -\dfrac{x\sqrt{y^2+4}}{y\sqrt{x^2+4}}$ $\cdots\cdots$ ㉡

따라서 ㉡에 $x = 2\sqrt{3}$, $y = 4\sqrt{2}$를 대입하면

$\dfrac{dy}{dx} = -\dfrac{2\sqrt{3} \times 6}{4\sqrt{2} \times 1} = -\dfrac{3\sqrt{6}}{8}$

---

11 🔘 3

$\lim\limits_{x \to 2\pi} \dfrac{f(x) - f(2\pi)}{g(x) - g(2\pi)} = \lim\limits_{x \to 2\pi} \dfrac{\dfrac{f(x) - f(2\pi)}{x - 2\pi}}{\dfrac{g(x) - g(2\pi)}{x - 2\pi}}$

$\lim\limits_{x \to 2\pi} \dfrac{f(x) - f(2\pi)}{g(x) - g(2\pi)} = \lim\limits_{x \to 2\pi} \dfrac{\dfrac{f(x) - f(2\pi)}{x - 2\pi}}{\dfrac{g(x) - g(2\pi)}{x - 2\pi}} = \dfrac{f'(2\pi)}{g'(2\pi)}$

이때 $f'(x) = 2 - \cos x$에서

$f'(2\pi) = 2 - \cos 2\pi = 2 - 1 = 1$이고

$g(2\pi) = a$라 하면 $f(a) = 2\pi$

즉, $f(a) = 2a + \sin a = 2\pi$에서 $a = \pi$ $\therefore g(2\pi) = \pi$

$$g'(2\pi)=\frac{1}{f'(g(2\pi))}=\frac{1}{f'(\pi)}=\frac{1}{2-(-1)}=\frac{1}{3}$$

따라서 $\dfrac{f'(2\pi)}{g'(2\pi)}=\dfrac{1}{\dfrac{1}{3}}=3$

12 답 15

GUIDE

$f(2x)$의 역함수가 $g(x)$이므로
$g(f(2x))=x \Rightarrow 2g'(f(2x))f'(2x)=1$

$f(2)=1$, $f'(2)=1$이고
$f(2x)$의 역함수가 $g(x)$이므로 $g(f(2x))=x$ ……㉠
㉠의 양변에 $x=1$을 대입하면 $g(f(2))=1$
$\therefore a=g(1)=1$
㉠의 양변을 x에 대해 미분하면
$g'(f(2x))\times 2\times f'(2x)=1$ ……㉡
㉡의 양변에 $x=1$을 대입하면
$g'(f(2))\times 2\times f'(2)=1$ $\therefore 2g'(1)=1$
이때 $b=g'(1)=\dfrac{1}{2}$이므로

$10(a+b)=10\left(1+\dfrac{1}{2}\right)=15$

13 답 9

GUIDE

$f(g(x))=x$이면 $g(x)=f^{-1}(x)$이고, $g(f(x))$의 양변을 미분해 정리한
$f'(x)=\dfrac{1}{f'(g(x))}$ 을 이용한다.

$f\left(xg(x)-\dfrac{x^2-x}{x+1}\right)=x$에서 $xg(x)-\dfrac{x^2-x}{x+1}=g(x)$

이므로 $(x-1)g(x)=\dfrac{x^2-x}{x+1}=\dfrac{x(x-1)}{x+1}$

$\therefore g(x)=\dfrac{x}{x+1}$

이때 $f\left(\dfrac{2}{3}\right)=a$라 하면 $g(a)=\dfrac{2}{3}$이므로

$g(a)=\dfrac{a}{a+1}=\dfrac{2}{3}$에서 $a=2$

$\therefore g(2)=\dfrac{2}{3}$, $f\left(\dfrac{2}{3}\right)=2$

$g'(x)=\dfrac{1}{(x+1)^2}$이므로 $g'(2)=\dfrac{1}{9}$

따라서 $f'(x)=\dfrac{1}{g'(f(x))}$에서

$f'\left(\dfrac{2}{3}\right)=\dfrac{1}{g'\left(f\left(\dfrac{2}{3}\right)\right)}=\dfrac{1}{g'(2)}=9$

14 답 2

GUIDE

❶ $g(\ln 2)=a$에서 $f(a)=\ln 2$임을 안다.

❷ $g'(x)=\dfrac{1}{f'(g(x))}$

$\displaystyle\lim_{x\to\ln 2}\dfrac{g(x)-a}{x-\ln 2}=b$에서 $g(\ln 2)=a$이고

$f(a)=\ln 2$이므로 $\ln(a+\sqrt{a^2+1})=\ln 2$

$\sqrt{a^2+1}=2-a$의 양변을 제곱하면

$a^2+1=4-4a+a^2$에서 $a=\dfrac{3}{4}$

$f(x)=\ln(x+\sqrt{x^2+1})$에서

$f'(x)=\dfrac{(x+\sqrt{x^2+1})'}{x+\sqrt{x^2+1}}=\dfrac{1+\dfrac{x}{\sqrt{x^2+1}}}{x+\sqrt{x^2+1}}$

$b=\displaystyle\lim_{x\to\ln 2}\dfrac{g(x)-a}{x-\ln 2}=\lim_{x\to\ln 2}\dfrac{g(x)-g(\ln 2)}{x-\ln 2}$

$=g'(\ln 2)=\dfrac{1}{f'(g(\ln 2))}=\dfrac{1}{f'\left(\dfrac{3}{4}\right)}=\dfrac{5}{4}$

$\therefore a+b=\dfrac{3}{4}+\dfrac{5}{4}=2$

다른 풀이

$f(x)$의 역함수를 직접 구한다.
$y=\ln(x+\sqrt{x^2+1})$에서 $e^y-x=\sqrt{x^2+1}$
양변을 제곱하면 $e^{2y}-2xe^y+x^2=x^2+1$

$e^{2y}-1=2xe^y$ $\therefore x=\dfrac{e^y-e^{-y}}{2}$

x와 y를 바꾸면 $y=\dfrac{e^x-e^{-x}}{2}$, 즉 $g(x)=\dfrac{e^x-e^{-x}}{2}$이므로

$a=g(\ln 2)=\dfrac{e^{\ln 2}-e^{-\ln 2}}{2}=\dfrac{2-\dfrac{1}{2}}{2}=\dfrac{3}{4}$

또한 $g'(x)=\dfrac{e^x+e^{-x}}{2}$이므로

$b=g'(\ln 2)=\dfrac{e^{\ln 2}+e^{-\ln 2}}{2}=\dfrac{2+\dfrac{1}{2}}{2}=\dfrac{5}{4}$

15 답 ①

GUIDE

ㄷ. $f(x)=(1+x)^{\frac{2}{x}}$의 양변에 자연로그를 취하고 미분한다.

ㄱ. $f(1)=(1+1)^{\frac{2}{1}}=2^2=4$, $f(2)=(1+2)^{\frac{2}{2}}=3^1=3$
   즉 $f(1)>f(2)$ (○)

ㄴ. $\displaystyle\lim_{x\to 0+}(1+x)^{\frac{2}{x}}=\lim_{x\to 0+}\{(1+x)^{\frac{1}{x}}\}^2=e^2$ (×)

ㄷ. $x>0$에서 $f(x)=(1+x)^{\frac{2}{x}}>0$이므로

   양변에 자연로그를 취하면 $\ln f(x)=\dfrac{2\ln(1+x)}{x}$

위 식의 양변을 x에 대하여 미분하면

$$\frac{f'(x)}{f(x)} = \frac{\dfrac{2x}{1+x} - 2\ln(1+x)}{x^2}$$

$$f'(x) = 2f(x) \times \frac{\dfrac{x}{1+x} - \ln(1+x)}{x^2}$$

$$\therefore f'(2) = 2f(2) \times \frac{\dfrac{2}{1+2} - \ln(1+2)}{x^2}$$

$$= 1 - \frac{3\ln 3}{2} \ (\times)$$

16 답 ④

GUIDE
x에 $2-x$를 대입하고 원래 식과 연립하여 $f(x)$를 구한다.

$2f(x) - f(2-x) = e^x$이 모든 실수 x에 대하여 성립하므로
x에 $2-x$를 대입하면

$$2f(2-x) - f(x) = e^{2-x} \quad \cdots\cdots \ \bigcirc$$

$2f(x) - f(2-x) = e^x$의 양변에 2를 곱하고 ㉠을 더하면

$$3f(x) = 2e^x + e^{2-x} \qquad \therefore f(x) = \frac{2e^x + e^{2-x}}{3}$$

이때 $f'(x) = \dfrac{2e^x - e^{2-x}}{3}$, $f''(x) = \dfrac{2e^x + e^{2-x}}{3}$

$2e^x > 0$, $e^{2-x} > 0$이므로 (산술평균)$\geq$(기하평균)에서

$$2e^x + e^{2-x} \geq 2\sqrt{2e^x \times e^{2-x}} = 2\sqrt{2}\,e$$

(단, 등호는 $2e^x = e^{2-x}$일 때 성립한다.)

따라서 $f''(x)$의 최솟값은 $\dfrac{2\sqrt{2}}{3}e$

17 답 ⑤

GUIDE
$f_{4k+1}\left(\dfrac{\pi}{2}\right) + f_{4k+2}\left(\dfrac{\pi}{2}\right) + f_{4k+3}\left(\dfrac{\pi}{2}\right) + f_{4k+4}\left(\dfrac{\pi}{2}\right)$를 구한다.

$f_1(x) = \sin x + \cos x$에서

$f_2(x) = (\cos x - \sin x) + (-\sin x - \cos x) = -2\sin x$

$f_3(x) = (-2\cos x) + (2\sin x) = 2(\sin x - \cos x)$

$f_4(x) = 2(\cos x + \sin x) + 2(-\sin x + \cos x) = 4\cos x$

$f_5(x) = -4\sin x - 4\cos x = -4(\sin x + \cos x) = -4f_1(x)$

$f_6(x) = -4f_2(x)$

$f_7(x) = -4f_3(x)$

$f_8(x) = -4f_4(x)$

$f_9(x) = (-4)^2 f_1(x)$

$\qquad\qquad\vdots$

즉 자연수 k에 대하여

$f_{4k+1}(x) = (-4)^k f_1(x)$, $f_{4k+2}(x) = (-4)^k f_2(x)$

$f_{4k+3}(x) = (-4)^k f_3(x)$, $f_{4k+4}(x) = (-4)^k f_4(x)$

가 성립하므로

$f_5(x) + f_6(x) + f_7(x) + f_8(x)$
$= -4\{f_1(x) + f_2(x) + f_3(x) + f_4(x)\}$
$f_9(x) + f_{10}(x) + f_{11}(x) + f_{12}(x)$
$= (-4)^2\{f_1(x) + f_2(x) + f_3(x) + f_4(x)\}$
$\qquad\qquad\vdots$

$f_1\left(\dfrac{\pi}{2}\right) = \sin\left(\dfrac{\pi}{2}\right) + \cos\left(\dfrac{\pi}{2}\right) = 1$

$f_2\left(\dfrac{\pi}{2}\right) = -2\sin\left(\dfrac{\pi}{2}\right) = -2$

$f_3\left(\dfrac{\pi}{2}\right) = 2\left(\sin\dfrac{\pi}{2} - \cos\dfrac{\pi}{2}\right) = 2$

$f_4\left(\dfrac{\pi}{2}\right) = 4\cos\dfrac{\pi}{2} = 0$

$f_1\left(\dfrac{\pi}{2}\right) + f_2\left(\dfrac{\pi}{2}\right) + f_3\left(\dfrac{\pi}{2}\right) + f_4\left(\dfrac{\pi}{2}\right) = 1 + (-2) + 2 + 0 = 1$

$f_5\left(\dfrac{\pi}{2}\right) + f_6\left(\dfrac{\pi}{2}\right) + f_7\left(\dfrac{\pi}{2}\right) + f_8\left(\dfrac{\pi}{2}\right) = -4$

$f_9\left(\dfrac{\pi}{2}\right) + f_{10}\left(\dfrac{\pi}{2}\right) + f_{11}\left(\dfrac{\pi}{2}\right) + f_{12}\left(\dfrac{\pi}{2}\right) = 16$

$\qquad\qquad\vdots$

$f_{4k+1}\left(\dfrac{\pi}{2}\right) + f_{4k+2}\left(\dfrac{\pi}{2}\right) + f_{4k+3}\left(\dfrac{\pi}{2}\right) + f_{4k+4}\left(\dfrac{\pi}{2}\right) = (-4)^k$

$\therefore \displaystyle\sum_{n=1}^{40} f_n\left(\dfrac{\pi}{2}\right) = 1 + (-4) + (-4)^2 + \cdots + (-4)^9$

$$= \frac{1 - (-4)^{10}}{1 - (-4)} = \frac{1 - 2^{20}}{5}$$

STEP 3 | 1등급 뛰어넘기   p. 60~61

01 ①	02 ③	03 ⑤	04 1
05 3	06 ④	07 ③	08 48
09 71			

01 답 ①

GUIDE
주어진 영역의 넓이는 부채꼴 AOB의 넓이에서 삼각형 AOB의 넓이를
제외한 것과 같다.

$$g(\theta) = \frac{1}{2} \times 1 \times 2\theta - \frac{1}{2} \times 1 \times 1 \times \sin 2\theta = \theta - \frac{1}{2}\sin 2\theta$$

$$\therefore \text{㉮} = h_1(\theta) = \frac{1}{2}\sin 2\theta$$

$t = \tan\theta$이므로 $g(\theta) = f(t) = f(\tan\theta)$에서

$$g'(\theta) = f'(\tan\theta)(\tan\theta)' = f'(\tan\theta)\sec^2\theta$$

$$= f'(t)\sec^2\theta$$

$\therefore$ (나)$=h_2(\theta)=\sec^2\theta$

$g(\theta)=\theta-\dfrac{1}{2}\sin 2\theta$에서

$g'(\theta)=1-\cos 2\theta=2\sin^2\theta$

$\tan\theta=2$이면 $\sin\theta=\dfrac{2}{\sqrt{5}}$이므로 $g'(\theta)=\dfrac{8}{5}$

즉 $\dfrac{8}{5}=f'(2)\times 5$에서 $f'(2)=\dfrac{8}{25}=a$

따라서 $a\times h_1\Big(\dfrac{\pi}{4}\Big)\times h_2\Big(\dfrac{\pi}{4}\Big)$

$=\dfrac{8}{25}\times\dfrac{1}{2}\sin\dfrac{\pi}{2}\times\sec^2\dfrac{\pi}{4}$

$=\dfrac{8}{25}\times\dfrac{1}{2}\times 2=\dfrac{8}{25}$

02 답 ③

GUIDE
❶ 호 BE와 호 PE의 길이가 같다.
❷ 원 C의 중심의 좌표는 $(2\cos\theta,\ 2\sin\theta)$,
   P의 좌표는 $(2\cos\theta-\cos 2\theta,\ 2\sin\theta-\sin 2\theta)$이다.
❸ 점 P의 x좌표와 y좌표를 θ를 써서 나타낸다.

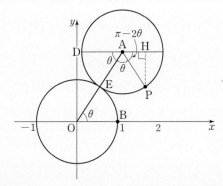

그림과 같이 원 C의 중심을 A, 두 원의 접점을 E, 점 A를 지나고 x축에 평행한 직선이 원과 만나는 점 중 x좌표가 작은 점을 D, 점 P에서 그 직선에 내린 수선의 발을 H, 점 B를 $(1, 0)$이라 하자.

$\overline{OA}=2$이고 x축 양의 방향과 이루는 각이 θ이므로

A의 좌표는 $(2\cos\theta,\ 2\sin\theta)$

또 호 BE와 호 PE의 길이가 같아야 하므로 $\angle PAE=\theta$

$\angle EOB=\angle DAE=\theta$ ($\because$ 엇각)에서

$\angle PAH=\pi-2\theta$이므로

$\overline{AH}=\cos(\pi-2\theta)=-\cos 2\theta$

$\overline{PH}=\sin(\pi-2\theta)=\sin 2\theta$

이때 점 $P(x, y)$에서

$x=2\cos\theta-\cos 2\theta,\ y=2\sin\theta-\sin 2\theta$

$\dfrac{dx}{d\theta}=-2\sin\theta+2\sin 2\theta,\ \dfrac{dy}{d\theta}=2\cos\theta-2\cos 2\theta$

$\dfrac{dy}{dx}=\dfrac{2\cos\theta-2\cos 2\theta}{-2\sin\theta+2\sin 2\theta}$

따라서 $\theta=\dfrac{\pi}{4}$일 때 $\dfrac{dy}{dx}$의 값은

$\dfrac{2\cos\dfrac{\pi}{4}-2\cos\dfrac{\pi}{2}}{-2\sin\dfrac{\pi}{4}+2\sin\dfrac{\pi}{2}}=\dfrac{\sqrt{2}}{-\sqrt{2}+2}=\sqrt{2}+1$

03 답 ⑤

GUIDE
$f_n(x)=\dfrac{1}{x}+\dfrac{2}{x^2}+\dfrac{3}{x^3}+\cdots+\dfrac{n}{x^n}$

$f_n{}'(x)=-\dfrac{1}{x^2}-\dfrac{2^2}{x^3}-\dfrac{3^2}{x^4}-\cdots-\dfrac{n^2}{x^{n+1}}$

ㄱ. $f_2(x)=\dfrac{1}{x}+\dfrac{2}{x^2}$이므로 $f_2(1)=1+2=3$ (○)

ㄴ. $f_n(x)=\displaystyle\sum_{k=1}^{n}\dfrac{k}{x^k}=\dfrac{1}{x}+\dfrac{2}{x^2}+\dfrac{3}{x^3}+\cdots+\dfrac{n}{x^n}$에서

$f_n{}'(x)=-\dfrac{1}{x^2}-\dfrac{2^2}{x^3}-\dfrac{3^2}{x^4}-\cdots-\dfrac{n^2}{x^{n+1}}$이므로

$f_n{}'(-1)=-1+2^2-3^2+\cdots-(-1)^{n+1}n^2$

(i) n이 짝수일 때

$f_n{}'(-1)=-1+2^2-3^2+\cdots+n^2$

$=(2^2-1^2)+(4^2-3^2)+\cdots+\{n^2-(n-1)^2\}$

$=1+2+3+4+\cdots+n-1+n=\dfrac{n(n+1)}{2}$

(ii) n이 홀수일 때

$f_n{}'(-1)$

$=-1+2^2-3^2+\cdots-n^2$

$=(2^2-1^2)+(4^2-3^2)+\cdots+(n-1)^2-(n-2)^2-n^2$

$=1+2+3+4+\cdots+(n-2)+(n-1)-n^2$

$=\dfrac{(n-1)n}{2}-n^2=-\dfrac{n(n+1)}{2}$

따라서 $|f_n{}'(-1)|=\dfrac{n(n+1)}{2}$이므로

$|f_{10}{}'(-1)|=55,\ |f_{11}{}'(-1)|=66,$

$|f_{12}{}'(-1)|=78,\ |f_{13}{}'(-1)|=91$에서

$60\leq|f_n{}'(-1)|\leq 80$인 자연수 n은 11 또는 12이다.

따라서 모든 n값의 합은 23이다. (○)

ㄷ. $f_n{}'(1)=-1-2^2-3^2-\cdots-n^2=-\dfrac{n(n+1)(2n+1)}{6}$

$f_n(1)=1+2+3\cdots+n=\dfrac{n(n+1)}{2}$

$\therefore\ \dfrac{f_n{}'(1)}{f_n(1)}=-\dfrac{2n+1}{3}$

$\displaystyle\sum_{n=1}^{10}\dfrac{f_n{}'(1)}{f_n(1)}=-\sum_{n=1}^{10}\dfrac{2n+1}{3}=-\dfrac{1}{3}\sum_{n=1}^{10}(2n+1)$

$=-\dfrac{1}{3}\times\dfrac{10(3+21)}{2}=-40$ (○)

연속된 두 자연수의 제곱의 차이는 합차 공식에 의해 다음과 같이 나타낼 수 있다.

$$(k+1)^2-k^2=2k+1=k+(k+1)=(k+1)+k$$

예 $4^2-3^2=4+3=3+4$

04 답 1

GUIDE

❶ $f(x^3)-f(x)=f(x^3)-f(1)+f(1)-f(x)$임을 이용해 조건 ㈏에서 $f'(1)$의 값을 구한다.

❷ $g(f(2x^3+3))=x$임을 이용한다.

조건 ㈏에서

$$\lim_{x\to 1}\frac{f(x^3)-f(x)}{x-1}$$

$$=\lim_{x\to 1}\frac{f(x^3)-f(1)+f(1)-f(x)}{x-1}$$

$$=\lim_{x\to 1}\frac{f(x^3)-f(1)}{x-1}-\lim_{x\to 1}\frac{f(x)-f(1)}{x-1}$$

$$=\lim_{x\to 1}\frac{f(x^3)-f(1)}{x^3-1}\times(x^2+x+1)-\lim_{x\to 1}\frac{f(x)-f(1)}{x-1}$$

$$=3f'(1)-f'(1)=2f'(1)=\frac{1}{6}$$

$$\therefore f'(1)=\frac{1}{12}$$

함수 $f(2x^3+3)$의 역함수가 $g(x)$이므로

$$g(f(2x^3+3))=x \quad\cdots\cdots\text{㉠}$$

㉠의 양변에 $x=-1$을 대입하면

$$g(f(1))=-1 \quad\therefore g(2)=-1$$

㉠의 양변을 x에 대하여 미분하면

$$g'(f(2x^3+3))\times f'(2x^3+3)\times 6x^2=1 \quad\cdots\cdots\text{㉡}$$

㉡의 양변에 $x=-1$을 대입하면 $g'(f(1))\times f'(1)\times 6=1$

$f(1)=2$, $f'(1)=\dfrac{1}{12}$이므로 $g'(2)=\dfrac{1}{6f'(1)}=2$

$$\therefore g(2)+g'(2)=-1+2=1$$

05 답 3

GUIDE

삼차함수 $f(x)$의 역함수가 존재할 조건을 찾는다.

삼차함수 $f(x)$의 역함수가 존재하려면

도함수인 $f'(x)$에서 $f'(x)=6x^2+2ax-a\geq 0$이

모든 실수 x에 대하여 항상 성립해야 하므로

$$\frac{D}{4}=a^2+6a\leq 0에서 -6<a\leq 0 \;(\because a\neq -6) \quad\cdots\cdots\text{㉠}$$

$g(1)=\dfrac{1+3}{1^2+1}=2$이고, $g'(x)=\dfrac{-x^2-6x+1}{(x^2+1)^2}$에서

$$g'(1)=\frac{-6}{4}=-\frac{3}{2}$$

또한 $f'(1)=a+6$이고 $f(x)$의 역함수를 $h(x)$라 하면

㈎에서 $\displaystyle\lim_{x\to 1}\frac{h(g(x))-h(g(1))}{x-1}$은 합성함수 $h(g(x))$의 $x=1$

에서의 미분계수이다.

$$\lim_{x\to 1}\frac{h(g(x))-h(g(1))}{x-1}=h'((g(1))\times g'(1)$$

$$=h'(2)\times\left(-\frac{3}{2}\right)$$

$h(2)=b$라 하면

$f(b)=2$이므로 $2b^3+ab^2-ab=2$,

$(b-1)\{2b^2+(a+2)b+2\}=0$에서 $b=1$

이때 $h'(x)=\dfrac{1}{f'(h(x))}$이므로 $h'(2)=\dfrac{1}{f'(h(2))}=\dfrac{1}{f'(1)}$

즉 $h'(2)\times\left(-\dfrac{3}{2}\right)=\dfrac{1}{f'(1)}\times\left(-\dfrac{3}{2}\right)=-\dfrac{3}{2(a+6)}$이므로

$$-1\leq-\frac{3}{2(a+6)}\leq-\frac{1}{3}$$

각 변에 $-\dfrac{2}{3}$를 곱하면 $\dfrac{2}{9}\leq\dfrac{1}{a+6}\leq\dfrac{2}{3}$, $\dfrac{3}{2}\leq a+6\leq\dfrac{9}{2}$

$$\therefore -\frac{9}{2}\leq a\leq\frac{3}{2}$$

a의 최댓값은 $-\dfrac{3}{2}$, 최솟값은 $-\dfrac{9}{2}$이다.

$$\therefore M-m=-\frac{3}{2}-\left(-\frac{9}{2}\right)=3$$

06 답 ④

GUIDE

$h(t)=t\{f(t)-g(t)\}$를 미분한 결과에 $t=5$를 대입해서 구해야 하는 것이 무엇인지 확인한다.

$h(t)=t\{f(t)-g(t)\}$이므로

$h'(t)=\{f(t)-g(t)\}+t\{f'(t)-g'(t)\}$

$h'(5)=\{f(5)-g(5)\}+5\{f'(5)-g'(5)\} \quad\cdots\cdots\text{㉠}$

한편 $y=x^3+2x^2-15x+5$와 직선 $y=5$가 만나는 점의 x좌표

는 $x^3+2x^2-15x+5=5$, $x(x+5)(x-3)=0$에서

x좌표가 작은 것부터 차례로 $-5, 0, 3$

이때 $f(5)=3$, $g(5)=-5$ $\quad\cdots\cdots\text{㉡}$

또 $f(t)$, $g(t)$는 $y=x^3+x^2-15x+5$와 $y=t$를 연립한 방정식

의 근이므로

$\{f(t)\}^3+2\{f(t)\}^2-15f(t)+5=t$

위 식의 양변을 미분해 $f'(t)$를 구하면

$$f'(t)=\frac{1}{3\{f(t)\}^2+4f(t)-15}이므로$$

$$f'(5)=\frac{1}{3\times 3^2+4\times 3-15}=\frac{1}{24}$$

$g(t)$에 대해서도 마찬가지로 생각하면

$$g'(5)=\frac{1}{3\times(-5)^2+4\times(-5)-15}=\frac{1}{40} \quad\cdots\cdots\text{㉢}$$

ⓛ과 ⓒ을 ⊙에 대입하면

$$h(5)=\{3-(-5)\}+5\left(\frac{1}{24}-\frac{1}{40}\right)=8+\frac{1}{12}=\frac{97}{12}$$

1등급 NOTE
❶ $y=x^3+2x^2-15x+5$에 $(f(5),5)$, $(g(5),5)$를 각각 대입해서 $f(5)$, $g(5)$를 구해도 된다.
❷ $\{f(t)\}^3+2\{f(t)\}^2-15f(t)+5=t$의 양변을 미분한 결과에 바로 $t=5$를 대입해 $f'(5)$를 구해도 된다.

07 답 ③

GUIDE
(가), (나)에서 $f(x)+g(x)$를 구한다.

(가)에서 $f(x)+f''(x)+g''(x)=\sin x$

(나)에서 $g(x)-f''(x)-g''(x)=\cos x$

변끼리 더하면 $f(x)+g(x)=\sin x+\cos x$ ······ ⊙

⊙의 양변을 미분하면 $f'(x)+g'(x)=\cos x-\sin x$

다시 미분하면 $f''(x)+g''(x)=-\sin x-\cos x$ ······ ⓛ

ⓛ을 (가) 식에 대입하면 $f(x)=2\sin x+\cos x$ ······ ⓒ

ⓒ을 ⊙에 대입하면 $g(x)=-\sin x$

$f'(x)=2\cos x-\sin x$, $g'(x)=-\cos x$이므로

$$f'\left(\frac{\pi}{6}\right)+g'\left(\frac{\pi}{3}\right)=2\cos\frac{\pi}{6}-\sin\frac{\pi}{6}-\cos\frac{\pi}{3}$$

$$=\sqrt{3}-\frac{1}{2}-\frac{1}{2}=\sqrt{3}-1$$

08 답 48

GUIDE
$h'(x)=f'(g(x))g'(x)$가 존재해야 한다. 이때 $g(x)$가 절댓값 함수이므로 그래프를 그려보면 첨점이 있음을 생각한다.

$$g(x)=|2\sin(x+2|x|)+1|=\begin{cases}|2\sin 3x+1| & (x\geq 0)\\|-2\sin x+1| & (x<0)\end{cases}$$

이므로 다음과 같은 4개의 함수로 나누어진다.

$$g(x)=\begin{cases}g_1(x)=2\sin 3x+1 & (x\geq 0,\ 2\sin 3x+1\geq 0)\\g_2(x)=-2\sin 3x-1 & (x\geq 0,\ 2\sin 3x+1<0)\\g_3(x)=-2\sin x+1 & (x<0,\ -2\sin x+1\geq 0)\\g_4(x)=2\sin x-1 & (x<0,\ -2\sin x+1<0)\end{cases}$$

경곗값을 제외한 구간에서 $g'(x)$, $g''(x)$는 다음과 같다.

$$g'(x)=\begin{cases}g_1'(x)=6\cos 3x & (x>0,\ 2\sin 3x+1>0)\\g_2'(x)=-6\cos 3x & (x>0,\ 2\sin 3x+1<0)\\g_3'(x)=-2\cos x & (x<0,\ -2\sin x+1>0)\\g_4'(x)=2\cos x & (x<0,\ -2\sin x+1<0)\end{cases}$$

$$g''(x)=\begin{cases}g_1''(x)=-18\sin 3x & (x>0,\ 2\sin 3x+1>0)\\g_2''(x)=18\sin 3x & (x>0,\ 2\sin 3x+1<0)\\g_3''(x)=2\sin x & (x<0,\ -2\sin x+1>0)\\g_4''(x)=-2\sin x & (x<0,\ -2\sin x+1<0)\end{cases}$$

$h(x)=f(g(x))$에서 $h'(x)=f'(g(x))g'(x)$

$h''(x)=f''(g(x))\{g'(x)\}^2+f'(g(x))g''(x)$

$x=0$ 에서 $h''(x)$가 연속이므로 $h'(x)$도 연속이다.

$$\lim_{x\to 0+}h'(x)=\lim_{x\to 0+}f'(g_1(x))g_1'(x)$$
$$=f'(1)g_1'(0)=6f'(1)$$

$$\lim_{x\to 0-}h'(x)=\lim_{x\to 0-}f'(g_3(x))g_3'(x)$$
$$=f'(1)g_3'(0)=-2f'(1)$$

$h'(0)=6f'(1)=-2f'(1)$ 이므로 $f'(1)=0$ ······ ⊙

$$\lim_{x\to 0+}h''(x)$$
$$=\lim_{x\to 0+}\{f''(g_1(x))\{g_1'(x)\}^2+f'(g_1(x))g_1''(x)\}$$
$$=f''(1)\{g_1'(0)\}^2+f'(1)g_1''(0)=36f''(1)$$

$$\lim_{x\to 0-}h''(x)$$
$$=\lim_{x\to 0-}\{f''(g_3(x))\{g_3'(x)\}^2+f'(g_3(x))g_3''(x)\}$$
$$=f''(1)\{g_3'(0)\}^2+f'(1)g_3''(0)=4f''(1)$$

$h''(0)=36f''(1)=4f''(1)$이므로

$f''(1)=0$ ······ ⓛ

또 $x\geq 0$에서 $g(x)=0$인 값 중 하나인 $x=\dfrac{7\pi}{18}$에서도 $h''(x)$가 연속이므로 $h'(x)$도 연속이다.

$$\lim_{x\to\frac{7\pi}{18}+}h'(x)=\lim_{x\to\frac{7\pi}{18}+}f'(g_2(x))g_2'(x)$$
$$=f'(0)g_2'\left(\frac{7\pi}{18}\right)=3\sqrt{3}\,f'(0)$$

$$\lim_{x\to\frac{7\pi}{18}-}h'(x)=\lim_{x\to\frac{7\pi}{18}-}f'(g_1(x))g_1'(x)$$
$$=f'(0)g_1'\left(\frac{7\pi}{18}\right)=-3\sqrt{3}\,f'(0)$$

즉 $-3\sqrt{3}\,f'(0)=3\sqrt{3}\,f'(0)$ 이므로

$f'(0)=0$ ······ ⓒ

$f(x)$가 최고차항의 계수가 1인 사차함수이므로 $f'(x)$는 최고차항의 계수가 4인 삼차함수이다.

⊙, ⓛ, ⓒ에서 $f'(x)=4x(x-1)^2$

$\therefore f'(3)=4\times 3\times 2^2=48$

09 답 71

GUIDE
❶ t가 정해진 경우 대각선의 교점의 y좌표가 최소가 되려면 곡선과 정사각형의 아래쪽 변이 적어도 한 점에서 만나야 한다.
❷ 정사각형이 곡선 $y=|e^x-2|$와 두 점에서 만날 때와 한 점에서 만날 때로 나누어 생각한다.
❸ 정사각형이 곡선과 두 점에서 만나는 크리티컬 포인트는 직선 $y=1$일 때를 생각하면 된다.

$g(x)=|e^x-2|$라 하면 함수 $y=g(x)$의 그래프와 직선 $y=1$의 교점의 좌표는 $(0,1)$, $(\ln 3,1)$

$f(t)$는 한 변의 길이가 t인 정사각형의 꼭짓점이 $g(x)$의 그래프와 만날 때 정해진다.

$0<t\leq\ln 3$이면 두 점에서 만나고, $t>\ln 3$이면 한 점에서 만날 때이다.

(i) $0<t\leq\ln 3$일 때

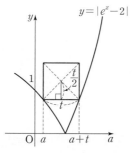

정사각형과 $y=g(x)$의 두 교점의 x좌표를 a와 $a+t$ 라 하면
두 교점의 좌표는 $(a, 2-e^a)$, $(a+t, e^{a+t}-2)$

두 교점의 y좌표가 같으므로 $e^a=\dfrac{4}{e^t+1}$

즉 $f(t)=2-e^a+\dfrac{t}{2}$에서 $f(t)=2-\dfrac{4}{e^t+1}+\dfrac{t}{2}$

(ii) $t>\ln 3$일 때

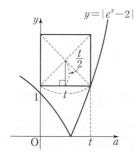

정사각형과 $y=g(x)$의 교점의 좌표는 (t, e^t-2)

$\therefore f(t)=e^t-2+\dfrac{t}{2}$

(i), (ii)에서 함수 $f(t)$는

$$f(t)=\begin{cases} 2-\dfrac{4}{e^t+1}+\dfrac{t}{2} & (0<t\leq\ln 3) \\ e^t-2+\dfrac{t}{2} & (t>\ln 3) \end{cases}$$

함수 $f(t)$의 도함수 $f'(t)$는

$$f'(t)=\begin{cases} \dfrac{4e^t}{(e^t+1)^2}+\dfrac{1}{2} & (0<t<\ln 3) \\ e^t+\dfrac{1}{2} & (t>\ln 3) \end{cases}$$

$f'(\ln 2)+f'(\ln 5)=\dfrac{25}{18}+\dfrac{11}{2}=\dfrac{62}{9}$

따라서 $p=9$, $q=62$이고 $p+q=71$

06 도함수의 활용

STEP 1 | 1등급 준비하기   p. 66~68

01 ②	**02** 50	**03** ④	**04** ⑤
05 ③	**06** ②	**07** ③	**08** G, H
09 ①	**10** ④	**11** 240	**12** ④
13 ②	**14** 4	**15** ⑤	

01 답 ②
GUIDE

$x=\dfrac{\pi}{3}$일 때 $\cos\dfrac{\pi}{3}=\dfrac{1}{2}$임을 이용한다.

$x=\dfrac{\pi}{3}$일 때 $\cos\dfrac{\pi}{3}=\dfrac{1}{2}$이므로

$f\left(\dfrac{1}{2}\right)=f\left(\cos\dfrac{\pi}{3}\right)=\sin\dfrac{2}{3}\pi+\tan\dfrac{\pi}{3}=\dfrac{\sqrt{3}}{2}+\sqrt{3}=\dfrac{3\sqrt{3}}{2}$

이고, $f(\cos x)=\sin 2x+\tan x$의 양변을 미분하면

$-\sin x f'(\cos x)=2\cos 2x+\sec^2 x$에서

$x=\dfrac{\pi}{3}$일 때 $-\dfrac{\sqrt{3}}{2}f'\left(\dfrac{1}{2}\right)=2\left(-\dfrac{1}{2}\right)+4$ $\therefore f'\left(\dfrac{1}{2}\right)=-2\sqrt{3}$

즉 $y=-2\sqrt{3}\left(x-\dfrac{1}{2}\right)+\dfrac{3\sqrt{3}}{2}$을 정리하면

$y=-2\sqrt{3}x+\dfrac{5\sqrt{3}}{2}$

02 답 50
GUIDE

$f'(e)=a$로 놓고 $f'(e)\times g'(e)=-1$임을 이용한다.

점 $(e, -e)$는 $y=f(x)$ 위의 점이므로 $f(e)=-e$

이때 $y=f(x)$ 위의 점 $(e, -e)$에서 접선의 기울기를

$f'(e)=a$라 하고, $y=g(x)$를 미분하면

$g'(x)=f'(x)\ln x^4+f(x)\times\dfrac{4}{x}$

$y=g(x)$ 위의 점 $(e, -4e)$에서의 접선의 기울기는

$g'(e)=f'(e)\ln e^4+f(e)\times\dfrac{4}{e}=4a-4$

$x=e$에서 $f(x)$의 접선과 $g(x)$의 접선이 서로 수직이므로

$f'(e)\times g'(e)=-1$, $a(4a-4)=-1$

$(2a-1)^2=0$ $\therefore a=\dfrac{1}{2}$

따라서 $100f'(e)=100a=50$

03 답 ④
GUIDE

$\dfrac{dy}{dx}=1$일 때 x, y의 관계를 구한다.

$x^2 - xy + y^2 = 12$ ...... ㉠

㉠의 양변을 x, y에 대하여 미분하면

$2x\,dx - (y\,dx + x\,dy) + 2y\,dy = 0$에서

$\dfrac{dy}{dx} = \dfrac{2x-y}{x-2y}$ (단, $x \neq 2y$)

이때 $\dfrac{dy}{dx} = \dfrac{2x-y}{x-2y} = 1$에서 $y = -x$ ...... ㉡

접선의 기울기가 1인 접선의 접점은 ㉠, ㉡의 교점이므로

㉡을 ㉠에 대입하면 $x^2 - x(-x) + (-x)^2 = 12$, $x^2 = 4$

$\therefore x = -2$ 또는 $x = 2$

즉 두 접점의 좌표는 $(-2, 2)$, $(2, -2)$이다. ($\because$ ㉡)

기울기가 1이고 접점 $(-2, 2)$를 지나는 직선은 $y = x + 4$,

기울기가 1이고 접점 $(2, -2)$를 지나는 직선은 $y = x - 4$

이므로 두 직선 사이의 거리는

$\dfrac{|4 - (-4)|}{\sqrt{2}} = \dfrac{8}{\sqrt{2}} = 4\sqrt{2}$

참고

❶ $x^2 + xy + y^2 = 12$가 나타내는 그래프는 그림의 도형과 같고, 이 그래프 위의 점에서의 접선의 기울기가 1인 두 점은 직선 $y = -x$ 위의 점이다.

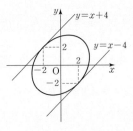

❷ 기울기가 같은 두 직선

$ax + by + c = 0$, $ax + by + c' = 0$

의 거리 d는 $d = \dfrac{|c - c'|}{\sqrt{a^2 + b^2}}$

04 답 ⑤
GUIDE

곡선 위의 점 A의 좌표를 $(t, 3e^{t-1})$로 놓고 이 점에서의 접선의 방정식을 t로 나타낸다.

곡선 $y = 3e^{x-1}$ 위의 점 A의 좌표를 $(t, 3e^{t-1})$으로 놓으면

$y' = 3e^{x-1}$에서 접선의 기울기는 $3e^{t-1}$

이때 접선의 방정식은 $y = 3e^{t-1}(x-t) + 3e^{t-1}$

이고, 이 접선이 원점 O$(0, 0)$을 지나므로

$0 = 3e^{t-1}(-t) + 3e^{t-1}$ $\therefore t = 1$

따라서 A$(1, 3)$이므로 $\overline{OA} = \sqrt{1^2 + 3^2} = \sqrt{10}$

05 답 ③
GUIDE

$f(x)$에 대하여 구간 $\left(e^x + \dfrac{3}{x}, e^x + 3\right)$에서 평균값 정리를 이용한다.

$x \longrightarrow \infty$에서 $e^x + 3 > e^x + \dfrac{3}{x}$이고, 함수 $f(x)$가 모든 실수에서

미분가능하므로 $f(x)$는 닫힌구간 $\left[e^x + \dfrac{3}{x}, e^x + 3\right]$에서 연속이고

열린구간 $\left(e^x + \dfrac{3}{x}, e^x + 3\right)$에서 미분가능하다.

평균값 정리에 따라

$\dfrac{f(e^x + 3) - f\left(e^x + \dfrac{3}{x}\right)}{(e^x + 3) - \left(e^x + \dfrac{3}{x}\right)} = \dfrac{f(e^x + 3) - f\left(e^x + \dfrac{3}{x}\right)}{3 - \dfrac{3}{x}} = f'(c)$

를 만족시키는 상수 c가 구간 $\left(e^x + \dfrac{3}{x}, e^x + 3\right)$에 적어도 하나 존재

한다. 이때 $x \longrightarrow \infty$이면 $\left(3 - \dfrac{3}{x}\right) \longrightarrow 3$이고, $c \longrightarrow \infty$이므로

$\displaystyle\lim_{x \to \infty} f'(x) = 12$에서 $\displaystyle\lim_{c \to \infty} f'(c) = 12$

$\therefore \displaystyle\lim_{x \to \infty}\left\{f(e^x + 3) - f\left(e^x + \dfrac{3}{x}\right)\right\} = 3\lim_{c \to \infty} f'(c) = 3 \times 12 = 36$

06 답 ②
GUIDE

임의의 두 수 x_1, x_2에 대하여 $\dfrac{f(x_2) - f(x_1)}{x_2 - x_1} > 0$이면 함수 $f(x)$가 실수 전체에서 증가함수임을 이용한다.

$\dfrac{f(x_1) - f(x_1)}{x_2 - x_1} > 0$에서 함수 $f(x)$는 증가함수이므로

모든 실수 x에 대하여 $f'(x) \geq 0$이어야 한다.

$f'(x) = ae^{3x^2} + (ax+2)(6x)e^{3x^2} = (6ax^2 + 12x + a)e^{3x^2}$

이때 $e^{3x^2} > 0$이므로 $6ax^2 + 12x + a \geq 0$에서

$a > 0$이고 이차방정식 $6ax^2 + 12x + a = 0$의 판별식을 D라 하면

$\dfrac{D}{4} = 6^2 - (6a)(a) = 36 - 6a^2 \leq 0$ $\therefore a^2 \geq 6$

따라서 $a \geq \sqrt{6}$

참고

함수 $f(x)$가 증가함수이면 $f'(x) \geq 0$이다. 이때 $f'(x) = 0$이 되는 점은 유한개임을 주의한다.

07 답 ③
GUIDE

함수의 증가, 감소와 다르게 함숫값은 양수 또는 음수일 수 있다는 점을 주의한다.

ㄱ. [반례] $f(x) = x$, $g(x) = 2x$이면 $y = f(x)g(x) = 2x^2$은

　　$x < 0$일 때 증가함수가 아니다. (×)

ㄴ. $y = (f \circ g)(x)$를 미분하면 $y' = f'(g(x))g'(x)$

　　이때 $f(x)$와 $g(x)$는 미분가능한 증가함수이므로

　　$f'(g(x)) \geq 0$이고 $g'(x) \geq 0$

　　따라서 $y' = f'(g(x))g'(x) \geq 0$이므로 $y = (f \circ g)(x)$는

　　증가함수이다. (○)

ㄷ. $y' = 3\{h(x)\}^2 h'(x)$이고, 함수 $h(x)$는 미분가능한 감소함수

　　이므로 $h'(x) \leq 0$

따라서 $y'=3\{h(x)\}^2h'(x)\leq 0$이므로 $y=\{h(x)\}^3$는 감소함수이다. (○)

08 답 G, H

GUIDE
$f'(x)$에서 함수의 증가 또는 감소를 파악하고, $f''(x)$에서 함수의 그래프가 위로 볼록한지 아래로 볼록한지 파악한다.

$f'(x)>0$에서 함수는 증가 상태이고, $f''(x)>0$일 때 그래프는 아래로 볼록하다. 따라서 증가하면서 아래로 볼록인 미분가능한 점을 찾으면 G, H이다.

09 답 ①

GUIDE
$f'\left(\dfrac{5}{6}\pi\right)=0$에서 a, b 사이의 관계식을 찾고,
구간 $[0, \pi]$에서 $f''(c)=0$인 c값을 찾는다.

$f'(x)=-a\sin x+b$이고 $x=\dfrac{5}{6}\pi$에서 극솟값을 가지므로

$f'\left(\dfrac{5}{6}\pi\right)=-a\sin\dfrac{5}{6}\pi+b=-\dfrac{1}{2}a+b=0$

$\therefore a-2b=0$ ...... ㉠

$f''(x)=-a\cos x$이고, $f''(c)=-a\cos c=0$에서

구간 $[0, \pi]$에서 가능한 c는 $\dfrac{\pi}{2}$뿐이다.

즉 변곡점의 좌표에서 $f\left(\dfrac{\pi}{2}\right)=\dfrac{\pi}{4}$이므로 $b=\dfrac{1}{2}$ ...... ㉡

㉠, ㉡에서 $a=1$이므로 $abc=\dfrac{\pi}{4}$

이때 $f(x)=\cos x+\dfrac{1}{2}x$이고

$f(abc)=f\left(\dfrac{\pi}{4}\right)=\dfrac{\pi}{8}+\dfrac{\sqrt{2}}{2}$

10 답 ④

GUIDE
ㄱ. $F(x)=(x-1)f(x)$에서 $F'(1)$이 존재하는지 확인한다.
ㄴ. $f(1)$과 함숫값이 같은 것이 있는지 확인한다.
ㄷ. 변곡점은 $y=f'(x)$의 극점이다.

ㄱ. $F(x)=(x-1)f(x)$라 하면 $F(1)=0$이므로

$F'(1)=\lim\limits_{x\to 1}\dfrac{F(x)-F(1)}{x-1}$

$=\lim\limits_{x\to 1}\dfrac{(x-1)f(x)}{x-1}=\lim\limits_{x\to 1}f(x)$

함수 $y=f(x)$는 구간 $(-2, 3)$에서 연속이므로 $\lim\limits_{x\to 1}f(x)$이 존재한다.

따라서 함수 $(x-1)f(x)$는 $x=1$에서 미분가능하다. (○)

ㄴ. 함수 $f(x)$는 $x=1$에서 극댓값을 갖지만 이 값이 항상 최댓값이라 할 수 없다. (×)

ㄷ. 변곡점은 $y=f''(x)$의 부호가 바뀌는 점이므로 $y=f'(x)$의 극점이다. 즉 $x=-1$과 $x=0$에서 변곡점이다. (○)

참고
ㄴ. $y=f'(x)$의 그래프를 보면 구간 $(-2, 1)$에서 $f'(x)>0$이므로 $f(x)$는 증가함수이다. 또 함수 $f(x)$의 증감표를 작성해 봐도 된다.

11 답 240

GUIDE
$f'(x)=0$이 되는 x의 값을 α로 놓고 $\sin\alpha$, $\cos\alpha$의 값을 구한다.

$f'(x)=\dfrac{\sqrt{3}\sin x}{\cos^2 x}-\dfrac{1}{\cos^2 x}=\dfrac{\sqrt{3}\sin x-1}{\cos^2 x}=0$

에서 $\sqrt{3}\sin x-1=0$

이때 $\sin\alpha=\dfrac{1}{\sqrt{3}}=\dfrac{\sqrt{3}}{3}$라 하면

$\sin\alpha=\dfrac{1}{\sqrt{3}}$일 때 $f(x)$는 구간

x	$\cdots$	α	$\cdots$
$f'(x)$	$-$	0	$+$
$f(x)$	$\searrow$	극소	$\nearrow$

$\left(0, \dfrac{\pi}{2}\right)$에서 극소이면서 최소이다.

또 $\alpha\left(0<\alpha<\dfrac{\pi}{2}\right)$에 대하여 $\cos\alpha=\sqrt{1-\left(\dfrac{1}{\sqrt{3}}\right)^2}=\sqrt{\dfrac{2}{3}}$

$\tan\alpha=\dfrac{\sin\alpha}{\cos\alpha}=\dfrac{1}{\sqrt{2}}$이므로 최솟값 m은

$m=f(\alpha)=\dfrac{\sqrt{3}}{\cos\alpha}-\tan\alpha=\dfrac{3}{\sqrt{2}}-\dfrac{1}{\sqrt{2}}=\sqrt{2}$

따라서 $120\,m^2=120\times 2=240$

12 답 정답 ④

GUIDE
점 P가 원 $x^2+y^2=1$ 위의 점이므로 $P(\cos\theta, \sin\theta)$로 놓을 수 있다.

정사각형 EFGH의 두 대각선의 교점을 P라 하자.

동경 OP가 나타내는 각을 θ라 하면 $\theta=\dfrac{\pi}{2}$ 또는 $\theta=-\dfrac{\pi}{2}$일 때 공통부분은 선분 또는 점이다. 즉 넓이가 존재하는 공통부분이 생기는 θ의 범위는 $-\dfrac{\pi}{2}<\theta<\dfrac{\pi}{2}$이다.

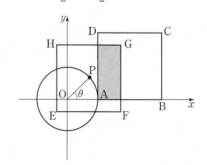

점 $P(\cos\theta, \sin\theta)$, 점 $G(\cos\theta+1, \sin\theta+1)$에서

공통부분인 직사각형의 가로 길이는 $\cos\theta$, 세로 길이는 $\sin\theta+1$이므로 공통부분의 넓이

$$S(\theta)=\cos\theta(\sin\theta+1)=\frac{1}{2}\sin2\theta+\cos\theta$$

$$S'(\theta)=\cos2\theta-\sin\theta=-(\sin\theta+1)(2\sin\theta-1)=0$$

에서 $\sin\theta=-1$ 또는 $\sin\theta=\frac{1}{2}$

$$\therefore \theta=\frac{\pi}{6}\left(\because -\frac{\pi}{2}<\theta<\frac{\pi}{2}\right)$$

x	$\left(-\frac{\pi}{2}\right)$	$\cdots$	$\frac{\pi}{6}$	$\cdots$	$\left(\frac{\pi}{2}\right)$
$S'(\theta)$		$+$	0	$-$	
$S(\theta)$		$\nearrow$	$\frac{3\sqrt{3}}{4}$	$\searrow$	

즉 $S(\theta)$는 $\theta=\frac{\pi}{6}$에서 극대이면서 최댓값을 갖는다.

이때 최댓값은 $S\left(\frac{\pi}{6}\right)=\frac{\sqrt{3}}{2}\left(1+\frac{1}{2}\right)=\frac{3\sqrt{3}}{4}$

13 답 ②

GUIDE

$\frac{e}{x}+\frac{3}{e}=t$로 놓고 $t>k\ln t$에서 t값의 범위를 이용해 k와 $\frac{t}{\ln t}$의 크기 관계를 생각한다.

$\frac{e}{x}+\frac{3}{e}=t$라 하면 $x>0$이므로 $t>\frac{3}{e}>1$

즉 $t>\frac{3}{e}$인 모든 실수 t에 대하여 $t>k\ln t$이고

$t>\frac{3}{e}>1$에서 $\ln t>0$이므로 $k<\frac{t}{\ln t}$

$f(t)=\frac{t}{\ln t}$라 하면

$$f'(t)=\frac{\ln t-1}{(\ln t)^2}=0$$에서 $t=e$

t	$\cdots$	e	$\cdots$
$f'(t)$	$-$	0	$+$
$f(t)$	$\searrow$	극솟값 e	$\nearrow$

따라서 $f(t)=\frac{t}{\ln t}$는

$t>\frac{3}{e}>1$에서 극솟값이자 최솟값 e를 가지므로 $k<\frac{t}{\ln t}=f(t)$

가 항상 성립하려면 $k<e$

1등급 NOTE

$t>k\ln t$에서 $\frac{1}{k}>\frac{\ln t}{t}$이므로 $f(t)=\frac{\ln t}{t}$로 두고 풀 수도 있다.

14 답 4

GUIDE

$g(x)=\frac{6x-8}{x^2+1}$로 놓고 $y=g(x)$의 그래프를 그려 생각한다.

$g(x)=\frac{6x-8}{x^2+1}$라 하면

$$g'(x)=\frac{6(x^2+1)-2x(6x-8)}{(x^2+1)^2}=\frac{-2(3x+1)(x-3)}{(x^2+1)^2}$$

$g'(x)=0$에서 $x=-\frac{1}{3}$ 또는 $x=3$

또한 $g\left(-\frac{1}{3}\right)=\frac{-10}{\frac{1}{9}+1}=-9$, $g(3)=\frac{10}{10}=1$에서

x	$\cdots$	$-\frac{1}{3}$	$\cdots$	3	$\cdots$
$g'(x)$	$-$	0	$+$	0	$-$
$g(x)$	$\searrow$	극솟값 -9	$\nearrow$	극댓값 1	$\searrow$

이때 $\lim\limits_{x\to\infty}g(x)=\lim\limits_{x\to-\infty}g(x)=0$이므로 $y=g(x)$의 그래프는 다음과 같다.

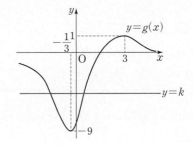

이때 함수 $f(k)$의 그래프는 다음과 같다.

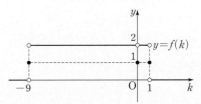

즉 $f(k)$는 $k=-9, 0, 1$에서 불연속이므로 $n=3$, $m=1$

$\therefore m+n=4$

다른 풀이

$\frac{6x-8}{x^2+1}=k$에서 분모 $x^2+1\neq0$이므로

방정식 $\frac{6x-8}{x^2+1}=k$의 실근의 개수와 방정식

$kx^2-6x+(k+8)=0$의 실근의 개수는 같다.

$k=0$일 때 $x=\frac{4}{3}$로 한 개의 실근을 가지고

$k\neq0$일 때 판별식 $D=-(k-1)(k+9)$에서

$-9<k<-1$이면 근이 2개, $k=-9$ 또는 $k=1$이면 1개,

$k<-9$ 또는 $k>1$이면 근이 없음을 알 수 있다.

15 답 ⑤

GUIDE

두 점이 움직이는 방향이 서로 반대이려면 속도의 부호가 달라야 한다.

두 점 P, Q의 시각 t에서의 속도를 각각 v_P, v_Q라 하면

$$v_\mathrm{P}=\frac{dx_\mathrm{P}}{dt}=2t-a, \quad v_\mathrm{Q}=\frac{dx_\mathrm{Q}}{dt}=\frac{2t-1}{t^2-t+1}$$

두 점 P, Q가 움직이는 방향이 서로 반대 방향이 되려면
$v_P \times v_Q < 0$이어야 한다.

즉 $v_P v_Q = \dfrac{(2t-a)(2t-1)}{t^2-t+1} < 0$

$\therefore (2t-a)(2t-1) < 0$　　$\cdots\cdots \ominus$ $(\because t^2-t+1>0)$

$\ominus$의 해가 $\dfrac{1}{2} < t < 2$이므로 $\dfrac{a}{2}=2$　　$\therefore a=4$

STEP 2 | 1등급 굳히기　　　　　　　　　　p. 69~78

01 ④	**02** ②	**03** ③	**04** ③
05 1	**06** 15	**07** 15	**08** ③
09 20	**10** 61	**11** ⑤	**12** ③
13 ②	**14** ①	**15** ⑤	**16** ①
17 $a\le -\dfrac{9}{2}$ 또는 $a\ge 8$		**18** 349	**19** ①
20 412	**21** ④	**22** 11	**23** 101
24 ③	**25** ⑤	**26** ②	**27** 25
28 ④	**29** ⑤	**30** ⑤	**31** ④
32 ④	**33** ⑤	**34** ③	**35** ③
36 ⑤	**37** ①	**38** ②	

01 답 ④

GUIDE

곡선의 식을 x, y에 대해 미분하여 $\dfrac{dy}{dx}$를 구한다.

$y^3 = \ln(5-x^2)+xy+4$의 양변을 x, y에 대하여 미분하면

$3y^2 dy = \dfrac{-2x}{5-x^2}dx + y\, dx + x\, dy$

$\dfrac{dy}{dx} = \dfrac{1}{3y^2-x}\left(\dfrac{-2x}{5-x^2}+y\right)$ (단, $x\ne 3y^2, x^2<5$)

이때 점 $(2, 2)$에서 접선의 기울기는

$\dfrac{1}{3\times 2^2-2}\left(\dfrac{-2\times 2}{5-2^2}+2\right)=-\dfrac{1}{5}$

따라서 점 $(2, 2)$를 지나고 이 점에서의 접선에 수직인 직선은

$y=5(x-2)+2=5x-8$이므로 x절편은 $\dfrac{8}{5}$

02 답 4

GUIDE

곡선 위의 임의의 점 $\left(t, \dfrac{2}{t}\right)$에서 접선의 방정식을 구한다.

$f(x)=\dfrac{2}{x}$라 하면 $f'(x)=-\dfrac{2}{x^2}$

접점의 좌표를 $\left(t, \dfrac{2}{t}\right)$라 하면

이 점에서 접선의 기울기는

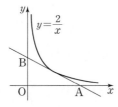

$f'(t)=-\dfrac{2}{t^2}$이므로 접선의 방정식은

$y-\dfrac{2}{t}=-\dfrac{2}{t^2}(x-t)$　　$\therefore y=-\dfrac{2}{t^2}x+\dfrac{4}{t}$

즉 $A(2t, 0)$, $B\left(0, \dfrac{4}{t}\right)$에서

$\overline{AB}=\sqrt{(2t)^2+\left(\dfrac{4}{t}\right)^2}=\sqrt{4t^2+\dfrac{16}{t^2}}$

이때 $4t^2+\dfrac{16}{t^2}\ge 2\sqrt{64}=16$이므로 $\overline{AB}\ge\sqrt{16}$

따라서 선분 AB 길이의 최솟값은 4

03 답 ③

GUIDE

두 직선이 이루는 각의 크기는 $\tan(\alpha-\beta)=\dfrac{\tan\alpha-\tan\beta}{1+\tan\alpha\tan\beta}$를 이용한다.

$f(x)=4\ln x$라 하면 $f'(x)=\dfrac{4}{x}$이고,

두 점 A, B의 x좌표 a, b는 진수 조건에서 $0<a<b$

이때 두 접선의 기울기는 각각 $\dfrac{4}{a}, \dfrac{4}{b}$이고

$0<\dfrac{4}{b}<\dfrac{4}{a}$이므로 $\tan\dfrac{\pi}{4}=\dfrac{\dfrac{4}{a}-\dfrac{4}{b}}{1+\dfrac{4}{a}\times\dfrac{4}{b}}=1$

$ab+4a-4b+16=0$　　$\therefore (a-4)(b+4)=-32$

따라서 $a<b$인 자연수의 순서쌍은 $(2, 12)$, $(3, 28)$로 2개

04 답 ③

GUIDE

$2f(x)+f(4-x)=\ln x$에 x 대신 $4-x$를 대입하여 두 식을 연립해
$f(x)$를 구한다.

$2f(x)+f(4-x)=\ln x$　$\cdots\cdots \ominus$에 x 대신 $4-x$를 대입하면

$2f(4-x)+f(x)=\ln(4-x)$　$\cdots\cdots \oplus$

$\ominus\times 2-\oplus$에서 $f(x)=\dfrac{2}{3}\ln x-\dfrac{1}{3}\ln(4-x)$

$f'(x)=\dfrac{1}{3}\left(\dfrac{2}{x}+\dfrac{1}{4-x}\right)$이므로

$f'(3)=\dfrac{1}{3}\left(\dfrac{2}{3}+\dfrac{1}{4-3}\right)=\dfrac{5}{9}$

$f(3)=\dfrac{2}{3}\ln 3-\dfrac{1}{3}\ln(4-3)=\dfrac{2}{3}\ln 3$

따라서 접선의 방정식은 $y=\dfrac{5}{9}(x-3)+\dfrac{2}{3}\ln 3$

이때 x절편을 α라 하면

$0=\dfrac{5}{9}(\alpha-3)+\dfrac{2}{3}\ln 3$에서 $\alpha=3-\dfrac{6}{5}\ln 3$이므로

$p=3, q=-\dfrac{6}{5}$　　$\therefore p+q=3+\left(-\dfrac{6}{5}\right)=\dfrac{9}{5}$

함수를 직접 구하지 않고 ㉠에 $x=1$과 $x=3$을 각각 대입하여 연립하면,

$f(3)=\dfrac{2}{3}\ln 3$을 구할 수 있다.

또 ㉠의 양변을 미분하면 $2f'(x)-f'(4-x)=\dfrac{1}{x}$ ······ ㉡이고,

㉡에 $x=1$과 $x=3$을 각각 대입하여 연립하면 $f'(3)=\dfrac{5}{9}$

따라서 접선의 식은 $y=\dfrac{5}{9}(x-3)+\dfrac{2}{3}\ln 3$

05 답 1

$f(x)=x^{\sin x}\,(x>0)$는 양변에 로그를 취하여 $f'(x)$를 구한다.

$f(\pi)=\pi^{\sin\pi}=1$이고,

$f(x)=x^{\sin x}\,(x>0)$의 양변에 자연로그를 취하면

$\ln f(x)=\ln x^{\sin x}=\sin x\ln x$

이 등식의 양변을 x에 대하여 미분하면

$\dfrac{f'(x)}{f(x)}=\cos x\ln x+\dfrac{\sin x}{x}$

$\therefore f'(x)=x^{\sin x}\left(\cos x\ln x+\dfrac{\sin x}{x}\right)$

$\therefore f'(\pi)=\pi^0\times(-1\times\ln\pi+0)=-\ln\pi$

따라서 $x=\pi$에서 접선의 방정식은

$y=-\ln\pi(x-\pi)+1=(-\ln\pi)x+\pi\ln\pi+1$

즉 $m=-\ln\pi,\ n=\pi\ln\pi+1$이므로

$m\pi+n=-\pi\ln\pi+(\pi\ln\pi+1)=1$

06 답 15

매개변수 t에 대하여 $dx,\,dy$를 구해 $\dfrac{dy}{dx}=-\dfrac{8}{25}$임을 이용한다.

$dx=\dfrac{t^2-1}{t^2}dt$

$dy=\dfrac{2(1+t^2)-2t(2t)}{(1+t^2)^2}dt=\dfrac{-2t^2+2}{(1+t^2)^2}dt$

$\therefore \dfrac{dy}{dx}=\dfrac{\dfrac{2-2t^2}{(1+t^2)^2}}{\dfrac{t^2-1}{t^2}}=\dfrac{-2t^2}{(1+t^2)^2}$

이때 $\dfrac{-2t^2}{(1+t^2)^2}=-\dfrac{8}{25}$에서 $4t^4-17t^2+4=0$이므로

$t^2=\dfrac{1}{4}$ 또는 $t^2=4$이고, 조건에서 $t>1$이므로 $t=2$

따라서 접점의 좌표는 $x=2+\dfrac{1}{2}=\dfrac{5}{2},\ y=\dfrac{2\times2}{1+2^2}=\dfrac{4}{5}$이므로

접선의 방정식은 $y=-\dfrac{8}{25}\left(x-\dfrac{5}{2}\right)+\dfrac{4}{5}=-\dfrac{8}{25}x+\dfrac{8}{5}$

점 $\left(a,\,-\dfrac{16}{5}\right)$을 대입하면 $-\dfrac{16}{5}=-\dfrac{8}{25}a+\dfrac{8}{5}$ $\therefore a=15$

07 답 15

삼각형 ABP의 넓이를 구할 때, 고정된 값과 변하는 값이 무엇인지 생각한다.

선분 AB를 밑변, 점 P와 직선 AB 사이의 거리 h를 높이로 하는

삼각형 ABP의 넓이는 $\dfrac{1}{2}\times\overline{AB}\times h=\dfrac{1}{2}\times5\sqrt{2}\times h$

삼각형 ABP의 넓이가 최소이려면 h가 최소여야 하므로 점 P에서 접선의 기울기가 직선 AB의 기울기인 1과 같아야 한다.

점 P의 좌표를 $P\left(t,\,\dfrac{\ln t}{t}\right)$라 하면 $y'=\dfrac{1-\ln x}{x^2}$에서

$\dfrac{1-\ln t}{t^2}=1$ $\therefore t=1$

즉 $P(1,\,0)$이고, 직선 AB의 방정식은 $y=x+5$이므로

$h=\dfrac{|1+5|}{\sqrt{1^2+1^2}}=\dfrac{6}{\sqrt{2}}=3\sqrt{2}$

따라서 넓이의 최솟값은 $\dfrac{1}{2}\times5\sqrt{2}\times3\sqrt{2}=15$

방정식에서 $\dfrac{1-\ln t}{t^2}=1$,

즉 $1-\ln t=t^2$을 푸는 것은 매우 까다롭다. 이때 이 방정식을 다르게 나타낸 $1-t^2=\ln t$에서 좌변과 우변 각각은 그릴 수 있는 곡선이므로 교점에서 해를 찾는다.

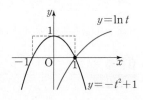

08 답 ③

$g'(0)=\dfrac{1}{f'(g(0))}$을 이용한다.

$f(x)=\ln(\tan x)$에서

$f'(x)=\dfrac{\sec^2 x}{\tan x}$이고

$f\left(\dfrac{\pi}{4}\right)=\ln\left(\tan\dfrac{\pi}{4}\right)=0$에서

$g(0)=\dfrac{\pi}{4}\ (\because g(x)=f^{-1}(x))$

$\therefore a=\dfrac{\pi}{4}$

또한 $g'(0)=\dfrac{1}{f'\left(\dfrac{\pi}{4}\right)}=\dfrac{1}{2}$에서

$P(0,\,a)$를 지나는 접선은 기울기가

$\dfrac{1}{2}$이고, $\left(0,\,\dfrac{\pi}{4}\right)$를 지나므로

$y=\dfrac{1}{2}x+\dfrac{\pi}{4}$

이때 x절편이 $-\dfrac{\pi}{2}$이므로

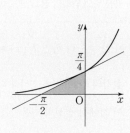

$$S=\frac{1}{2}\times\frac{\pi}{2}\times\frac{\pi}{4}=\frac{\pi^2}{16} \qquad \therefore \ \frac{S}{a^2}=\frac{\frac{\pi^2}{16}}{\frac{\pi^2}{16}}=1$$

09 답 20

GUIDE

$g(f(x))=x$이므로 $3f(x)-\dfrac{2}{e^x+e^{2x}}=f(x)$

$g\Big(3f(x)-\dfrac{2}{e^x+e^{2x}}\Big)=x$에서

$3f(x)-\dfrac{2}{e^x+e^{2x}}=f(x)$이므로 $f(x)=\dfrac{1}{e^x+e^{2x}}$이고

$f'(x)=\dfrac{-e^x-2e^{2x}}{(e^x+e^{2x})^2}$

또 $f(0)=\dfrac{1}{2}$에서 $g\Big(\dfrac{1}{2}\Big)=0$이므로

$g'\Big(\dfrac{1}{2}\Big)=\dfrac{1}{f'\Big(g\big(\frac{1}{2}\big)\Big)}=\dfrac{1}{f'(0)}=-\dfrac{4}{3}$

따라서 $\Big(\dfrac{1}{2}, g\big(\dfrac{1}{2}\big)\Big)$에서의 접선은 $y=-\dfrac{4}{3}\Big(x-\dfrac{1}{2}\Big)$이므로

$m=-\dfrac{4}{3}, n=\dfrac{2}{3} \qquad \therefore \ 9(m^2+n^2)=16+4=20$

10 답 61

GUIDE

함수 $f(3x-2)$의 역함수가 $g(x)$이므로 $g(f(3x-2))=x$를 이용한다.

$f(4)=3$, $f'(4)=\dfrac{1}{4}$이고, 함수 $f(3x-2)$의 역함수가 $g(x)$이

므로 $g(f(3x-2))=x$ $\qquad\cdots\cdots\ \bigcirc$

$\bigcirc$의 양변에 $x=2$를 대입하면

$g(f(4))=g(3)=2$ $\qquad\cdots\cdots\ \bigcirc\hspace{-0.55em}\text{ㄴ}$

$\bigcirc$의 양변을 x에 대하여 미분하면

$g'(f(3x-2))f'(3x-2)\times 3=1$ $\qquad\cdots\cdots\ \bigcirc\hspace{-0.55em}\text{ㄷ}$

$\bigcirc\hspace{-0.55em}\text{ㄷ}$의 양변에 $x=2$를 대입하면

$g'(f(4))f'(4)\times 3=1$, 즉 $g'(3)\times\dfrac{1}{4}\times 3=1$

$\therefore \ g'(3)=\dfrac{4}{3}$ $\qquad\cdots\cdots\ \bigcirc\hspace{-0.55em}\text{ㄹ}$

$\bigcirc\hspace{-0.55em}\text{ㄴ}$, $\bigcirc\hspace{-0.55em}\text{ㄹ}$에서 곡선 $y=g(x)$ 위의 점 $(3, 2)$에서 접선의 방정식은

$y=\dfrac{4}{3}(x-3)+2=\dfrac{4}{3}x-2$

따라서 $-4x+3y+6=0$과 원점 사이의 거리는

$\dfrac{|0+0+6|}{\sqrt{(-4)^2+3^2}}=\dfrac{6}{5} \qquad \therefore \ p^2+q^2=25+36=61$

11 답 ⑤

GUIDE

$\dfrac{dx}{dt}, \dfrac{dy}{dt}$를 구해 $\dfrac{dy}{dx}$를 구한다.

$x=3\cos t, y=2\sin t$에서

$dx=-3\sin t\,dt, dy=2\cos t\,dt$

$\therefore \ \dfrac{dy}{dx}=\dfrac{2\cos t}{-3\sin t}=-\dfrac{2}{3}\cot t$

한 접점의 x, y좌표를 $x=3\cos\theta_1, y=2\sin\theta_1$이라 하면 접선의

방정식은 $y=-\dfrac{2}{3}\cot\theta_1(x-3\cos\theta_1)+2\sin\theta_1$이고,

$A(6, 0)$를 지나므로

$0=-\dfrac{2}{3}\cot\theta_1(6-3\cos\theta_1)+2\sin\theta_1$

양변에 $3\sin\theta_1$을 곱하여 정리하면

$0=-2\cos\theta_1(6-3\cos\theta_1)+6\sin^2\theta_1$,

$12\cos\theta_1=6\cos^2\theta_1+6\sin^2\theta_1=6 \quad \therefore \ \cos\theta_1=\dfrac{1}{2}$

이때 $\sin\theta_1=\sqrt{1-\Big(\dfrac{1}{2}\Big)^2}=\pm\dfrac{\sqrt3}{2}$이므로

두 접점은 각각 $\Big(\dfrac{3}{2}, \sqrt3\Big), \Big(\dfrac{3}{2}, -\sqrt3\Big)$이다.

따라서 사각형 OPAQ의 넓이는 $2\times\dfrac{1}{2}\times 6\times\sqrt3=6\sqrt3$

참고

$x=3\cos t, y=2\sin t$에서

$\dfrac{x}{3}=\cos t, \ \dfrac{y}{2}=\sin t$이므로

$\dfrac{x^2}{9}+\dfrac{y^2}{4}=1$이 나타내는 곡선은

그림과 같다.

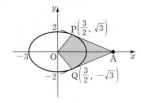

12 답 ③

GUIDE

ㄱ. 점 $P_n(x_n, \sin 2x_n)$에서의 접선의 방정식을 이용한다.

ㄱ. $y'=2\cos 2x$이므로 점 $P_n(x_n, \sin 2x_n)$에서

접선의 기울기는 $2\cos 2x_n$

따라서 접선의 방정식은

$y=2\cos 2x_n(x-x_n)+\sin 2x_n$이고, 원점을 지나므로

$0=2\cos 2x_n(0-x_n)+\sin 2x_n, 2(\cos 2x_n)x_n=\sin 2x_n$

$\therefore \ \dfrac{\tan 2x_n}{2x_n}=1$ (×)

ㄴ. $2x_n=\tan 2x_n$에서 $\theta_n=2x_n$이라 하면 $\theta_n=\tan\theta_n$

이때 $y=\theta, y=\tan\theta$의 교점을 구하면

$\dfrac{4\pi}{3}>\sqrt3$이므로 그림에서

$\dfrac{4}{3}\pi<\theta_1<\dfrac{3}{2}\pi \qquad \therefore \ \dfrac{2}{3}\pi<x_1<\dfrac{3}{4}\pi$ (×)

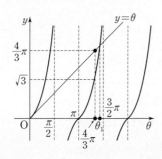

ㄷ. $\dfrac{\sin 2x_n}{2x_n}=\cos 2x_n$이고, $|\sin 2x_n|\le 1$이므로

$$\left|\dfrac{\sin 2x_n}{2x_n}\right|\le \dfrac{1}{2x_n}$$

$x_n \longrightarrow \infty$일 때 $\displaystyle\lim_{n\to\infty}\dfrac{1}{2x_n}=0$에서

$$\lim_{n\to\infty}\dfrac{\sin 2x_n}{2x_n}=\lim_{n\to\infty}\cos 2x_n=0\ (\bigcirc)$$

다른 풀이

ㄱ. 접점 $P_n(x_n,\ \sin 2x_n)$과 원점을 연결한 직선의 기울기가 접선의 기울기인 $2\cos 2x_n$이므로

$$\dfrac{\sin 2x_n-0}{x_n-0}=2\cos 2x_n$$에서 $\dfrac{\tan 2x_n}{2x_n}=1$

ㄷ. 원점에서 함수 $y=\sin 2x$의 그래프에 접선을 그려보면 다음과 같이 생각할 수 있다.

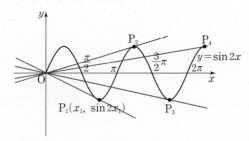

그림에서 접선의 기울기인 $2\cos 2x_n$의 크기는 0으로 수렴함을 알 수 있다.

13 답 ②

GUIDE

두 함수 $y=f(x)$, $y=g(x)$의 그래프가 $x=t$에서 공통 접선을 가지면 $f(t)=g(t)$, $f'(t)=g'(t)$임을 이용해 접점의 좌표를 구한다.

두 함수 $f(x)$, $g(x)$가 $x=t$에서 공통 접선을 가진다고 하면 $f(t)=g(t)$이고, $f'(t)=g'(t)$이다.

이때 $a>0$이므로 $t>0$이다. 즉 $\ln t^2=2\ln t$

$f(t)=g(t)$에서 $at^3=2\ln t$ ......㉠

$f'(t)=g'(t)$에서 $3at^2=\dfrac{2}{t}$ $\therefore 3at^3=2$ ......㉡

㉠을 ㉡에 대입하면 $3(2\ln t)=2$에서

$\ln t=\dfrac{1}{3}$ $\therefore t=\sqrt[3]{e}$

$t=\sqrt[3]{e}$을 ㉡에 대입하면 $3ae=2$에서 $a=\dfrac{2}{3e}$ ......㉢

즉 접점은 $\left(\sqrt[3]{e},\ \dfrac{2}{3}\right)$이고 접선의 기울기는 $\dfrac{2}{3\sqrt[3]{e}}$이므로

접선의 방정식은 $y=\dfrac{2}{3\sqrt[3]{e}}(x-\sqrt[3]{e})+\dfrac{2}{3}$

$\therefore b=\dfrac{2}{3\sqrt[3]{e}}(0-\sqrt[3]{e})+\dfrac{2}{3}=-2+\dfrac{2}{3}=-\dfrac{4}{3}$ ......㉣

㉢, ㉣에서 $\dfrac{b}{a}=\dfrac{-\dfrac{4}{3}}{\dfrac{2}{3e}}=-2e$

참고

$a<0$일 때도, 아래 그림처럼 제2사분면에서 접점을 가질 수 있다.

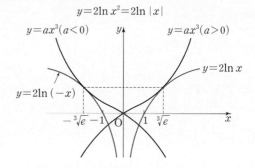

14 답 ①

GUIDE

두 함수 $y=f(x)$, $y=g(x)$의 그래프가 $x=t$에서 공통 접선을 가지면 $f(t)=g(t)$, $f'(t)=g'(t)$

두 함수 $y=f(x)$, $y=g(x)$는 $x=t$에서 접하므로 $f(t)=g(t)$이고, $f'(t)=g'(t)$

ㄱ. $f(t)=g(t)$에서 $\{f(t)\}^3=\{g(t)\}^3$이고

$f'(t)=g'(t)$에서 $3\{f(t)\}^2 f'(t)=3\{g(t)\}^2 g'(t)$

따라서 두 곡선 $y=\{f(x)\}^3$, $y=\{g(x)\}^3$은 $x=t$에서 공통 접선을 가진다. $(\bigcirc)$

ㄴ. $f(t)=g(t)$라 해서 $f(2t)=g(2t)$라 할 수 없다.

$f'(t)=g'(t)$이지만 $f'(2t)=g'(2t)$라 할 수 없으므로 $e^{f(2t)}=e^{g(2t)}$는 성립하지 않는다.

또 $y'=e^{f(2t)}f'(2t)\times 2$, $y'=e^{g(2t)}g'(2t)\times 2$에서 $e^{f(2t)}=e^{g(2t)}$, $f'(2t)=g'(2t)$라 할 수 없으므로 두 곡선 $y=e^{f(2x)}$, $y=e^{g(2x)}$는 $x=t$에서 공통 접선을 갖지 않는다. $(\times)$

ㄷ. [반례] $f(x)=1+x^2$, $g(x)=1-x^2$에서

$f(0)=g(0)=1$이고, $f'(0)=g'(0)=0$

$f(g(0))=2$, $g(f(0))=0$, 즉 $f(g(0))\ne g(f(0))$이므로 두 곡선 $y=f(g(x))$, $y=g(f(x))$는 $x=0$에서 공통 접선을 갖지 않는다. $(\times)$

15 답 ⑤

$f(x)=e^{1-\sin x}$로 놓고

$-\dfrac{e^{1-\sin(\tan x)}-e^{1-\sin(\sin x)}}{\tan x-\sin x}=-\dfrac{f(\tan x)-f(\sin x)}{\tan x-\sin x}$에서

$\dfrac{f(\tan x)-f(\sin x)}{\tan x-\sin x}=f'(c)\ (\sin x<c<\tan x)$인 c를 생각한다.

$f(x)=e^{1-\sin x}$라 하면

$-\dfrac{e^{1-\sin(\tan x)}-e^{1-\sin(\sin x)}}{\tan x-\sin x}=-\dfrac{f(\tan x)-f(\sin x)}{\tan x-\sin x}$이고,

$x\longrightarrow+0$에서 $x>0$ $\quad\therefore\ 0<\sin x<x<\tan x$

함수 $f(x)$는 $[\sin x,\ \tan x]$에서 연속이고 $(\sin x,\ \tan x)$에서
미분가능하므로 평균값의 정리에서

$\dfrac{f(\tan x)-f(\sin x)}{\tan x-\sin x}=f'(c)\ (\sin x<c<\tan x)$

을 만족시키는 c가 존재한다.

이때 $x\longrightarrow 0+$이면 $\sin x\longrightarrow 0+$, $\tan x\longrightarrow 0+$에서

$c\longrightarrow 0+$이므로

$\displaystyle\lim_{x\to 0+}\dfrac{e^{1-\sin(\sin x)}-e^{1-\sin(\tan x)}}{\tan x-\sin x}=-f'(0)$

$f(x)=e^{1-\sin x}$에서 $f'(x)=(-\cos x)e^{1-\sin x}$이므로

$f'(0)=(-\cos 0)e^{1-\sin 0}=-e$

$\therefore\ \displaystyle\lim_{x\to 0+}\dfrac{e^{1-\sin(\sin x)}-e^{1-\sin(\tan x)}}{\tan x-\sin x}=e$

16 답 ①

❶ $\ln x$에서 $x>0$이다.

❷ $x>0$에서 $f'(x)\geq 0$ 또는 $f'(x)\leq 0$이어야 한다.

$f(x)=(a-2)\ln x+x^2+6x\ (a\neq 2)$라 하자. 이때 $f(x)$의 역함
수가 존재하려면 계속 증가하거나 계속 감소해야 한다.

$f'(x)=\dfrac{a-2}{x}+2x+6=\dfrac{2x^2+6x+(a-2)}{x}$

진수 조건에서 $x>0$이므로 $g(x)=2x^2+6x+(a-2)$라 하면
$x>0$에서 항상 $g(x)\geq 0$이거나 $g(x)\leq 0$이어야 한다.

$g(x)=2x^2+6x+(a-2)$의 그래프는 항상 $g(x)<0$이 될 수
없다.

한편 $y=g(x)$그래프에서 축이

$x=-\dfrac{3}{2}$이므로 $x>0$에서

항상 $g(x)\geq 0$이려면 $g(0)\geq 0$이
어야 한다.

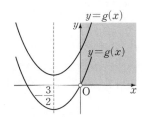

따라서 $g(0)=a-2\geq 0$에서
$a\geq 2$이고, $a\neq 2$이므로 $a>2$

$f(x)=(a-2)\ln x+x^2+6x$에서 $a=2$이면
$f(x)=x^2+6x$가 되어 역함수를 가질 수 없다.

17 답 정답 $a\leq-\dfrac{9}{2}$ 또는 $a\geq 8$

❶ 함수 $f(x)$가 극값을 갖지 않으려면 $f'(x)$의 부호가 변함이 없어야
한다.

❷ $\cos 2x=\cos^2 x-\sin^2 x$에서 $\cos 2x=1-2\sin^2 x$ 임을 이용해
$f'(x)$를 $\sin 2x$에 대하여 정리한다.

$f(x)=ax+\sin 4x-2\cos 2x$에서

$f'(x)=a+4\cos 4x+4\sin 2x$
$\qquad=a+4(1-2\sin^2 2x)+4\sin 2x$
$\qquad=-8\sin^2 2x+4\sin 2x+a+4$

$\sin 2x=t$로 치환하면

$f'(t)=-8t^2+4t+a+4\ (-1\leq t\leq 1)$

이때 함수 $f(t)$가 극값을 가지지 않으려면

$f'(t)=-8t^2+4t+a+4$가
$-1\leq t\leq 1$에서 부호의 변화가
없어야 한다. 그림처럼 생각하
면 방정식
$-8t^2+4t+a+4=0$이
$-1\leq t\leq 1$에서 중근 또는 허
근을 가지거나, $|t|>1$에서 두
실근을 가지면 된다.

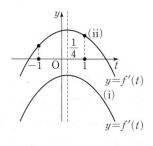

(i) $f'(t)=0$이 중근 또는 허근을 가질 때
$-8t^2+4t+a+4=0$의 판별식을 D라 하면

$\dfrac{D}{4}=4-(-8)(a+4)=8a+36\leq 0$이므로 $a\leq-\dfrac{9}{2}$

(ii) $f'(t)=0$이 $|t|>1$에서 두 실근을 가질 때

$f'(t)=-8t^2+4t+a+4$의 축이 $t=\dfrac{1}{4}$이므로

$f'(-1)\geq 0$

이때 $f'(-1)=-8-4+a+4=a-8\geq 0$에서 $a\geq 8$

따라서 $a\leq-\dfrac{9}{2}$ 또는 $a\geq 8$

❶ 삼각함수의 관계를 이용해 한 가지 종류의 삼각함수에 대한 식으로 정
리하여 판단해야 한다.

❷ 위로 볼록한 이차함수 $f'(t)$에서 축이 $t=\dfrac{1}{4}$이므로 $f'(1)>f'(-1)$
이므로 $f'(-1)>0$인 경우만 생각한다.

18 답 349

❶ $y=2\sin\dfrac{\pi}{2}x$의 그래프는 주기가 4이고, 최댓값과 최솟값은 각각 2,
-2이다.

$y=2\sin\left\{\dfrac{\pi}{2}(x-2)\right\}+2$는 $y=2\sin\dfrac{\pi}{2}x$의 그래프를 x축으로 2만큼,
y축으로 2만큼 평행이동한 것이다.

❷ $-2<x<0$에서 $f(-x)$의 그래프는 $0<x<2$에서 $f(x)$의 그래프를 y축에 대칭이동한 것과 같다.

주기가 5인 $y=g(x)$의 그래프를 그려 한 주기에서 극댓점과 극솟점의 개수를 찾는다.

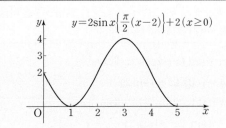

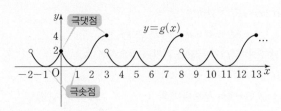

한 주기 $(-2, 3]$에서 함수 $y=g(x)$의 극대점은 $x=0$, 3일 때 2개, 극소점은 $x=-1$, 1일 때 2개 존재한다. 즉 극대점이 100개이려면 50 주기가 필요하고, 한 주기가 5이므로

$k>-2+5\times50$에서 k가 될 수 있는 값은 249, 250이므로

$p=249$

이때 구간 $(-2, 249)$에서 극소점의 개수 q는

$q=2\times50=100$ ∴ $p+q=349$

19 답 ①

GUIDE

$f'(x)=0$이 되는 x의 값을 a로 나타내고 a값의 조건에 따라 생각한다.

$a=-1$일 때 구간 $[0, 2)$에서 $f(x)=x+1$이므로

$x=0$에서 극댓값을 갖지 않는다. ∴ $a\neq-1$

$f(x)=\dfrac{(x-a)^2}{x+1}$에서 $f'(x)=\dfrac{(x-a)(x+2+a)}{(x+1)^2}$

$f'(x)=0$에서 $x=a$ 또는 $x=-a-2$

(ⅰ) $a<-a-2$일 때

$a<-a-2$에서 $a<-1$이고, $x=-a-2$의 좌우에서 $f'(x)$의 부호가 음에서 양으로 바뀌므로 $x=-a-2$에서 $f(x)$는 극솟값을 갖는다.

함수 $f(x)$는 $x=0$에서 극댓값을 가지므로 구간 $(0, 2)$에서 극솟값을 가지려면 $0<-a-2<2$에서 $-4<a<-2$

a는 정수이므로 $a=-3$

(ⅱ) $a>-a-2$일 때

$a>-a-2$에서 $a>-1$이고, $x=a$의 좌우에서 $f'(x)$의 부호가 음에서 양으로 바뀌므로 $x=a$에서 $f(x)$는 극솟값을 갖는다.

함수 $f(x)$는 $x=0$에서 극댓값을 가지므로 구간 $(0, 2)$에서 극솟값을 가지려면 $0<a<2$, a는 정수이므로 $a=1$

(ⅰ), (ⅱ)에서 조건에 맞는 정수 a값은 -3 또는 1

따라서 모든 정수 a값의 곱은 $(-3)\times1=-3$

참고

(ⅰ) 예를 들어 $a=-3$일 때, 함수 $y=f(x)$의 그래프를 그려 보면 다음과 같이 $x=0$에서 극댓값을 갖고, 구간 $(0, 2)$에서 극솟값을 갖는다.

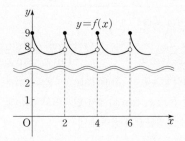

(ⅱ) 예를 들어 $a=1$일 때, 함수 $y=f(x)$의 그래프를 그려 보면 다음과 같이 $x=0$에서 극댓값을 갖고, 구간 $(0, 2)$에서 극솟값을 갖는다.

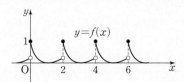

20 답 412

GUIDE

$f(x)$의 증감표에서 극대와 극소를 파악한다.

$f(x)=k\sin x(1-\sin x)$ $(0\leq x\leq2\pi)$에서

$f'(x)=k\cos x(1-\sin x)+k\sin x(-\cos x)$
$\quad\quad=k\cos x(1-2\sin x)$

$f'(x)=0$에서 $\cos x=0$ 또는 $\sin x=\dfrac{1}{2}$

$0\leq x\leq2\pi$에서 $\cos x=0$인 x는 $x=\dfrac{\pi}{2}, \dfrac{3}{2}\pi$이고

$\sin x=\dfrac{1}{2}$인 x는 $x=\dfrac{\pi}{6}, \dfrac{5}{6}\pi$이다.

$k>0$이므로 $f(x)$의 증감표는 다음과 같다.

x	$\cdots$	$\dfrac{\pi}{6}$	$\cdots$	$\dfrac{\pi}{2}$	$\cdots$	$\dfrac{5\pi}{6}$	$\cdots$	$\dfrac{3\pi}{2}$	$\cdots$
$f'(x)$	$+$	0	$-$	0	$+$	0	$-$	0	$+$
$f(x)$	↗	극대 $\dfrac{1}{4}k$	↘	극소 0	↗	극대 $\dfrac{1}{4}k$	↘	극소 $-2k$	↗

따라서 극댓값 1을 가지려면 $\dfrac{1}{4}k=1$에서 $k=4$이다.

극소점은 2개이고, 극솟값의 합은 $0+(-8)=-8$

∴ $100k+10a+b=400+20-8=412$

참고

위 결과를 이용하여 $y=4\sin x(1-\sin x)$의 그래프 개형을 그려 보면 다음과 같다.

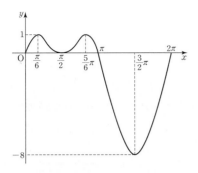

21 답 ④

GUIDE

a_n, $f(x_n)$이 어떤 수열인지 파악한다.

$f(x)=e^{-x}\sin x$에서

ㄱ. $f'(x)=-e^{-x}\sin x+e^{-x}\cos x=e^{-x}(\cos x-\sin x)$

이므로 $f'(x)=0$에서 $\cos x=\sin x$

이때 $x=2k\pi+\dfrac{\pi}{4}$ 또는 $x=2k\pi+\dfrac{5\pi}{4}$ $(k=0, 1, 2, 3, \cdots)$

이고 증감표에서 극대점은 $x=2k\pi+\dfrac{\pi}{4}$ 일 때이다.

x	$\cdots$	$\dfrac{\pi}{4}$	$\cdots$	$\dfrac{5}{4}\pi$	$\cdots$
$f'(x)$		$+$	0	$-$	0	$+$
$f(x)$		$\nearrow$	극대	$\searrow$	극소	$\nearrow$

$a_1=f\left(\dfrac{\pi}{4}\right)=\dfrac{e^{-\frac{\pi}{4}}}{\sqrt{2}}$, $a_2=f\left(\dfrac{9\pi}{4}\right)=\dfrac{e^{-\frac{9}{4}\pi}}{\sqrt{2}}$

$a_3=f\left(\dfrac{17\pi}{4}\right)=\dfrac{e^{-\frac{17}{4}\pi}}{\sqrt{2}}$, $a_4=f\left(\dfrac{25\pi}{4}\right)=\dfrac{e^{-\frac{25}{4}\pi}}{\sqrt{2}}$ (◯)

ㄴ. a_n은 $a_1=f\left(\dfrac{\pi}{4}\right)=\dfrac{e^{-\frac{\pi}{4}}}{\sqrt{2}}$이고, 공비가 $e^{-2\pi}$인 등비수열이다.

$\therefore \displaystyle\sum_{n=1}^{\infty}\sqrt{2}\,a_n=\dfrac{e^{-\frac{\pi}{4}}}{1-e^{-2\pi}}=\dfrac{e^{\frac{7}{4}\pi}}{e^{2\pi}-1}$ (◯)

ㄷ. $f''(x)=-e^{-x}(-\sin x+\cos x)+e^{-x}(-\cos x-\sin x)$

$\qquad =-2e^{-x}\cos x$

이때 $f''(x)=0$에서 $\cos x=0$이므로

$x=2k\pi+\dfrac{\pi}{2}$ 또는 $x=2k\pi+\dfrac{3\pi}{2}$ $(k=0, 1, 2, 3, \cdots)$

따라서

$f(x_1)=f\left(\dfrac{\pi}{2}\right)=e^{-\frac{\pi}{2}}$

$f(x_2)=f\left(\dfrac{3}{2}\pi\right)=-e^{-\frac{3}{2}\pi}$

$f(x_3)=f\left(\dfrac{5}{2}\pi\right)=e^{-\frac{5}{2}\pi}$

$\qquad\vdots$

$\therefore \displaystyle\sum_{n=1}^{\infty}f(x_n)=\dfrac{e^{-\frac{\pi}{2}}}{1-(-e^{-\pi})}=\dfrac{e^{\frac{\pi}{2}}}{e^{\pi}+1}$ (×)

22 답 11

GUIDE

$\cos 2x=\cos^2 x-\sin^2 x$ 임을 이용하여 $f(x)$를 간단하게 나타낸다.

$\cos^2 x-\sin^2 x=\cos 2x$이므로

$f(x)=16x^2+8\cos^2 x-8\sin^2 x+k=16x^2+8\cos 2x+k$

$f'(x)=32x-16\sin 2x$

$f''(x)=32-32\cos 2x=32(1-\cos 2x)$

이때 $f''(x)=32(1-\cos 2x)\geq 0$이므로 $f'(x)$는 증가함수이다.

또 $f'(0)=0$이고, $x>0$에서 $f'(x)>0$, $x<0$에서 $f'(x)<0$

이므로 $f(x)$는 $x=0$
에서 극솟값이자 최
솟값을 가진다.

또 $f(x)=f(-x)$이
므로 y축에 대칭이다.

따라서 구간

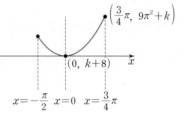

$\left[-\dfrac{\pi}{2}, \dfrac{3}{4}\pi\right]$에서 $y=f(x)$의 그래프는 그림과 같다.

$M=9\pi^2+k$, $m=8+k$이므로

$M+2m=9\pi^2+16+3k=9\pi^2+49$ $\qquad\therefore k=11$

23 답 101

GUIDE

$f(x)=(x-100)e^{-2(x-100)^2}$의 그래프는 $g(x)=xe^{-2x^2}$의 그래프를 x축
방향으로 100만큼 평행이동한 것이다. 따라서 $f(x)$의 최대, 최소와 $g(x)$
의 최대, 최소가 같음을 이용한다.

$g(x)=xe^{-2x^2}$라 하면 $f(x)=g(x-100)$이므로 $y=f(x)$의 그
래프는 $y=g(x)$를 x축 방향으로 100만큼 평행이동한 것이다.

$g'(x)=e^{-2x^2}-4x^2e^{-2x^2}=(1-2x)(1+2x)e^{-2x^2}$

$g\left(\dfrac{1}{2}\right)=\dfrac{1}{2}e^{-\frac{1}{2}}$, $g\left(-\dfrac{1}{2}\right)=-\dfrac{1}{2}e^{-\frac{1}{2}}$

x	$\cdots$	$-\dfrac{1}{2}$	$\cdots$	$\dfrac{1}{2}$	$\cdots$
$g'(x)$	$-$	0	$+$	0	$-$
$g(x)$	$\searrow$	$-\dfrac{1}{2}e^{-\frac{1}{2}}$ 극소	$\nearrow$	$\dfrac{1}{2}e^{\frac{1}{2}}$ 극대	$\searrow$

또 $g(-x)=-xe^{-2x^2}=-g(x)$이므로 원점에 대칭이고,

$\displaystyle\lim_{x\to\infty}g(x)=0$, $\displaystyle\lim_{x\to-\infty}g(x)=0$이므로

함수 $g(x)$의 그래프의 개형은 그림과 같다.

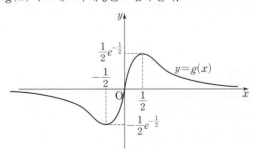

함수 $y=f(x)$의 그래프는 함수 $g(x)$의 그래프를 x축의 방향으로 100만큼 평행이동한 것과 같으므로 다음과 같다.

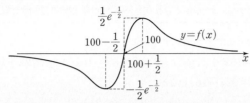

구간 $[-a, a]$에서 $M+m=0$이 성립하려면

$M=\dfrac{1}{2}e^{-\frac{1}{2}}$, $m=-\dfrac{1}{2}e^{-\frac{1}{2}}$이고,

구간 $[-a, a]$에 $100-\dfrac{1}{2}$과 $100+\dfrac{1}{2}$이 포함되어야 한다.

즉 $a \geq 100+\dfrac{1}{2}$에서 자연수 a의 최솟값은 101

24 답 ③
GUIDE
$\angle BAH = \theta$로 두고 거리를 구한 다음 (거리)÷(속력)을 시간을 θ로 나타낸다.

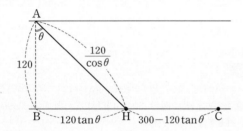

$\angle BAH = \theta$라 하면

$\overline{AB}=120$, $\overline{BH}=120\tan\theta$, $\overline{AH}=\dfrac{120}{\cos\theta}$

$\overline{HC}=300-\overline{BH}=300-120\tan\theta$

A지점에서 H지점까지 걸린 시간은 $\dfrac{60}{\cos\theta}$초이고,

H지점에서 C지점까지 걸린 시간은 $(90-36\tan\theta)$초이다.
따라서 총 걸리는 시간을 $f(\theta)$라 하면

$f(\theta)=\dfrac{60}{\cos\theta}+90-36\tan\theta$

$f'(\theta)=\dfrac{60\sin\theta}{\cos^2\theta}-\dfrac{36}{\cos^2\theta}=\dfrac{12(5\sin\theta-3)}{\cos^2\theta}$

따라서 함수 $f(\theta)$는 $\sin\theta=\dfrac{3}{5}$일 때, 극소이자 최소이므로

최솟값은 $60 \times \dfrac{5}{4}+90-36 \times \dfrac{3}{4}=138$

즉 2분 18초이다.

다른 풀이

$\overline{BH}=x$라 하면 피타고라스 정리에서

$\overline{AH}=\sqrt{x^2+14400}$, $\overline{HC}=300-x$이므로
걸리는 총 시간을 $f(x)$라 하면

$f(x)=(300-x) \times \dfrac{3}{10}+\dfrac{\sqrt{x^2+14400}}{2}$

이므로 $0 \leq x \leq 30$에서 $f(x)$가 최소가 되는 x의 값을 구하면 된다.

$f'(x)=-\dfrac{3}{10}+\dfrac{x}{2\sqrt{x^2+14400}}=\dfrac{-3\sqrt{x^2+14400}+5x}{10\sqrt{x^2+14400}}$

즉 $f'(x)=0$에서 $-3\sqrt{x^2+14400}+5x=0$이므로
$5x=3\sqrt{x^2+14400}$의 양변을 제곱해서 정리하면

$4x=3 \times 120$ $\therefore x=90$

$\therefore f(90)=(300-90) \times \dfrac{3}{10}+\dfrac{\sqrt{90^2+14400}}{2}=138$

25 답 ⑤
GUIDE
점 P의 x좌표를 t로 두고 접선의 방정식을 t로 나타낸다.

$y=-\ln\dfrac{x}{2}$에서 $y'=-\dfrac{\dfrac{1}{2}}{\dfrac{x}{2}}=-\dfrac{1}{x}$

점 P의 x좌표를 t라 하면
곡선 위의 점 $P\left(t, -\ln\dfrac{t}{2}\right)$에서의 접선의 방정식은

$y-\left(-\ln\dfrac{t}{2}\right)=-\dfrac{1}{t}(x-t)$

$\therefore y=-\dfrac{1}{t}x+1-\ln\dfrac{t}{2}$

$y=0$에서 $x=t-t\ln\dfrac{t}{2}$이므로 $Q\left(t-t\ln\dfrac{t}{2}, 0\right)$

삼각형 PHQ의 넓이를 $f(t)$라 하면

$f(t)=\dfrac{1}{2} \times \left\{\left(t-t\ln\dfrac{t}{2}\right)-t\right\} \times \left(-\ln\dfrac{t}{2}\right)=\dfrac{1}{2}t\left(\ln\dfrac{t}{2}\right)^2$

$\therefore f'(t)=\dfrac{1}{2}\left(\ln\dfrac{t}{2}\right)^2+\dfrac{1}{2}t \times 2 \times \left(\ln\dfrac{t}{2}\right) \times \dfrac{1}{t}$

$\qquad =\dfrac{1}{2}\left(\ln\dfrac{t}{2}\right)\left(\ln\dfrac{t}{2}+2\right)$

$f'(t)=0$에서 $\ln\dfrac{t}{2}=0$ 또는 $\ln\dfrac{t}{2}+2=0$이고,

점 P는 제1사분면위의 점이므로 $0<t<2$이다.

즉 $\ln\dfrac{t}{2}+2=0$이고,

$\ln\dfrac{t}{2}=-2$에서 $t=\dfrac{2}{e^2}$

t	$\cdots$	$\dfrac{2}{e^2}$	$\cdots$
$f'(t)$	$+$	0	$-$
$f(t)$	↗	극대	↘

$f\left(\dfrac{2}{e^2}\right)=\dfrac{1}{2} \times \dfrac{2}{e^2} \times (-2)^2=\dfrac{4}{e^2}$

이 극댓값이자 최댓값이므로 삼각형 PHQ 넓이의 최댓값은 $\dfrac{4}{e^2}$

26 답 ②
GUIDE
$n=1, 2, 3, 4, 5, 6, \cdots$일 때의 그래프 개형을 그려본다.

$x=e^t$, $y=(2t^2+nt+n)e^t$에서

$dx=e^t dt$, $dy=\{(4t+n)e^t+(2t^2+nt+n)e^t\}dt$ 이므로

$\dfrac{dy}{dx}=(4t+n)+(2t^2+nt+n)=(2t+n)(t+2)$

$\dfrac{dy}{dx}=0$이 되는 t값은 $t=-2$ 또는 $t=-\dfrac{n}{2}$

이때 $x\geq e^{-\frac{2}{n}}$에서 $x=e^t$이므로 $t\geq -\dfrac{n}{2}$

(i) $n=1, 2, 3, 4$일 때, 그래프의 개형이 그림과 같으므로

$t=-\dfrac{n}{2}$일 때, 즉 $x=e^{-\frac{n}{2}}$일 때, 최솟값을 가진다.

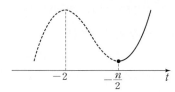

따라서 함수 $y=f(x)$의 최솟값은

$\left(2\times\dfrac{n^2}{4}-\dfrac{n^2}{2}+n\right)e^{-\frac{n}{2}}=ne^{-\frac{n}{2}}$

(ii) $n\geq 5$일 때, 그래프의 개형이 그림과 같으므로

$t=-2$일 때, 즉 $x=e^{-2}$일 때, 최솟값을 가진다.

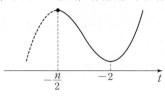

따라서 함수 $y=f(x)$의 최솟값은

$(2\times 4-2n+n)e^{-2}=(8-n)e^{-2}$

$\therefore \dfrac{b_3}{a_3}+\dfrac{b_4}{a_4}+\dfrac{b_5}{a_5}+\dfrac{b_6}{a_6}$

$=\dfrac{3e^{-\frac{3}{2}}}{e^{-\frac{3}{2}}}+\dfrac{4e^{-\frac{4}{2}}}{e^{-\frac{4}{2}}}+\dfrac{3e^{-2}}{e^{-2}}+\dfrac{2e^{-2}}{e^{-2}}$

$=3+4+3+2=12$

27 ⊞ 25

GUIDE

❶ 곡선 $y=\cos\dfrac{2\pi}{x^2+1}$는 y축에 대하여 대칭임을 이용한다.

❷ $y'=\dfrac{4\pi x}{(x^2+1)^2}\sin\dfrac{2\pi}{x^2+1}$에서 $y'=0$이 되는 x값을 찾는다.

$f(x)=\cos\dfrac{2\pi}{x^2+1}$라 하면 $f(-x)=f(x)$이므로

곡선 $y=f(x)$는 y축에 대하여 대칭이다.

$f'(x)=\left\{-\sin\dfrac{2\pi}{x^2+1}\right\}\times\left\{-\dfrac{2\pi}{(x^2+1)^2}\right\}\times 2x$

$=\dfrac{4\pi x}{(x^2+1)^2}\sin\dfrac{2\pi}{x^2+1}$

이고, $x\geq 0$에서 $f'(x)=0$인 x는 $x=0$ 또는 $x=1$

이때 $x\geq 0$에서의 증감표는 다음과 같다.

x	$\cdots$	0	$\cdots$	1	$\cdots$
$f'(x)$	$+$		$-$	0	$+$
$f(x)$	↗	극대 1	↘	극소 -1	↗

$\lim\limits_{x\to\pm\infty}\cos\dfrac{2\pi}{x^2+1}=\cos 0=1$이므로 점근선은 $y=1$이다.

$y=f(x)$의 그래프 개형은 그림과 같다.

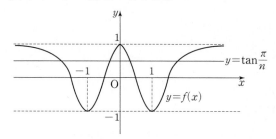

① $n=3$일 때, $\tan\dfrac{\pi}{n}=\tan\dfrac{\pi}{3}=\sqrt{3}>1$이므로 $a_3=0$

② $n=4$일 때, $\tan\dfrac{\pi}{n}=\tan\dfrac{\pi}{4}=1$이므로 $a_4=1$

③ $n\geq 5$일 때, $0<\tan\dfrac{\pi}{n}<1$이므로 $a_n=4$

$\therefore \sum\limits_{n=3}^{10}a_n=1+4\times 6=25$

28 ⊞ ④

GUIDE

방정식 $mx+2=x^3-3x^2+1$의 실근의 개수를 생각한다.

$y=mx+2$와 $y=x^3-3x^2+1$의 교점의 개수는

$x^3-3x^2-mx-1=0$,

$x^2-3x-\dfrac{1}{x}=m$의 실근의 개수와 같다. $(x\neq 0)$

$g(x)=x^2-3x-\dfrac{1}{x}$로 놓으면

$g'(x)=2x-3+\dfrac{1}{x^2}=\dfrac{(x-1)^2(2x+1)}{x^2}$

x	$\cdots$	$-\dfrac{1}{2}$	$\cdots$	(0)	$\cdots$	1	$\cdots$
$g'(x)$	$-$	0	$+$		$+$	0	$+$
$g(x)$	↘	$\dfrac{15}{4}$	↗		↗	-3	↗

$\lim\limits_{x\to 0+}g(x)=-\infty$, $\lim\limits_{x\to 0-}=+\infty$,

$\lim\limits_{x\to\infty}g(x)=+\infty$, $\lim\limits_{x\to-\infty}g(x)=+\infty$이므로

$y=g(x)$ 그래프의 개형은 다음 왼쪽과 같고, $f(m)$은 $y=g(x)$와 $y=m$의 그래프의 교점의 개수이므로 $y=f(m)$의 그래프 개형은 다음 오른쪽과 같다.

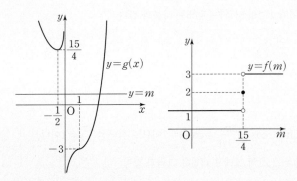

따라서 a의 최댓값은 $\dfrac{15}{4}$

29 답 ⑤

GUIDE

$k(1-\cos x)\geq\sin x$에서 $k\geq\dfrac{\sin x}{1-\cos x}$가 됨을 확인한다.

$\sin x+k\cos x\leq k$에서 $k(1-\cos x)\geq\sin x$이고

$\dfrac{\pi}{4}\leq x\leq\dfrac{\pi}{3}$에서 $1-\cos x>0$이므로 $k\geq\dfrac{\sin x}{1-\cos x}$

$f(x)=\dfrac{\sin x}{1-\cos x}$로 두면

$f'(x)=\dfrac{\cos x(1-\cos x)-\sin^2 x}{(1-\cos x)^2}$

$\quad\;\;=\dfrac{-1+\cos x}{(1-\cos x)^2}=\dfrac{-1}{1-\cos x}$

$\dfrac{\pi}{4}\leq x\leq\dfrac{\pi}{3}$인 모든 실수 x에

대하여 $f'(x)<0$이므로

$f(x)=\dfrac{\sin x}{1-\cos x}$는 감소함

수이다.

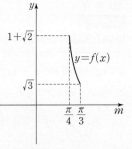

따라서 $\dfrac{\pi}{4}\leq x\leq\dfrac{\pi}{3}$에서 $f(x)$의

최솟값은 $f\left(\dfrac{\pi}{3}\right)=\sqrt{3}$, $f(x)$의 최댓값은 $f\left(\dfrac{\pi}{4}\right)=1+\sqrt{2}$

$k\geq\dfrac{\sin x}{1-\cos x}=f(x)$이려면 $k\geq(f(x)$의 최댓값)에서

$k\geq1+\sqrt{2}$이므로 $p=1+\sqrt{2}$

또 $\sin x+k\cos x\geq k$, 즉 $k\leq\dfrac{\sin x}{1-\cos x}=f(x)$이려면

$k\leq(f(x)$의 최솟값)에서 $k\leq\sqrt{3}$이므로 $q=\sqrt{3}$

$\therefore p^2-q^2=(1+\sqrt{2})^2-(\sqrt{3})^2=2\sqrt{2}$

30 답 ⑤

GUIDE

$f'(x)=\dfrac{2x}{4+x^2}$, $f''(x)=\dfrac{2(2-x)(2+x)}{(4+x^2)^2}$와 $f(x)$의 증감표에서

$y=f(x)$의 그래프를 파악한다.

ㄱ. $f(x)=\ln(4+x^2)$에서 $f'(x)=\dfrac{2x}{4+x^2}$이고

$f'(-x)=-f'(x)$이므로

$f'(-x)-f'(x)=-2f'(x)=0$

즉 방정식 $f'(x)=0$의 실근은 $x=0$뿐이다. (○)

ㄴ. $f''(x)=\dfrac{2(4+x^2)-2x\times 2x}{(4+x^2)^2}$

$\qquad=\dfrac{2(2-x)(2+x)}{(4+x^2)^2}$ ······ ㉠

함수 $f(x)$가 모든 실수에서 x에 대하여 연속이고

미분가능하므로 평균값의 정리에 따라

$\dfrac{f(x_2)-f(x_1)}{x_2-x_1}=f'(c)\;(x_1<c<x_2)$

인 실수 c가 적어도 하나 존재한다.

㉠은 구간 $(-2, 2)$에서 $f''(x)>0$이므로

$f'(x)$는 증가함수이다. $\therefore f'(x_1)<f'(c)<f'(x_2)$

$\therefore f'(x_1)<\dfrac{f(x_2)-f(x_1)}{x_2-x_1}<f'(x_2)$ (○)

ㄷ. ㉠에서 $f''(x)=0$을 만족시키는 x는 $x=-2, 2$이다.

x	$\cdots$	-2	$\cdots$	1	$\cdots$
$f''(x)$	$-$	0	$+$	0	$-$
$f'(x)$	$\searrow$	극소 $-\dfrac{1}{2}$	$\nearrow$	극대 $\dfrac{1}{2}$	$\searrow$

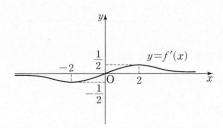

이때 $y=f'(x)$의 최댓값은 $\dfrac{1}{2}$이고, 최솟값은 $-\dfrac{1}{2}$이므로

$|f'(x)|\leq\dfrac{1}{2}$ ······ ㉡

함수 $f(x)$는 모든 실수에서 미분가능하므로 폐구간 $[a, b]$에

서 평균값의 정리에 따라 $\dfrac{f(a)-f(b)}{a-b}=f'(c)$ ······ ㉢

인 c가 개구간 (a, b)에서 적어도 하나 존재한다.

㉡, ㉢에서 모든 실수 x에 대하여

$\left|\dfrac{f(a)-f(b)}{a-b}\right|=|f'(c)|\leq\dfrac{1}{2}$

따라서 임의의 실수 a, b에 대하여

$2|f(a)-f(b)|\leq|a-b|$ (○)

참고

ㄴ. 구간 $(-2, 2)$에서 함수 $y=f(x)$는 아래로 볼록이다.

31 답 ④

GUIDE

$f(-x)=f(x)$임을 이용해 $y=f(x)$의 그래프의 개형을 파악한다.

ㄱ. $f(x)=x\sin x+\cos x$에서 $f(-x)=f(x)$이고,

$f'(x)=x\cos x$이므로 $f(x)$의 증감표는 다음과 같다.

x	0	$\cdots$	$\dfrac{\pi}{2}$	$\cdots$	$\dfrac{3}{2}\pi$	$\cdots$
$f'(x)$	0	$+$	0	$-$	0	$+$
$f(x)$	1	$\nearrow$	$\dfrac{\pi}{2}$	$\searrow$	$-\dfrac{3}{2}\pi$	$\nearrow$

이때 함수 $y=f(x)$의 그래프 개형은 다음과 같다.

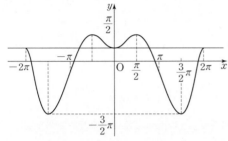

따라서 $f(x)=0$은 서로 다른 4개의 실근을 가지고, $f(x)=1$은 서로 다른 5개의 실근을 가진다. 이때 서로 같은 실근은 없으므로 방정식 $f(x)(f(x)-1)=0$ 은 서로 다른 9개의 실근을 가진다. (×)

ㄴ. ㄱ의 그래프에서 $-\dfrac{3}{2}\pi\le f(x)\le\dfrac{1}{2}\pi$이므로

$|f(x)|\le\dfrac{3}{2}\pi$이 성립한다. (○)

ㄷ. $f\left(\dfrac{\pi}{2}\right)=\dfrac{\pi}{2},\ f\left(\dfrac{3\pi}{2}\right)=-\dfrac{3\pi}{2}$ 이므로

$g\left(\dfrac{\pi}{2}\right)=f\left\{f\left(\dfrac{\pi}{2}\right)\right\}=\dfrac{\pi}{2}$

$g\left(\dfrac{3\pi}{2}\right)=f\left\{f\left(\dfrac{3\pi}{2}\right)\right\}=f\left(-\dfrac{3\pi}{2}\right)=-\dfrac{3\pi}{2}$

폐구간 $\left[\dfrac{\pi}{2},\ \dfrac{3\pi}{2}\right]$에서 함수 $g(x)$는 연속이고,

개구간 $\left(\dfrac{\pi}{2},\ \dfrac{3\pi}{2}\right)$에서 함수 $g(x)$는 미분가능하므로

평균값 정리에 따라

$\dfrac{g\left(\dfrac{3}{2}\pi\right)-g\left(\dfrac{1}{2}\pi\right)}{\dfrac{3}{2}\pi-\dfrac{1}{2}\pi}=\dfrac{-\dfrac{3}{2}\pi-\dfrac{1}{2}\pi}{\pi}=-2=g'(c)$

즉 $g'(x)=-2$인 x가 구간 $\dfrac{\pi}{2}<c<\dfrac{3\pi}{2}$에 적어도 하나 존재한다. (○)

32 답 ④

GUIDE

$f'(x)=e^x-\dfrac{1}{x}$에서 $f'(x)=0$, 즉 $y=e^x$와 $y=\dfrac{1}{x}$의 그래프가 만나는 점을 생각한다.

ㄱ. $f'(x)=e^x-\dfrac{1}{x}$이고, 방정식 $e^x-\dfrac{1}{x}=0$에서

그림과 같이 두 곡선 $y=e^x,\ y=\dfrac{1}{x}$은 오직 한 점에서 만난다.

이 교점의 x값을 a라 하자.

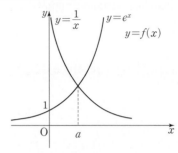

즉 $x>a$일 때, $f'(x)>0$이고 $0<x<a$일 때, $f'(x)<0$이므로 함수 $f(x)$는 $x=a$에서 극솟값을 갖고, 이 극솟값은 최솟값이 된다.

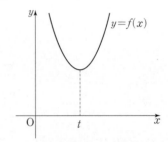

따라서 $a=t$이고 $f'(t)=e^t-\dfrac{1}{t}=0$에서

$e^t=\dfrac{1}{t}$ ……㉠이므로 $t=-\ln t$ ……㉡ (×)

ㄴ. $f'\left(\dfrac{1}{2}\right)=\sqrt{e}-2<0$이므로 $t>\dfrac{1}{2}$이고,

$f'(1)=e-1>0$이므로 $t<1$이다.

$\therefore \dfrac{1}{2}<t<1$ (○)

ㄷ. ㉠, ㉡에서 $f(t)=e^t-\ln t=e^t+(-\ln t)=\dfrac{1}{t}+t$

또 ㄴ에서 $\dfrac{1}{2}<t<1$이므로 $2<f(t)<\dfrac{5}{2}$ (○)

참고

ㄷ. $g(x)=x+\dfrac{1}{x}$라 하면

$g'(x)=1-\dfrac{1}{x^2}=\dfrac{x^2-1}{x^2}=\dfrac{(x+1)(x-1)}{x^2}$이므로

$\dfrac{1}{2}<x<1$에서 $g'(x)<0$, 즉 감소함수이다.

33 답 ②

GUIDE

ㄱ. $f'(x)=2\cos x-2x\sin x$

ㄴ. $f(x)$의 증감표와 사잇값 정리를 이용한다.

ㄷ. $y=f(x)$의 그래프의 개형을 파악한다.

ㄱ. $f(x)=2x\cos x$에서 $f'(x)=2\cos x-2x\sin x$이므로

$f'(a)=2\cos a-2a\sin a=0$에서

$\tan a=\dfrac{\sin a}{\cos a}=\dfrac{\sin a}{a\sin a}=\dfrac{1}{a}$ (○)

ㄴ. $f'(x)=2\cos x(1-x\tan x)=0$에서

$\cos x=0$ 또는 $\tan x=\dfrac{1}{x}$

이때 $\tan x=\dfrac{1}{x}$의 근을 a라 하면 $0<a<\dfrac{\pi}{2}$

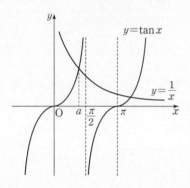

	(0)		a		$\dfrac{\pi}{2}$		(π)
$f'(x)$		$+$	0	$-$	0	$-$	
$f(x)$		↗	$2a\cos a$	↘	0	↘	

즉 $f(x)$는 $x=a$에서 극댓값을 가진다.

구간 $\left(0,\dfrac{\pi}{2}\right)$에서 $y=\dfrac{1}{x}$은 연속인 함수이고, $y=\tan x$도 연속인 함수이다. 즉 함수 $g(x)=\tan x-\dfrac{1}{x}$은 $\left(0,\dfrac{\pi}{2}\right)$에서 연속이고 $g\left(\dfrac{\pi}{4}\right)=1-\dfrac{4}{\pi}<0,\ g\left(\dfrac{\pi}{3}\right)=\sqrt{3}-\dfrac{3}{\pi}>0$이므로

사잇값 정리에서 $g(a)=0$이 되는 a가 되는 구간 $\dfrac{\pi}{4}<a<\dfrac{\pi}{3}$에 적어도 하나 있다. (○)

ㄷ. $f\left(\dfrac{\pi}{3}\right)=\dfrac{2}{3}\pi\times\dfrac{1}{2}>1$이므로

$f(a)>1$이고, $y=f(x)$의 그래프 개형을 그림처럼 생각할 수 있으므로 구간 $\left(0,\dfrac{\pi}{2}\right)$에서 $f(x)=1$은 서로 다른 두 실근을 갖는다. (○)

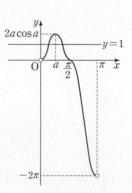

34 답 ③

GUIDE

$g'(x),\ g''(x)$를 이용하여 $f'(x),\ f''(x)$를 파악한다.

ㄱ. $g(x)=\dfrac{f(x)}{x}$에서 $g(a)=\dfrac{f(a)}{a}=b$ ......㉠

$g'(x)=\dfrac{f'(x)\cdot x-f(x)}{x^2}$ ......㉡

$x=a$에서 극솟값을 가지므로

$g'(a)=\dfrac{af'(a)-f(a)}{a^2}=0,\ af'(a)-f(a)=0$

$\therefore f'(a)=\dfrac{f(a)}{a}=b$ ......㉢

㉠, ㉢에서 $g(a)=f'(a)$

따라서 $y=g(x)$와 $y=f'(x)$는 $x=a$에서 만난다. (○)

ㄴ. $f'(a)=b>0$이므로 $x=a$에서 함수 $f(x)$는 증가 상태에 있다. ㉡의 양변을 미분하면

$g''(x)=\dfrac{x^3f''(x)-2x^2\left(f'(x)-\dfrac{f(x)}{x}\right)}{x^4}$

$g''(a)=\dfrac{a^3f''(a)-2a^2\left(f'(a)-\dfrac{f(a)}{a}\right)}{a^4}$

$=\dfrac{f''(a)}{a}\left(\because f'(a)=\dfrac{f(a)}{a}\right)$

이때 $y=g(x)$가 $x=a$에서 극솟값을 가지므로 $g''(a)>0$이고 $a>0$이므로 $f''(a)>0$이다.

따라서 $f'(x)$는 $x=a$에서 증가 상태에 있다. (○)

ㄷ. $x=a$의 좌우에서 $g(x)=\dfrac{f(x)}{x}$는 감소 상태에서 증가 상태로 바뀐다.

즉 양수 h에 대하여 $g'(a-h)<0,\ g'(a+h)>0$이다.

$g'(a+h)>0$이므로 ㉡을 이용하면

$g'(a+h)=\dfrac{f'(a+h)\cdot(a+h)-f(a+h)}{(a+h)^2}>0$

즉 $\dfrac{f'(a+h)}{a+h}>\dfrac{f(a+h)}{(a+h)^2}$에서

$f'(a+h)>\dfrac{f(a+h)}{a+h}=g(a+h)$ (×)

참고

ㄴ에서 이계도함수를 구하지 않고 ㄷ에서처럼 $g'(a-h)<0,\ g'(a+h)>0$으로 해석하면

$f'(a-h)<\dfrac{f(a-h)}{a-h}=g(a-h)<0$

$f'(a+h)>\dfrac{f(a+h)}{a+h}=g(a+h)>0$

이므로 $f'(x)$가 $x=a$에서 증가상태에 있음을 알 수 있다.

35 답 ③

GUIDE

ㄱ. $g(-x)$와 $g(x)$의 관계를 파악한다.

ㄴ. $\displaystyle\lim_{x\to0}\dfrac{\sin f(x)}{x}=\lim_{x\to0}\left(\dfrac{\sin f(x)}{f(x)}\times\dfrac{f(x)}{x}\right)$

ㄷ. $g'(x)=\dfrac{xf'(x)\cos f(x)-\sin f(x)}{x^2}$를 이용한다.

ㄱ. $g(-x)=\dfrac{\sin f(-x)}{-x}=\dfrac{\sin f(x)}{-x}=-g(x)$

이므로 모든 양의 실수 x에 대하여

$g(x)+g(-x)=0$이다. (○)

ㄴ. 함수 $f(x)$가 미분가능하므로

조건 (다)에서 $\displaystyle\lim_{x\to 0}f(x)=f(0)=0$이고,

조건 (가)에서 $f'(x)=-f'(-x)$이므로 $f'(0)=0$이다.

$\displaystyle\lim_{x\to 0}g(x)=\lim_{x\to 0}\dfrac{\sin f(x)}{x}$

$=\displaystyle\lim_{x\to 0}\left(\dfrac{\sin f(x)}{f(x)}\times\dfrac{f(x)}{x}\right)$

$=1\times\displaystyle\lim_{x\to 0}\dfrac{f(x)-f(0)}{x-0}$

$=1\times f'(0)=0$ (○)

ㄷ. $f(\alpha)=\dfrac{\pi}{2}$이면 $g(\alpha)=\dfrac{\sin f(\alpha)}{\alpha}=\dfrac{1}{\alpha}>0$이고,

$\displaystyle\lim_{x\to 0}g(x)=0$이므로 $0<x<\alpha$에서

함수 $g(x)$가 증가하는 구간이 있다.

$g'(x)=\dfrac{xf'(x)\cos f(x)-\sin f(x)}{x^2}$에서

$g'(\alpha)=\dfrac{\alpha f'(\alpha)\cos f(\alpha)-\sin f(\alpha)}{\alpha^2}=-\dfrac{1}{\alpha^2}<0$

즉 함수 $g(x)$는 $x=\alpha$일 때 감소 상태이므로 구간 $(0,\alpha)$에서

$\dfrac{1}{\alpha}$보다 큰 값을 적어도 하나 가진다. $y=g(x)$그래프의 예시

를 다음과 같이 생각할 수 있다.

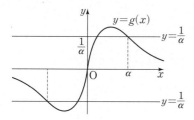

따라서 방정식 $g(x)=\dfrac{1}{\alpha}$은 $0<x\le\alpha$에서 서로 다른 실근을

적어도 2개 가지므로 방정식 $|g(x)|=\dfrac{1}{\alpha}$의 실근은 적어도

4개이다. (×)

36 답 ⑤

GUIDE

$v=\left(\dfrac{dx}{dt},\ \dfrac{dy}{dt}\right)$일 때, $|v|=\sqrt{\left(\dfrac{dx}{dt}\right)^2+\left(\dfrac{dy}{dt}\right)^2}$

$\dfrac{dx}{dt}=2\sqrt{3}\cos 2t,\ \dfrac{dy}{dt}=2+4\sin 2t$에서

점 P의 속도 v는 $v=(2\sqrt{3}\cos 2t,\ 2+4\sin 2t)$

ㄱ. $t=\pi$일 때, 점 P의 속도는 $(2\sqrt{3},\ 2)$이므로

속력 $|v|=\sqrt{12+4}=4$ (○)

ㄴ. $|v|=\sqrt{12\cos^2 2t+4+16\sin 2t+16\sin^2 2t}$

$=\sqrt{12(1-\sin^2 2t)+4+16\sin 2t+16\sin^2 2t}$

$=\sqrt{16+16\sin 2t+4\sin^2 2t}$

$=2\sqrt{(\sin 2t+2)^2}=2\sin 2t+4$

따라서 $t=\dfrac{\pi}{4},\ \dfrac{5\pi}{4}$일 때, $|v|$의 최댓값은 6이다. (○)

ㄷ. $2\sin 2t+4=5$에서 $\sin 2t=\dfrac{1}{2}$이고, $0\le t\le 2\pi$에서

$t=\dfrac{1}{12}\pi,\ \dfrac{5}{12}\pi,\ \dfrac{13}{12}\pi,\ \dfrac{17}{12}\pi$이고 합은 3π이다. (○)

37 답 ①

GUIDE

ㄱ. $f(0)=0,\ g(0)=0$

ㄴ. $a(t)=\dfrac{8(1-2t)(1+2t)}{(4t^2+1)^2}$

ㄷ. 두 점의 속도의 부호가 반대여야 한다.

ㄱ. $f(0)=0,\ g(0)=0$에서 $f(0)=\ln b=0$ $\therefore\ b=1$

$g(0)=c=0$

점 A의 시각 t에서의 위치는 $f(t)=\ln(at^2+1)$

이고, 이때 속도 $v(t)=f'(t)=\dfrac{2at}{at^2+1}$

$t\ge 0$이고 $a>0$이므로 $v(t)=\dfrac{2at}{at^2+1}\ge 0$

즉 시각 t에서 점 A의 속력과 속도는 서로 같다.

점 A의 속력의 최댓값은

$v(t)=\dfrac{2at}{at^2+1}=\dfrac{2a}{at+\dfrac{1}{t}}$에서 $at+\dfrac{1}{t}$이 최소이면 된다.

$t>0,\ a>0$이므로 (산술평균)$\ge$(기하평균)에서

$at+\dfrac{1}{t}\ge 2\sqrt{at\times\dfrac{1}{t}}=2\sqrt{a}$

$v(t)=\dfrac{2a}{at+\dfrac{1}{t}}\le\dfrac{2a}{2\sqrt{a}}=\sqrt{a}$이고

점 A의 속력의 최댓값이 2이므로 $\sqrt{a}=2$ $\therefore\ a=4$

$\left($단, 등호는 $4t=\dfrac{1}{t}$, 즉 $t=\dfrac{1}{2}$일 때 성립$\right)$

따라서 $a+b+c=4+1+0=5$ (○)

ㄴ. $f(t)=\ln(4t^2+1)$이고 $v(t)=\dfrac{8t}{4t^2+1}$ ······㉠

점 A의 가속도 $a(t)$는

$a(t)=v'(t)=\dfrac{8(4t^2+1)-8t\cdot 8t}{(4t^2+1)^2}=\dfrac{8(1-2t)(1+2t)}{(4t^2+1)^2}$

$t\ge 0$이므로 가속도의 부호는 $t=\dfrac{1}{2}$에서만 바뀐다. (×)

ㄷ. ㉠에서 점 A의 출발 후 속도는 항상 양수이므로 점 B의 속도

가 음수이어야 두 점 A, B가 서로 반대 방향으로 움직인다.

즉 점 B의 속력에서

$v(t)=g'(t)=6t^2-12t-18=6(t-3)(t+1)$

이고 $g'(t)=6(t-3)(t+1)<0$, 즉 $0<t<3$에서 점 B의 속도가 음수이다.

따라서 출발 후 두 점 A, B가 서로 반대 방향으로 움직이는 시간은 3초이다.

38 ② ②

GUIDE

점 P의 t초 후 좌표가 $P(3\cos t, 3\sin t)$임을 이용한다.

점 P가 1초에 3만큼 일정한 속력으로 원 위를 움직이면 반지름 길이가 3인 원이므로 각 AOP는 1초에 1 라디안(rad)씩 증가하여 t초 후에는 t 라디안이 된다. 이때 점 P의 t초 후 좌표는 $P(3\cos t, 3\sin t)$

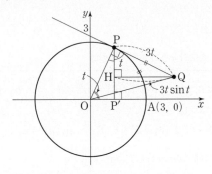

그림과 같이 점 P에서 x축에 내린 수선의 발을 P′, 점 Q에서 선분 PP′에 내린 수선의 발을 H라 하면 $\angle QPH=t$
조건에서 $\overline{PQ}=3t$이므로 $\overline{QH}=3t\sin t$, $\overline{PH}=3t\cos t$
점 Q의 t초 후 좌표는 $Q(3\cos t+3t\sin t, 3\sin t-3t\cos t)$
이때 $\triangle$OPQ의 무게중심 G의 좌표는
$$G\left(\frac{3\cos t+3\cos t+3t\sin t}{3}, \frac{3\sin t+3\sin t-3t\cos t}{3}\right)$$
즉, $G(2\cos t+t\sin t, 2\sin t-t\cos t)$이고, 이때
$$\frac{dx}{dt}=-2\sin t+(\sin t+t\cos t)=-\sin t+t\cos t$$
$$\frac{dy}{dt}=2\cos t-(\cos t-t\sin t)=\cos t+t\sin t$$이므로
$$|v|=\sqrt{\left(\frac{dx}{dt}\right)^2+\left(\frac{dy}{dt}\right)^2}$$
$$=\sqrt{(-\sin t+t\cos t)^2+(\cos t+t\sin t)^2}$$
$$=\sqrt{(\sin^2 t+\cos^2 t)+(t^2\cos^2 t+t^2\sin^2 t)}=\sqrt{1+t^2}$$

01 ⊕ ①

GUIDE

함수 $f(x)$가 $x=a$에서 미분가능하면
❶ $\displaystyle\lim_{x\to a-}f(x)=\lim_{x\to a+}f(x)=f(a)$
❷ (좌미분계수)=(우미분계수)

함수 $f(x)$가 실수 전체에서 미분가능하므로 함수 $f(x)$는 실수 전체에서 연속이다. 즉 $y=f(x)$가 $x=\frac{1}{2}$에서 연속이므로 좌극한, 우극한, 함수값이 같아야 한다. 이때
$$f\left(\frac{1}{2}\right)=\sin\frac{\pi}{2}-\frac{1}{2}=\frac{1}{2}$$에서
$$\lim_{x\to\frac{1}{2}+}f(x)=\lim_{x\to\frac{1}{2}+}\left(\frac{x}{e^{bx-1}}-a\right)=\frac{\frac{1}{2}}{e^{\frac{1}{2}b-1}}-a=\frac{1}{2} \quad\cdots\cdots\text{㉠}$$
또 함수 $f(x)$가 $x=\frac{1}{2}$에서 미분가능하므로
$$f'(x)=\begin{cases}(-bx+1)e^{-bx+1} & \left(x>\frac{1}{2}\right)\\ \pi\cos\pi x & \left(x<\frac{1}{2}\right)\end{cases}$$
에서 $\displaystyle\lim_{x\to\frac{1}{2}+}f'(x)=\lim_{x\to\frac{1}{2}-}f'(x)$
즉 $\left(-\frac{b}{2}+1\right)e^{-\frac{b}{2}+1}=0$이므로 $b=2$

$b=2$를 ㉠에 대입하면 ㉠에서 $\frac{\frac{1}{2}}{e^0}-a=\frac{1}{2}$에서 $a=0$
$$f(x)=\begin{cases}\dfrac{x}{e^{2x-1}} & \left(x>\frac{1}{2}\right)\\ \sin\pi x-\dfrac{1}{2} & \left(x\leq\frac{1}{2}\right)\end{cases}$$
$$f'(x)=\begin{cases}(-2x+1)e^{-2x+1} & \left(x>\frac{1}{2}\right)\\ \pi\cos\pi x & \left(x<\frac{1}{2}\right)\end{cases}$$
이때 $f\left(\frac{a+b}{2}\right)=f(1)=\frac{1}{e}$, $f'\left(\frac{a+b}{2}\right)=f'(1)=-\frac{1}{e}$
$x=\frac{a+b}{2}=1$에서 접선의 방정식은
$$y=-\frac{1}{e}(x-1)+\frac{1}{e}=-\frac{1}{e}x+\frac{2}{e}$$이므로
x절편은 2이고, y절편은 $\frac{2}{e}$이다.

02 ⊕ (1) $k>4$ 또는 $k<0$ (2) -2

GUIDE

$y=xe^{-x}$위의 점 (t, te^{-t})에서의 접선이 $(k, 0)$을 지나며, 이러한 서로 다른 점이 2개임을 이용한다.

(1) $f(x)=xe^{-x}$이라 하면 $f'(x)=e^{-x}-xe^{-x}=e^{-x}(1-x)$
점 $P(k, 0)$에서 곡선 $y=f(x)$에 그은 접선의 접점의 좌표를 (t, te^{-t})이라 하면 이 점에서의 접선의 방정식은
$$y-te^{-t}=e^{-t}(1-t)(x-t)$$
이 접선이 점 $P(k, 0)$을 지나므로

$-te^{-t}=e^{-t}(1-t)(k-t),\ e^{-t}(t^2-kt+k)=0$

이때 $e^{-t}\neq0$이므로 $t^2-kt+k=0$의 해가 접점의 x좌표이다. 서로 다른 두 개의 접선을 가지려면 방정식 $t^2-kt+k=0$이 서로 다른 두 개의 실근을 가져야 하므로 $D=k^2-4k>0$에서 $k>4$ 또는 $k<0$이다.

(2) $t^2-kt+k=0$의 두 근을 α, β라 하면 이차방정식의 근과 계수의 관계에서

$\alpha+\beta=k,\ \alpha\beta=k$

이때 두 접선의 기울기는 $e^{-\alpha}(1-\alpha)$, $e^{-\beta}(1-\beta)$이므로

$\begin{aligned}m_1m_2&=e^{-\alpha}(1-\alpha)\times e^{-\beta}(1-\beta)\\&=e^{-(\alpha+\beta)}\{1-(\alpha+\beta)+\alpha\beta\}\\&=e^{-k}(1-k+k)=e^{-k}=e^2\end{aligned}$

그러므로 $k=-2$

---

03 ⑤ ④

GUIDE

접선의 방정식에서 a_n과 a_{n+1}의 관계식을 찾는다.

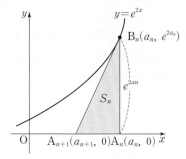

ㄱ. $y'=2e^{2x}$이고, 점 B_n의 좌표는 $(a_n,\ e^{2a_n})$이므로 점 B_n에서의 접선의 기울기는 $2e^{2a_n}$, 즉 점 B_n에서의 접선의 방정식은

$y-e^{2a_n}=2e^{2a_n}(x-a_n)$, 이때 이 접선은

$A_{n+1}(a_{n+1},\ 0)$을 지나가므로

$-e^{2a_n}=2e^{2a_n}(a_{n+1}-a_n)$에서 $e^{2a_n}\neq0$이므로

$-1=2(a_{n+1}-a_n),\ 2a_{n+1}=2a_n-1$

$\therefore a_{n+1}=a_n-\dfrac{1}{2}$

즉 수열 $\{a_n\}$은 공차가 $-\dfrac{1}{2}$인 등차수열이다.

$a_1=2$이므로 $a_n=2+(n-1)\times\left(-\dfrac{1}{2}\right)=\dfrac{5-n}{2}$

$\therefore a_4=\dfrac{1}{2}$ (×)

ㄴ. 삼각형 $A_nB_nA_{n+1}$은 밑변의 길이가 항상 $a_n-a_{n+1}=\dfrac{1}{2}$

이고 높이가 $e^{2a_n}=e^{2\times\frac{5-n}{2}}=e^{5-n}$인 삼각형이므로

넓이 S_n은 $S_n=\dfrac{1}{2}\times\dfrac{1}{2}\times e^{5-n}=\dfrac{e^5}{4}\times e^{-n}$

$\therefore S_1=\dfrac{1}{4}e^4$ (○)

ㄷ. $\displaystyle\sum_{n=1}^{\infty}S_n=\sum_{n=1}^{\infty}\dfrac{e^5}{4}\times e^{-n}=\dfrac{e^5}{4}\times\dfrac{e^{-1}}{1-e^{-1}}=\dfrac{e^5}{4(e-1)}$ (○)

---

04 ⑤ (1) 해설 참조 (2) 38 (3) 2

GUIDE

$f(-x)=-f(x)$, 즉 $y=f(x)$의 그래프가 원점에 대칭임을 이용해 $y=f(x)$의 그래프 개형과 $y=|f(x)|$의 그래프 개형을 그린다.

(1) $f(x)=\dfrac{2x}{1+x^2}$에서

$f'(x)=\dfrac{2(1+x^2)-2x(2x)}{(1+x^2)^2}=\dfrac{2(1+x)(1-x)}{(1+x^2)^2}$

증감표를 그리면 다음과 같다.

x	$\cdots$	-1	$\cdots$	1	$\cdots$
$f'(x)$	$-$	0	$+$	0	$-$
$f(x)$	$\searrow$	-1	$\nearrow$	1	$\searrow$

$x=1$에서 극댓값 1, $x=-1$에서 극솟값 -1을 가진다.

또, $\displaystyle\lim_{x\to\infty}f(x)=\lim_{x\to\infty}\dfrac{2x}{1+x^2}=0$

$\displaystyle\lim_{x\to-\infty}f(x)=\lim_{x\to-\infty}\dfrac{2x}{1+x^2}=0$이므로

x축을 점근선으로 가진다.

따라서 $f(x)=\dfrac{2x}{1+x^2}$의 그래프 개형은 다음과 같다.

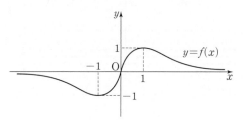

(2) $y=|f(x)|$의 그래프 개형은 다음과 같다.

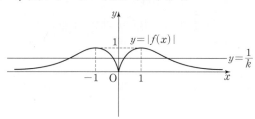

이때 $f(x)=\dfrac{1}{k}$의 실근의 개수 a_k는

$a_1=2$, $a_2=a_3=a_4=\cdots a_{10}=4$이다.

$\displaystyle\sum_{k=1}^{10}a_k=2+9\times4=38$

(3) $g(x)=f(f(x))$에서 $g'(x)=f'(f(x))f'(x)$이므로

$g'(x)=f'(f(x))f'(x)=0$에서

$f'(f(x))=0$ 또는 $f'(x)=0$

이때 $f'(-1)=0$, $f'(1)=0$이므로

(ⅰ) $f'(f(x))=0$에서 $f(x)=-1$ 또는 $f(x)=1$

　그러므로 $x=-1$ 또는 $x=1$

(ⅱ) $f'(x)=0$에서 $x=-1$ 또는 $x=1$

따라서 방정식 $g'(x)=0$의 서로 다른 실근의 개수는 2

05 답 78

GUIDE

점 (t, e^{-t^2})에서의 접선이 $(0, k)$를 지나감을 이용해 방정식을 세운다.

$f(x)=e^{-x^2}$이라 하면 $f'(x)=-2xe^{-x^2}$

점 $P(0, k)$에서 곡선 $y=f(x)$에 그은 접선의 접점의 좌표를 (t, e^{-t^2})이라 하면 이 점에서 접선의 방정식은

$y-e^{-t^2}=-2te^{-t^2}(x-t)$

이 접선이 $(0, k)$를 지나므로 $k-e^{-t^2}=-2te^{-t^2}(0-t)$

즉 t에 대한 방정식 $k=(2t^2+1)e^{-t^2}$의 실근의 개수에 따라 접선의 개수가 변한다.

$g(t)=(2t^2+1)e^{-t^2}$은 y축에 대하여 대칭이다.

$g'(t)=(2t^2+1)(-2t)e^{-t^2}+4te^{-t^2}=-2t(2t^2-1)e^{-t^2}$

증감표는 다음과 같다.

t	$\cdots$	$-\dfrac{\sqrt{2}}{2}$	$\cdots$	0	$\cdots$	$\dfrac{\sqrt{2}}{2}$	$\cdots$
$g'(t)$	$+$	0	$-$		$+$	0	$-$
$t(t)$	$\nearrow$	$\dfrac{2}{\sqrt{e}}$	$\searrow$	1	$\nearrow$	$\dfrac{2}{\sqrt{e}}$	$\searrow$

이때 $g(t)=(2t^2+1)e^{-t^2}$의 그래프 개형은 다음과 같다.

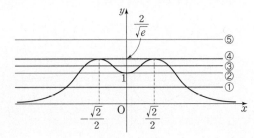

그러므로 $g(k)$는 다음과 같다.

	k의 범위	실근 t의 개수	접선의 개수 $g(k)$
①	$0<k<1$	2	$g(k)=2$
②	$k=1$	3	$g(k)=3$
③	$1<k<\dfrac{2}{\sqrt{e}}$	4	$g(k)=4$
④	$k=\dfrac{2}{\sqrt{e}}$	2	$g(k)=2$
⑤	$k>\dfrac{2}{\sqrt{e}}$	0	$g(k)=0$

$\displaystyle\sum_{k=1}^{5} kg(1)g\left(\sqrt{\dfrac{k}{e}}\right)$

$=3\displaystyle\sum_{k=1}^{5} kg\left(\sqrt{\dfrac{k}{e}}\right)$

$=3\left\{g\left(\sqrt{\dfrac{1}{e}}\right)+2g\left(\sqrt{\dfrac{2}{e}}\right)+3g\left(\sqrt{\dfrac{3}{e}}\right)+4g\left(\sqrt{\dfrac{4}{e}}\right)+5g\left(\sqrt{\dfrac{5}{e}}\right)\right\}$

$=3(1\times 2+2\times 2+3\times 4+4\times 2+5\times 0)$

$=3(2+4+12+8)=78$

06 답 ⑤

GUIDE

❶ x축까지의 거리와 y축까지의 거리를 비교하려면 두 직선 $y=x$, $y=-x$를 이용한다. 이때 함수 $g(t)$를 그래프로 나타낼 수 있다.

❷ $y=g(t)$의 그래프에서 첨점이 한 개만 있는 경우를 생각한다.

$f(x)=kx^2e^{-x}\ (k>0)$에서

$f'(x)=2kxe^{-x}-kx^2e^{-x}=kx(2-x)e^{-x}$

$f'(x)=0$에서 $x=0$ 또는 $x=2$

이때 함수 $f(x)$의 증감표와 그래프 개형은 다음과 같다.

x	$\cdots$	0	$\cdots$	2	$\cdots$
$f'(x)$	$-$	0	$+$	0	$-$
$f(x)$	$\searrow$	0	$\nearrow$	$\dfrac{4k}{e^2}$	$\searrow$

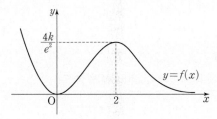

곡선 $y=f(x)$ 위의 점 $(t, f(t))$에서 x축까지의 거리와 y축까지의 거리 중 크지 않은 값이 $g(t)$이므로 곡선 $y=f(x)$와 직선 $y=x$, $y=-x$와 만나는 교점을 찾는다.

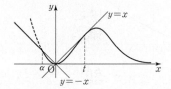

이때 미분가능하지 않은 점이 한 곳만 있으려면 $x<0$일 때 $y=f(x)$와 $y=-x$의 교점에서 미분가능하지 않으므로 $x>0$에서 $y=g(t)$의 그래프는 곡선 부분만 있어야 한다.

즉 $y=f(x)$와 직선 $y=x$가 만나지 않거나 접해야 한다.

접점의 좌표를 $(t, f(t))$라 하면

$kt^2e^{-t}=t$ $\qquad\cdots\cdots$ ㉠

이고 $x=t$에서 접선의 기울기가 1이므로

$kt(2-t)e^{-t}=1$ $\qquad\cdots\cdots$ ㉡

㉠, ㉡에서 $2-t=1$ $\qquad\therefore t=1, k=e$

따라서 k의 최댓값은 e이다.

07 답 ③

GUIDE

$f''(x)>0$이면 $f'(x)$는 증가한다.

x	$x<1$	$x=1$	$1<x<3$	$x=3$
$f'(x)$		0		1
$f''(x)$	$+$		$+$	0
$f(x)$		$\dfrac{\pi}{2}$		π

위 표에서 $x<1$, $1<x<3$일 때, $f''(x)>0$이므로 이 구간에서 $f'(x)$는 증가하고 $f(x)$의 그래프는 아래로 볼록하다.

또, $x=1$일 때, $f'(x)=0$이므로 $x=1$의 좌우에서 $f'(x)$의 부호가 $-$에서 $+$로 바뀌게 된다. 즉 $f(x)$는 $x=1$에서 극솟값을 갖고 그래프는 아래로 볼록하다.

ㄱ. $g(x)=\sin(f(x))$에서 $g'(x)=\cos(f(x))\times f'(x)$

$$\therefore g'(3)=\cos(f(3))\times f'(3)=\cos\pi\times f'(3)$$
$$=(-1)\times 1=-1\ (\bigcirc)$$

ㄴ. $1<x<3$에서 $f(x)$의 그래프는 아래로 볼록하고 증가하므로

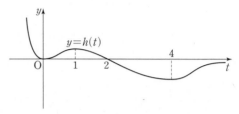

$\dfrac{\pi}{2}<f(x)<\pi$

이때 $g(x)=\sin(f(x))$의 그래프는 감소하면서 위로 볼록하다.

$x=1$일 때, $g'(1)=\cos(f(1))\times f'(1)=\cos\dfrac{\pi}{2}\times 0=0$

$x=3$일 때, $g'(3)=\cos(f(3))\times f'(3)=\cos\pi\times 1=-1$

따라서 $1<a<b<3$에서 $-1<\dfrac{g(b)-g(a)}{b-a}<0\ (\bigcirc)$

ㄷ. $g''(x)=-\sin(f(x))\times f'(x)\times f'(x)$
$$\qquad\qquad+\cos(f(x))\times f''(x)$$

$x=1$일 때,

$g''(1)=-\sin(f(1))\times\{f'(1)\}^2+\cos(f(1))\times f''(1)$
$$=-\sin\dfrac{\pi}{2}\times 0\times 0+0\times f''(1)=0$$

하지만 $x<1$과 $x>1$에서 $g''(x)$의 부호가 같으므로 $x=1$에서 변곡점을 갖지 않는다. ($\times$)

08 ⓐ 72

$f(x)=ax^2+bx+c\,(a\neq 0)$로 놓고, $g''(1)=0$, $g''(4)=0$을 이용해 $g(x)$를 간단히 나타낸다.

$g(x)=f(x)e^{-x}$에서 $g'(x)=\{f'(x)-f(x)\}e^{-x}$

$g''(x)=\{f''(x)-2f'(x)+f(x)\}e^{-x}$

$f(x)=ax^2+bx+c\,(a\neq 0)$로 놓으면

$f'(x)=2ax+b$, $f''(x)=2a$이므로

$g''(x)=\{ax^2+(b-4a)x+2a-2b+c\}e^{-x}$

조건 ㈎에서 방정식 $g''(x)=0$의 두 근이 $x=1$, 4이므로 이차방정식 $ax^2+(b-4a)x+2a-2b+c=a(x-1)(x-4)$

즉 $\dfrac{4a-b}{a}=5$, $\dfrac{2a-2b+c}{a}=4$이므로 $b=-a$, $c=0$

이때 $f(x)=ax^2-ax$이고 $g(x)=(ax^2-ax)e^{-x}$

한편 곡선 $y=g(x)$ 위의 점 $\mathrm{T}(t,\,g(t))$에서 그은 접선의 방정식은 $y-g(t)=g'(t)(x-t)$이고, 이 접선이 점 $(0,\,k)$를 지나므로 $k-g(t)=g'(t)(0-t)$에서 $k=a(t^3-2t^2)e^{-t}$

$h(t)=a(t^3-2t^2)e^{-t}$로 놓으면 조건 ㈏에서 함수 $y=h(t)$의 그

래프와 직선 $y=k$가 서로 다른 세 점에서 만나도록 하는 실수 k 값의 범위가 $-1<k<0$이어야 한다.

$h'(t)=\dfrac{-at(t-1)(t-4)}{e^t}$이므로

$a<0$인 경우 함수 $y=h(t)$의 그래프의 개형은 다음과 같고, 문제의 조건을 만족시키지 않는다.

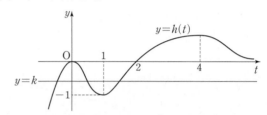

$a>0$인 경우 함수 $y=h(t)$의 그래프의 개형은 다음과 같고 $h(1)=-1$이어야 한다.

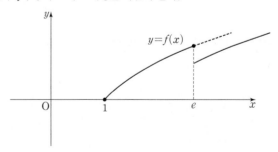

$h(1)=-ae^{-1}=-1$에서 $a=e$

$\therefore g(-2)\times g(4)=f(-2)e^2\times f(4)e^{-4}$
$$=72a^2e^{-2}=72e^2e^{-2}$$
$$=72$$

09 ⓐ ④

$(x-e)\{g(x)-f(x)\}\geq 0$에서

(i) $1\leq x<e$일 때 $g(x)\leq f(x)$

(ii) $x\geq e$일 때 $g(x)\geq f(x)$

함수 $f(x)$의 그래프 개형은 다음과 같다.

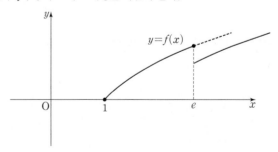

이때 일차함수 $g(x)$가 주어진 조건을 만족시키려면

$1\leq x<e$일 때 $g(x)\leq f(x)$이고, $x\geq e$일 때 $g(x)\geq f(x)$이어야 한다.

점 $(1,\,0)$을 지나는 $y=f(x)$ 위의 점 $(\alpha,\,f(\alpha))$에서의 점선을 $\alpha<e$, $\alpha>e$ 두 경우로 생각해보자.

즉 일차함수 $g(x)$의 기울기의 최솟값 $h(t)$는 다음과 같이 생각할 수 있다.

(i) $\alpha<e$인 경우 점 $(1,\,0)$에서 곡선 $y=-t+\ln x\ (x\geq e)$에 그

은 접선이 존재하지 않으므로 두 점 $(1, 0)$, $(e, f(e))$를 지나는 직선의 기울기가 $h(t)$이다.

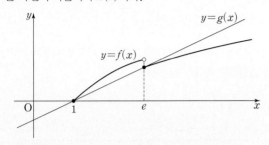

즉 $h(t)=\dfrac{-t+\ln e}{e-1}=\dfrac{-t+1}{e-1}\ \left(0<t<\dfrac{1}{e}\right)$

이때 $h'(t)=\dfrac{-1}{e-1}$이므로 $h'\left(\dfrac{1}{2e}\right)=\dfrac{-1}{e-1}$

(ii) $\alpha\geq e$이면 점 $(1, 0)$에서 곡선 $y=-t+\ln x\,(x\geq e)$에 그은 접선이 존재할 때이므로 이 접선의 기울기가 $h(t)$이다.

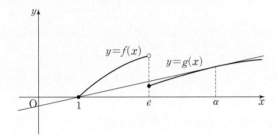

$f'(x)=\dfrac{1}{x}\,(x\neq e)$에서 접점의 x좌표를 α라 하면

$h(t)=\dfrac{1}{\alpha}$이므로 섭섭 $(\alpha, -t+\ln\alpha)$에서의 접선의 방정식

은 $y-(-t+\ln\alpha)=\dfrac{1}{\alpha}(x-\alpha)$이다.

이 접선이 점 $(1, 0)$을 지나므로

$t-\ln\alpha=\dfrac{1}{\alpha}-1$, $\ln\alpha+\dfrac{1}{\alpha}=t+1$

이때 $h(t)=\dfrac{1}{\alpha}$이므로 $\ln\dfrac{1}{h(t)}+h(t)=t+1$

즉 $h(t)-\ln h(t)=t+1$이다.

위 등식의 양변을 t에 대하여 미분하면

$h'(t)-\dfrac{h'(t)}{h(t)}=1$,

즉 $h'(t)\left\{1-\dfrac{1}{h(t)}\right\}=1$ $\quad\cdots\cdots\,\bigcirc$

조건에서 양수 a에 대하여 $h(a)=\dfrac{1}{e+2}$이므로

$\bigcirc$에 t 대신 a를 대입하면

$h'(a)\left\{1-\dfrac{1}{h(a)}\right\}=h'(a)\{1-(e+2)\}=1$에서

$h'(a)=\dfrac{-1}{e+1}$

$\therefore h'\left(\dfrac{1}{2e}\right)\times h'(a)=\dfrac{-1}{e-1}\times\dfrac{-1}{e+1}=\dfrac{1}{(e-1)(e+1)}$

$f(x)=x^m(x-2)^m$ (m,n은 자연수)로 놓고 $\dfrac{f(x)}{f'(x)}$를 정리한다.

⑺에서 $f(x)=x^m(x-2)^n$ (단, m, n은 자연수)

⑻에서 $\displaystyle\lim_{x\to2}\dfrac{(x-2)^3}{x^m(x-2)^n}=\begin{cases}0&(n=1, 2)\\\dfrac{1}{2^m}&(n=3)\\\text{발산}&(n\geq4)\end{cases}$

즉 n은 3 이하의 자연수

$f'(x)=x^{m-1}(x-2)^{n-1}\{(m+n)x-2m\}$이므로

$g(x)=x-\dfrac{x^m(x-2)^n}{x^{m-1}(x-2)^{n-1}\{(m+n)x-2m\}}$

(i) $m\geq2$, $n\geq2$일 때

함수 $g(x)$는 $x\neq0$, $x\neq2$, $x\neq\dfrac{2m}{m+n}$인 모든 실수에서 정의된다.

$g(x)=\dfrac{x\{(m+n-1)x-2(m-1)\}}{(m+n)x-2m}$

$\dfrac{g(x)}{x}=\dfrac{(m+n-1)x-2(m-1)}{(m+n)x-2m}$

$=\dfrac{\dfrac{2n}{(m+n)^2}}{x-\dfrac{2m}{m+n}}+\dfrac{m+n-1}{m+n}$

이고 점근선의 방정식은

$x=\dfrac{2m}{m+n}$, $y=\dfrac{m+n-1}{m+n}$이다.

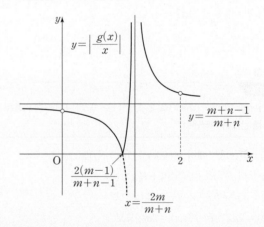

$\dfrac{g(x)}{x}=0$에서 $x=\dfrac{2(m-1)}{m+n-1}$

함수 $\left|\dfrac{g(x)}{x}\right|$는 $x=\dfrac{2(m-1)}{m+n-1}$에서 연속이고 미분가능하지 않다.

⒟에서 $\dfrac{2(m-1)}{m+n-1}=\dfrac{5}{4}$이므로 $m=\dfrac{5n+3}{3}$

m은 자연수이고 $n\leq3$인 자연수이므로

$m=6$, $n=3$

(ii) $m\neq1$, $n=1$일 때

함수 $g(x)$는 $x \neq 0$, $x \neq \dfrac{2m}{m+1}$인 모든 실수에서 정의된다.

$g(x) = \dfrac{x\{mx - 2(m-1)\}}{(m+1)x - 2m}$이고 함수 $\left| \dfrac{g(x)}{x} \right|$는

$x = \dfrac{2(m-1)}{m}$에서 연속이고 미분가능하지 않다.

그런데 $\dfrac{2(m-1)}{m} = \dfrac{5}{4}$인 자연수 m이 존재하지 않는다.

(iii) $m = 1$, $n \neq 1$일 때

함수 $g(x)$는 $x \neq 2$, $x \neq \dfrac{2}{n+1}$인 모든 실수에서 정의된다.

$g(x) = \dfrac{nx^2}{(n+1)x - 2}$이고

함수 $\left| \dfrac{g(x)}{x} \right|$는 $x = \dfrac{5}{4}$에서 미분가능하므로 조건 (다)를 만족

시키지 않는다.

(iv) $m = n = 1$일 때

함수 $g(x)$는 $x \neq 1$인 모든 실수에서 정의된다.

$g(x) = \dfrac{x^2}{2x - 2}$이고, 함수 $\left| \dfrac{g(x)}{x} \right|$는 $x = \dfrac{5}{4}$에서 미분가능

하므로 조건 (다)를 만족시키지 않는다.

(i), (ii), (iii), (iv)에서

$m = 6$, $n = 3$ $\quad \therefore g(x) = \dfrac{2x(4x-5)}{3(3x-4)}$

$g'(x) = \dfrac{8(3x^2 - 8x + 5)}{3(3x-4)^2}$

$g'(x) = 0$에서 $x = 1$ 또는 $x = \dfrac{5}{3}$

함수 $g(x)$의 증가와 감소를 표로 나타내면

x	$\cdots$	1	$\cdots$	$\left(\dfrac{4}{3}\right)$	$\cdots$	$\dfrac{5}{3}$	$\cdots$
$g'(x)$	$+$	0	$-$		$-$	0	$+$
$g(x)$	↗	$\dfrac{2}{3}$	↘		↘	$\dfrac{50}{27}$	↗

함수 $g(x)$의 극솟값 $k = \dfrac{50}{27}$이므로 $27k = 50$

1등급 NOTE

$m \geq 2$, $n \geq 2$일 때 $\left| \dfrac{g(x)}{x} \right| = \left| 1 - \dfrac{x-2}{(m+n)x - 2m} \right|$의 그래프는 분수

함수의 그래프에서 $y < 0$인 부분을 x축에 대칭이동한 것과 같다. 그런데

$x = \dfrac{5}{4}$에서 미분할 수 없으므로 이 그래프가 x축과 만나는 점의 x좌표는

$\dfrac{5}{4}$이다.

07 부정적분

STEP 1 | 1등급 준비하기   p. 84~85

01 ③	**02** ④	**03** 18	**04** 10
05 ③	**06** -6	**07** ③	**08** ⑤
09 2	**10** ⑤	**11** ③	**12** ④

01 답 ③

GUIDE

$3^{-x} = \left(\dfrac{1}{3}\right)^x$이므로 $\displaystyle\int \left(\dfrac{1}{3}\right)^x dx = \dfrac{\left(\dfrac{1}{3}\right)^x}{\ln \dfrac{1}{3}} + C$

$f(x) = \displaystyle\int \dfrac{(3^x - 1)^2}{3^x} dx = \int \left\{ 3^x - 2 + \left(\dfrac{1}{3}\right)^x \right\} dx$

$\quad = \dfrac{3^x}{\ln 3} - 2x + \dfrac{\left(\dfrac{1}{3}\right)^x}{\ln \dfrac{1}{3}} + C = \dfrac{3^x}{\ln 3} - \dfrac{3^{-x}}{\ln 3} - 2x + C$

이때 $f(0) = 2$에서

$\dfrac{3^0}{\ln 3} - \dfrac{3^{-0}}{\ln 3} - 2 \times 0 + C = 2 \qquad \therefore C = 2$

따라서 $f(x) = \dfrac{3^x}{\ln 3} - \dfrac{3^{-x}}{\ln 3} - 2x + 2$이므로

$f(1) = \dfrac{3^1}{\ln 3} - \dfrac{3^{-1}}{\ln 3} - 2 + 2 = \dfrac{8}{3 \ln 3}$

02 답 ④

GUIDE

$\sin^2 x = 1 - \cos^2 x = (1 - \cos x)(1 + \cos x)$

$f(x) = \displaystyle\int \dfrac{\sin^2 x}{1 - \cos x} dx = \int \dfrac{1 - \cos^2 x}{1 - \cos x} dx = \int (1 + \cos x) dx$

$\quad = x + \sin x + C$

이때 $f(0) = 0$이므로 $C = 0$ $\qquad \therefore f(x) = x + \sin x$

따라서 $f(\pi) = \pi$

03 답 18

GUIDE

$x^2 + x + 3 = t$라 하면 $(2x+1)dx = dt$

$x^2 + x + 3 = t$라 하면 $(2x+1)dx = dt$이므로

$f(x) = \displaystyle\int (2x+1)\sqrt{x^2 + x + 3}\, dx = \int \sqrt{t}\, dt = \dfrac{2}{3} t^{\frac{3}{2}} + C$

$\quad = \dfrac{2}{3}(x^2 + x + 3)^{\frac{3}{2}} + C$

이때 $f(-1) = 2\sqrt{3}$에서 $C = 0$

따라서 $f(x) = \dfrac{2}{3}(x^2 + x + 3)^{\frac{3}{2}}$

$\therefore f(2) = \dfrac{2}{3} \times 9^{\frac{3}{2}} = 18$

04 $\textcircled{\scriptsize 답}$ 10

$f(x)=\int \sin^3 x dx=\int \sin x(1-\cos^2 x)dx$에서 $\cos x=t$로 치환한다.

$\cos x=t$로 놓으면 $-\sin x dx=dt$이므로

$f(x)=\int \sin^3 x dx=\int \sin x(1-\cos^2 x)dx$

$\qquad =\int (t^2-1)dt=\dfrac{1}{3}t^3-t+C=\dfrac{1}{3}\cos^3 x-\cos x+C$

$f(0)=1$에서 $C=\dfrac{5}{3}$ $\quad \therefore f(\pi)=\dfrac{7}{3}$

즉 $p=3$, $q=7$이므로 $p+q=10$

05 $\textcircled{\scriptsize 답}$ ③

$\dfrac{1}{1-e^x}=\dfrac{1-e^x+e^x}{1-e^x}$

$f(x)=\int \dfrac{1}{1-e^x}dx=\int \left(1+\dfrac{e^x}{1-e^x}\right)dx$

$\qquad =x-\ln|1-e^x|+C$

$\therefore f(2)-f(1)=\{2-\ln(e^2-1)+C\}-\{1-\ln(e-1)+C\}$

$\qquad =1+\ln\dfrac{1}{e+1}=\ln\dfrac{e}{e+1}$

06 $\textcircled{\scriptsize 답}$ -6

함수 $f(x)$의 한 부정적분을 $F(x)$라 하면 $F'(x)=f(x)$

$xf(x)-F(x)=-3x$의 양변을 x에 대해 미분하면

$f(x)+xf'(x)-f(x)=-3$

$x\neq 0$에서 정의되었으므로 $f'(x)=-\dfrac{3}{x}$

이때 $f(x)=-3\ln|x|+C$에서 $f(e)=0$이므로

$f(x)=-3\ln|x|+3$

따라서 $f(-e^3)=-3\ln e^3+3=-6$

07 $\textcircled{\scriptsize 답}$ ③

$\dfrac{1}{x^2-x-2}=\dfrac{1}{(x-2)(x+1)}=\dfrac{1}{3}\left(\dfrac{1}{x-2}-\dfrac{1}{x+1}\right)$

$f(x)=\int \dfrac{1}{x^2-x-2}dx=\dfrac{1}{3}\int \left(\dfrac{1}{x-2}-\dfrac{1}{x+1}\right)dx$

$\qquad =\dfrac{1}{3}\ln\left|\dfrac{x-2}{x+1}\right|+C$

이때 $f\left(\dfrac{1}{2}\right)=0$에서 $C=0$ $\quad \therefore f(x)=\dfrac{1}{3}\ln\left|\dfrac{x-2}{x+1}\right|$

따라서 $f(0)=\dfrac{1}{3}\ln 2$

08 $\textcircled{\scriptsize 답}$ ⑤

$x\times \ln x$에서 부분적분법을 이용한다.

$f(x)=\int x\ln x dx=\dfrac{1}{2}x^2\ln x-\int \dfrac{1}{2}x dx$

$\qquad =\dfrac{1}{2}x^2\ln x-\dfrac{1}{4}x^2+C$

이때 $f(1)=2$에서 $-\dfrac{1}{4}+C=2$, 즉 $C=\dfrac{9}{4}$이므로

$f(x)=\dfrac{1}{2}x^2\ln x-\dfrac{1}{4}x^2+\dfrac{9}{4}$

$\therefore f(e)=\dfrac{e^2+9}{4}$

부호	미분	적분	
$(+)$	$\ln x$	x	
$(-)$	$\dfrac{1}{x}$	$\dfrac{1}{2}x^2$	$\dfrac{1}{2}x^2\ln x$
$(-)$	1	$\dfrac{1}{2}x$	
	0	$\dfrac{1}{4}x^2$	$-\dfrac{1}{4}x^2$

도표적분법에서 $f(x)h(x)g(x)$가 동일싱을 유지하면서 부호를 그대로 쓰고 미분 요소와 적분 요소를 변형할 수 있다. 위 경우

부호	미분	적분
$(+)$	$f(x)h(x)$	$g(x)$
$(+)$	$f(x)$	$h(x)g(x)$

$\dfrac{1}{x}\times \dfrac{1}{2}x^2=\dfrac{1}{2}x$이므로 미분 요소에 상수 1을 쓰고 적분 요소에 $\dfrac{1}{2}x$를 써서 동일성을 유지할 수 있으므로 이 방법을 쓸 수 있다.

09 $\textcircled{\scriptsize 답}$ 2

$x\times \cos x$에서 부분적분법을 이용한다.

$\int x\cos x dx=x\sin x-\int \sin x dx=x\sin x+\cos x+C$

$F(x)=\int f(x)dx=-2\cos x+x\sin x+\cos x+C$

$\qquad =x\sin x-\cos x+C$

이때 $F(0)=0$에서 $C=1$이므로 $F(x)=x\sin x-\cos x+1$

$\therefore F(\pi)=2$

$(x\sin x)'=\sin x+x\cos x$이므로

$F(x)=\cdots f(x)dx=\cdots (2\sin x+x\cos x)dx$

$\qquad =\cdots \sin x dx+\cdots (\sin x+x\cos x)dx$

$\qquad =-\cos x+x\sin x+C$

10 답 ⑤

GUIDE

$f(x)=\displaystyle\int (x+1)e^x d(x)$에서 $u=x+1$, $v'=e^x$으로 놓고 부분적분법을 이용한다.

$f(x)=\displaystyle\int (x+1)e^x dx$는 다음과 같이 구할 수 있다.

부호	미분	적분	
$(+)$	$x+1$	e^x	$+(x+1)e^x$
$(-)$	1	e^x	$-e^x$
	0	e^x	

$f(x)=\displaystyle\int (x+1)e^x dx=(x+1)e^x-e^x+C=xe^x+C$

$f'(x)=(x+1)e^x=0$에서 $x=-1$

즉 함수 $f(x)$는 $x=-1$에서 극솟값 $e-\dfrac{1}{e}$ 을 가지므로

$f(-1)=-\dfrac{1}{e}+C=e-\dfrac{1}{e}$ $\therefore C=e$

따라서 $f(x)=xe^x+e$

11 답 ③

GUIDE

㈎ $\dfrac{f'(2x)}{f(2x)}=2x$에서 $\displaystyle\int \dfrac{f'(2x)}{f(2x)}dx=\int 2xdx=x^2+C$

㈎에서 $f(2x)=t$라 하면 $2f'(2x)dx=dt$

$\displaystyle\int \dfrac{f'(2x)}{f(2x)}dx=\int \dfrac{1}{2t}dt=\dfrac{1}{2}\ln|t|$

$\qquad\qquad\qquad =\dfrac{1}{2}\ln f(2x)=x^2+C$

즉 $\ln f(2x)=2x^2+2C$에서 $f(0)=1$이므로

$x=0$을 대입하면 $C=0$ $\therefore \ln f(2x)=2x^2$

$x=1$을 대입하면 $\ln f(2)=2$에서 $f(2)=e^2$

참고

$\displaystyle\int \dfrac{1}{2t}dt=\dfrac{1}{2}\ln|t|+C_1=\dfrac{1}{2}\ln f(2x)+C_1$

$\displaystyle\int 2xdx=x^2+C_2$에서 $\dfrac{1}{2}\ln f(2x)=x^2+C_2-C_1$

이때 C_2-C_1을 C라 생각하면 $\dfrac{1}{2}\ln f(2x)=x^2+C$

12 답 ④

GUIDE

$\{e^x f(x)\}'=e^x f(x)+e^x f'(x)$이므로

$\displaystyle\int \{e^x f(x)+e^x f'(x)\}dx=e^x f(x)+C$

$f(x)+f'(x)=e^{-x}+1$의 양변에 e^x을 곱한

$e^x f(x)+e^x f'(x)=1+e^x$의 양변을 적분하면

$\displaystyle\int \{e^x f(x)+e^x f'(x)\}=x+e^x+C$

그런데 $\displaystyle\int \{e^x f(x)+e^x f'(x)\}dx=e^x f(x)+C$이므로

$e^x f(x)+C_1=x+e^x+C_2$ $\therefore e^x f(x)=x+e^x+C$

이때 $f(0)=1$에서 $C=0$

따라서 $f(x)=\dfrac{e^x+x}{e^x}$이므로 $f(1)=\dfrac{e+1}{e}$

STEP 2 | 1등급 굳히기   p.86~91

01 64	**02** 1	**03** 3π	**04** ②
05 ②	**06** ①	**07** ⑤	**08** 38
09 ③	**10** ⑤	**11** ③	**12** ①
13 ①	**14** ④	**15** ②	**16** ⑤
17 ①	**18** ②	**19** ②	**20** ②
21 ④	**22** ④	**23** 5	**24** 10
25 1	**26** ③	**27** ⑤	**28** 1

01 답 64

GUIDE

두 식 $f(x)=\dfrac{G(x)-g(x)}{3}$, $g(x)=\dfrac{F(x)-f(x)}{3}$을 변끼리 더하면

$f(x)+g(x)=\dfrac{G(x)-g(x)}{3}+\dfrac{F(x)-f(x)}{3}$

$f(x)+g(x)=\dfrac{G(x)-g(x)}{3}+\dfrac{F(x)-f(x)}{3}$에서

$F(x)+G(x)=4\{f(x)+g(x)\}$ ······ ㉠

양변을 미분한

$f(x)+g(x)=4\{f'(x)+g'(x)\}$를 ㉠에 대입하면

$F(x)+G(x)=4^2\{f'(x)+g'(x)\}$

$\therefore F(1)+G(1)=4^2\{f'(1)+g'(1)\}=4^3=64$

02 답 1

GUIDE

$(a^x)'=a^x \ln a$이므로 $\displaystyle\int (a^x)'dx=\int a^x \ln a=a^x+C$

$f(x)=\displaystyle\int 2^x \ln 2dx=2^x+C$

이때 $f(0)=1+C=1$에서 $C=0$

즉 $f(x)=2^x$이다.

$\therefore \displaystyle\lim_{n\to\infty}\sum_{k=1}^{n}\dfrac{1}{f(k)}=\lim_{n\to\infty}\sum_{k=1}^{n}\dfrac{1}{2^k}=\lim_{n\to\infty}\sum_{k=1}^{n}\left(\dfrac{1}{2}\right)^k=\dfrac{\dfrac{1}{2}}{1-\dfrac{1}{2}}=1$

03 답 3π

GUIDE

$\dfrac{1}{\sin^2 x}=\csc^2 x$이고, $\displaystyle\int \csc^2 x\,dx=-\cot x+C$

$f(x)=\displaystyle\int \dfrac{1+2\sin^2 x-3\sin^3 x}{\sin^2 x}\,dx$

$=\displaystyle\int (\csc^2 x+2-3\sin x)\,dx$

$=-\cot x+2x+3\cos x+C$

이때 $f\left(\dfrac{\pi}{2}\right)=\pi$에서 $C=0$

따라서 $f(x)=3\cos x-\cot x+2x$ $\therefore f\left(\dfrac{3}{2}\pi\right)=3\pi$

04 답 ②

GUIDE

❶ $\sin^2 x=1-\cos^2 x$

❷ $\cos x=t$로 치환한다.

$\sin^2 x=1-\cos^2 x$이므로

$\displaystyle\int \sin^3 x\cos^2 x\,dx=\int \sin x(1-\cos^2 x)\cos^2 x\,dx$

$\cos x=t$라 하면 $-\sin x\,dx=dt$이므로

$\displaystyle\int \sin x(1-\cos^2 x)\cos^2 x\,dx$

$=-\displaystyle\int (t^2-t^4)\,dt=\dfrac{t^5}{5}-\dfrac{t^3}{3}+C$

$=\dfrac{\cos^5 x}{5}-\dfrac{\cos^3 x}{3}+C$

1등급 NOTE

sin을 치환하면 코사인이 필요하고,
cos을 치환하면 sin이 필요하므로
sin과 cos 중 하나만 남길 수 있는 것을 생각한다.

05 답 ②

GUIDE

$\sqrt{x}=t$로 치환하면 $\dfrac{1}{2\sqrt{x}}\,dx=dt$

$\sqrt{x}=t$라 하면 $\dfrac{1}{2\sqrt{x}}\,dx=dt$이므로

$f(x)=\displaystyle\int f'(x)\,dx=\int \dfrac{e^{\sqrt{x}}}{\sqrt{x}}\,dx=\int 2e^t\,dt$

$=2e^t+C=2e^{\sqrt{x}}+C$

이때 구간 $[1, 4]$에서 $f'(x)=\dfrac{e^{\sqrt{x}}}{\sqrt{x}}>0$이므로

$f(x)$의 최댓값은 $f(4)=2e^2+C=e^2$ $\therefore C=-e^2$

따라서 $f(x)=2e^{\sqrt{x}}-e^2$이므로 최솟값은 $f(1)=e(2-e)$

06 답 ①

GUIDE

$e^x+1=t$로 치환하고 $e^x=t-1$을 이용한다.

$e^x+1=t$라 하면 $e^x\,dx=dt$, $e^x=t-1$이므로

$f(x)=\displaystyle\int \dfrac{e^{2x}\times e^x}{(e^x+1)^4}\,dx=\int \dfrac{(t-1)^2}{t^4}\,dt$

$=\displaystyle\int \left(\dfrac{1}{t^2}-\dfrac{2}{t^3}+\dfrac{1}{t^4}\right)dt=-\dfrac{1}{t}+\dfrac{1}{t^2}-\dfrac{1}{3t^3}+C$

$=-\dfrac{1}{e^x+1}+\dfrac{1}{(e^x+1)^2}-\dfrac{1}{3(e^x+1)^3}+C$

이때 $f(0)=\dfrac{17}{24}$에서 $C=1$이므로

$f(x)=-\dfrac{1}{e^x+1}+\dfrac{1}{(e^x+1)^2}-\dfrac{1}{3(e^x+1)^3}+1$

$\therefore f(\ln 2)=\dfrac{-27+9-1+81}{81}=\dfrac{62}{81}$

07 답 ⑤

GUIDE

$\ln x=t$로 치환하면 $\dfrac{1}{x}\,dx=dt$

$\ln x=t$라 하면 $\dfrac{1}{x}\,dx=dt$이므로

$f(x)=\displaystyle\int \dfrac{1}{x}\cos(\ln x)\,dx=\int \cos t\,dt$

$=\sin t+C=\sin(\ln x)+C$

$f(e^{-\pi})=-1$에서 $\sin(-\pi)+C=-1$ $\therefore C=-1$

$\therefore f(x)=\sin(\ln x)-1=0$

즉 $0<x<1$에서 $\sin(\ln x)=1$인 x값을 큰 수부터 차례로 나열

하면 $a_1=e^{-\frac{3}{2}\pi}$, $a_2=e^{-\frac{7}{2}\pi}$, $a_3=e^{-\frac{11}{2}\pi}$, $\cdots$

$\therefore \displaystyle\sum_{n=1}^{\infty} a_n=\dfrac{e^{-\frac{3}{2}\pi}}{1-e^{-2\pi}}=\dfrac{e^{\frac{\pi}{2}}}{e^{2\pi}-1}$

주의

x값의 범위를 확인한다.

08 답 38

GUIDE

❶ $\sin 2x=2\sin x\cos x$

❷ $\sin x=t$로 치환하면 $\cos x\,dx=dt$

$\sin 2x=2\sin x\cos x$에서 $f_n(x)=2\displaystyle\int \sin^{n+1} x\cos x\,dx$

이때 $\sin x=t$라 하면 $\cos x\,dx=dt$이므로

$f_n(x)=2\displaystyle\int t^{n+1}\,dt=\dfrac{2}{n+2}t^{n+2}+C$

$=\dfrac{2}{n+2}\sin^{n+2} x+C$

이때 $f_n(0)=0$에서 $C=0$이므로 $f_n(x)=\dfrac{2}{n+2}\sin^{n+2}x$

$\therefore f_n\left(\dfrac{\pi}{2}\right)=\dfrac{2}{n+2}$

따라서 $f_n\left(\dfrac{\pi}{2}\right)=\dfrac{2}{n+2}=\dfrac{1}{20}$이 되는 자연수 $n=38$

09 답 $\dfrac{e}{4}$

GUIDE

$\displaystyle\int e^{\sin^2x}\tan x\,dx-\int e^{\sin^2x}\sin^2x\tan x\,dx$

$=\displaystyle\int e^{\sin^2x}\tan x(1-\sin^2x)\,dx$

$f(x)=\displaystyle\int e^{\sin^2x}\tan x\,dx-\int e^{\sin^2x}\sin^2x\tan x\,dx$

$\quad=\displaystyle\int e^{\sin^2x}\tan x(1-\sin^2x)\,dx$

$\quad=\displaystyle\int e^{\sin^2x}\sin x\cos x\,dx$

$\sin^2x=t$로 치환하면 $2\sin x\cos x\,dx=dt$에서

$\displaystyle\int e^{\sin^2x}\sin x\cos x\,dx=\dfrac{1}{2}\int e^t\,dt=\dfrac{1}{2}e^t+C$

$\qquad\qquad\qquad\qquad\quad=\dfrac{1}{2}e^{\sin^2x}+C$

이때 $f(0)=\dfrac{1}{2}+C=\dfrac{1}{2}$에서 $C=0$이므로 $f(x)=\dfrac{1}{2}e^{\sin^2x}$

$\therefore \left\{f\left(\dfrac{\pi}{4}\right)\right\}^2=\left(\dfrac{1}{2}e^{\sin^2\frac{\pi}{4}}\right)^2=\dfrac{e}{4}$

10 답 ⑤

GUIDE

$\dfrac{2x+3}{2x^2-9x+9}=\dfrac{3}{x-3}-\dfrac{4}{2x-3}$

$\dfrac{2x+3}{2x^2-9x+9}=\dfrac{2x+3}{(x-3)(2x-3)}=\dfrac{3}{x-3}-\dfrac{4}{2x-3}$

이므로

$f(x)=\displaystyle\int\dfrac{2x+3}{2x^2-9x+9}\,dx=\int\left(\dfrac{3}{x-3}-\dfrac{4}{2x-3}\right)dx$

$\qquad=3\ln|x-3|-2\ln|2x-3|+C$

이때 $\displaystyle\lim_{x\to1}\dfrac{f(x)}{x-1}=\dfrac{5}{2}$에서 $f(1)=0$이므로 $C=-3\ln 2$

즉 $f(x)=3\ln|x-3|-2\ln|2x-3|-3\ln 2$에서

$f(2)=-3\ln 2=\ln\dfrac{1}{8}$

참고

$\dfrac{2x+3}{2x^2-9x+9}=\dfrac{a}{x-3}+\dfrac{b}{2x-3}$로 놓고 항등식의 성질에서 $a=3$, $b=-4$를 구할 수 있다.

11 답 ③

GUIDE

$\dfrac{2}{x(x^2-1)}=\dfrac{a}{x-1}+\dfrac{b}{x}+\dfrac{c}{x+1}$에서 a,b,c 값을 구한다.

$\dfrac{2}{x(x^2-1)}=\dfrac{a}{x-1}+\dfrac{b}{x}+\dfrac{c}{x+1}$

$\qquad\qquad=\dfrac{(a+b+c)x^2+(a-c)x-b}{x(x^2-1)}$

에서 $a=1$, $b=-2$, $c=1$이므로

$f(x)=\displaystyle\int\left(\dfrac{1}{x-1}-\dfrac{2}{x}+\dfrac{1}{x+1}\right)dx$

$\qquad=\ln|x-1|-2\ln|x|+\ln|x+1|+C$

이때 $f(2)=\ln\dfrac{3}{4}$에서 $C=0$이므로

$f(x)=\ln|x-1|-2\ln|x|+\ln|x+1|$

$\therefore f(3)=\ln 2-2\ln 3+\ln 4=\ln\dfrac{8}{9}$

1등급 NOTE

$\dfrac{1}{ABC}=\dfrac{1}{C-A}\left(\dfrac{1}{AB}-\dfrac{1}{BC}\right)$를 이용하면

$f'(x)=\dfrac{2}{(x-1)x(x+1)}=\dfrac{1}{(x-1)x}-\dfrac{1}{x(x+1)}$

$\qquad=\dfrac{1}{(x-1)}-\dfrac{2}{x}+\dfrac{1}{(x+1)}$

12 답 ①

GUIDE

$f'(x)=xe^x+e^{2x}$에서 $f(x)=\displaystyle\int(xe^x+e^{2x})\,dx$

$f'(t)=(t+e^t)e^t$에서 $f'(x)=(x+e^x)e^x=xe^x+e^{2x}$이고

$f(x)=\displaystyle\int(xe^x+e^{2x})\,dx=\int xe^x\,dx+\int e^{2x}\,dx$

$\qquad=(x-1)e^x+\dfrac{1}{2}e^{2x}+C$

이때 $f(0)=0$에서 $C=\dfrac{1}{2}$이므로

$f(x)=(x-1)e^x+\dfrac{1}{2}e^{2x}+\dfrac{1}{2}$

$\therefore f(1)=\dfrac{1}{2}(e^2+1)$

참고

$\displaystyle\int xe^x\,dx=xe^x-\int e^x\,dx=xe^x-e^x+C$

13 답 ①

GUIDE

$\displaystyle\int e^{-x}\sin x\,dx=-e^{-x}\sin x-e^{-x}\cos x-\int e^{-x}\sin x\,dx$

$$\int e^{-x}\sin x\,dx = -e^{-x}\sin x + \int e^{-x}\cos x\,dx$$
$$= -e^{-x}\sin x - e^{-x}\cos x - \int e^{-x}\sin x\,dx$$

에서 $2\displaystyle\int e^{-x}\sin x\,dx = -e^{-x}\sin x - e^{-x}\cos x$이므로

$$f(x) = \int e^{-x}\sin x\,dx = -\frac{1}{2}e^{-x}(\sin x + \cos x) + C$$

이때 $f\left(\dfrac{\pi}{2}\right) = e^{-\frac{\pi}{2}}$에서 $C = \dfrac{3}{2}e^{-\frac{\pi}{2}}$ $\quad \therefore f(0) = -\dfrac{1}{2} + \dfrac{3}{2}e^{-\frac{\pi}{2}}$

1등급 NOTE

부호	미분	적분	
$(+)$	$\sin x$	e^{-x}	
$(-)$	$\cos x$	$-e^{-x}$	$-e^{-x}\sin x$
$(+)$	$-\sin x$	e^{-x}	$-e^{-x}\cos x - \int e^{-x}\sin x\,dx$

❶ 도표적분법을 쓸 때 위 경우의 세 번째 줄처럼 처음과 같은 모양이 나올 경우, 그 줄의 미분 요소와 적분 요소를 서로 곱한 것을 적분한다.

❷ $\displaystyle\int e^{-x}\sin x\,dx = A$라 하면 $A = -e^{-x}\sin x - e^{-x}\cos x - A$

$$\therefore A = -\frac{1}{2}(e^{-x}\sin x + e^{-x}\cos x) + C$$

14 답 ④

GUIDE

$$\int \ln(x+2)\,dx = (x+2)\ln(x+2) - (x+2) + C$$

$f'(x) = k\ln(x+2)$에서 $f'(1) = 2\ln 3$ $\quad \therefore k = 2$

$f(x) = 2\displaystyle\int \ln(x+2)\,dx = 2(x+2)\ln(x+2) - 2x + C$

이때 $\displaystyle\lim_{x\to 1}\dfrac{f(x)-1}{x-1} = 2\ln 3$에서 $f(1) = 1$이므로 $C = 3 - 6\ln 3$

$f(x) = 2(x+2)\ln(x+2) - 2x + 3 - 6\ln 3$

$\therefore f(-1) = 5 - 6\ln 3$

참고

$u' = 1,\ v = \ln(x+2)$라 하면 $u = x,\ v' = \dfrac{1}{x+2}$

$\displaystyle\int \ln(x+2)\,dx = x\ln(x+2) - \int x \times \dfrac{1}{x+2}\,dx$

$$= x\ln(x+2) - \int\left(1 - \dfrac{2}{x+2}\right)dx$$
$$= x\ln(x+2) - x + 2\ln(x+2) + C$$
$$= (x+2)\ln(x+2) - x + C$$

15 답 ②

GUIDE

$\displaystyle\int x\cos x\,dx = x\sin x + \cos x + C$에서 x값의 범위에 따라 $f(x)$를 정한다. 이때 적분상수를 주의한다.

$$f'(x) = \begin{cases} x\cos x & \left(0 \le x < \dfrac{\pi}{2}\right) \\ -x\cos x & \left(\dfrac{\pi}{2} < x \le \pi\right) \end{cases}$$ 에서

$\displaystyle\int x\cos x\,dx = x\sin x + \cos x + C$이므로

$$f(x) = \begin{cases} x\sin x + \cos x + C_1 & \left(0 \le x \le \dfrac{\pi}{2}\right) \\ -x\sin x - \cos x + C_2 & \left(\dfrac{\pi}{2} \le x \le \pi\right) \end{cases}$$

이때 $f(0) = 0$에서 $C_1 = -1$

또한 $f(x)$는 미분가능한 함수이므로 $x = \dfrac{\pi}{2}$에서 연속이다.

따라서 $f\left(\dfrac{\pi}{2}\right) = \dfrac{\pi}{2} - 1 = -\dfrac{\pi}{2} + C_2$ $\quad \therefore C_2 = \pi - 1$

$\therefore f\left(\dfrac{2}{3}\pi\right) = \left(1 - \dfrac{\sqrt{3}}{3}\right)\pi - \dfrac{1}{2}$

16 답 ⑤

GUIDE

$\sqrt{x} = t$로 치환하고 부분적분법을 이용한다.

$\sqrt{x} = t$라 하면 $\dfrac{1}{2\sqrt{x}}\,dx = dt$에서 $dx = 2\sqrt{x}\,dt$,

즉 $dx = 2t\,dt$이므로

$f(x) = \displaystyle\int \cos\sqrt{x}\,dx = \int 2t\cos t\,dt$

$$= 2t\sin t + 2\cos t + C$$
$$= 2\sqrt{x}\sin\sqrt{x} + 2\cos\sqrt{x} + C$$

이때 $f(0) = 4$에서 $C = 2$이므로

$f(x) = 2\sqrt{x}\sin\sqrt{x} + 2\cos\sqrt{x} + 2$

$\therefore f\left(\dfrac{\pi^2}{4}\right) = \pi + 2$

17 답 ①

GUIDE

$\ln x = t$로 치환 (이때 $x = e^t$)하고 부분적분법을 이용한다.

$\ln x = t$라 하면 $\dfrac{1}{x} = dt$에서 $dx = x\,dt = e^t\,dt$이므로

$\displaystyle\int \cos(\ln x)\,dx = \int e^t\cos t\,dt$에서

$\displaystyle\int e^t\cos t\,dt = e^t\sin t - \int e^t\sin t\,dt$

$$= e^t\sin t + e^t\cos t - \int e^t\cos t\,dt$$

$\therefore \displaystyle\int e^t\cos t\,dt = \dfrac{1}{2}e^t(\sin t + \cos t) + C$

즉 $f(x) = \dfrac{x}{2}\{\sin(\ln x) + \cos(\ln x)\} + C$이고

이때 $f(1) = \dfrac{1}{2}$에서 $C = 0$이므로

$$f(x)=\frac{x}{2}\{\sin(\ln x)+\cos(\ln x)\}$$

$$\therefore f(e^{2\pi})=\frac{1}{2}e^{2\pi}$$

참고

부호	미분	적분
$(+)$	$\cos t$	e^t
$(-)$	$-\sin t$	e^t	$e^t\cos t$
$(+)$	$-\cos t$	e^t	$e^t\sin t-\int e^t\cos t\,dt$

18 답 ②

GUIDE

$$\frac{e^{2x}-1}{e^{2x}+1}=\frac{e^x-e^{-x}}{e^x+e^{-x}}$$

$f'(x)=\dfrac{e^{2x}-1}{e^{2x}+1}$ 의 분자와 분모를 e^x으로 나누면

$f'(x)=\dfrac{e^x-e^{-x}}{e^x+e^{-x}}$이므로

$$f(x)=\int\frac{e^x-e^{-x}}{e^x+e^{-x}}dx$$

$$=\ln(e^x+e^{-x})+C\ (\because e^x+e^{-x}>0)$$

이때 $f(0)=\ln 2+C=0$에서 $C=-\ln 2$이므로

$$f(x)=\ln(e^x+e^{-x})-\ln 2$$

$$\therefore f(1)=\ln\left(e+\frac{1}{e}\right)-\ln 2=\ln\frac{e^2+1}{2e}$$

19 답 ②

GUIDE

$\dfrac{1}{2\sin\frac{x}{2}\cos\frac{x}{2}}$ 의 분포, 분자에 $sec^2\frac{x}{2}$를 곱한다.

이때 $sin\frac{x}{2}\cos\frac{x}{2}\times\dfrac{1}{\cos^2\frac{x}{2}}=tan\frac{x}{2}$

$$f(x)=\int\frac{1}{\sin x}dx=\int\frac{1}{2\sin\frac{x}{2}\cos\frac{x}{2}}dx=\int\frac{\sec^2\frac{x}{2}}{2\tan\frac{x}{2}}dx$$

$$=\frac{1}{2}\ln\left|\tan\frac{x}{2}\right|+C$$

이때 $f\left(\dfrac{\pi}{2}\right)=\dfrac{1}{2}\ln\left|\tan\dfrac{\pi}{4}\right|+C=0$에서 $C=0$이므로

$$f(x)=\frac{1}{2}\ln\left|\tan\frac{x}{2}\right|\quad\therefore 4f\left(\frac{2}{3}\pi\right)=\ln 3$$

20 답 ②

GUIDE

$\displaystyle\int\frac{f'(x)}{f(x)}dx=\ln|f(x)|+C$

$f(x)=\displaystyle\int(2x-1)f(x)dx$의 양변을 x에 대하여 미분하면

$f'(x)=(2x-1)f(x)$이고, $f(x)>0$이므로

$$\frac{f'(x)}{f(x)}=2x-1$$

$$\int\frac{f'(x)}{f(x)}dx=\int(2x-1)dx$$

$$\ln f(x)=x^2-x+C$$

이때 $f(1)=e$에서 $\ln f(1)=1^2-1+C, C=1$

즉 $\ln f(x)=x^2-x+1$이므로

$\ln f(2)=2^2-2+1=3\qquad\therefore f(2)=e^3$

21 답 ④

GUIDE

$f'(x)=-g(x),\ g'(x)=-f(x)$에서

❶ $f'(x)+g'(x)=-\{f(x)+g(x)\}$

❷ $f'(x)-g'(x)=f(x)-g(x)$

$f'(x)=-g(x),\ g'(x)=-f'(x)$에서

(i) $f'(x)+g'(x)=-\{f(x)+g(x)\}$

 $f(x)>g(x)>0$에서 $f(x)+g(x)\neq 0$이므로

$$\frac{f'(x)+g'(x)}{f(x)+g(x)}=-1$$

$$\int\frac{f'(x)+g'(x)}{f(x)+g(x)}dx=\int(-1)dx$$

$$\therefore \ln\{f(x)+g(x)\}=-x+C_1$$

 이때 $f(0)=2e,\ g(0)=e$에서 $C_1=\ln 3+1$

$$\therefore f(x)+g(x)=3e^{-x+1}$$

(ii) $f'(x)-g'(x)=f(x)-g(x)$

 $f(x)>g(x)>0$에서 $f(x)-g(x)\neq 0$이므로

$$\frac{f'(x)-g'(x)}{f(x)-g(x)}=1,\ \int\frac{f'(x)-g'(x)}{f(x)-g(x)}dx=\int dx$$

$$\therefore \ln\{f(x)-g(x)\}=x+C_2$$

 이때 $f(0)=2e,\ g(0)=e$에서 $C_2=1$

$$\therefore f(x)-g(x)=e^{x+1}$$

(i), (ii)에서 $f(x)=\dfrac{3e^{-x+1}+e^{x+1}}{2}$

따라서 $f(1)=\dfrac{1}{2}(e^2+3)$

참고

$e^{-x+\ln 3+1}$에서 $e^{\ln 3}=3$이므로

$e^{-x+\ln 3+1}=e^{-x+1}\times e^{\ln 3}=3e^{-x+1}$

22 답 ④

GUIDE

❶ $\{xF(x)\}'=F(x)+xf(x)$

❷ $(2xe^x)'=(2x+2)e^x$

$F(x)+xf(x)=(2x+2)e^x$의 양변을 적분하면

$xF(x)=2xe^x+C$

이때 $F(1)=2e$이므로 $C=0$

따라서 $F(x)=2e^x$ $\therefore F(3)=2e^3$

23 답 5

GUIDE

$\{f(x)\ln x\}'=f'(x)\ln x+\dfrac{f(x)}{x}$이므로

$f(x)\ln x=\displaystyle\int\left(2x\ln x+x+\dfrac{1}{x}\right)dx$임을 생각한다.

$f'(x)\ln x+\dfrac{f(x)}{x}=2x\ln x+x+\dfrac{1}{x}$의 양변을 적분하면

$f(x)\ln x=(x^2+1)\ln x+C$

이때 $f(e)=e^2+1$에서 $C=0$

따라서 $f(x)=x^2+1$이므로 $f(2)=5$

참고

부분적분법(또는 도표적분법)을 써서 $\displaystyle\int 2x\ln x\,dx=x^2\ln x-\dfrac{1}{2}x^2+C$

임을 구할 수 있다.

24 답 10

GUIDE

$\{f(x)g(x)\}'=f'(x)g(x)+f(x)g'(x)$와 $[\{f(x)\}^2]'=2f(x)f'(x)$를 이용한다.

(나)에서 $\displaystyle\int f(x)f'(x)dx=\dfrac{1}{2}\int dx$, 즉

$\dfrac{1}{2}\{f(x)\}^2=\dfrac{1}{2}x+C_1$이고, (가)에서 $f(1)=1$이므로 $C_1=0$

즉 $\{f(x)\}^2=x$에서 $f(x)=\sqrt{x}$ ($\because f(x)$는 미분가능, $f(1)=1$)

(다)에서 $\displaystyle\int\{f(x)g'(x)+f'(x)g(x)\}dx=\int 2x\,dx$,

즉 $f(x)g(x)=x^2+C_2$이고,

$f(1)=g(1)=1$에서 $C_2=0$이므로 $f(x)g(x)=x^2$

$\therefore g(x)=x\sqrt{x}$

따라서 $f(4)+g(4)=2+8=10$

25 답 1

GUIDE

❶ 미분한 결과에서 $f(x)-f'(x)$가 나올 수 있는 $\{-e^{-x}f(x)\}'$을 생각한다.

❷ $\{-e^{-x}f(x)\}'=e^{-x}f(x)+e^{-x}f'(x)$이므로

  $\displaystyle\int\{e^{-x}f(x)-e^{-x}f'(x)\}dx=-e^{-x}f(x)+C$

$f(x)-f'(x)=2x-3$의 양변에 e^{-x}을 곱한

$e^{-x}f(x)-e^{-x}f'(x)=2xe^{-x}-3e^{-x}$의 양변을 적분하면

$\displaystyle\int\{e^{-x}f(x)-e^{-x}f'(x)\}dx=\int(2xe^{-x}-3e^{-x})dx$

$\displaystyle\qquad\qquad\qquad\qquad=\int(2x-3)e^{-x}dx$

$\displaystyle\qquad\qquad\qquad\qquad=(1-2x)e^{-x}+C$

$\displaystyle\int\{e^{-x}f(x)-e^{-x}f'(x)\}dx=-e^{-x}f(x)+C$

$-e^{-x}f(x)=(1-2x)e^{-x}+C$

이때 $f(0)=-1$에서 $C=0$ $\therefore f(x)=2x-1$

따라서 $f(1)=1$

26 답 $3e^{\frac{\pi}{2}}$

GUIDE

❶ 미분한 결과에서 $f(x)-F(x)$ 꼴이 나올 수 있는 $\{e^{-x}F(x)\}'$을 생각한다.

❷ $\{e^{-x}F(x)\}'=e^{-x}f(x)-e^{-x}F(x)$

$f(x)=F(x)+e^x\sin x$에서

$f(x)-F(x)=e^x\sin x$ …… ㉠

㉠의 양변에 e^{-x}을 곱하면 $e^{-x}f(x)-e^{-x}F(x)=\sin x$이므로

$\displaystyle\int\{e^{-x}f(x)-e^{-x}F(x)\}dx=\int e^{-x}F(x)dx=\int\sin x\,dx$

$\therefore e^{-x}F(x)=-\cos x+C$

이때 $f(0)=1$에서 $f(x)=F(x)+e^x\sin x$에 $x=0$을 대입하면

$f(0)=F(0)$이므로 $F(0)=-1+C=1$ $\therefore C=2$

즉 $e^{-x}F(x)=-\cos x+2$에서

$F(x)=e^x(2-\cos x)$, $f(x)=e^x(2-\cos x+\sin x)$

$\therefore f\left(\dfrac{\pi}{2}\right)=3e^{\frac{\pi}{2}}$

27 답 ⑤

GUIDE

$\left\{\dfrac{f(x)}{x}\right\}'=\dfrac{xf'(x)-f(x)}{x^2}$

$f(x)-xf'(x)=2x-x\ln x$의 양변을 $-x^2$으로 나누면

$\dfrac{xf'(x)-f(x)}{x^2}=\left\{\dfrac{f(x)}{x}\right\}'=-\dfrac{2}{x}+\dfrac{\ln x}{x}$이므로

$\displaystyle\int\dfrac{xf'(x)-f(x)}{x^2}dx=\int\left\{\dfrac{f(x)}{x}\right\}'dx=\int\left(-\dfrac{2}{x}+\dfrac{\ln x}{x}\right)dx$

즉 $\dfrac{f(x)}{x}=-2\ln x+\dfrac{1}{2}(\ln x)^2+C$

이때 $f(1)=1$에서 $C=1$이므로

$f(x)=-2x\ln x+\dfrac{x}{2}(\ln x)^2+x$이고 $f(e)=-\dfrac{e}{2}$

$f(x)-xf'(x)=2x-x\ln x$에 $x=e$를 대입하면

$-\dfrac{e}{2}-ef'(e)=2e-e$에서 $f'(e)=-\dfrac{3}{2}$

$\therefore f(e)f'(e)=\dfrac{3e}{4}$

$\int \dfrac{\ln x}{x} dx$에서 $\ln x = t$라 하면 $\dfrac{1}{x} dx = dt$

즉 $\int t \, dt = \dfrac{1}{2} t^2 + C = \dfrac{1}{2} (\ln x)^2 + C$

28 답 1

함수방정식과 도함수의 정의를 이용해 $f'(x)$를 구한다.

$f(x+y) = f(x) + f(y) + xy(\sin x^2 + \sin y^2)$의 양변에

$x=0$, $y=0$을 대입하면 $f(0) = 0$

$y=h$를 대입하여 정리하면

$f(x+h) = f(x) + f(h) + xh(\sin x^2 + \sin h^2)$

$$f'(x) = \lim_{h \to 0} \frac{f(x+h) - f(x)}{h}$$

$$= \lim_{h \to 0} \frac{f(h) + xh(\sin x^2 + \sin h^2)}{h}$$

$$= \lim_{h \to 0} \left(\frac{f(h)}{h} + x \sin x^2 + x \sin h^2 \right)$$

$$= x \sin x^2 \left(\because \lim_{h \to 0} \frac{f(h)}{h} = f'(0) = 0 \right)$$

$f(x) = \int f'(x) dx = \int x \sin x^2 dx$에서 $x^2 = t$라 하면

$2x \, dx = dt$이므로

$$f(x) = \frac{1}{2} \int \sin t \, dt = -\frac{1}{2} \cos t + C = -\frac{1}{2} \cos x^2 + C$$

이때 $f(0) = 0$이므로 $C = \dfrac{1}{2}$

따라서 $f(x) = -\dfrac{1}{2} \cos x^2 + \dfrac{1}{2}$

$\therefore f(\sqrt{\pi}) = \dfrac{1}{2} + \dfrac{1}{2} = 1$

STEP 3 | 1등급 뛰어넘기   p. 92~94

01 102	02 ③	03 ④	04 3
05 ⑤	06 5	07 ㄱ, ㄴ, ㄷ	08 (1) 3 (2) 1

01 답 102

$\cos x = t$로 놓고 생각하면

$\int \left(-\dfrac{\cos^n x}{n} \right) \sin x \, dx = \int \dfrac{t^n}{n} dt = \dfrac{1}{n(n+1)} \cos^{n+1} x + C$

$\cos x = t$라 하면 $-\sin x \, dx = dt$

이때 $F(x) = \int \left(t + \dfrac{t^2}{2} + \cdots + \dfrac{t^{100}}{100} \right) dt$

$$= \frac{1}{1 \times 2} t + \frac{1}{2 \times 3} t^3 + \cdots + \frac{1}{100 \times 101} t^{101} + C$$

즉 $F(x) = \displaystyle\sum_{k=1}^{100} \dfrac{1}{k(k+1)} \cos^{k+1} x + C$

이때 $F(0) = 1$에서

$F(0) = \displaystyle\sum_{k=1}^{100} \left(\dfrac{1}{k} - \dfrac{1}{k+1} \right) + C = 1 - \dfrac{1}{101} + C = 1$

$\therefore C = \dfrac{1}{101}$

즉 $F(x) = \displaystyle\sum_{k=1}^{100} \dfrac{1}{k(k+1)} \cos^{k+1} x + \dfrac{1}{101}$이고

$F\left(\dfrac{\pi}{2} \right) = \dfrac{1}{101}$이므로 $a = 1$, $b = 101$

$\therefore a + b = 102$

02 답 ③

❶ $\tan^2 x = \sec^2 x - 1$

❷ $\tan x (1 + \tan^2 x) = \tan x \sec^2 x$에서 $\tan x = t$로 치환

$\int (\tan x + \tan^2 x + \tan^3 x) dx$

$= \int \{ \tan^2 x + \tan x (1 + \tan^2 x) \} dx$

$= \int (\sec^2 x - 1 + \tan x \sec^2 x) dx$

$= \int (\sec^2 x - 1) dx + \int \tan x \sec^2 x \, dx$

$\tan x = t$로 놓으면 $\sec^2 x \, dx = dt$이므로

$f(x) = \int (\sec^2 x - 1) dx + \int t \, dt$

$\quad = \tan x - x + \dfrac{1}{2} t^2 + C$

$\quad = \dfrac{1}{2} \tan^2 x + \tan x - x + C$

이때 $f(0) = 0$에서 $C = 0$

따라서 $f(x) = \dfrac{1}{2} \tan^2 x + \tan x - x$

$\therefore f\left(\dfrac{\pi}{4} \right) = \dfrac{1}{2} + 1 - \dfrac{\pi}{4} = \dfrac{3}{2} - \dfrac{\pi}{4}$

03 답 ④

$h(x) = \int f(x) g'(x) dx = f(x) g(x) - \int f'(x) g(x) dx$

$\int f(x) g(x) dx = e^{2x-1} + C$의 양변을 x에 대하여 미분하면

$f(x)g(x)=2e^{2x-1}$

$f(x)g(x)=f'(x)g(x)$이므로

$\int f'(x)g(x)dx=\int f(x)g(x)dx=e^{2x-1}+C$

$h(x)=\int f(x)g'(x)dx$

$\qquad =f(x)g(x)-\int f'(x)g(x)dx$

$\qquad =2e^{2x-1}-e^{2x-1}+C$

$\qquad =e^{2x-1}+C$

이때 $h\left(\dfrac{1}{2}\right)=e^{2\times\frac{1}{2}-1}+C=2$에서 $C=1$

따라서 $h(x)=e^{2x-1}+1$

$\therefore h(1)=e^{2\times1-1}+1=e+1$

04 답 ③

GUIDE

❶ 미분한 결과에서 $x^2f(x)+2xf(x)+x^2f'(x)$ 꼴이 나올 수 있는 $\{e^xx^2f(x)\}'$을 생각한다.

❷ $\{e^xx^2f(x)\}'=e^xx^2f(x)+e^x\times2xf(x)+e^xx^2f'(x)$

$x^2f(x)+2xf(x)+x^2f'(x)=e^{-x}+1$의 양변에 e^x을 곱하면

$e^xx^2f(x)+e^x\times2xf(x)+e^xx^2f'(x)=1+e^x$이고

$\int\{e^xx^2f(x)+e^x\times2xf(x)+e^xx^2f'(x)\}dx$

$=\int\{e^xx^2f(x)\}'dx$

$=\int(1+e^x)dx$

에서 $e^xx^2f(x)=e^x+x+C$

이때 $f(1)=1$에서 $C=-1$이고

$x>0$이므로 $f(x)=\dfrac{e^x+x-1}{e^xx^2}$

$\therefore f(2)=\dfrac{e^2+1}{4e^2}=\dfrac{1}{4}e^{-2}+\dfrac{1}{4}$

따라서 $a=\dfrac{1}{4}$, $b=-2$, $c=\dfrac{1}{4}$이므로

$3a-b+c=3$

05 답 ⑤

GUIDE

$\int\dfrac{f(x)-xf'(x)}{\{f(x)\}^2}dx=\int\left\{\dfrac{x}{f(x)}\right\}'+C$

곡선 $y=f(x)$ 위의 점 $(t, f(t))$에서의 접선의 방정식은

$y=f'(t)(x-t)+f(t)$

이 직선이 x축과 만나는 점의 x좌표는 $\dfrac{tf'(t)-f(t)}{f'(t)}$

이것이 $-\dfrac{1}{2}\{f(t)\}^2$과 같으므로

$\dfrac{tf'(t)-f(t)}{f'(t)}=-\dfrac{1}{2}\{f(t)\}^2$을 정리하면

$\dfrac{1}{2}f'(t)=\dfrac{f(t)-tf'(t)}{\{f(t)\}^2}=\left\{\dfrac{t}{f(t)}\right\}'$에서

$\int\left\{\dfrac{1}{2}f'(t)\right\}dt=\int\left\{\dfrac{t}{f(t)}\right\}'dt$

$\therefore \dfrac{1}{2}f(t)=\dfrac{t}{f(t)}+C$

이때 $f(2)=2$에서 $C=0$이므로 $\dfrac{1}{2}f(x)=\dfrac{x}{f(x)}$

즉 $\{f(x)\}^2=2x$에서 $\{f(1)\}^2=2$ $\quad\therefore f(1)=\sqrt{2}$

참고

$f'(x)>0$에서 $f(x)$는 증가함수, 즉 $f(x)=\sqrt{2x}$이므로 $f(1)=\sqrt{2}$는 가능하지만 $f(1)=-\sqrt{2}$는 될 수 없다.

06 답 ⑤

GUIDE

$h(x)=f(x)+g(x)$로 놓고 $h'(x)$의 식을 구해본다.

$h(x)=f(x)+g(x)$라 하면

$h(x+y)$

$=f(x+y)+g(x+y)$

$=f(x)g(y)+g(x)f(y)+g(x)g(y)+f(x)f(y)$

$-\{f(x)+g(x)\}\{f(y)+g(y)\}=h(x)h(y)$

즉 $h(x+y)=h(x)h(y)$이고, 양변에서 $h(x)$를 빼면

$h(x+y)-h(x)=h(x)\{h(y)-1\}$

이때 $h(0)=1$이므로

$\displaystyle\lim_{y\to0}\dfrac{h(x+y)-h(x)}{y}=\lim_{y\to0}\dfrac{h(x)\{h(y)-h(0)\}}{y}$

$h'(x)=h(x)\times h'(0)$

또한 $h'(0)=1$이므로 $\dfrac{h'(x)}{h(x)}=1$이고

$\int\dfrac{h'(x)}{h(x)}dx=\int dx$에서 $\ln h(x)=x+C$ ($\because h(x)>0$)

$h(0)=1$에서 $C=0$이므로 $\ln h(x)=x$

$\therefore \ln\{f(5)+g(5)\}=\ln h(5)=5$

참고

❶ $h(x)=f(x)+g(x)$에서 $h(0)=f(0)+g(0)=1+0=1$

❷ $h'(x)=f'(x)+g'(x)$에서 $h'(0)=f'(0)+g'(0)=0+1=1$

07 답 ㄱ, ㄴ, ㄷ

GUIDE

$|e^{x+h}f(x+h)-e^xf(x)|\leq h^2$에서 $\{e^xf(x)\}'=0$임을 파악한다.

ㄱ. $e^{x+h}f(x+h)-e^xf(x)\leq h^2$에서

$\quad h$ 대신 $-h$를 대입하면 $e^{x-h}f(x-h)-e^xf(x)\leq h^2$

$y=x-h$라 하면 $e^y f(y)-e^{y+h}f(y+h)\le h^2$

양변에 -1을 곱하면

$e^{y+h}f(y+h)-e^y f(y)\ge -h^2$

즉 $-h^2\le e^{x+h}f(x+h)-e^x f(x)\le h^2$

$\therefore |e^{x+h}f(x+h)-e^x f(x)|\le h^2$

ㄴ. $|e^{x+h}f(x+h)-e^x f(x)|\le h^2$의 양변을
$|h|\,(h\ne 0)$로 나누면

$\left|\dfrac{e^{x+h}f(x+h)-e^x f(x)}{h}\right|\le \dfrac{h^2}{|h|}$

이때 $h\longrightarrow 0$이면 $\{e^x f(x)\}'=0$

즉 $e^x f(x)+e^x f'(x)=0$ $\quad\therefore f(x)+f'(x)=0$

ㄷ. $f(x)+f'(x)=0$에서 $\dfrac{f'(x)}{f(x)}=-1$

$\displaystyle\int \dfrac{f'(x)}{f(x)}dx=\int (-1)dx$

즉 $\ln|f(x)|=-x+C$

이때 $f(0)=1$에서 $C=0$이므로 $|f(x)|=e^{-x}$

$\therefore |f(-1)|=e$

---

08 ⊕ (1) 1 (2) 1

GUIDE

❶ $f(g(x))=x \Rightarrow f'(g(x))g'(x)=1$

❷ $f'(g(x))=-\dfrac{1}{4}\{f(g(x))+3\}^2=-\dfrac{1}{4}(x+3)^2$

$f(g(x))=x$이므로 양변을 x에 대하여 미분하면

$f'(g(x))g'(x)=1$

또 $f(0)=-1$이므로 $g(-1)=0$

(1) $f'(x)=\dfrac{1}{4}\{f(x)+3\}^2$의 x에 $g(x)$를 대입하면

$f'(g(x))=\dfrac{1}{4}\{f(g(x))+3\}^2=\dfrac{1}{4}(x+3)^2$

따라서 $a=\dfrac{1}{4}$, $b=3$이므로 $4ab=3$

$f(0)=-1$이므로 $g(-1)=0$

(2) $f'(g(x))g'(x)=1$에서

$\dfrac{1}{4}(x+3)^2\times g'(x)=1$이므로

$g'(x)=\dfrac{4}{(x+3)^2}$

$g(x)=\displaystyle\int \dfrac{4}{(x+3)^2}dx=-\dfrac{4}{x+3}+C$

$g(-1)=0$에서 $g(-1)=2+C=0$ $\quad\therefore C=2$

따라서 $g(x)=-\dfrac{4}{x+3}+2$이므로 $g(1)=1$

---

08 정적분

01 ⊕ ⑤

GUIDE

$y=\dfrac{1}{x}$의 그래프를 이용해 $B=\displaystyle\int_{k-1}^{k}\dfrac{dx}{x}$, $C=\displaystyle\int_{k}^{k+1}\dfrac{dx}{x}$ 를 나타내 본다.

또 $\dfrac{1}{k}=1\times\dfrac{1}{k}$임을 생각한다.

$y=\dfrac{1}{x}$의 그래프에서

$\dfrac{1}{k}=1\times\dfrac{1}{k}$이므로 그림처럼 A를
나타낼 수 있다. 이때 그림에서
$B=A+D$이므로
$k\ge 2$일 때 $C<A<B$가 항상
성립한다.

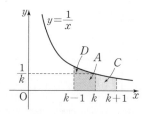

---

02 ⊕ 2

GUIDE

$\ln x=t$로 치환해 S_n을 구한다.

$\ln x=t$로 놓으면 $\dfrac{1}{x}dx=dt$

$S_n=\displaystyle\int_{1}^{e^n}\dfrac{\ln x}{x}dx=\int_{0}^{n}t\,dt=\dfrac{1}{2}n^2$

이때 $\displaystyle\sum_{k=1}^{n}\dfrac{1}{\sqrt{S_k\times S_{k+1}}}=2\sum_{k=1}^{n}\dfrac{1}{k(k+1)}=T_n$이라 하면

$T_n=2\left\{\left(1-\dfrac{1}{2}\right)+\left(\dfrac{1}{2}-\dfrac{1}{3}\right)+\cdots+\left(\dfrac{1}{n}-\dfrac{1}{n+1}\right)\right\}$

$=2\left(1-\dfrac{1}{n+1}\right)$

에서 구하려는 값은 $\displaystyle\lim_{n\to\infty}T_n=2\times\lim_{n\to\infty}\left(1-\dfrac{1}{n+1}\right)=2$

---

03 ⊕ ⑤

GUIDE

$[\{f(x)\}^2]'=2f(x)f'(x)$임을 생각한다.

$\displaystyle\int_{0}^{a}2xf(x)f'(x)dx=\int_{0}^{a}x\times 2f(x)f'(x)dx$

$=\left[x\{f(x)\}^2\right]_{0}^{a}-\int_{0}^{a}\{f(x)\}^2 dx$

$=a\{f(a)\}^2-A=-A$

---

04 답 ⑤

함수 $f(x)$는 주기가 2이므로
그림과 같은 꼴이다. 따라서

$f(x)=\begin{cases} x & (0\le x\le 1) \\ 2-x & (1\le x\le 2) \end{cases}$

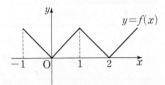

$\int_0^2 e^{f(x)}dx=\int_0^1 e^x dx+\int_1^2 e^{2-x}dx$

$=\Big[e^x\Big]_0^1+\Big[-e^{2-x}\Big]_1^2=2e-2$

05 답 9

원점에 대칭인 함수 $f(x)$에 대하여 $\int_{-a}^{a} f(x)dx=0$이다.

$\int_{-3}^{3}\Big(\dfrac{1}{4}x^3+\dfrac{1}{2}x^2-x\cos\pi x\Big)dx$에서

x^3과 $x\cos\pi x$는 원점에 대칭인 함수이므로

(주어진 식)$=\int_0^3 x^2 dx=9$

06 답 ①

역함수의 성질을 이용해 $\int_{e-1}^{e^2-1} g(x)dx$가 나타내는 것과 같은 것을 찾는다.

함수 $g(x)$는 $f(x)$의 역함수이고 $(y=x$에 대칭$)$

$f(1)=e^2-1$, $f(0)=e-1$이므로 $S=\int_{e-1}^{e^2-1} g(x)dx$라 하면

그림에서 색칠한 두 부분의 넓이가 같다.

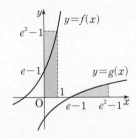

$S=1\times(e^2-1)-\int_0^1(e^{x+1}-1)dx=e^2-1-\Big[e^{x+1}-x\Big]_0^1=e$

07 답 ④

$f(t)=e^t+\ln t-\sin\dfrac{\pi}{2}t$라 하고, $\displaystyle\lim_{x\to a}\dfrac{1}{x-a}\int_a^x f(t)dt=f(a)$을 이용한다.

$f(t)=e^t+\ln t-\sin\dfrac{\pi}{2}t$라 하면

(주어진 식)$=\displaystyle\lim_{x\to 1}\dfrac{1}{x-1}\int_1^{x^2} f(t)dt$

$=\displaystyle\lim_{x\to 1}\dfrac{F(x^2)-F(1)}{x^2-1}\times(x+1)$

$=f(1)\times 2=2e-2$

08 답 1

$\int_1^e \dfrac{f(t)}{t}dt$의 값이 상수임을 이용한다.

$\int_1^e \dfrac{f(t)}{t}dt=k$라 하면 주어진 등식에서 $f(x)=x-k$

$\int_1^e \dfrac{f(t)}{t}dt=\int_1^e \dfrac{t-k}{t}dt=k$

즉 $\int_1^e\Big(1-\dfrac{k}{t}\Big)dt=\Big[t-k\ln|t|\Big]_1^e=k$에서

$e-k-1=k$ $\quad\therefore k=\dfrac{e-1}{2}$

이때 $f(x)=x-\dfrac{e-1}{2}$이므로 $2f\Big(\dfrac{e}{2}\Big)=2\times\dfrac{1}{2}=1$

09 답 2

등식의 양변을 미분한다.

주어진 식의 양변을 x에 관하여 미분하면

$e^x f(x)+e^x f'(x)=e^x\ln x+\dfrac{1}{x}e^x+e^x f(x)$

이때 $f'(x)=\ln x+\dfrac{1}{x}$

$f(x)=(x+1)\ln x-x+C$ (단, C는 적분상수)

주어진 등식에 $x=1$을 대입하면 $f(1)=0$에서 $C=1$이므로

$f(x)=(x+1)\ln x-x+1$

$\therefore f(e)=(e+1)-e+1=2$

10 답 ㄴ, ㄷ

ㄱ. $\dfrac{\pi}{n}\Rightarrow dx$, $\dfrac{k\pi}{n}\Rightarrow x$라 생각한다.

ㄱ. $\displaystyle\lim_{n\to\infty}\dfrac{1}{n}\sum_{k=1}^{n}\dfrac{k}{n}\sin\dfrac{k\pi}{n}=\dfrac{1}{\pi^2}\lim_{n\to\infty}\sum_{k=1}^{n}\Big(\dfrac{k\pi}{n}\sin\dfrac{k\pi}{n}\Big)\dfrac{\pi}{n}$

$\qquad=\dfrac{1}{\pi^2}\int_0^{\pi} x\sin x\,dx$ (×)

ㄴ. $\displaystyle\lim_{n\to\infty}\dfrac{1}{n}\sum_{k=1}^{n}\Big(\dfrac{k}{n}\Big)^2 e^{\frac{k}{n}}=\int_0^1 x^2 e^x dx$ (○)

ㄷ. $\displaystyle\lim_{n\to\infty}\dfrac{1}{n}\sum_{k=1}^{n}\ln\Big(2+\dfrac{k}{n}\Big)=\int_0^1\ln(2+x)dx$ (○)

ㄱ. $\lim_{n\to\infty} \dfrac{1}{n}\sum_{k=1}^{n}\dfrac{k}{n}\sin\dfrac{k\pi}{n}=\int_{0}^{1}x\sin\pi x\,dx$로 구해도 된다.

ㄷ. $2+\dfrac{k}{n}=x$로 생각하면 정적분 구간은 $[2, 3]$이므로

$$\lim_{n\to\infty}\dfrac{1}{n}\sum_{k=1}^{n}\ln\left(2+\dfrac{k}{n}\right)=\int_{2}^{3}\ln x\,dx$$로 구해도 된다.

---

11 ⓐ (1) 2 (2) 2 (3) $\dfrac{\pi}{6}$ (4) 2

GUIDE

(1) $\dfrac{k\pi}{2n}=x$라 생각한다.

(2) 문제의 식을 $\sum$를 써서 나타내고, $\dfrac{k}{n}$는 x라 생각한다.

(3) 분모를 n으로 나눈 다음 치환을 생각한다.

(4) 분모를 n^2으로 나눈다.

---

(1) $\lim_{n\to\infty}\dfrac{\pi}{n}\sum_{k=1}^{n}\cos\dfrac{k\pi}{2n}=2\lim_{n\to\infty}\sum_{k=1}^{n}\left(\cos\dfrac{k\pi}{2n}\right)\dfrac{\pi}{2n}$

$\qquad\qquad\qquad\qquad\qquad =2\int_{0}^{\frac{\pi}{2}}\cos x\,dx=2$

(2) $\lim_{n\to\infty}\left(\dfrac{2}{n^2}e^{\frac{1}{n}}+\dfrac{4}{n^2}e^{\frac{2}{n}}+\dfrac{6}{n^2}e^{\frac{3}{n}}+\cdots+\dfrac{2n}{n^2}e^{\frac{n}{n}}\right)$

$\quad=\lim_{n\to\infty}\dfrac{1}{n}\sum_{k=1}^{n}\dfrac{2k}{n}e^{\frac{k}{n}}=\lim_{n\to\infty}\sum_{k=1}^{n}\left(\dfrac{2k}{n}e^{\frac{k}{n}}\right)\dfrac{1}{n}$

$\quad=2\lim_{n\to\infty}\sum_{k=1}^{n}\left(\dfrac{k}{n}e^{\frac{k}{n}}\right)\dfrac{1}{n}$

$\quad=2\int_{0}^{1}xe^{x}\,dx=2\Big[xe^{x}-e^{x}\Big]_{0}^{1}=2$

(3) $\lim_{n\to\infty}\sum_{k=1}^{n}\dfrac{1}{\sqrt{4n^2-(n-k)^2}}$

$\quad=\lim_{n\to\infty}\sum_{k=1}^{n}\dfrac{1}{\sqrt{4-\left(1-\dfrac{k}{n}\right)^2}}\times\dfrac{1}{n}$

$\quad=\int_{0}^{1}\dfrac{1}{\sqrt{4-x^2}}\,dx$ ($\Leftarrow x=2\sin\theta$로 치환, $dx=2\cos\theta\,d\theta$)

$\quad=\int_{0}^{\frac{\pi}{6}}\dfrac{1}{2\cos\theta}\times2\cos\theta\,d\theta=\Big[\theta\Big]_{0}^{\frac{\pi}{6}}=\dfrac{\pi}{6}$

(4) $40\lim_{n\to\infty}\dfrac{\left(1-\dfrac{2}{n}\right)^4+2\left(1-\dfrac{4}{n}\right)^4+\cdots+n\left(1-\dfrac{2n}{n}\right)^4}{2n^2+1}$

$\quad=40\lim_{n\to\infty}\dfrac{\displaystyle\sum_{k=1}^{n}\dfrac{k}{n}\left(1-\dfrac{2k}{n}\right)^4\dfrac{1}{n}}{\dfrac{2n^2+1}{n^2}}$

$\quad=20\int_{0}^{1}x(1-2x)^4\,dx$ ($\Leftarrow 1-2x=t$로 치환)

$\quad=-10\int_{1}^{-1}\left(\dfrac{1-t}{2}\right)t^4\,dt$

$\quad=10\int_{-1}^{1}\left(\dfrac{1-t}{2}\right)t^4\,dt$

$\quad=5\int_{-1}^{1}(-t^5+t^4)\,dt=10\int_{0}^{1}t^4\,dt=2$

STEP 2 | 1등급 굳히기

p. 100~106

01	38	02	(1) 풀이 참조	(2) 4		
03	(1) 풀이 참조	(2) $e-\dfrac{1}{e}$	(3) 8		04	①
05	ㄱ, ㄴ	06	25	07	⑤	08 ㄱ, ㄴ, ㄷ
09	③	10	④	11	①	12 32
13	⑤	14	③	15	-3	16 ③
17	ㄱ, ㄴ, ㄷ	18	$2\pi+4$	19	①	20 23
21	⑤	22	④	23	4	24 ②
25	12	26	⑤	27	②	28 ②
29	⑤	30	80	31	ㄱ, ㄴ, ㄷ	
32	(1) ③ (2) ② (3) π	33	④	34	②	

01 ⓐ 38

GUIDE

그림처럼 생각하면

$\int_{1}^{400}\dfrac{1}{\sqrt{x}}\,dx>\dfrac{1}{\sqrt{2}}+\dfrac{1}{\sqrt{3}}+\cdots+\dfrac{1}{\sqrt{400}}$이고,

$\dfrac{1}{\sqrt{1}}+\dfrac{1}{\sqrt{2}}+\cdots+\dfrac{1}{\sqrt{399}}>\int_{1}^{400}\dfrac{1}{\sqrt{x}}\,dx$

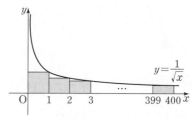

$S=\sum_{k=1}^{400}\dfrac{1}{\sqrt{k}}=\dfrac{1}{\sqrt{1}}+\dfrac{1}{\sqrt{2}}+\cdots+\dfrac{1}{\sqrt{400}}$이라 하면

$S-1<\int_{1}^{400}\dfrac{1}{\sqrt{x}}\,dx$이고, $S-\dfrac{1}{\sqrt{400}}>\int_{1}^{400}\dfrac{1}{\sqrt{x}}\,dx$이므로

$\dfrac{1}{\sqrt{400}}+\int_{1}^{400}\dfrac{1}{\sqrt{x}}\,dx<S<1+\int_{1}^{400}\dfrac{1}{\sqrt{x}}\,dx$

이때 $\int_{1}^{400}\dfrac{1}{\sqrt{x}}\,dx=\Big[2\sqrt{x}\Big]_{1}^{400}=40-2=38$

이므로 S의 정수부분은 38

02 ⓐ (1) 풀이 참조 (2) 4

GUIDE

$f(x)=\dfrac{\sin x}{\sin x+\cos x}$라 놓고 $\int_{0}^{a}f(x)\,dx=\int_{0}^{a}f(a-x)\,dx$임을 이용한다.

(1) $a-x=t$라 하면 $dx=-dt$이므로

$\int_{0}^{a}f(a-x)\,dx=\int_{a}^{0}f(t)(-dt)=\int_{0}^{a}f(t)\,dt=\int_{0}^{a}f(x)\,dx$

(2) $A=\int_{0}^{\frac{\pi}{2}}\dfrac{\sin x}{\sin x+\cos x}\,dx$

$\quad=\int_{0}^{\frac{\pi}{2}}\dfrac{\sin\left(\dfrac{\pi}{2}-x\right)}{\sin\left(\dfrac{\pi}{2}-x\right)+\cos\left(\dfrac{\pi}{2}-x\right)}\,dx$

$$=\int_0^{\frac{\pi}{2}}\frac{\cos x}{\cos x+\sin x}dx$$

$$2A=\int_0^{\frac{\pi}{2}}\frac{\sin x}{\cos x+\sin x}dx+\int_0^{\frac{\pi}{2}}\frac{\cos x}{\cos x+\sin x}dx$$

$$=\int_0^{\frac{\pi}{2}}1dx=\frac{\pi}{2}$$

에서 $A=\dfrac{\pi}{4}$ 이므로 $k=4$

---

03 ☺ (1) 풀이 참조 (2) $e-\dfrac{1}{e}$ (3) 8

GUIDE

$\displaystyle\int_{-a}^{a}f(x)dx=\int_0^a\{f(x)+f(-x)\}dx$ 임을 이용한다.

(1) $\displaystyle\int_{-a}^{a}f(x)dx=\int_{-a}^{0}f(x)dx+\int_0^a f(x)dx$

$\qquad\qquad\qquad\qquad(-x=t$ 라 하면 $dx=-dt)$

$\qquad=\displaystyle\int_a^0 f(-t)(-dt)+\int_0^a f(x)dx$

$\qquad=\displaystyle\int_0^a f(-t)dt+\int_0^a f(x)dx$

$\qquad=\displaystyle\int_0^a \{f(x)+f(-x)\}dx$

(2) $\displaystyle\int_{-1}^{1}f(x)dx=\int_0^1\{f(x)+f(-x)\}dx$

$\qquad\qquad\qquad=\displaystyle\int_0^1 (e^x+e^{-x})dx$

$\qquad\qquad\qquad=\Big[e^x-e^{-x}\Big]_0^1=e-\dfrac{1}{e}$

(3) $f(x)=\dfrac{3x^2}{3^x+1}$ 이라 하면

$\displaystyle\int_{-2}^{2}f(x)dx=\int_0^2\{f(x)+f(-x)\}dx$ 이므로

$\displaystyle\int_{-2}^{2}\frac{3x^2}{3^x+1}dx=\int_0^2\Big(\frac{3x^2}{3^x+1}+\frac{3(-x)^2}{3^{-x}+1}\Big)dx$

$\qquad\qquad\qquad=\displaystyle\int_0^2\Big(\frac{3x^2}{3^x+1}+\frac{3x^2\times 3^x}{1+3^x}\Big)dx$

$\qquad\qquad\qquad=\displaystyle\int_0^2 3x^2 dx=8$

---

04 ☺ ①

GUIDE

❶ $y=|f(x)|$ 의 그래프는 $y=f(x)$ 의 그래프에서 $y\geq 0$ 인 부분은 그대로 두고, $y<0$ 인 부분만 x 축에 대하여 대칭이동한다.

❷ $y=f(|x|)$ 의 그래프는 $y=f(x)$ 의 그래프에서 $x\geq 0$ 인 부분은 그대로 두고, $x<0$ 인 부분만 y 축에 대하여 대칭이동한다.

$f(x)=e^x-2$ 에서 $y=|f(x)|$ 와 $y=f(|x|)$ 의 그래프를 그려보면 다음과 같이 $x\geq\ln 2$ 에서 두 그래프는 같다. 즉 $x<0$ 일 때 만

나는 점부터 시작하는 정적분 값이 최대이다.

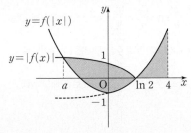

$-e^x+2=e^{-x}-2$ 에서 $e^x=2-\sqrt{3}$ $(\because x<0)$

$g(a)$ 가 최대가 되는 a 의 값은 $\ln(2-\sqrt{3})$

---

05 ☺ ㄱ, ㄴ

GUIDE

❶ $\tan x=t$ 에서 $(\tan x)'=\sec^2 x$ 이므로 $\sec^2 x dx=dt$

❷ a_n+a_{n+2} 를 구해 본다.

ㄱ. $a_1+a_3=\displaystyle\int_0^{\frac{\pi}{4}}(\tan x+\tan^3 x)dx$

$\qquad\qquad=\displaystyle\int_0^{\frac{\pi}{4}}\tan x\sec^2 x dx$

$\qquad\qquad=\Big[\dfrac{1}{2}\tan^2 x\Big]_0^{\frac{\pi}{4}}=\dfrac{1}{2}$ (◯)

ㄴ. $a_2+a_4=\displaystyle\int_0^{\frac{\pi}{4}}(\tan^2 x+\tan^4 x)dx$

$\qquad\qquad=\displaystyle\int_0^{\frac{\pi}{4}}\tan^2 x\sec^2 x dx$

$\qquad\qquad=\Big[\dfrac{1}{3}\tan^3 x\Big]_0^{\frac{\pi}{4}}=\dfrac{1}{3}$

$\therefore a_1+a_2+a_3+a_4=\dfrac{1}{2}+\dfrac{1}{3}$ (◯)

ㄷ. $a_n+a_{n+2}=\displaystyle\int_0^{\frac{\pi}{4}}(\tan^n x+\tan^{n+2} x)dx$

$\qquad\qquad=\displaystyle\int_0^{\frac{\pi}{4}}\tan^n x\sec^2 x dx$

$\qquad\qquad=\Big[\dfrac{1}{n+1}\tan^{n+1} x\Big]_0^{\frac{\pi}{4}}=\dfrac{1}{n+1}$

$a_5+a_7=\dfrac{1}{6}$, $a_6+a_8=\dfrac{1}{7}$, $\cdots$, $a_{98}+a_{100}=\dfrac{1}{99}$

$\displaystyle\sum_{k=1}^{100}a_k=\dfrac{1}{2}+\dfrac{1}{3}+\dfrac{1}{6}+\dfrac{1}{7}+\cdots+\dfrac{1}{98}+\dfrac{1}{99}$ (✕)

---

06 ☺ 25

GUIDE

$f\Big(x+\dfrac{\pi}{2}\Big)=f(x)+k$ 를 이용할 수 있으므로 $0\leq x\leq 2\pi$ 를 $0\leq x\leq\dfrac{\pi}{2}$,

$\dfrac{\pi}{2}\leq x\leq\pi$, $\pi\leq x\leq\dfrac{3\pi}{2}$, $\dfrac{3\pi}{2}\leq x\leq 2\pi$ 로 나누어 생각한다.

조건 ㈏에 $x=0$ 을 대입하면 $f\Big(\dfrac{\pi}{2}\Big)=f(0)+k$ 에서 $k=1$

$$\int_0^{2\pi} f(x)\,dx$$

$$=\int_0^{\frac{\pi}{2}} f(x)\,dx+\int_{\frac{\pi}{2}}^{\pi} f(x)\,dx+\int_{\pi}^{\frac{3\pi}{2}} f(x)\,dx+\int_{\frac{3\pi}{2}}^{2\pi} f(x)\,dx$$

에서

$$\int_0^{\frac{\pi}{2}} f(x)\,dx=\int_0^{\frac{\pi}{2}}\sin x\,dx=\Big[-\cos x\Big]_0^{\frac{\pi}{2}}=1$$

$$\int_{\frac{\pi}{2}}^{\pi} f(x)\,dx=\int_0^{\frac{\pi}{2}} f\Big(x+\frac{\pi}{2}\Big)dx=\int_0^{\frac{\pi}{2}}\{f(x)+1\}dx=1+\frac{\pi}{2}$$

$$\int_{\pi}^{\frac{3\pi}{2}} f(x)\,dx=\int_{\frac{\pi}{2}}^{\pi} f\Big(x+\frac{\pi}{2}\Big)dx=\int_{\frac{\pi}{2}}^{\pi}\{f(x)+1\}dx$$

$$=\int_0^{\frac{\pi}{2}}\{f(x)+1\}dx+\int_{\frac{\pi}{2}}^{\pi}dx$$

$$=\Big(1+\frac{\pi}{2}\Big)+\frac{\pi}{2}=1+\pi$$

같은 방법으로 $\displaystyle\int_{\frac{3\pi}{2}}^{2\pi} f(x)\,dx=1+\frac{3\pi}{2}$

따라서 $\displaystyle\int_0^{2\pi} f(x)\,dx=4+3\pi$ 이므로

$$a^2+b^2=16+9=25$$

07 답 ⑤

GUIDE

$\ln x=t$ 로 놓고 $g(t)$ 를 구한다. 이때 범위에 주의한다.

$\ln x=t$ 라 하면 $g(t)=\begin{cases}f(e^t) & (0\le t<1)\\ g(t-1)+\dfrac{1}{2}t & (1\le t\le 2)\end{cases}$

$$\frac{19}{4}=\int_0^2 g(x)\,dx=\int_0^1 f(e^x)\,dx+\int_1^2\Big\{g(x-1)+\frac{1}{2}x\Big\}dx$$

$$=\int_0^1 f(e^x)\,dx+\int_1^2 g(x-1)\,dx+\frac{3}{4}$$

$\displaystyle\int_0^1 f(e^x)\,dx=A$ 라 하면

$$\int_1^2 g(x-1)\,dx=\int_0^1 g(x)\,dx=\int_0^1 f(e^x)\,dx=A$$

즉 $\dfrac{19}{4}=A+A+\dfrac{3}{4}$ 에서 $A=\displaystyle\int_0^1 f(e^x)\,dx=2$

08 답 ㄱ, ㄴ, ㄷ

GUIDE

$\sin x=t$ 라 하면 $\cos x\,dx=dt$ 이므로

$$f(n)=\int_0^{\frac{\pi}{2}}\sin^n x\cos x\,dx=\int_0^1 t^n\,dt=\frac{1}{n+1}$$

ㄱ. $f(1)=\dfrac{1}{1+1}=\dfrac{1}{2}$ (○)

ㄴ. $\displaystyle\lim_{n\to\infty}\frac{n}{n+1}=1$ (○)

ㄷ. $f(n^2-2)=\dfrac{1}{n^2-1}=\dfrac{1}{2}\Big(\dfrac{1}{n-1}-\dfrac{1}{n+1}\Big)$ 이므로

$$\sum_{n=2}^{\infty} f(n^2-2)=\frac{1}{2}\lim_{n\to\infty}\sum_{n=2}^{n}\Big(\frac{1}{n-1}-\frac{1}{n+1}\Big)$$

$$=\frac{1}{2}\lim_{n\to\infty}\Big(1+\frac{1}{2}-\frac{1}{n}-\frac{1}{n+1}\Big)$$

$$=\frac{3}{4}\ (\ ○\ )$$

09 답 ③

GUIDE

$1-\sqrt{x}=t$ 로 치환해 $-\dfrac{1}{2\sqrt{x}}\,dx=dt$ 임을 이용한다.

$1-\sqrt{x}=t$ 로 치환하면 $\dfrac{1}{\sqrt{x}}\,dx=-2dt$ 이고

$x=1$ 일 때 $t=0$, $x=n$ 일 때 $t=1-\sqrt{n}$ 이므로

$$\int_1^n\frac{e^{1-\sqrt{x}}}{\sqrt{x}}\,dx=\int_0^{1-\sqrt{n}}(-2)e^t\,dt$$

$$=-2\Big[e^t\Big]_0^{1-\sqrt{n}}=-2(e^{1-\sqrt{n}}-1)=f(n)$$

$$\lim_{n\to\infty} f(n)=\lim_{n\to\infty}-2\Big(\frac{e}{e^{\sqrt{n}}}-1\Big)=-2(0-1)=2$$

10 답 ④

GUIDE

$\displaystyle\int_0^k\frac{\ln g(x)}{g(x)(1+x^2)}\,dx$ 에서 $\ln g(x)=t$ 로 치환한다.

$g'(x)=f'(x)=\dfrac{1}{1+x^2}$

$g(k)=f(k)+1=e$, $g(0)=f(0)+1=1$

$$\int_0^k\frac{\ln g(x)}{g(x)(1+x^2)}\,dx=\int_0^k\frac{g'(x)\ln g(x)}{g(x)}\,dx$$

이며 $\ln g(x)=t$ 로 치환하면 $\dfrac{g'(x)}{g(x)}\,dx=dt$

$x=0$ 일 때 $t=\ln g(0)=0$

$x=k$ 일 때 $t=\ln g(k)=1$

$$\therefore \int_0^k\frac{g'(x)\ln g(x)}{g(x)}\,dx=\int_0^1 t\,dt=\Big[\frac{1}{2}t^2\Big]_0^1=\frac{1}{2}$$

다른 풀이 부분적분법

$\displaystyle\int\frac{g'(x)}{g(x)}\,dx=\ln g(x)+C$ (C 는 적분상수) 이므로

$$\int_0^k\frac{\ln g(x)}{g(x)(1+x^2)}\,dx=\int_0^k\frac{g'(x)\ln g(x)}{g(x)}\,dx=A$$ 라 하면

$$A=\Big[\ln g(x)\times\ln g(x)\Big]_0^k-\int_0^k\frac{g'(x)\ln g(x)}{g(x)}\,dx$$

$$=\Big[\ln g(x)\times\ln g(x)\Big]_0^k-A$$

$$\therefore 2A = \Big[\ln g(x) \times \ln g(x)\Big]_0^k$$
$$= \ln g(k) \times \ln g(k) - \ln g(0) \times \ln g(0)$$
$$= \ln e \times \ln e - \ln 1 \times \ln 1 = 1$$
$$\therefore A = \int_0^k \frac{g'(x)\ln g(x)}{g(x)}\,dx = \frac{1}{2}$$

11 답 ①

GUIDE

❶ $\Big[g(x)\Big]_0^{\frac{\pi}{2}} = 0$이므로 $\Big[f(x)g(x)\Big]_0^{\frac{\pi}{2}} = 0$임을 이용한다.

❷ $\int_0^{\frac{\pi}{2}} f(x)g'(x)\,dx$를 구한 결과에서 $1+\sin^2 x = t$로 치환한다.

$$\int_0^{\frac{\pi}{2}} f(x)g'(x)\,dx = \Big[f(x)g(x)\Big]_0^{\frac{\pi}{2}} - \int_0^{\frac{\pi}{2}} f'(x)g(x)\,dx$$
$$= 0 - \int_0^{\frac{\pi}{2}} \frac{2\sin x \cos x}{(1+\sin^2 x)^3}\,dx$$

에서 $1+\sin^2 x = t$로 치환하면, $2\sin x\cos x\,dx = dt$ 이고

$x=0$일 때 $t=1$, $x=\dfrac{\pi}{2}$일 때 $t=2$이므로

$$-\int_0^{\frac{\pi}{2}} \frac{2\sin x\cos x}{(1+\sin^2 x)^3}\,dx = -\int_1^2 \frac{1}{t^3}\,dt = \Big[\frac{1}{2t^2}\Big]_1^2 = -\frac{3}{8}$$

12 답 32

GUIDE

$x^2 = t$로 치환해 $\int_0^2 \{f(x^2)\}^2\,dx$를 구하고, 부분적분법을 이용해

$\int_0^4 xf(x)f'(x)\,dx$를 구한다.

$\int_0^2 x\{f(x^2)\}^2\,dx$에서 $x^2 = t$로 놓으면 $2x\,dx = dt$ 이고

$x=0$이면 $t=0$, $x=2$이면 $t=4$이므로

$$\int_0^4 x\{f(x^2)\}^2\,dx = \frac{1}{2}\int_0^4 \{f(t)\}^2\,dt$$

또 $\int_0^4 xf(x)f'(x)\,dx$에서 $u=x$, $v'=f(x)f'(x)$라 하면

$$\int_0^4 xf(x)f'(x)\}\,dx = \Big[\frac{1}{2}x\{f(x)\}^2\Big]_0^4 - \frac{1}{2}\int_0^4 \{f(x)\}^2\,dx$$

즉 (주어진 식) $= \Big[\frac{1}{2}x\{f(x)\}^2\Big]_0^4 = \frac{1}{2}\big[4\{f(4)\}^2\big] = 32$

13 답 ⑤

GUIDE

❶ $u=f(\cos x)$, $v'=\dfrac{1}{\sin^2 x} = \csc^2 x$로 놓고

$u'=f'(\cos x)(-\sin x)$, $v=-\cot x$임을 이용한다.

❷ (나)의 식을 적분한 결과에 값을 구하려는 식이 포함되어 있다.

$u=f(\cos x)$, $v'=\csc^2 x$로 놓으면

$u'=f'(\cos x)(-\sin x)$, $v=-\cot x$이므로

$$\int_{\frac{\pi}{3}}^{\frac{\pi}{2}} \frac{f(\cos x)}{\sin^2 x}\,dx$$
$$= \Big[-\cot xf(\cos x)\Big]_{\frac{\pi}{3}}^{\frac{\pi}{2}} - \int_{\frac{\pi}{3}}^{\frac{\pi}{2}} f'(\cos x)(-\sin x)(-\cot x)\,dx$$
$$= \frac{1}{\sqrt 3}f\Big(\frac{1}{2}\Big) - \int_{\frac{\pi}{3}}^{\frac{\pi}{2}} \cos xf'(\cos x)\,dx$$
$$= 1 - \int_{\frac{\pi}{3}}^{\frac{\pi}{2}} \cos xf'(\cos x)\,dx$$

$\int_{\frac{\pi}{3}}^{\frac{\pi}{2}} \dfrac{f(\cos x)}{\sin^2 x}\,dx = -2$이므로 $\int_{\frac{\pi}{3}}^{\frac{\pi}{2}} \cos xf'(\cos x)\,dx = 3$

14 답 ③

GUIDE

그래프에서 $-1 \le x \le 1$일 때의 $f(x)$와 $x \ge 1$일 때의 $f(x)$를 구한다.

주어진 그래프에서 $f(x) = \begin{cases} x+1 & (-1 \le x \le 1) \\ 2 & (1 < x \le 2) \end{cases}$

$$f(x+1) = \begin{cases} x+2 & (-1 \le x+1 \le 1) \\ 2 & (1 < x+1 \le 2) \end{cases}$$

$$f(x+1) = \begin{cases} x+2 & (-2 \le x \le 0) \\ 2 & (0 < x \le 1) \end{cases}$$

$$e^{x-1}f(x+1) = \begin{cases} (x+2)e^{x-1} & (-2 \le x \le 0) \\ 2e^{x-1} & (0 < x \le 1) \end{cases}$$

따라서

$$\int_{-1}^1 e^{x-1}f(x+1)\,dx$$
$$= \int_{-1}^0 e^{x-1}f(x+1)\,dx + \int_0^1 e^{x-1}f(x+1)\,dx$$
$$= \int_{-1}^0 (x+2)e^{x-1}\,dx + \int_0^1 2e^{x-1}\,dx$$
$$= \Big[(x+1)e^{x-1}\Big]_{-1}^0 + \Big[2e^{x-1}\Big]_0^1$$
$$= 2 - \frac{1}{e}$$

15 답 -3

GUIDE

❶ $f(x)+f(1-x)=0$이면 $\Big(\dfrac{1}{2}, 0\Big)$에 대하여 대칭이다.

❷ 부분적분법을 이용해 $\int_0^1 (1-x)^2 f''(x)\,dx$을 구한다.

$$\int_0^1 (1-x)^2 f''(x)\,dx$$
$$= \Big[(1-x)^2 f'(x)\Big]_0^1 - \int_0^1 2(x-1)f'(x)\,dx$$
$$= -1 - 2\int_0^1 (x-1)f'(x)\,dx$$

또 $\int_0^1 (x-1)f'(x)dx = \Big[(x-1)f(x)\Big]_0^1 - \int_0^1 f(x)dx$

$\qquad\qquad\qquad\qquad = 1 - \int_0^1 f(x)dx$

즉 $\int_0^1 (1-x)^2 f''(x)dx = -3 + 2\int_0^1 f(x)dx$

한편 $\int_0^1 f(x)dx = \int_0^{\frac{1}{2}} f(x)dx + \int_{\frac{1}{2}}^1 f(x)dx$

$\qquad\qquad\qquad = \int_0^{\frac{1}{2}} f(x)dx + \int_0^{\frac{1}{2}} f(1-x)dx$

$\qquad\qquad\qquad = \int_0^{\frac{1}{2}} 0\,dx = 0$

따라서 $\int_0^1 (1-x)^2 f''(x)dx = -3$

참고

❶ $f(0)=1$이므로 $f(x)+f(1-x)=0$에서 $f(1)=-1$

❷ $\int_{\frac{1}{2}}^1 f(x)dx$에서 $x=1-t$라 하면 $dx=-dt$이므로

$\int_{\frac{1}{2}}^1 f(x)dx = \int_{\frac{1}{2}}^0 f(1-t)(-dt) = \int_0^{\frac{1}{2}} f(1-t)dt$

❸ 도표적분법을 이용할 경우 $f(x)$의 적분을 $F(x)$라 생각하지 않고

$\int f(x)dx$라 나타내면 된다. 즉

$\Big[(1-x)^2 f'(x) - (2x-2)f(x)\Big]_0^1 + 2\int_0^1 f(x)dx$처럼 구할 수 있다.

1등급 NOTE

$f(x)+f(2a-x)=2b$이면 (a, b)에 대하여 대칭이다.

문제에서는 $f(x)$에 대하여 $f(x)+f(1-x)=0$이 성립하므로 $\left(\dfrac{1}{2}, 0\right)$에

대칭이다. $\therefore \int_0^1 f(x)\,dx = 0$

16 답 ③

GUIDE

❶ $f'(x)$를 구해 $f'(x)<0$인 x값의 범위를 생각한다.

❷ 함수 $f(x)$의 주기가 2이고, 그래프는 y축에 대칭임을 생각한다.

㈎에서 $f'(x) = \dfrac{4x(x^2-1)(x^2+1)}{(x^4+1)^2}$ 이므로

$-1<x<0$에서 $f'(x)>0$이고, $0<x<1$에서 $f'(x)<0$이다.

또 $f(-1)=0$, $f(0)=1$, $f(1)=0$이고, y축에 대칭이며

㈏에서 주기가 2인 주기함수이므로

$x>1$에서 $f'(x)>0$인 x값의 범위는 $1<x<2$, $3<x<4$이다.

또 $f'(x)<0$인 x값의 범위는 $2<x<3$, $4<x<5$이다.

$\therefore \int_1^5 x|f'(x)|dx$

$= \int_1^2 xf'(x)dx - \int_2^3 xf'(x)dx + \int_3^4 xf'(x)dx - \int_4^5 xf'(x)dx$

$= \Big[xf(x)\Big]_1^2 - \int_1^2 f(x)dx - \Big[xf(x)\Big]_2^3 + \int_2^3 f(x)dx$

$\quad + \Big[xf(x)\Big]_3^4 - \int_3^4 f(x)dx - \Big[xf(x)\Big]_4^5 + \int_4^5 f(x)dx$

$= 2f(2)-f(1)-3f(3)+2f(2)$

$\quad +4f(4)-3f(3)-5f(5)+4f(4)$

$= 12f(0)-12f(1) = 12$

참고

주어진 조건에서 $y=f(x)$의 그래프는 그림처럼 생각할 수 있다.

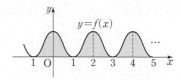

이때

$\int_1^2 f(x)dx = \int_3^4 f(x)dx,\ \int_2^3 f(x)dx = \int_4^5 f(x)dx$

17 답 ㄱ, ㄴ, ㄷ

GUIDE

ㄱ. $\dfrac{\pi}{4}+x$ 또는 $\dfrac{\pi}{4}-x$를 다른 문자로 치환해 본다.

ㄴ. $\sin x = \cos\left(\dfrac{\pi}{2}-x\right)$임을 생각한다.

ㄷ. 부분적분법을 써서 $\int_0^{\frac{\pi}{2}} f'(x)\sin x\,dx$를 구한다.

ㄱ. $f\left(\dfrac{\pi}{4}-x\right)=f\left(\dfrac{\pi}{4}+x\right)$에서 $\dfrac{\pi}{4}+x=t$로 놓으면

$\dfrac{\pi}{4}-x = \dfrac{\pi}{2}-t$ 이므로 $f\left(\dfrac{\pi}{2}-t\right)=f(t)$

$\therefore f\left(\dfrac{\pi}{2}-x\right)=f(x)$

ㄴ. $x=\dfrac{\pi}{2}-t$로 놓으면 $dx=-dt$

$\therefore \int_0^{\frac{\pi}{2}} f(x)\cos x\,dx = -\int_{\frac{\pi}{2}}^0 f\left(\dfrac{\pi}{2}-t\right)\cos\left(\dfrac{\pi}{2}-t\right)dt$

$\qquad\qquad\qquad\qquad = \int_0^{\frac{\pi}{2}} f(t)\sin t\,dt = a$

ㄷ. $\int_0^{\frac{\pi}{2}} f'(x)\sin x\,dx$

$= \Big[f(x)\sin x\Big]_0^{\frac{\pi}{2}} - \int_0^{\frac{\pi}{2}} f(x)\cos x\,dx = f\left(\dfrac{\pi}{2}\right)-a$

조건에서 $\int_0^{\frac{\pi}{2}} f'(x)\sin x\,dx = a$이므로 $f\left(\dfrac{\pi}{2}\right)=2a$이고,

$f\left(\dfrac{\pi}{2}-x\right)=f(x)$에서 $f\left(\dfrac{\pi}{2}\right)=f(0)=2a$ (○)

1등급 NOTE

$f\left(\dfrac{\pi}{4}-x\right)=f\left(\dfrac{\pi}{4}+x\right)$이면 $f(x)$는 $x=\dfrac{\pi}{4}$에 대하여 대칭이다.

함수 $f(x)$가 직선 $x=a$에 대하여 대칭이면 $f(x)=f(2a-x)$이므로

이 경우 $f(x)=\left(\dfrac{\pi}{2}-x\right)$가 성립한다.

18 답 $2\pi+4$

GUIDE

❶ $f(x)$가 y축에 대칭인 함수이므로 $f(-x)=f(x)$

❷ $f(x)=\dfrac{\pi}{2}\displaystyle\int_1^{x+1}f(t)dt$ 의 양변을 미분한다.

❸ $f(x)=\dfrac{\pi}{2}\displaystyle\int_1^{x+1}f(t)dt$ 에서 $f(0)=0$

$f(-x)=f(x)$이고, $f(x)=\dfrac{\pi}{2}\displaystyle\int_1^{x+1}f(t)dt$ 의 양변을 미분하면

$f'(x)=\dfrac{\pi}{2}f(x+1)$에서 $f(x+1)=\dfrac{2}{\pi}f'(x)$

$\therefore \pi^2\displaystyle\int_0^1 xf(x+1)dx=2\pi\displaystyle\int_0^1 xf'(x)dx$

$\qquad\qquad\qquad =2\pi\left\{\left[xf(x)\right]_0^1-\displaystyle\int_0^1 f(x)dx\right\}$

$\qquad\qquad\qquad =2\pi\left\{f(1)+\dfrac{2}{\pi}f(-1)\right\}=2\pi+4$

참고

❶ $\displaystyle\int_0^1 f(x)dx=\dfrac{2}{\pi}\displaystyle\int_0^1 f'(x-1)dx=\dfrac{2}{\pi}\left[f(x-1)\right]_0^1$

$\qquad\qquad\qquad =\dfrac{2}{\pi}\{f(0)-f(-1)\}=-\dfrac{2}{\pi}f(-1)$

❷ $f(-x)=f(x)$이므로 $f(-1)=f(1)=1$

---

19 답 ①

GUIDE

❶ $g(f(x))=g(y)=x$이고, $y=f(x)$에서 $dy=f'(x)dx$

❷ $g(f(3))=3$, $g(f(5))=5$

$f(x)$는 증가하는 함수이므로 ㈐에서 $5f(5)-3f(3)=8$

$\displaystyle\int_{f(3)}^{f(5)}g(y)dy=\displaystyle\int_3^5 xf'(x)dx=\left[xf(x)\right]_3^5-\displaystyle\int_3^5 f(x)dx$

$\qquad\qquad\qquad =8-6=2$

---

20 답 23

GUIDE

❶ $f(g(x))=x$에서 $f'(g(x))g'(x)=1$

❷ $[\{g(x)\}^2]'=2g(x)g'(x)$임을 생각한다.

$f(x)$의 역함수가 $g(x)$이므로 $f(g(x))=x$

이때 $f'(g(x))g'(x)=1$이므로 $h'(x)=\dfrac{1}{f'(g(x))}=g'(x)$

또 $f(0)=0$, $f(1)=2$이므로 $g(0)=0$, $g(2)=1$이다.

$\displaystyle\int_0^2 2g'(x)h(x)dx=\left[2g(x)h(x)\right]_0^2-\displaystyle\int_0^2 2g(x)h'(x)dx$

$\qquad\qquad\qquad =24-\displaystyle\int_0^2 2g(x)g'(x)dx$

$\qquad\qquad\qquad =24-\left[\{g(x)\}^2\right]_0^2=24-1=23$

---

21 답 ⑤

GUIDE

그림처럼 함수 $y=f(x)$의 그래프와 그 역함수 $y=f^{-1}(x)$의 그래프에서 생각하면 다음이 성립한다.

$\displaystyle\int_a^b f(x)dx+\displaystyle\int_{f(a)}^{f(b)}f^{-1}(x)dx$
$=bf(b)-af(a)$

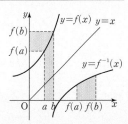

$f(x)=\tan x$일 때, $f(0)=0$, $f\left(\dfrac{\pi}{4}\right)=1$이므로

$\displaystyle\int_a^b f(x)dx+\displaystyle\int_{f(a)}^{f(b)}f^{-1}(x)dx=bf(b)-af(a)$에서

$\displaystyle\int_0^{\frac{\pi}{4}}f(x)dx+\displaystyle\int_0^1 g(x)dx=\dfrac{\pi}{4}$

$\displaystyle\int_0^1 g(x)dx=\dfrac{\pi}{4}-\displaystyle\int_0^{\frac{\pi}{4}}f(x)dx$

$\qquad =\dfrac{\pi}{4}-\displaystyle\int_0^{\frac{\pi}{4}}\dfrac{\sin x}{\cos x}dx=\dfrac{\pi}{4}+\displaystyle\int_1^{\frac{\sqrt{2}}{2}}\dfrac{1}{t}dt$

$\qquad =\dfrac{\pi}{4}+\left[\ln t\right]_1^{\frac{\sqrt{2}}{2}}$

$\qquad =\dfrac{\pi}{4}+\ln\dfrac{\sqrt{2}}{2}$

1등급 NOTE

그림처럼 생각하면

$\displaystyle\int_0^1 g(x)dx=1\times\dfrac{\pi}{4}-\displaystyle\int_0^{\frac{\pi}{4}}f(x)dx$

임을 바로 알 수 있다.

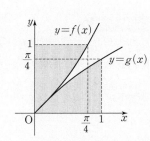

---

22 답 ④

GUIDE

$\displaystyle\lim_{x\to1}\dfrac{1}{x-1}\displaystyle\int_0^x f(t)dt=f(1)=\displaystyle\int_0^1\dfrac{1}{\sqrt{t}(\sqrt{t}-1)}dt$

$\displaystyle\lim_{x\to1}\dfrac{1}{x-1}\displaystyle\int_1^x f(t)dt=f(1)$이므로

$f(1)=\displaystyle\int_0^1\dfrac{1}{\sqrt{t}(\sqrt{t}+1)}dt$에서 $\sqrt{t}=x$라 하면 $t=x^2$

즉 $dt=2xdx$이므로

$\displaystyle\int_0^1\dfrac{1}{\sqrt{t}(\sqrt{t}+1)}dt=\displaystyle\int_0^1\dfrac{2x}{x(x+1)}dx$

$\qquad\qquad\qquad =\displaystyle\int_0^1\dfrac{2}{x+1}dx$

$\qquad\qquad\qquad =2\left[\ln(x+1)\right]_0^1=2\ln 2$

---

23 답 4

GUIDE

$n=\dfrac{1}{h}$ 이라 하고 $\displaystyle\lim_{h \to 0}\dfrac{f(a+mh)-f(a)}{h}=mf'(a)$ 를 이용한다.

$n=\dfrac{1}{h}$ 로 놓으면

$\displaystyle\lim_{n \to \infty}2n\int_0^{\frac{12}{n}}\dfrac{e^x}{6+\sin x}dx=\lim_{h \to 0}\dfrac{2}{h}\int_0^{12h}\dfrac{e^x}{6+\sin x}dx$ 이고,

$\displaystyle\int\dfrac{e^x}{6+\sin x}dx=F(x)+C$ 라 하면

$\displaystyle\lim_{h \to 0}\dfrac{2}{h}\int_0^{12h}\dfrac{e^x}{6+\sin x}dx=2\lim_{h \to 0}\dfrac{F(12h)-F(0)}{h}$

$\qquad\qquad\qquad\qquad\qquad =24F'(0)$

$F'(x)=\dfrac{e^x}{6+\sin x}$ 에서 $F'(0)=\dfrac{1}{6}$ $\quad\therefore 24F'(0)=4$

24 답 ②

GUIDE

$\dfrac{t}{x}=z$ 로 치환하면 $t=xz$ 에서 $dt=xdz$ 이고, 또 $t=x^2$ 일 때 $z=x$ 이다.

$\dfrac{t}{x}=z$ 라 하면 $F(x)=\displaystyle\int_0^x\dfrac{f(z)}{z}dz$

$\therefore F'(x)=\dfrac{f(x)}{x}$

따라서 $F'(2)=\dfrac{f(2)}{2}=1$ 이므로 $f(2)=2$

25 답 12

GUIDE

❶ $x-t=z$ 로 치환하면 $t=x-z$ 이고, 이때 $dt=-dz$
　 또 $t=0$ 일 때 $z=x$ 이고, $t=x$ 일 때 $z=0$ 이다.
❷ 치환한 등식의 양변을 x 에 대하여 미분한다.

$x-t=z$ 라 하면 $-dt=dz$

$\displaystyle\int_0^x tf(x-t)dt=\int_x^0(x-z)f(z)(-dz)$

$\qquad\qquad\qquad =\displaystyle\int_0^x(x-z)f(z)dz$

$\qquad\qquad\qquad =x\displaystyle\int_0^x f(z)dz-\int_0^x zf(z)dz$

즉 $x\displaystyle\int_0^x f(z)dz-\int_0^x zf(z)dz=-3\sin 2x+ax$ 에서

양변을 x 에 대하여 미분하면

$xf(x)+\displaystyle\int_0^x f(z)dz-xf(x)=\int_0^x f(z)dz=-6\cos 2x+a$

$x=0$ 을 대입하면 $0=-6+a$ $\quad\therefore a=6$

$x=\dfrac{\pi}{2}$ 를 대입하면 $\displaystyle\int_0^{\frac{\pi}{2}}f(x)dx=12$

26 답 ⑤

GUIDE

$\displaystyle\int_0^1 f(t)e^{-t}dt=(\text{상수})$ 임을 이용한다.

$\displaystyle\int_0^1 f(t)e^{-t}dt=k$ 라 놓으면 $\displaystyle\int_0^x f(t)dt=e^x-ake^{2x}$

위 등식의 양변에 $x=0$ 을 대입하면 $0=1-ak$ 이므로 $ak=1$

위 등식의 양변을 x 에 대하여 미분하면

$f(x)=e^x-2ake^{2x}=e^x-2e^{2x}$

$\therefore k=\displaystyle\int_0^1(1-2e^t)dt=1-2(e-1)=3-2e$

따라서 $a=\dfrac{1}{3-2e}$

27 답 ②

GUIDE

$\displaystyle\int_0^{\frac{\pi}{2}}f(t)\sin t\,dt=(\text{상수})$ 임을 이용한다.

$f(x)=\cos^2 x+\cos x+3\displaystyle\int_0^{\frac{\pi}{2}}f(t)\sin t\,dt$ 에서

$\displaystyle\int_0^{\frac{\pi}{2}}f(t)\sin t\,dt=a$ ...... ㉠

라 하면 $f(x)=\cos^2 x+\cos x+3a$ ...... ㉡

㉡을 ㉠에 대입하면

$\displaystyle\int_0^{\frac{\pi}{2}}(\cos^2 t+\cos t+3a)\sin t\,dt=a$ ...... ㉢

$\cos t=x$ 라 하면 $-\sin t\,dt=dx$

$t=0$ 일 때 $x=1$ 이고, $t=\dfrac{\pi}{2}$ 일 때 $x=0$ 이므로

㉢에서 $\displaystyle\int_1^0(x^2+x+3a)(-dx)=a$

즉 $\displaystyle\int_0^1(x^2+x+3a)dx=a$ 에서 $\dfrac{1}{3}+\dfrac{1}{2}+3a=a$

$\therefore a=-\dfrac{5}{12}$

$a=-\dfrac{5}{12}$ 를 ㉡에 대입하면 $f(x)=\cos^2 x+\cos x-\dfrac{5}{4}$

$\therefore f(2\pi)=1+1-\dfrac{5}{4}=\dfrac{3}{4}$

따라서 $p^2-q^2=16-9=7$

28 답 ②

GUIDE

$t\sqrt{x}=u$ 로 치환한 다음 $\displaystyle\int_0^1\sqrt{x}f(t\sqrt{x})dx$ 를 구한다.

$t\sqrt{x}=u$ 라 하면 $\dfrac{t}{2\sqrt{x}}dx=du$ 에서 $dx=\dfrac{2\sqrt{x}}{t}du=\dfrac{2u}{t^2}du$

$$\int_0^1 \sqrt{x}\,f(t\sqrt{x})dx = \int_0^t \frac{u}{t}f(u)\frac{2u}{t^2}du$$

$$= \frac{2}{t^3}\int_0^t u^2 f(u)du = e^t$$

이므로 $\displaystyle\int_0^t u^2 f(u)du = \frac{1}{2}t^3 e^t$ $\quad\cdots\cdots$ ㉠

㉠의 양변을 t에 대하여 미분하면 $t^2 f(t) = \dfrac{1}{2}e^t(t^3 + 3t^2)$

즉 $f(t) = \dfrac{1}{2}e^t(t+3)$이므로 $f(1) = 2e$

29 답 ⑤

GUIDE

$\displaystyle\int_0^x f(t)dt = ex + 2\int_0^x (x-t)f(t)dt$의 양변을 미분한다.

주어진 식의 좌변을 전개하면

$$\int_0^x f(t)dt = ex + 2x\int_0^x f(t)dt - 2\int_0^x tf(t)dt$$

양변을 미분하면

$$f(x) = e + 2\int_0^x f(t)dt + 2xf(x) - 2xf(x)$$

즉 $f(x) = e + 2\displaystyle\int_0^x f(t)dt$ $\quad\cdots\cdots$ ㉠

㉠의 양변을 미분하면 $f'(x) = 2f(x)$에서

$\dfrac{f'(x)}{f(x)} = 2$의 양변을 적분하면 $f(x) > 0$이므로

$\ln f(x) = 2x + C$ $\quad\therefore f(x) = e^{2x+C}$ $\quad\cdots\cdots$ ㉡

이때 ㉠에서 $f(0) = e$이므로 ㉡에 대입하면

$f(0) = e^{0+C} = e$ $\quad\therefore C = 1$

따라서 $f(x) = e^{2x+1}$이므로 $f(1) = e^3$

30 답 80

GUIDE

$\sin(x-t) = \sin x\cos t - \cos x\sin t$에서 $f'(x)$와 $f''(x)$를 각각 구해 본다.

삼각함수의 덧셈정리에서

$$f(x) = x + 2 + \int_0^x f(t)(\sin x\cos t - \cos x\sin t)dt$$

$$= x + 2 + \sin x\int_0^x f(t)\cos t\,dt - \cos x\int_0^x f(t)\sin t\,dt$$

$x=0$을 대입하면 $f(0) = 2$이고, 양변을 미분하면

$$f'(x) = 1 + \cos x\int_0^x f(t)\cos t\,dt + \sin xf(x)\cos x$$

$$+ \sin x\int_0^x f(t)\sin t\,dt - \cos xf(x)\sin x$$

$$\therefore f'(x) = 1 + \cos x\int_0^x f(t)\cos t\,dt + \sin x\int_0^x f(t)\sin t\,dt$$

$$\cdots\cdots ㉠$$

㉠에 $x=0$을 대입하면 $f'(0) = 1$이고, 양변을 미분하면

$$f''(x) = -\sin x\int_0^x f(t)\cos t\,dt + \cos xf(x)\cos x$$

$$+ \cos x\int_0^x f(t)\sin t\,dt + \sin xf(x)\sin x$$

$$= -\sin x\int_0^x f(t)\cos t\,dt + \cos x\int_0^x f(t)\sin t\,dt + f(x)$$

$$= x + 2 - f(x) + f(x) = x + 2$$

$f''(x) = x + 2$, $f'(0) = 1$에서 $f'(x) = \dfrac{1}{2}x^2 + 2x + 1$

또 $f(0) = 2$에서 $f(x) = \dfrac{1}{6}x^3 + x^2 + x + 2$ $\quad\therefore f(6) = 80$

참고

$f(x) = x + 2 + \sin x\displaystyle\int_0^x f(t)\cos t\,dt - \cos x\int_0^x f(t)\sin t\,dt$ 이므로

$-\sin x\displaystyle\int_0^x f(t)\cos t\,dt + \cos x\int_0^x f(t)\sin t\,dt = x + 2 - f(x)$

31 답 ㄱ, ㄴ, ㄷ

GUIDE

$\dfrac{1}{n+2} + \dfrac{1}{n+4} + \dfrac{1}{n+6} + \cdots + \dfrac{1}{3n} = \displaystyle\sum_{k=1}^n \dfrac{1}{n+2k}$에서 $\dfrac{k}{n}$ 꼴이 나타나도록 변형한다.

$$\lim_{n\to\infty}\left(\frac{1}{n+2} + \frac{1}{n+4} + \frac{1}{n+6} + \cdots + \frac{1}{3n}\right) = \lim_{n\to\infty}\sum_{k=1}^n \frac{1}{n+2k}$$

(i) $\displaystyle\lim_{n\to\infty}\sum_{k=1}^n \frac{1}{n+2k} = \lim_{n\to\infty}\sum_{k=1}^n \frac{1}{1+\frac{2k}{n}}\times\frac{1}{n} = \int_0^1 \frac{1}{1+2x}dx$

(ii) $\displaystyle\lim_{n\to\infty}\sum_{k=1}^n \frac{1}{n+2k} = \lim_{n\to\infty}\sum_{k=1}^n \frac{1}{1+\frac{2k}{n}}\times\frac{2}{n}\times\frac{1}{2}$

$$= \int_0^2 \frac{1}{2(1+x)}dx$$

(iii) $\displaystyle\lim_{n\to\infty}\sum_{k=1}^n \frac{1}{n+2k} = \lim_{n\to\infty}\sum_{k=1}^n \frac{1}{1+\frac{3-1}{n}k}\times\frac{3-1}{n}\times\frac{1}{2}$

$$= \int_1^3 \frac{1}{2x}dx$$

따라서 ㄱ, ㄴ, ㄷ 모두 옳다.

32 답 (1) ③ (2) ② (3) π

GUIDE

(1) $A = \left\{\left(1+\dfrac{1}{n}\right)\left(1+\dfrac{2}{n}\right)\cdots\left(1+\dfrac{n}{n}\right)\right\}^{\frac{1}{n}}$에서 로그를 취한다.

(2) $P_n = \sqrt[n]{a_{n+1}\times a_{n+2}\times\cdots\times a_{2n}}$에서 로그를 취한다.

(3) $\left|\cos\dfrac{\pi}{n}\right| + \left|2\cos\dfrac{2\pi}{n}\right| + \left|3\cos\dfrac{3\pi}{n}\right| + \cdots + \left|n\cos\dfrac{n\pi}{n}\right|$

$$= \sum_{k=1}^n \left|k\cos\frac{k\pi}{n}\right|$$

(1) $\left\{\left(1+\dfrac{1}{n}\right)\left(1+\dfrac{2}{n}\right)\cdots\left(1+\dfrac{n}{n}\right)\right\}^{\frac{1}{n}}=A$라 하면

$\ln A=\dfrac{1}{n}\left\{\ln\left(1+\dfrac{1}{n}\right)+\ln\left(1+\dfrac{2}{n}\right)+\cdots\ln\left(1+\dfrac{n}{n}\right)\right\}$

이때 $\displaystyle\lim_{n\to\infty}\ln A=\lim_{n\to\infty}\sum_{k=1}^{n}\ln\left(1+\dfrac{k}{n}\right)\dfrac{1}{n}$

$\qquad\qquad\quad=\displaystyle\int_{0}^{1}\ln(1+x)\,dx$

$\qquad\qquad\quad=\Big[(x+1)\ln(x+1)-(x+1)\Big]_{0}^{1}$

$\qquad\qquad\quad=2\ln2-1=\ln\dfrac{4}{e}$

$\therefore \displaystyle\lim_{n\to\infty}A=\dfrac{4}{e}$

(2) $P_n={}^{n}\sqrt{a_{n+1}\times a_{n+2}\times\cdots\times a_{2n}}$ 에서

$\ln\dfrac{P_n}{\sqrt{n}}=\ln(a_{n+1}\times a_{n+2}\times\cdots\times a_{2n})^{\frac{1}{n}}-\ln\sqrt{n}$

$\qquad\quad=\dfrac{1}{2n}[\ln\{(n+1)-\ln n\}+\ln\{(n+2)-\ln n\}$

$\qquad\qquad\qquad\qquad\qquad\quad+\cdots+\{\ln(n+n)-\ln n\}]$

$\qquad\quad=\dfrac{1}{2n}\left\{\ln\left(1+\dfrac{1}{n}\right)+\ln\left(1+\dfrac{2}{n}\right)+\cdots+\ln\left(1+\dfrac{n}{n}\right)\right\}$

$\qquad\quad=\dfrac{1}{2}\displaystyle\sum_{k=1}^{n}\ln\left(1+\dfrac{k}{n}\right)\dfrac{1}{n}$

$\displaystyle\lim_{n\to\infty}\ln\dfrac{P_n}{\sqrt{n}}=\dfrac{1}{2}\lim_{n\to\infty}\sum_{k=1}^{n}\ln\left(1+\dfrac{k}{n}\right)\dfrac{1}{n}$

$\qquad\qquad\quad=\dfrac{1}{2}\displaystyle\int_{0}^{1}\ln(1+x)\,dx=\dfrac{1}{2}\ln\dfrac{4}{e}=\ln\dfrac{2}{\sqrt{e}}$

$\therefore \displaystyle\lim_{n\to\infty}\dfrac{P_n}{\sqrt{n}}=\dfrac{2}{\sqrt{e}}=\dfrac{2\sqrt{e}}{e}$

(3) $\displaystyle\lim_{n\to\infty}\dfrac{\pi^2}{n}\left(\left|\cos\dfrac{\pi}{n}\right|+\left|2\cos\dfrac{2\pi}{n}\right|+\cdots+\left|n\cos\dfrac{3\pi}{n}\right|\right)$

$=\displaystyle\lim_{n\to\infty}\dfrac{\pi^2}{n^2}\left(\sum_{k=1}^{n}\left|k\cos\dfrac{k\pi}{n}\right|\right)$

$=\displaystyle\lim_{n\to\infty}\dfrac{\pi}{n}\left(\sum_{k=1}^{n}\left|\dfrac{k\pi}{n}\cos\dfrac{k\pi}{n}\right|\right)$

$=\displaystyle\lim_{n\to\infty}\dfrac{\pi}{n}\left(\sum_{k=1}^{n}\left|\dfrac{k\pi}{n}\right|\cos\dfrac{k\pi}{n}\right)$

$=\displaystyle\int_{0}^{\pi}|x\cos x|\,dx=\int_{0}^{\frac{\pi}{2}}x\cos x\,dx-\int_{\frac{\pi}{2}}^{\pi}x\cos x\,dx$

$=\Big[x\sin x+\cos x\Big]_{0}^{\frac{\pi}{2}}-\Big[x\sin x+\cos x\Big]_{\frac{\pi}{2}}^{\pi}$

$=\left(\dfrac{\pi}{2}-1\right)-\left(-1-\dfrac{\pi}{2}\right)=\pi$

33 답 ④

GUIDE

❶ $\dfrac{kx}{n}$ 에서 $\dfrac{k}{n}=t$, $\dfrac{x}{2n}=\dfrac{x}{2}\times\dfrac{1}{n}$ 에서 $\dfrac{1}{n}=dt$ 라 생각해서 정적분으로 나타낼 수 있다.

❷ 구간을 나누어 절댓값 기호를 없앤다.

❸ $\displaystyle\int a^x\,dx=\dfrac{a^x}{\ln a}+C$

$f(x)=\displaystyle\int_{0}^{1}|e^{xt}-8|\times\dfrac{x}{2}\,dt$ 이므로

$f(4\ln2)=\displaystyle\int_{0}^{1}|2^{4t}-8|\times2\ln2\,dt$

$\qquad\quad=2\ln2\left(\displaystyle\int_{0}^{\frac{3}{4}}(8-2^{4t})\,dt+\int_{\frac{3}{4}}^{1}(2^{4t}-8)\,dt\right)$

$\qquad\quad=2\ln2\left(\left[8t-\dfrac{2^{4t}}{4\ln2}\right]_{0}^{\frac{3}{4}}+\left[\dfrac{2^{4t}}{4\ln2}-8t\right]_{\frac{3}{4}}^{1}\right)$

$\qquad\quad=2\ln2\left\{\left(6-\dfrac{8}{4\ln2}+\dfrac{1}{4\ln2}\right)\right.$

$\qquad\qquad\qquad\qquad\left.+\left(\dfrac{16}{4\ln2}-8-\dfrac{8}{4\ln2}+6\right)\right\}$

$\qquad\quad=2\ln2\left(4+\dfrac{1}{4\ln2}\right)$

$\qquad\quad=\dfrac{1}{2}+8\ln2$

$f(x)=\dfrac{1}{2}\displaystyle\int_{0}^{x}|e^t-8|\,dt$ 로 놓고

$f(4\ln2)=\displaystyle\int_{0}^{3\ln2}(8-e^t)\,dt+\int_{3\ln2}^{4\ln2}(e^t-8)\,dt$

를 이용해도 된다.

34 답 ②

GUIDE

❶ $\dfrac{2k}{n^2}\left(\dfrac{5n^2+4k^2}{n^2}\right)=2\dfrac{k}{n}\left\{5+4\left(\dfrac{k}{n}\right)^2\right\}\dfrac{1}{n}$ 로 고칠 수 있다.

❷ 함수 $f(x)$의 주기가 2임을 이용해 정적분의 값을 구한다.

즉 $\displaystyle\int_{3}^{4}f(x)\,dx=\int_{5}^{6}f(x)\,dx=4$, $\displaystyle\int_{1}^{3}f(x)\,dx=\int_{6}^{7}f(x)\,dx=3$

$\displaystyle\lim_{n\to\infty}\sum_{k=1}^{n}\dfrac{2k}{n^2}f\left(\dfrac{5n^2+4k^2}{n^2}\right)$

$=2\displaystyle\lim_{n\to\infty}\sum_{k=1}^{n}\dfrac{k}{n}f\left\{5+4\left(\dfrac{k}{n}\right)^2\right\}\dfrac{1}{n}$

$=2\displaystyle\int_{0}^{1}xf(5+4x^2)\,dx$ $\;(\Leftarrow 5+4x^2=t$ 로 치환$)$

$=\dfrac{1}{4}\displaystyle\int_{5}^{9}f(t)\,dt=\dfrac{1}{2}\int_{5}^{7}f(t)\,dt$

$=\dfrac{1}{2}\displaystyle\int_{5}^{6}f(t)\,dt+\dfrac{1}{2}\int_{6}^{7}f(t)\,dt$

$=\dfrac{1}{2}(4+3)=\dfrac{7}{2}$

따라서 $a=\dfrac{7}{2}$ 이므로 $10a=35$

참고

$\dfrac{1}{2}\displaystyle\lim_{n\to\infty}\sum_{k=1}^{n}\dfrac{2}{n}\cdot\dfrac{2k}{n}f\left(5+\left(\dfrac{2k}{n}\right)^2\right)=\dfrac{1}{2}\int_{0}^{2}xf(5+x^2)\,dx$ 로 나타내어도 된다.

$$=\frac{1}{2}\left\{\left[x+\sin x\right]_{-\pi}^{7\pi}+\left[x+\sin x\right]_{0}^{6\pi}\right\}$$

$$=\frac{1}{2}\left\{(7\pi+\pi)+6\pi\right\}=7\pi$$

01 탭 ②

GUIDE

n이 홀수일 때와 짝수일 때로 나누어 a_n을 구한다.

$$a_n=\int_n^{n+1}\{e^x+(-e)^n\pi\sin\pi x\}dx=\left[e^x-(-e)^n\cos\pi x\right]_n^{n+1}$$

$$=e^{n+1}-e^n-(-e)^n\{\cos(n+1)\pi-\cos n\pi\}$$

(i) $n=2k$일 때

$$a_{2k}=e^{2k+1}-e^{2k}-e^{2k}(-2)=e^{2k+1}+e^{2k}$$

(ii) $n=2k+1$일 때

$$a^{2k+1}=e^{2k+2}-e^{2k+1}+2e^{2k+1}=e^{2k+2}+e^{2k+1}$$

즉 모든 자연수 n에 대하여 $a_n=e^{n+1}+e^n=e^n(e+1)$

$$\therefore \ \frac{1}{a_n}=\frac{1}{e+1}\left(\frac{1}{e}\right)^n$$

따라서 $\displaystyle\sum_{n=0}^{\infty}\frac{1}{a_n}=\frac{\dfrac{1}{e}\left(\dfrac{1}{e+1}\right)}{1-\dfrac{1}{e}}=\frac{1}{e^2-1}$

02 탭 ④

GUIDE

$\displaystyle\sum_{k=0}^{6}\int_{(k-1)\pi}^{(k+1)\pi}f(x)dx=\int_{-\pi}^{\pi}f(x)dx+\int_0^{2\pi}f(x)dx+\cdots+\int_{5\pi}^{7\pi}f(x)dx$

에서 $\displaystyle\int_0^{6\pi}f(x)dx$ 부분은 두 번 계산된다.

$$\sum_{k=0}^{6}\int_{(k-1)\pi}^{(k+1)\pi}f(x)dx$$

$$=\int_{-\pi}^{\pi}f(x)dx+\int_0^{2\pi}f(x)dx+\cdots+\int_{5\pi}^{7\pi}f(x)dx$$

$$=\int_{-\pi}^{7\pi}f(x)dx+\int_0^{6\pi}f(x)dx \quad\cdots\cdots\ \ominus$$

$2k\pi-x=t$로 치환하면 $dx=-dt$

$x=(k+1)\pi$이면 $t=(k-1)\pi$, $x=(k-1)\pi$이면 $t=(k+1)\pi$

$$\int_{(k-1)\pi}^{(k+1)\pi}f(x)dx=-\int_{(k+1)\pi}^{(k-1)\pi}f(2k\pi-t)dt=\int_{(k-1)\pi}^{(k+1)\pi}f(2k\pi-t)dt$$

$$=\int_{(k-1)\pi}^{(k+1)\pi}f(2k\pi-x)dx$$

$$\sum_{k=0}^{6}\int_{(k-1)\pi}^{(k+1)\pi}f(x)dx$$

$$=\frac{1}{2}\sum_{k=0}^{6}\int_{(k-1)\pi}^{(k+1)\pi}\{f(x)+f(2k\pi-x)\}dx$$

$$=\frac{1}{2}\sum_{k=0}^{6}\int_{(k-1)\pi}^{(k+1)\pi}(1+\cos x)dx$$

$$=\frac{1}{2}\left\{\int_{-\pi}^{7\pi}(1+\cos x)dx+\int_0^{6\pi}(1+\cos x)dx\right\}$$

03 탭 ④

GUIDE

$f(x)f'(x)f''(x)=\displaystyle\int_0^x(3t^2-6t+2)\}\,dt=x(x-1)(x-2)$에 적당한 수를 대입해 본다. 이때 $f''(x)\neq0$임을 생각한다.

㈎에서

$$f(x)f'(x)f''(x)=\int_0^x(3t^2-6t+2)dt$$

$$=x^3-3x^2+2x=x(x-1)(x-2)$$

이 식에 $x=0$, $x=1$, $x=2$를 차례로 대입하면

$$f(0)f'(0)f''(0)=0,\ f(1)f'(1)f''(1)=0,$$

$$f(2)f'(2)f''(2)=0$$

그런데 ㈏에서 모든 실수 x에 대하여 $f''(x)\neq0$이므로

$$f(0)f'(0)=0,\ f(1)f'(1)=0,\ f(2)f'(2)=0$$

$$\int_1^2\{f'(x)\}^3dx$$

$$=\int_1^2 f'(x)\{f'(x)\}^2dx$$

$$=\left[f(x)\{f'(x)\}^2\right]_1^2-2\int_1^2 f(x)f'(x)f''(x)dx$$

$$=f(2)\{f'(2)\}^2-f(1)\{f'(1)\}^2-2\int_1^2(x^3-3x^2+2x)dx$$

$$=-2\left[\frac{1}{4}x^4-x^3+x^2\right]_1^2=\frac{1}{2}$$

04 탭 7

GUIDE

$\ln x=t$로 치환해서 얻은 식에서 부분적분법을 이용한다.

$\ln x=t$ 라 하면 $x=e^t$에서 $dx=e^t dt$

$$\int_1^{e^{\frac{\pi}{4}}}\sin^2(\ln x)dx=\int_0^{\frac{\pi}{4}}e^t\sin^2 t\,dt$$

$$=\left[e^t\sin^2 t\right]_0^{\frac{\pi}{4}}-\int_0^{\frac{\pi}{4}}e^t\sin 2t\,dt$$

에서 $\left[e^t\sin^2 t\right]_0^{\frac{\pi}{4}}=\dfrac{1}{2}e^{\frac{\pi}{4}}$

또 $\displaystyle\int_0^{\frac{\pi}{4}}e^t\sin 2t\,dt=A$라 하면

$$A=\int_0^{\frac{\pi}{4}}e^t\sin 2t\,dt=\left[e^t\sin 2t\right]_0^{\frac{\pi}{4}}-2\int_0^{\frac{\pi}{4}}e^t\cos 2t\,dt$$

$$=e^{\frac{\pi}{4}}-2\left\{\left[e^t\cos 2t\right]_0^{\frac{\pi}{4}}+2\int_0^{\frac{\pi}{4}}e^t\sin 2t\,dt\right\}$$

$$=e^{\frac{\pi}{4}}-2(-1+2A)$$

즉 $\int_0^{\frac{\pi}{4}} e^t \sin 2t \, dt = \frac{1}{5} e^{\frac{\pi}{4}} + \frac{2}{5}$

$\therefore \int_0^{\frac{\pi}{4}} e^t \sin^2 t \, dt = \frac{1}{2} e^{\frac{\pi}{4}} - \left(\frac{1}{5} e^{\frac{\pi}{4}} + \frac{2}{5} \right) = \frac{3}{10} e^{\frac{\pi}{4}} - \frac{2}{5}$

따라서 $a = \frac{3}{10}$, $b = -\frac{2}{5}$ 이므로 $10(a-b) = 7$

$\int_0^{\frac{\pi}{4}} e^t \sin 2t \, dt = A$ 를 다음과 같이 구한다.

부호	미분	적분
① $(+)$	$\sin 2t$	e^t
② $(-)$	$2\cos 2t$	e^t
③ $(+)$	$-4\sin 2t$	e^t

$\int_0^{\frac{\pi}{4}} e^t \sin 2t \, dt = e^t \sin 2t - 2e^t \cos 2t - 4\int_0^{\frac{\pi}{4}} e^t \sin 2t \, dt$

※ ③에서 ①과 같은 모양이 나왔으므로 이때는 가로로 곱한다.

05 답 6

$y = \sqrt[3]{x^2 + 2x}$ $(0 \le x \le 2)$의 역함수는 $x = \sqrt[3]{y^2 + 2y}$ 에서
$(y+1)^2 = x^3 + 1$, 정리하면 $y = \sqrt{x^3+1} - 1$
즉 $\sqrt{1+x^3} + \sqrt[3]{x^2+2x} = f(x)^{-1} + 1 + f(x)$

$f(x) = \sqrt[3]{x^2+2x}$ 라 하면 $f^{-1}(x) = \sqrt{x^3+1} - 1$ 이므로

$\int_0^2 \{ \sqrt{1+x^3} + \sqrt[3]{x^2+2x} \} dx$

$= \int_0^2 \{ f(x) + f^{-1}(x) + 1 \} dx$

$f(0) = 0$, $f(2) = 2$ 이므로

$\int_0^2 \{ f(x) + f^{-1}(x) \} dx = 4$

$\therefore \int_0^2 \{ f(x) + f^{-1}(x) + 1 \} dx$

$\quad = 4 + 2 = 6$

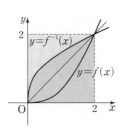

06 답 2

부분적분법을 이용해 I_n을 구한다. I_{n+1}을 구할 때 I_n 모양이 나타나는지 확인한다.

ㄱ. $I_1 = \int_0^1 x^2 e^x \, dx = \left[x^2 e^x \right]_0^1 - 2\int_0^1 x e^x \, dx$

$= e - 2 \left(\left[x e^x \right]_0^1 - \int_0^1 e^x \, dx \right)$

$= -e + 2 \left[e^x \right]_0^1 = e - 2$ (○)

ㄴ. $I_{n+1} = \int_0^1 x^{n+2} e^x \, dx$

$= \left[x^{n+2} e^x \right]_0^1 - (n+2)\int_0^1 x^{n+1} e^x \, dx$

$= e - (n+2) I_n$ (○)

ㄷ. $I_1 = e - 2$ 이고, $I_{n+1} = e - (n+2) I_n$ 이므로

$I_2 = e - 3I_1 = -2e + 6$

$I_3 = e - 4I_2 = 9e - 24$

$I_4 = e - 5I_3 = -44e + 120$

$\therefore \sum_{k=1}^4 I_k = 100 - 36e$ (×)

부호	미분	적분
$(+)$	x^{n+2}	e^t
$(-)$	$(n+2)x^{n+1}$	e^t

$I_n = \int_0^1 x^{n+1} e^x \, dx$ 이고, 도표적분법에서 두 번째 줄에서 I_n 모양이 나왔으므로 가로 방향으로 곱하고 적분 기호를 씌운다.

즉 $I_n = \int_0^1 x^{n+1} e^x \, dx$

$= \left[x^{n+2} e^x \right]_0^0 - (n+2)\int_0^1 x^{n+1} e^x \, dx$

07 답 2

$x+t$ 를 다른 문자로 치환한 다음

$\int_{-x}^x (x-t) f'(x+t) dt$ 를 간단하게 나타낸다.

$x+t = u$ 라 하면 $x - t = 2x - u$ 이고, $dt = du$

$\int_{-x}^x (x-t) f'(x+t) dt$

$= \int_0^{2x} (2x - u) f'(u) du$

$= 2x \int_0^{2x} f'(u) du - \int_0^{2x} u f'(u) du$

$= 2x \left[f(u) \right]_0^{2x} - \left[u f(u) \right]_0^{2x} + \int_0^{2x} f(u) du = \int_0^{2x} f(u) du$

즉 $\int_0^{2x} f(u) du = f(2x) + 4x$ 에서 양변을 미분하면

$2f(2x) = 2f'(2x) + 4$

$x = 1$ 을 대입하여 정리하면 $f(2) - f'(2) = 2$

08 답 25

$\sin 2y = 2 \sin y \cos y$ 이고, $\left(\frac{1}{y+1} \right)' = -\frac{1}{(y+1)^2}$ 임을 이용해 부분적분법을 사용한다.

$$\int_0^{\frac{\pi}{2}} \frac{\sin y \cos y}{y+1} dy$$

$$=\frac{1}{2}\int_0^{\frac{\pi}{2}} \frac{\sin 2y}{y+1} dy$$

$$=\frac{1}{2}\left\{-\frac{1}{2}\left[\frac{\cos 2y}{y+1}\right]_0^{\frac{\pi}{2}} -\frac{1}{2}\int_0^{\frac{\pi}{2}} \frac{\cos 2y}{(y+1)^2} dy\right\}$$

$$=\frac{1}{2}\left\{-\frac{1}{2}\left(\frac{-1}{\frac{\pi}{2}+1}-1\right)-\frac{1}{2}\int_0^{\frac{\pi}{2}} \frac{\cos 2y}{(y+1)^2} dy\right\}$$

$$\left(\Leftarrow 2y=t \text{라 하면 } dy=\frac{1}{2}dt\right)$$

$$=\frac{1}{2}\left(\frac{1}{\pi+2}+\frac{1}{2}\right)-\frac{1}{8}\int_0^\pi \frac{\cos t}{\left(\frac{t}{2}+1^2\right)} dt$$

$$=\frac{\frac{1}{2}}{\pi+2}+\frac{1}{4}-\frac{1}{2}\int_0^\pi \frac{\cos t}{(t+2)^2} dt$$

즉 $a=-\frac{1}{2}$, $b=\frac{1}{2}$, $c=\frac{1}{4}$ 이므로

$$100(a+b+c)=100\times\frac{1}{4}=25$$

09 답 ①

GUIDE

$$\sum_{k=1}^n \frac{k}{n}\pi\sin\left(\frac{k-1}{n}\pi\right)=\sum_{k=1}^n \frac{(k-1)\pi+\pi}{n}\sin\left(\frac{k-1}{n}\pi\right)$$

$$\lim_{n\to\infty}\sum_{k=1}^n \frac{k}{n}\pi\left\{\sin\left(\frac{k}{n}\pi\right)-\sin\left(\frac{k-1}{n}\pi\right)\right\}$$

$$=\lim_{n\to\infty}\left\{\sum_{k=1}^n \frac{k}{n}\pi\sin\left(\frac{k}{n}\pi\right)-\sum_{k=1}^n \frac{k}{n}\pi\sin\left(\frac{k-1}{n}\pi\right)\right\}\text{에서}$$

$$\sum_{k=1}^n \frac{k}{n}\pi\sin\left(\frac{k-1}{n}\pi\right)$$

$$=\sum_{k=1}^n \frac{(k-1)\pi+\pi}{n}\sin\left(\frac{k-1}{n}\pi\right)$$

$$=\sum_{k=1}^n \frac{k-1}{n}\pi\sin\left(\frac{k-1}{n}\pi\right)+\sum_{k=1}^n \frac{\pi}{n}\sin\left(\frac{k-1}{n}\pi\right)$$

$$=\sum_{k=0}^{n-1} \frac{k}{n}\pi\sin\left(\frac{k}{n}\pi\right)+\sum_{k=0}^{n-1} \frac{\pi}{n}\sin\left(\frac{k}{n}\pi\right)$$

$$\therefore \lim_{n\to\infty}\sum_{k=1}^n \frac{k}{n}\pi\left\{\sin\left(\frac{k}{n}\pi\right)-\sin\left(\frac{k-1}{n}\pi\right)\right\}$$

$$=\lim_{n\to\infty}\left\{\sum_{k=1}^n \frac{k}{n}\pi\sin\left(\frac{k}{n}\pi\right)-\sum_{k=1}^{n-1} \frac{k}{n}\pi\sin\left(\frac{k}{n}\pi\right)\right.$$
$$\left.-\sum_{k=0}^{n-1} \frac{\pi}{n}\sin\left(\frac{k}{n}\pi\right)\right\}$$

$$=\lim_{n\to\infty}\left\{\pi\sin\pi-\sum_{k=0}^{n-1} \frac{\pi}{n}\sin\left(\frac{k}{n}\pi\right)\right\}$$

$$=0-\int_0^\pi \sin x\, dx=\left[\cos x\right]_0^\pi=-1-1=-2$$

10 답 2

GUIDE

$f(x)$의 그래프는 y축에 대하여 대칭이고, $f'(x)$의 그래프는 원점에 대하여 대칭이므로 $\int_{-1}^0 f(x)dx=-\frac{1}{4}=\int_0^1 f(x)dx$

또 $\int_{-a}^a x^2 f'(x)dx=0$

(가) $f(x)=f(-x)$이므로 함수 $f(x)$의 그래프는 y축에 대하여 대칭이다. 그러므로 함수 $f'(x)$의 그래프는 원점에 대하여 대칭이다.

(나) $\int_0^1 f'(x)dx=-\frac{1}{3}$이고 $f(0)=0$이므로

$$\int_0^1 f'(x)dx=\left[f(x)\right]_0^1=f(1)-f(0)=-\frac{1}{3}$$

$$\therefore f(1)=-\frac{1}{3}$$

(다) $\int_{-1}^0 f(x)dx=-\frac{1}{4}$이므로 $\int_0^1 f(x)dx=-\frac{1}{4}$

$\lim\limits_{n\to\infty}\sum\limits_{k=1}^n \frac{k^2}{n^3}f'\left(\frac{2k}{n}-1\right)$에서 $\frac{2k}{n}-1=x$로 치환하면

$\frac{k^2}{n^2}=\left(\frac{x+1}{2}\right)^2$이고, 이때 $dx=\frac{2}{n}$로 변형할 수 있으므로

$$\lim_{n\to\infty}\sum_{k=1}^n \frac{k^2}{n^3}f'\left(\frac{2k}{n}-1\right)$$

$$=\lim_{n\to\infty}\sum_{k=1}^n \left(\frac{k}{n}\right)^2 f'\left(\frac{2k}{n}-1\right)\frac{2}{n}\times\frac{1}{2}$$

$$=\frac{1}{2}\int_{-1}^1 \left(\frac{x+1}{2}\right)^2 f'(x)dx$$

$$=\frac{1}{8}\int_{-1}^1 \{x^2 f'(x)+2xf'(x)+f'(x)\}dx$$

$$=\frac{1}{8}\int_{-1}^1 2xf'(x)dx$$

$$=\frac{1}{2}\int_0^1 xf'(x)dx$$

$$=\frac{1}{2}\left\{\left[xf(x)\right]_0^1-\int_0^1 f(x)dx\right\}$$

$$=\frac{1}{2}\left\{f(1)-\int_0^1 f(x)dx\right\}$$

$$=\frac{1}{2}\left(-\frac{1}{3}+\frac{1}{4}\right)=-\frac{1}{24}$$

09 정적분의 활용

STEP 1 | 1등급 준비하기

p. 112~113

01 ⑤	02 ②	03 ②	04 ④
05 ③	06 ①	07 ④	08 ②
09 ③	10 ④	11 ③	

01 답 ⑤

GUIDE

$y=\ln x$에서 $x=e^y$를 이용해 y에 대한 정적분을 구한다.

그림에서 색칠한 부분의 넓이는

$\int_0^1 e^y\,dy=\left[e^y\right]_0^1=e-1$

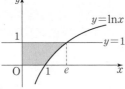

다른 풀이

$e\times 1-\int_1^e \ln x\,dx=e-\left[x\ln x-x\right]_1^e dx=e-1$

02 답 ②

GUIDE

$S_n=\int_n^{n+1} e^{-x}dx$이므로 S_n을 n에 대한 식으로 나타낸다.

$S_n=\int_n^{n+1} e^{-x}dx$

$\quad=\left[-e^{-x}\right]_n^{n+1}$

$\quad=e^{-n}-e^{-(n+1)}$

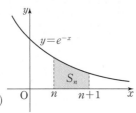

$\therefore \sum_{n=1}^{\infty} S_n=\lim_{n\to\infty}\sum_{k=1}^{n}(e^{-k}-e^{-(k+1)})$

$\quad=\lim_{n\to\infty}\left\{\left(\dfrac{1}{e}-\dfrac{1}{e^2}\right)+\left(\dfrac{1}{e^2}-\dfrac{1}{e^3}\right)+\cdots\right.$

$\quad\qquad\left.+\left(\dfrac{1}{e^{n-1}}-\dfrac{1}{e^n}\right)+\left(\dfrac{1}{e^n}-\dfrac{1}{e^{n+1}}\right)\right\}$

$\quad=\lim_{n\to\infty}\left(\dfrac{1}{e}-\dfrac{1}{e^{n+1}}\right)=\dfrac{1}{e}$

다른 풀이

$\sum_{n=1}^{\infty} S_n=\int_1^{\infty} e^{-x}dx$

$\quad=\left[-e^{-x}\right]_1^{\infty}=\dfrac{1}{e}-\dfrac{1}{e^{\infty}}=\dfrac{1}{e}$

처럼 생각할 수도 있다.

03 답 ②

GUIDE

넓이를 구하기 위해 영역을 빼고 더하는 것을 생각한다.

$y'=-\sin x$이므로 점 $\left(\dfrac{\pi}{6},\ \dfrac{\sqrt{3}}{2}\right)$에서 접하는 직선의 방정식은

$y=-\sin\dfrac{\pi}{6}\left(x-\dfrac{\pi}{6}\right)+\dfrac{\sqrt{3}}{2}$

즉 $y=-\dfrac{1}{2}x+\dfrac{\pi}{12}+\dfrac{\sqrt{3}}{2}$

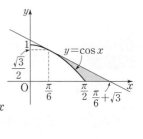

그림에서 색칠한 부분의 넓이는

$\dfrac{1}{2}\times\left(\dfrac{\pi}{6}+\sqrt{3}-\dfrac{\pi}{6}\right)\times-\int_{\frac{\pi}{6}}^{\frac{\pi}{2}}\cos x\,dx$

$=\dfrac{3}{4}-\left[\sin x\right]_{\frac{\pi}{6}}^{\frac{\pi}{2}}=\dfrac{1}{4}$

04 답 ④

GUIDE

두 곡선 $y=\dfrac{1}{x}$과 $y=\sqrt{x}$가 만나는 점의 좌우에서 두 곡선의 위치가 바뀐다.

$\dfrac{1}{x}=\sqrt{x}$에서 $x^3=1$ $\quad\therefore x=1$

이때 $\dfrac{1}{4}\le x\le 1$에서 $\dfrac{1}{x}\ge\sqrt{x}$이고

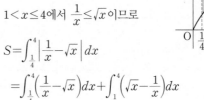

$1<x\le 4$에서 $\dfrac{1}{x}\le\sqrt{x}$이므로

$S=\int_{\frac{1}{4}}^{4}\left|\dfrac{1}{x}-\sqrt{x}\right|dx$

$\quad=\int_{\frac{1}{4}}^{1}\left(\dfrac{1}{x}-\sqrt{x}\right)dx+\int_1^4\left(\sqrt{x}-\dfrac{1}{x}\right)dx$

$\quad=\left[\ln x-\dfrac{2}{3}x^{\frac{3}{2}}\right]_{\frac{1}{4}}^{1}+\left[\dfrac{2}{3}x^{\frac{3}{2}}-\ln x\right]_1^4=\dfrac{49}{12}$

05 답 ③

GUIDE

두 도형의 넓이가 서로 같은 조건이 있으면 (정적분의 값)$=0$이다.

곡선 $y=\sin x$, $y=ax^2$과 직선 $x=\pi$로 둘러싸인 두 도형의 넓이를 각각 S_1, S_2라 하면 $S_1=S_2$이므로

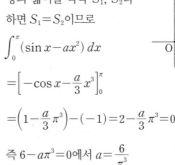

$\int_0^{\pi}(\sin x-ax^2)\,dx$

$=\left[-\cos x-\dfrac{a}{3}x^3\right]_0^{\pi}$

$=\left(1-\dfrac{a}{3}\pi^3\right)-(-1)=2-\dfrac{a}{3}\pi^3=0$

즉 $6-a\pi^3=0$에서 $a=\dfrac{6}{\pi^3}$

06 답 ①

GUIDE

(부피)$=\int_1^2$ (단면의 넓이)$dx=\int_1^2 xe^x\,dx$

$$\int_1^2 xe^x\,dx=\Big[xe^x-e^x\Big]_1^2=e^2$$

07 답 ④

GUIDE

$$\int_{-2}^2(\text{단면의 넓이})\,dx=2\int_0^2 4\sqrt{4-x^2}\,dx$$

직사각형의 가로 길이가 $2\sqrt{4-x^2}$
이므로 넓이 $S(x)=4\sqrt{4-x^2}$,
이때 부피는

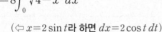

$$\int_{-2}^2 4\sqrt{4-x^2}\,dx=8\int_0^2\sqrt{4-x^2}\,dx$$

$$(\Leftarrow x=2\sin t\text{라 하면 } dx=2\cos t\,dt)$$

$$=8\int_0^{\frac{\pi}{2}}4\cos^2 t\,dt$$

$$=8\Big[2t+\sin 2t\Big]_0^{\frac{\pi}{2}}=8\pi$$

08 답 ②

GUIDE

$$\int_0^{\frac{\pi}{4}}(\text{단면의 넓이})\,dx=\int_0^{\frac{\pi}{4}}\frac{\sqrt3}{4}\tan^2 x\,dx$$

그림에서 단면의 넓이 $S(x)$는

$$S(x)=\frac{\sqrt3}{4}\tan^2 x$$

이므로 입체도형의 부피는

$$\int_0^{\frac{\pi}{4}}S(x)\,dx=\frac{\sqrt3}{4}\int_0^{\frac{\pi}{4}}\tan^2 x\,dx$$

$$=\frac{\sqrt3}{4}\int_0^{\frac{\pi}{4}}(\sec^2 x-1)\,dx$$

$$=\frac{\sqrt3}{4}\Big[\tan x-x\Big]_0^{\frac{\pi}{4}}=\frac{\sqrt3}{4}-\frac{\sqrt3}{16}\pi$$

09 답 ③

GUIDE

❶ $\displaystyle\int_1^{e^2}(\text{단면 넓이})\,dx=\int_1^{e^2}(\ln x)^2\,dx$

❷ (다항함수)×(로그함수)의 적분은 부분적분법을 이용한다.

단면의 넓이 $S(x)$가 $S(x)=(\ln x)^2$이므로 입체도형의 부피는

$$\int_1^{e^2}S(x)\,dx=\int_1^{e^2}(\ln x)^2\,dx$$

$$=\Big[x(\ln x)^2\Big]_1^{e^2}-\int_1^{e^2}2\ln x\,dx$$

$$=\Big[x(\ln x)^2\Big]_1^{e^2}-\Big[2x\ln x\Big]_1^{e^2}+\int_1^{e^2}2\,dx$$

$$=\Big[x(\ln x)^2-2x\ln x+2x\Big]_1^{e^2}=2e^2-2$$

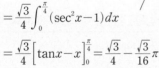

1등급 NOTE 도표적분법 스킬 익히기

부호	미분	직분	
① +	$(\ln x^2)$	1	
② −	$\dfrac{2\ln x}{x}$	x	$\Rightarrow x(\ln x)^2$
②′ −	$2\ln x$	1	
③ +	$\dfrac{2}{x}$	x	$\Rightarrow -2x\ln x$
③′ +	2	1	
	0	x	$\Rightarrow 2x$

$$\therefore \int(\ln x)^2\,dx=x(\ln x)^2-2x\ln x+2x+C$$

※ ②와 ②′은 곱한 결과가 같으므로 ② 대신 더 간단한 ②′를 이용한다. ③과 ③′에서도 마찬가지이다.

10 답 ④

GUIDE

점 P의 속도가 $v(t)$일 때 $a\le t\le b$에서 점 P의 이동거리는

$$\int_a^b|v(t)|\,dt$$

$$\int_0^4|(t-2)\,e^{-t}|\,dt$$

$$=\int_0^2\{-(t-2)e^{-t}\}+\int_2^4(t-2)e^{-t}\,dt$$

$$=\Big[(t-2)e^{-t}\Big]_0^2-\int_0^2 e^{-t}\,dt-\Big[(t-2)\,e^{-t}\Big]_2^4+\int_2^4 e^{-t}\,dt$$

$$=2+\Big[e^{-t}\Big]_0^2-2e^{-4}-\Big[e^{-t}\Big]_2^4=1+\frac{2}{e^2}-\frac{3}{e^4}$$

11 답 ③

GUIDE

$a\le t\le b$에서 점 $(f(t),g(t))$가 그리는 곡선의 길이는

$$\int_a^b\sqrt{\{f'(t)\}^2+\{g'(t)\}^2}\,dt$$

$$\frac{dx}{dt}=e^{-t}(\cos t-\sin t),\ \frac{dy}{dt}=-e^{-t}(\cos t+\sin t)$$

이므로 곡선의 길이는

$$\int_0^2\sqrt{\{e^{-t}(\cos t-\sin t)\}^2+\{-e^{-t}(\cos t+\sin t)\}^2}\,dt$$

$$=\int_0^2\sqrt{2e^{-2t}}\,dt=\int_0^2\sqrt2\,e^{-t}\,dt$$

$$=\Big[-\sqrt2\,e^{-t}\Big]_0^2=\sqrt2\Big(1-\frac{1}{e^2}\Big)$$

01 4	**02** ②	**03** 50	**04** ①
05 1	**06** ⑤	**07** ③	**08** ④
09 32	**10** ④	**11** ④	**12** ④
13 ④	**14** ④	**15** ③	**16** 3
17 ⑤	**18** ④	**19** 12	**20** ②
21 ②	**22** 64	**23** 12	**24** 40

01 답 4

GUIDE

$$f(x)=\frac{(\ln x)^2-4\ln x+3}{x}=\frac{(\ln x-3)(\ln x-1)}{x}$$

$f(x)=\dfrac{(\ln x-3)(\ln x-1)}{x}$ 은 x축과 $x=e$, e^3에서 만나므로

$\displaystyle\int_e^{e^3}\dfrac{(\ln x-3)(\ln x-1)}{x}\,dx$에서 $\ln x=t$로 치환하면

$$\int_1^3 (t-3)(t-1)\,dt=-\frac{4}{3}$$

따라서 $S=\displaystyle\int_1^3 |(t-3)(t-1)|\,dt=\dfrac{4}{3}$ 이므로 $3S=4$

참고

그림에서 $\displaystyle\int_a^b f(x)dx=-A$이면 넓이는 A이다.
즉 둘러싸인 부분이 x축을 기준으로 한쪽에
만 있으면 넓이는 정적분의 절댓값과 같다.

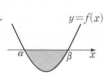

1등급 NOTE

$\displaystyle\int_\alpha^\beta a(x-\alpha)(x-\beta)dx=-\dfrac{a}{6}(\beta-\alpha)^3$을 이용하면

$$\int_1^3 (t-1)(t-3)dt=-\frac{1}{6}(3-1)^3=-\frac{4}{3}$$

02 답 ②

GUIDE

$\sin^2\dfrac{x}{2}=\dfrac{1-\cos x}{2}$ 임을 이용한다.

함수 $f(x)=\sin^2\dfrac{x}{2}=\dfrac{1-\cos x}{2}$ $(0\le x\le\pi)$의 그래프와 y축 및

두 직선 $y=\dfrac{3}{4}$, $y=1$로 둘러싸인 부분, 즉 그림에서 색칠한 부분

의 넓이는

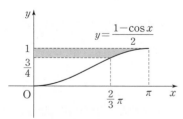

$\pi\times 1-\dfrac{2}{3}\pi\times\dfrac{3}{4}-\displaystyle\int_{\frac{2}{3}\pi}^{\pi}\dfrac{1-\cos x}{2}\,dx=\dfrac{\pi}{3}-\dfrac{\sqrt3}{4}$

03 답 ②

GUIDE

다각형의 넓이에서 정적분 값을 빼는 것을 생각한다.

그림과 같이 곡선 위의 두 점 A_n,
A_{n+1}에서 x축에 내린 수선의 발을
각각 H_n, H_{n+1}이라 하면
$S_n=\square A_nH_nH_{n+1}A_{n+1}$
$\qquad -\displaystyle\int_n^{n+1}\dfrac{1}{x^2}\,dx$

$=\dfrac{1}{2}\times\left\{\dfrac{1}{n^2}+\dfrac{1}{(n+1)^2}\right\}\times 1-\left[\dfrac{1}{x}\right]_n^{n+1}$

$=\dfrac{1}{2n^2}+\dfrac{1}{2(n+1)^2}+\dfrac{1}{n+1}-\dfrac{1}{n}=\dfrac{1}{2n^2(n+1)^2}$

따라서 $\displaystyle\sum_{n=1}^{\infty}\sqrt{S_n}=\dfrac{1}{\sqrt2}\sum_{n=1}^{\infty}\left(\dfrac{1}{n}-\dfrac{1}{n+1}\right)=\dfrac{\sqrt2}{2}$ 에서

$a=\dfrac{\sqrt2}{2}$ 이고, 이때 $100a^2=50$

04 답 ①

GUIDE

곡선 $y=\dfrac{xe^{x^2}}{e^{x^2}+1}$ 과 직선 $y=\dfrac{3}{4}x$는 모두 원점에 대하여 대칭인 도형이

므로 $x\ge0$일 때의 넓이를 구하여 두 배한다.

$\dfrac{xe^{x^2}}{e^{x^2}+1}=\dfrac{3}{4}x$에서 $xe^{x^2}=\dfrac{3}{4}xe^{x^2}+\dfrac{3}{4}x$, $\dfrac{1}{4}x(e^{x^2}-3)=0$

$x=0$ 또는 $e^{x^2}-3=0$, $e^{x^2}=3$에서 $x^2=\ln 3$ $\quad\therefore x=\pm\sqrt{\ln 3}$

따라서 구하는 넓이는

$2\displaystyle\int_0^{\sqrt{\ln 3}}\left(\dfrac{3}{4}x-\dfrac{xe^{x^2}}{e^{x^2}+1}\right)dx$

$=\displaystyle\int_0^{\sqrt{\ln 3}}\dfrac{3}{2}x\,dx-\int_0^{\sqrt{\ln 3}}\dfrac{2xe^{x^2}}{e^{x^2}+1}\,dx$

$=\left[\dfrac{3}{4}x^2\right]_0^{\sqrt{\ln 3}}-\left[\ln(e^{x^2}+1)\right]_0^{\sqrt{\ln 3}}$

$=\dfrac{3}{4}\ln 3-(\ln 4-\ln 2)$

$=\dfrac{3}{4}\ln 3-\ln 2$

참고

$\displaystyle\int\dfrac{2xe^{x^2}}{e^{x^2}+1}\,dx$에서 $e^{x^2}+1=t$라 하면 $2xe^{x^2}dx=dt$이므로 $\displaystyle\int\dfrac{1}{t}\,dt$를 이용

하면 부정적분은 $\ln(e^{x^2}+1)+C$라 해도 되고, $\dfrac{f'(x)}{f(x)}$ 꼴의 적분을 생각

해도 된다.

05 답 1

GUIDE

자연수 n에 대하여 $\left(n-\dfrac{1}{2}\right)\pi\le x\le\left(n+\dfrac{1}{2}\right)\pi$일 때의 넓이를 생각한다.

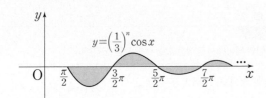

$$S_n = \left| \int_{(n-\frac{1}{2})\pi}^{(n+\frac{1}{2})\pi} \left\{ \left(\frac{1}{3}\right)^n \cos x \right\} dx \right|$$

$$= \left(\frac{1}{3}\right)^n \times \left| \left[\sin x \right]_{(n-\frac{1}{2})\pi}^{(n+\frac{1}{2})\pi} \right| = 2\left(\frac{1}{3}\right)^n$$

$$\therefore \sum_{n=1}^{\infty} S_n = \frac{\frac{2}{3}}{1-\frac{1}{3}} = 1$$

06 답 ⑤

GUIDE
정수 n에 대하여 $n\pi \le x \le (n+1)\pi$일 때의 넓이를 생각한다.

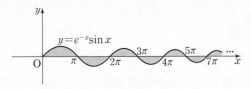

$A = \int e^{-x} \sin x \, dx$라 하고 부분적분법을 써서 정리하면

$A = -e^{-x}\sin x - e^{-x}\cos x - A$

즉 $2A = -e^{-x}\sin x - e^{-x}\cos x$

이때 0 이상의 정수 n에 대하여

$$2\int_{n\pi}^{(n+1)\pi} e^{-x}\sin x \, dx = \left[-e^{-x}\sin x - e^{-x}\cos x \right]_{n\pi}^{(n+1)\pi}$$

에서 $\left| \int_{n\pi}^{(n+1)\pi} e^{-x}\sin x \, dx \right| = \frac{e^{\pi}+1}{2e^{(n+1)\pi}}$ 이므로

$$\sum_{n=0}^{\infty} \frac{e^{\pi}+1}{2e^{(n+1)\pi}} = \frac{\frac{e^{\pi}+1}{2e^{\pi}}}{1-\frac{1}{e^{\pi}}} = \frac{e^{\pi}+1}{2e^{\pi}-2}$$

07 답 ③

GUIDE
$e^x = xe^x$의 해는 $x=1$뿐이다.

오른쪽 그림에서

$A = \int_0^1 (e^x - xe^x) dx$

$= \int_0^1 \{(1-x)e^x\} dx$

$= \left[(1-x)e^x \right]_0^1 + \int_0^1 e^x dx$

$= -1 + e - 1 = e - 2$

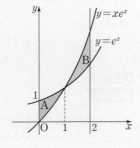

$B = \int_1^2 (xe^x - e^x) dx = \int_1^2 \{(x-1)e^x\} dx$

$= \left[(x-1)e^x \right]_1^2 - \int_1^2 e^x dx = e^2 - e^2 + e = e$

따라서 $A + B = 2(e-1)$

08 답 ④

GUIDE
x축을 기준으로 적분하는 것이 불편하므로 y축을 기준으로 접근한다.

그림에서 색칠한 부분의 넓이는

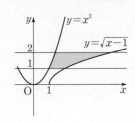

$\int_1^2 (y^2 + 1 - \sqrt{y}) dy$

$= \left[\frac{1}{3}y^3 + y - \frac{2}{3}y^{\frac{3}{2}} \right]_1^2 = 4 - \frac{4}{3}\sqrt{2}$

이므로 $p = \frac{4}{3}$

09 답 32

GUIDE
$y = |\sin x - \cos x|$의 의미를 생각한다.

$y = |\sin x - \cos x|$는 두 함수 $y = \sin x$, $y = \cos x$의 함숫값의 차이를 뜻하므로 구하는 넓이는 다음 그림에서 색칠한 부분의 넓이와 같다.

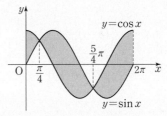

$S = \int_0^{2\pi} |\sin x - \cos x| dx$

$= \int_0^{\frac{\pi}{4}} (\cos x - \sin x) dx + \int_{\frac{\pi}{4}}^{\frac{5}{4}\pi} (\sin x - \cos x) dx$

$\qquad\qquad\qquad\qquad + \int_{\frac{5}{4}\pi}^{2\pi} (\cos x - \sin x) dx$

$= \left[\sin x + \cos x \right]_0^{\frac{\pi}{4}} + \left[-\cos x - \sin x \right]_{\frac{\pi}{4}}^{\frac{5}{4}\pi} + \left[\sin x + \cos x \right]_{\frac{5}{4}\pi}^{2\pi}$

$= 4\sqrt{2}$

따라서 $S^2 = 32$

10 답 ④

GUIDE
두 곡선 $y = f(x)$, $y = g(x)$가 $x = t$에서 공통접선을 가지면
❶ $f(t) = g(t)$
❷ $f'(t) = g'(t)$

두 곡선 $y=a(x+1)^2$, $y=\ln(x+1)$이 만나는 점의 x좌표를 t라 하면

$a(t+1)^2=\ln(t+1)$ $\quad$ ...... ㉠

$2a(t+1)=\dfrac{1}{t+1}$ 에서 $(t+1)^2=\dfrac{1}{2a}$ $\quad$ ...... ㉡

㉠, ㉡에서 $t+1=\sqrt{e}$ 이므로

$t=\sqrt{e}-1$, $a=\dfrac{1}{2e}$

따라서 구하는 넓이는

$\displaystyle\int_{-1}^{\sqrt{e}-1}\dfrac{1}{2e}(x+1)^2\,dx$

$\displaystyle\qquad-\int_0^{\sqrt{e}-1}\ln(x+1)\,dx$

$=\left[\dfrac{1}{6e}(x+1)^3\right]_{-1}^{\sqrt{e}-1}-\Big[(x+1)\ln(x+1)-x\Big]_0^{\sqrt{e}-1}$

$=\dfrac{2\sqrt{e}}{3}-1$

참고

$\displaystyle\int\ln(x+1)\,dt=(x+1)\ln(x+1)-x+C$

---

11 답 ④

GUIDE

$y=\sin nx$와 $y=\cos nx$의 주기가 $\dfrac{2\pi}{n}$ 이고, 두 곡선은 x좌표가

$\dfrac{\pi}{4n},\dfrac{5\pi}{4n},\dfrac{9\pi}{4n},\cdots$ 일 때 만난다.

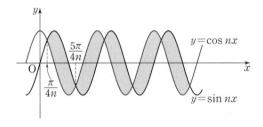

구간 $\left[\dfrac{\pi}{4n},\dfrac{5\pi}{4n}\right]$에서 두 그래프로 둘러싸인 부분의 넓이를

S라 하면

$S=\displaystyle\int_{\frac{\pi}{4n}}^{\frac{5\pi}{4n}}(\sin nx-\cos nx)\,dx$

$\quad=\left[-\dfrac{1}{n}\cos nx-\dfrac{1}{n}\sin nx\right]_{\frac{\pi}{4n}}^{\frac{5\pi}{4n}}$

$\quad=\dfrac{2\sqrt{2}}{n}$

이때 $[0,2\pi]$에서 넓이가 S인 부분이 $2n-1$개 있으므로

$S_n=(2n-1)\times\dfrac{2\sqrt{2}}{n}$

따라서 $\displaystyle\lim_{n\to\infty}S_n=\lim_{n\to\infty}\dfrac{2n-1}{n}\times2\sqrt{2}=4\sqrt{2}$

참고

❶ 두 곡선 $y=\cos nx$와 $y=\sin nx$는 직선 $y=\dfrac{5\pi}{4n}$에 대하여 대칭이

므로 두 부분 A, B의 넓이는 같다.

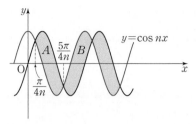

❷ $n=2,3,4$일 때 구간 $[0,2\pi]$에서 넓이가 S인 부분이 각각 몇 개 나타

나는지 확인해서 규칙성을 찾을 수 있다.

---

12 답 ④

GUIDE

❶ 곡선 $y=2\sin\dfrac{\pi}{4}x$와 직선 $y=x$로 둘러싸인 부분의 넓이를 이용한다.

❷ 곡선 $y=2\sin\dfrac{\pi}{4}x$와 직선 $y=x$는 각각 원점에 대하여 대칭이다.

$y=2\sin\dfrac{\pi}{4}x$의 그래프는

주기가 8이므로

$y=f(x)$의 그래프와

$y=g(x)$의 그래프로

둘러싸인 부분은 오른쪽 그

림에서 색칠한 부분과 같다.

따라서 넓이는

$4\displaystyle\int_0^2\left(2\sin\dfrac{\pi}{4}x-x\right)dx=4\left[-\dfrac{8}{\pi}\cos\dfrac{\pi}{4}x-\dfrac{1}{2}x^2\right]_0^2=\dfrac{32}{\pi}-8$

---

13 답 ④

GUIDE

두 함수 $y=f(x)$와 $y=g(x)$는 $x\ln x=x$에서 $x=e$일 때 만난다.

그림에서 색칠한 부분 넓이의 $\dfrac{1}{2}$ 은

$\displaystyle\int_0^{\frac{1}{e}}\{x-(-x)\}\,dx$

$\displaystyle\quad+\int_{\frac{1}{e}}^e(x-x\ln x)\,dx$

$=\left[x^2\right]_0^{\frac{1}{e}}+\displaystyle\int_{\frac{1}{e}}^e x\,dx-\int_{\frac{1}{e}}^e x\ln x\,dx$

$=\dfrac{1}{e^2}+\left[\dfrac{1}{2}x^2\right]_{\frac{1}{e}}^e-\left[\dfrac{1}{2}x^2\ln x-\dfrac{1}{4}x^2\right]_{\frac{1}{e}}^e$

$=\dfrac{1}{4}\left(e^2-\dfrac{1}{e^2}\right)$

따라서 구하는 넓이는 $\dfrac{1}{2}\left(e^2-\dfrac{1}{e^2}\right)$

다음을 기억하고 활용한다.

- $\int \ln x\, dx = x \ln x - x + C$
- $\int \ln(x+k)\, dx = (x+k)\ln(x+k) - x + C$ (단, k는 상수)
- $\int \ln(ax+b) = \frac{1}{a}(ax+b)\ln(ax+b) - x + C$ (단, a, b는 상수)
- $\int x \ln x\, dx = \frac{1}{2}x^2 \ln x - \frac{1}{4}x^2 + C$

14 답 ④

GUIDE

(전체 넓이) $= 2 \times$ (이등분한 넓이)

그림처럼 생각하면 직선 $x=k$에 의하여 색칠한 부분의 넓이가 이등분되므로

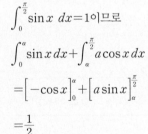

$$\int_0^3 \frac{1}{x+1}\, dx = 2\int_0^k \frac{1}{x+1}\, dx$$

$$\left[\ln(x+1)\right]_0^3 = 2\left[\ln(x+1)\right]_0^k$$

$$\ln 4 = 2\ln(k+1) \qquad \therefore k = 1$$

15 답 ③

GUIDE

$\sin x = a\cos x$의 해를 α로 놓고

$\int_0^\alpha \sin x\, dx + \int_\alpha^{\frac{\pi}{2}} a\cos x\, dx = \frac{1}{2}\int_0^{\frac{\pi}{2}} \sin x\, dx$에서 a에 대한 방정식을 구한다.

$\sin x = a\cos x$의 해를 α라 하면 $\tan\alpha = a$이고

$\int_0^{\frac{\pi}{2}} \sin x\, dx = 1$이므로

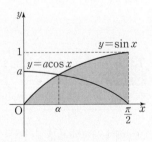

$$\int_0^\alpha \sin x\, dx + \int_\alpha^{\frac{\pi}{2}} a\cos x\, dx$$

$$= \left[-\cos x\right]_0^\alpha + \left[a\sin x\right]_\alpha^{\frac{\pi}{2}}$$

$$= \frac{1}{2}$$

즉 $\cos\alpha + a\sin\alpha = a + \frac{1}{2}$, 이때 $\tan\alpha = a$이므로

$$\sin\alpha = \frac{a}{\sqrt{a^2+1}},\ \cos\alpha = \frac{1}{\sqrt{a^2+1}}$$

을 대입하여 정리하면 $a = \frac{3}{4}$

16 답 3

GUIDE

❶ $\sin 2x = k\cos x$의 해를 a로 놓고 $\sin a$ 또는 $\cos a$의 값과 k의 관계를 이용한다.

❷ $S_1 + S_2$를 구한다.

$$S_1 + S_2 = \int_0^{\frac{\pi}{2}} \sin 2x\, dx = \left[-\frac{1}{2}\cos 2x\right]_0^{\frac{\pi}{2}} = 1$$

이때 $0 < x < \frac{\pi}{2}$에서 $\sin 2x = k\cos x$의 해를 α라 하면

$\sin 2\alpha = k\cos\alpha$에서 $2\sin\alpha\cos\alpha - k\cos\alpha = 0$

$\cos\alpha(2\sin\alpha - k) = 0 \qquad \therefore \sin\alpha = \frac{k}{2} \quad \cdots\cdots \ \bigcirc$

$S_1 : S_2 = 25 : 39$이므로 $S_1 = 1 \times \frac{25}{64} = \frac{25}{64}$, 즉

$$\int_\alpha^{\frac{\pi}{2}} (\sin 2x - k\cos x)\, dx$$

$$= \left[-\frac{1}{2}\cos 2x - k\sin x\right]_\alpha^{\frac{\pi}{2}}$$

$$= -\frac{1}{2}\cos\pi + \frac{1}{2}\cos 2\alpha - k\sin\frac{\pi}{2} + k\sin\alpha$$

$$= \frac{1}{2} + \frac{1}{2}(1 - 2\sin^2\alpha) - k + k\sin\alpha$$

$$= \frac{1}{2} + \frac{1}{2}\left(1 - 2\times\frac{k^2}{4}\right) - k + k\times\frac{k}{2} = \frac{25}{64}\ (\because \bigcirc)$$

$16k^2 - 64k + 39 = 0,\ (4k-13)(4k-3) = 0$

즉 $k = \frac{3}{4}\ (\because 0 < k < 1)$이므로 $4k = 3$

17 답 ⑤

GUIDE

정적분을 이용해 A, B를 각각 k로 나타낸다.

$\frac{3}{x} = 3x$에서 $x = 1$

$kx = \frac{3}{x}$에서 $x = \sqrt{\frac{3}{k}}$

$\frac{1}{3}x = \frac{3}{x}$에서 $x = 3$이므로

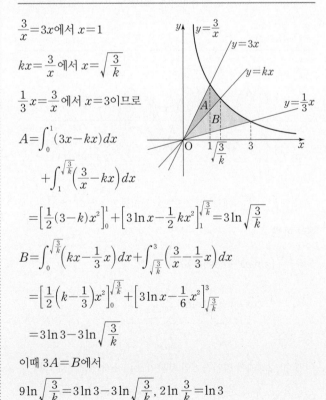

$$A = \int_0^1 (3x - kx)\, dx$$

$$\quad + \int_1^{\sqrt{\frac{3}{k}}} \left(\frac{3}{x} - kx\right) dx$$

$$= \left[\frac{1}{2}(3-k)x^2\right]_0^1 + \left[3\ln x - \frac{1}{2}kx^2\right]_1^{\sqrt{\frac{3}{k}}} = 3\ln\sqrt{\frac{3}{k}}$$

$$B = \int_0^{\sqrt{\frac{3}{k}}} \left(kx - \frac{1}{3}x\right) dx + \int_{\sqrt{\frac{3}{k}}}^3 \left(\frac{3}{x} - \frac{1}{3}x\right) dx$$

$$= \left[\frac{1}{2}\left(k - \frac{1}{3}\right)x^2\right]_0^{\sqrt{\frac{3}{k}}} + \left[3\ln x - \frac{1}{6}x^2\right]_{\sqrt{\frac{3}{k}}}^3$$

$$= 3\ln 3 - 3\ln\sqrt{\frac{3}{k}}$$

이때 $3A = B$에서

$$9\ln\sqrt{\frac{3}{k}} = 3\ln 3 - 3\ln\sqrt{\frac{3}{k}},\ 2\ln\frac{3}{k} = \ln 3$$

즉 $\frac{9}{k^2} = 3$이므로 $k = \sqrt{3}\ \left(\because \frac{1}{3} < k < 3\right)$

18 답 ④

GUIDE

$S(x)=\dfrac{3x+5}{x^2+3x+2}=\dfrac{2}{x+1}+\dfrac{1}{x+2}$ 이고, 부피는 $\int_0^3 S(x)dx$ 이다.

$$\int_0^3 \frac{3x+5}{x^2+3x+2}\,dx=\int_0^3\left(\frac{2}{x+1}+\frac{1}{x+2}\right)dx$$
$$=\Big[2\ln|x+1|+\ln|x+2|\Big]_0^3$$
$$=\ln 40$$

19 답 12

GUIDE

$\int_0^x (x-t)\{f(t)\}^2 dt=6\int_0^1 x^3(x-t)^2 dt$ 에서
좌변은 전개하고 우변은 적분하여 양변을 미분해 본다.

$\int_0^x(x-t)\{f(t)\}^2dt=6\int_0^1 x^3(x-t)^2dt$ 에서

$(좌변)=x\int_0^x\{f(t)\}^2dt-\int_0^x t\{f(t)\}^2dt$

$(우변)=6\int_0^1 x^3(x-t)^2dt=6\int_0^1(x^5-2x^4t+x^3t^2)dt$
$=\Big[6x^5t-6x^4t^2+2x^3t^3\Big]_0^1=6x^5-6x^4+2x^3$

즉 $x\int_0^x\{f(t)\}^2dt-\int_0^x t\{f(t)\}^2dt=6x^5-6x^4+2x^3$ 의 양변을

x에 대하여 미분하면

$\int_0^x\{f(t)\}^2dt=30x^4-24x^3+6x^2$ ······ ㉠

그런데 입체도형의 부피는 $\int_0^1\{f(t)\}^2dt$ 이므로 이 값은

㉠에 $x=1$을 대입한 $\int_0^1\{f(t)\}^2dt=12$

참고

$x=t$일 때 정사각형의 한 변의 길이는 $f(t)$이므로 $S(t)=\{f(t)\}^2$

20 답 ②

GUIDE

❶ 정팔각형은 그림과 같이 꼭지각의 크기가 $\dfrac{\pi}{4}$ 인
합동인 이등변삼각형 8개로 나뉘어진다.

❷ $\overline{AB}=2\sin k$이므로 정팔각형 내부의 이등변
삼각형에서 $\overline{AO}=\sin k$이다.

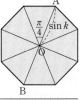

$\overline{AB}=2\sin k$이고 정팔각형 합동인 이등변삼각형 8개로 나누어
지므로 정팔각형의 넓이는

$8\times\dfrac{1}{2}\times\sin k\times\sin k\times\sin\dfrac{\pi}{4}=2\sqrt{2}\sin^2 k$

따라서 부피는

$$\int_0^{\frac{\pi}{2}} 2\sqrt{2}\sin^2 k\,dk=\int_0^{\frac{\pi}{2}}\left(2\sqrt{2}\times\frac{1-\cos 2k}{2}\right)dk$$
$$=\Big[\sqrt{2}\Big(k-\frac{1}{2}\sin 2k\Big)\Big]_0^{\frac{\pi}{2}}=\frac{\sqrt{2}}{2}\pi$$

21 답 ②

GUIDE

❶ 물의 깊이에 대한 수면의 넓이를 구한다.
❷ 남아 있는 물의 높이를 구한다.

그림과 같이 구멍이 생긴 지점의 물
의 깊이를 x라 하고, 물의 깊이가 x
일 때 수면의 반지름 길이를 z라 하
면 $z^2=4^2-x^2$, 이때 수면의 넓이는

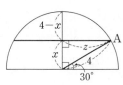

$\pi z^2=\pi(4^2-x^2)$이고 남아 있는 물의 높이는 $4\sin 30°=2$이므로
남아 있는 물의 양은

$$\int_0^2 \pi(16-x^2)dx=\pi\Big[16x-\frac{1}{3}x^3\Big]_0^2=\frac{88}{3}\pi$$

22 답 64

GUIDE

점 P가 움직인 거리는 $\int_0^{2\pi}\sqrt{\left(\dfrac{dx}{dt}\right)^2+\left(\dfrac{dx}{dt}\right)^2}\,dt$

$\dfrac{dx}{dt}=4(-\sin t+\cos t),\ \dfrac{dy}{dt}=-2\sin 2t$ 이므로

점 P가 움직인 거리는

$\int_0^{2\pi}\sqrt{\left(\dfrac{dx}{dt}\right)^2+\left(\dfrac{dy}{dt}\right)^2}\,dt$
$=\int_0^{2\pi}\sqrt{16(1-\sin 2t)+4\sin^2 2t}\,dt$
$=\int_0^{2\pi}(4-2\sin 2t)dt=\Big[4t+\cos 2t\Big]_0^{2\pi}=8\pi$

따라서 $a=8$이므로 $a^2=64$

23 답 12

GUIDE

❶ $\lim\limits_{h\to 0}\dfrac{f(x+4h)-f(x-2h)}{3h}=2f'(x)$

❷ 곡선의 길이는 $\int_0^3\sqrt{1+\{f'(x)\}^2}\,dx$

$\lim\limits_{h\to 0}\dfrac{f(x+4h)-f(x-2h)}{3h}$
$=\lim\limits_{h\to 0}\dfrac{f(x+4h)-f(x)}{4h}\times\dfrac{4}{3}$
$\quad -\lim\limits_{h\to 0}\dfrac{f(x-2h)-f(x)}{4h}\times\Big(-\dfrac{2}{3}\Big)$
$=f'(x)\times\Big(\dfrac{4}{3}+\dfrac{2}{3}\Big)=2f'(x)$

즉 $2f'(x)=2x\sqrt{x^2+2}$에서 $f'(x)=x\sqrt{x^2+2}$

이므로 $0\leq x\leq 3$에서 곡선 $y=f(x)$의 길이는

$$\int_0^3 \sqrt{1+(x\sqrt{x^2+2})^2}\,dx=\int_0^3(x^2+1)dx=\left[\frac{1}{3}x^3+x\right]_0^3=12$$

24 ⓐ 40

GUIDE

❶ 곡선의 길이는 $\displaystyle\int_0^{2\ln 3}\sqrt{1+\{f'(x)\}^2}\,dx$

❷ $\displaystyle\int_0^{2x}f(t)dt=2(e^x-e^{-x})$의 양변을 미분하여 $f'(x)$를 구한다.

$\displaystyle\int_0^{2x}f(t)dt=2(e^x-e^{-x})$의 양변을 x에 대하여 미분하면

$2f(2x)=2(e^x+e^{-x})$, 즉 $f(2x)=e^x+e^{-x}$이고,

이 등식의 양변을 다시 x에 대하여 미분하면

$$f'(2x)=\frac{e^x-e^{-x}}{2} \qquad \therefore f'(x)=\frac{e^{\frac{x}{2}}-e^{-\frac{x}{2}}}{2}$$

따라서 곡선의 길이 l은

$$l=\int_0^{2\ln 3}\sqrt{1+\{f'(x)\}^2}\,dx=\int_0^{2\ln 3}\frac{e^{\frac{x}{2}}+e^{-\frac{x}{2}}}{2}\,dx$$

$$=\left[e^{\frac{x}{2}}-e^{-\frac{x}{2}}\right]_0^{2\ln 3}=\frac{8}{3}$$

$$\therefore 15l=40$$

STEP 3 | 1등급 뛰어넘기
p. 119~121

01 3	02 ③	03 1	04 ㄱ, ㄷ
05 3	06 72	07 2	08 22
09 2	10 8		

01 ⓐ 6

GUIDE

❶ 세 교점의 좌표를 a, b, c로 나타내고 정적분한다.
❷ b, c를 a에 대한 식으로 나타내어 대입하고 정리한다.

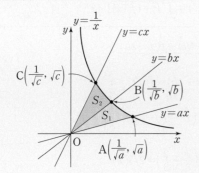

그림에서

$$S_1=\int_0^{\frac{1}{\sqrt{b}}}(bx-ax)dx+\int_{\frac{1}{\sqrt{b}}}^{\frac{1}{\sqrt{a}}}\left(\frac{1}{x}-ax\right)dx$$

$$=\frac{b-a}{2}\left[x^2\right]_0^{\frac{1}{\sqrt{b}}}+\left[\ln x-\frac{a}{2}x^2\right]_{\frac{1}{\sqrt{b}}}^{\frac{1}{\sqrt{a}}}=\ln\sqrt{\frac{b}{a}}$$

$$S_2=\int_0^{\frac{1}{\sqrt{c}}}(cx-bx)dx+\int_{\frac{1}{\sqrt{c}}}^{\frac{1}{\sqrt{b}}}\left(\frac{1}{x}-bx\right)dx$$

$$=\frac{c-b}{2}\left[x^2\right]_0^{\frac{1}{\sqrt{c}}}+\left[\ln x-\frac{a}{2}x^2\right]_{\frac{1}{\sqrt{c}}}^{\frac{1}{\sqrt{b}}}=\ln\sqrt{\frac{c}{b}}$$

이고, $b=ae$, $c=ae^2$을 대입하면

$S_1=\dfrac{1}{2}$, $S_2=\dfrac{1}{2}$이므로 $2S_1+4S_2=3$

02 ⓐ ③

GUIDE

두 곡선 $y=\sin x$와 $y=\sin(x-a)$는 직선 $x=\dfrac{\pi+a}{2}$에 대하여 대칭
이고, 두 곡선으로 둘러싸인 부분의 넓이는 A 넓이의 절반이다.

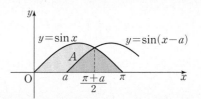

$\displaystyle\int_0^\pi \sin x\,dx=\left[-\cos x\right]_0^\pi=2$이고,

위 그림에서 두 곡선 $y=\sin x$와 $y=\sin(x-a)$는

직선 $y=\dfrac{\pi+a}{2}$에 대하여 대칭이므로 $\displaystyle\int_{\frac{\pi+a}{2}}^\pi \sin x\,dx=\frac{1}{2}$

$\displaystyle\int_{\frac{\pi+a}{2}}^\pi \sin x\,dx=\left[-\cos x\right]_{\frac{\pi+a}{2}}^\pi=1+\cos\frac{\pi+a}{2}=1-\sin\frac{a}{2}$

즉 $1-\sin\dfrac{a}{2}=\dfrac{1}{2}$에서 $\sin\dfrac{a}{2}=\dfrac{1}{2}$

$\therefore a=\dfrac{\pi}{3}\left(\because 0<a<\dfrac{\pi}{2}\right)$

참고

$a=\dfrac{\pi}{2}$이면 두 곡선 $y=\sin x$와 $y=\sin(x-a)$및 x축으로 둘러싸인 부

분의 넓이는 $2-\sqrt{2}$이고, 1보다 작으므로 $0<a<\dfrac{\pi}{2}$임을 알 수 있다.

03 ⓐ 1

GUIDE

$f(x)=(\ln x)^n$ $(x\geq 1)$에서
$f(e)=1$이므로 그림처럼 생
각하면

$$S_n=(e\times 1)-\int_1^e(\ln x)^n dx$$

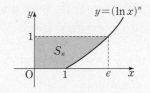

$S_n=e-\int_1^e(\ln x)^n dx$, $S_{n+1}=e-\int_1^e(\ln x)^{n+1}dx$이므로

S_n-S_{n+1}

$=\int_1^e(\ln x)^{n+1}dx-\int_1^e(\ln x)^n dx$

$=\left[x(\ln x)^{n+1}\right]_1^e-\int_1^e(n+1)(\ln x)^n dx-\int_1^e(\ln x)^n dx$

$=e-(n+2)\int_1^e(\ln x)^n dx$

이때 $\int_1^e(\ln x)^n dx=e-S_n$이므로

$S_n-S_{n+1}=e-(n+2)(e-S_n)$

$(n+1)e=(n+1)S_n+S_{n+1}$

즉 $e=S_n+\dfrac{S_{n+1}}{n+1}$이므로 $\ln\left(S_n+\dfrac{S_{n+1}}{n+1}\right)=1$

04 답 ㄱ, ㄷ

GUIDE

ㄴ. $f'(a)=0$일 때 $f''(a)$의 부호를 알아본다.

ㄷ. 곡선 $y=(2x-a)(g\circ f)(x)$가 x축과 만나는 점을 알아본다.

ㄱ. $(g\circ f)(x)=e^{x^2-ax-b}$이므로 방정식 $e^{x^2-ax-b}=e^{-b}$의 해는

$x^2-ax=0$에서 $x=0$, $x=a$이다. (○)

ㄴ. 함수 $y=(f\circ g)(x)=-e^{-2x}+ae^{-x}+b$에서

$y'=e^{-x}(2e^{-x}-a)=0$일 때 $x=\ln\dfrac{2}{a}$이고

$y''=e^{-x}(a-4e^{-x})$에 $x=\ln\dfrac{2}{a}$를 대입하면

$-\dfrac{a^2}{2}$, 즉 $y''<0$이므로 함수 $y=(f\circ g)(x)$는

$x=\ln\dfrac{2}{a}$에서 극댓값을 갖는다. (×)

ㄷ. 곡선 $y=(2x-a)(g\circ f)(x)=(2x-a)e^{x^2-ax-b}$는

$x=\dfrac{a}{2}$에서만 x축과 만나므로 그림에서 색칠한 부분의 넓이는

$-\int_0^{\frac{a}{2}}(2x-a)e^{x^2-ax-b}dx$

$=-\left[e^t\right]_{-b}^{-\frac{a^2}{4}-b}$

$=e^{-b}(1-e^{-\frac{a^2}{4}})$ (○)

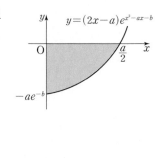

참고

이계도함수를 가지는 함수 $f(x)$에 대하여

❶ $f'(a)=0$, $f''(a)>0$이면 $f(a)$는 극솟값

❷ $f'(a)=0$, $f''(a)<0$이면 $f(a)$는 극댓값

※ $\int_0^{\frac{a}{2}}(2x-a)e^{x^2-ax-b}dx$에서 $x^2-ax-b=t$로 놓고 적분한다.

05 답 3

GUIDE

구간 $[0,1]$에서 단면 넓이를 $S(t)$라 하면 입체도형의 부피는

$\int_0^1 S(t)dt$ 이다.

단면 넓이는 $\int_0^{e^{2t}}\sin\dfrac{\pi}{e^{2t}}xdx=\left[-\dfrac{e^{2t}}{\pi}\cos\dfrac{\pi}{e^{2t}}x\right]_0^{e^{2t}}=\dfrac{2e^{2t}}{\pi}$

이므로 입체도형의 부피는

$\int_0^1\dfrac{2e^{2t}}{\pi}dt=\left[\dfrac{e^{2t}}{\pi}\right]_0^1=\dfrac{e^2-1}{\pi}$

따라서 $a=2$, $b=-1$이므로 $2a+b=3$

06 답 72

GUIDE

꼭짓점에서 밑면에 내린 수선의 발이 밑면의 중심이 아닌 원뿔도 밑면에 평행한 단면은 원이다.

높이가 t인 곳에서 밑면과 평행하도록 잘랐을 때, 단면 모양은 그림과 같다.

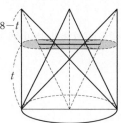

단면을 평면 위에 놓으면 다음과 같고 닮음비를 이용하면 단면에서 생긴 원의 반지름 길이는

$8:3=(8-t):r$에서 $r=\dfrac{3}{8}(8-t)$

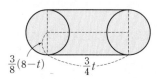

이때 단면 넓이는 $\dfrac{9}{64}(8-t)^2\pi+\dfrac{3}{4}t\times\dfrac{3}{4}(8-t)$

이므로 부피는

$\int_0^8\left\{\dfrac{9}{64}(8-t)^2\pi+\dfrac{9}{16}(8t-t^2)\right\}dt$

$=\left[-\dfrac{3}{64}(8-t)^3\pi+\dfrac{9}{4}t^2-\dfrac{3}{16}t^3\right]_0^8=24\pi+48$

따라서 $a=24$, $b=48$이므로 $a+b=72$

07 답 2

GUIDE

❶ $\int_1^2\sqrt{1+\{f'(t)\}^2}dx$는 구간 $[1,2]$에서 $y=f(x)$그래프의 길이이다.

❷ 두 점을 이은 선 중에서 가장 짧은 선은 선분이다.

$f(1)=0$, $f(2)=\sqrt{3}$, $f''(x)\geq0$을 만족시키는 함수 $f(x)$의 그래프는 두 점 $(1,\,0)$, $(2,\,\sqrt{3})$을 지나고 아래로 볼록하거나 직선이다.

이때 $\displaystyle\int_1^2\sqrt{1+\{f'(x)\}^2}\,dx$는

구간 $[1,\,2]$에서 $y=f(x)$의 그래프의 길이이므로 그림처럼 생각하면 최솟값은

$\sqrt{(2-1)^2+(\sqrt{3}-0)^2}=2$

따라서 $2\geq k$에서 k의 최댓값은 2

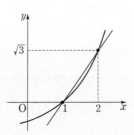

08 달 22

GUIDE
평면 위를 움직이는 점 $P(x(t),\,y(t))$의 속력은 $\sqrt{\{x'(t)\}^2+\{y'(t)\}^2}$

$x'(t)=8$, $y'(t)=t+2-\dfrac{16}{t+2}$에서 점 P의 속력은

$\sqrt{8^2+\left(t+2-\dfrac{16}{t+2}\right)^2}=t+2+\dfrac{16}{t+2}$이고,

(산술평균)$\geq$(기하평균)에서 속력이 최소가 될 때의 t값은

$t+2=\dfrac{16}{t+2}$에서 $t=2$이다.

따라서 구하는 거리는

$\displaystyle\int_0^2\left(t+2+\dfrac{16}{t+2}\right)dt$

$=\left[\dfrac{t^2}{2}+2t+16\ln(t+2)\right]_0^2=6+16\ln2$

이므로 $a=6$, $b=16$ $\quad\therefore a+b=22$

참고
두 양수 A, B에 대하여 $A+B\geq2\sqrt{AB}$에서 등호가 성립할 조건은 $A=B$

09 달 2

GUIDE
$[0,\,k]$에서 점 P가 움직인 거리는

$\displaystyle\int_0^k\sqrt{1+\{f'(t)\}^2}\,dt=\dfrac{1}{2}\ln\dfrac{1+\sin k}{1-\sin k}$

$\displaystyle\int_0^k\sqrt{1+\{f'(t)\}^2}\,dt=\dfrac{1}{2}\ln\dfrac{1+\sin k}{1-\sin k}$

의 양변을 k에 대하여 미분하면

$\sqrt{1+\{f'(k)\}^2}=\dfrac{1}{2}\left(\dfrac{\cos k}{1+\sin k}+\dfrac{\cos k}{1-\sin k}\right)=\sec k$

양변을 제곱하여 정리하면 $\{f'(k)\}^2=\tan^2 k$이므로

$t=\dfrac{\pi}{3}$일 때 속력은 $\sqrt{(t')^2+[f'(t)]^2}=\sqrt{1^2+\tan^2\dfrac{\pi}{3}}=2$

10 달 8

GUIDE
원이 θ만큼 회전하여 굴러갔을 때의 점 P의 좌표를 θ로 나타낸다.

원이 처음 지면에 접해 있을 때, 점 P가 원점, 원의 중심이 y축 위에 오도록 나타내면 그림과 같다.

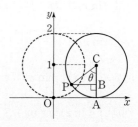

이때 점 P가 θ만큼 회전하면 호 AP의 길이와 $\overline{OA}$의 길이는 같고, $\overparen{AP}=1\times\theta=\theta$이므로
$A(\theta,\,0)$

또 $\overline{CB}=\cos\theta$, $\overline{PB}=\sin\theta$이므로 $P(\theta-\sin\theta,\,1-\cos\theta)$

즉 $x=\theta-\sin\theta$, $y=1-\cos\theta$에 대하여

원이 한 바퀴 회전하면 θ는 0에서 2π까지 변하므로

구하는 자취의 길이는

$\displaystyle\int_0^{2\pi}\sqrt{\left(\dfrac{dx}{d\theta}\right)^2+\left(\dfrac{dy}{d\theta}\right)^2}\,d\theta=\int_0^{2\pi}\sqrt{(1-\cos\theta)^2+\sin^2\theta}\,d\theta$

$\displaystyle=\int_0^{2\pi}\sqrt{2(1-\cos\theta)}\,d\theta$

$\displaystyle=\int_0^{2\pi}\sqrt{2\times2\sin^2\dfrac{\theta}{2}}\,d\theta$

$\displaystyle=\int_0^{2\pi}2\sin\dfrac{\theta}{2}\,d\theta$

$=\left[-4\cos\dfrac{\theta}{2}\right]_0^{2\pi}=8$

참고

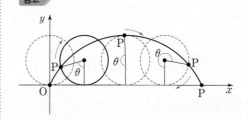

■ 집중 연습

1. 그래프의 개형 그리기 연습

01 🖩 풀이 참조

$$y = xe^{-x}$$

① 정의역 : 모든 실수

② 대칭성 : 없다.

③ 극점 : $y' = e^{-x} - xe^{-x} = (1-x)e^{-x}$이므로

$y' = 0$에서 $x = 1$

④ 변곡점 :

$$y'' = -e^{-x} - (1-x)e^{-x} = (x-2)e^{-x}$$

$y'' = 0$에서 $x = 2$ $\therefore x = 2$에서 변곡점을 가진다.

⑤ 점근선 :

$$\lim_{x \to \infty} \frac{x}{e^x} = 0, \ \lim_{x \to -\infty} xe^{-x} = -\infty$$이므로 점근선은 x축이다.

⑥ 절편 : $(0, 0)$을 지난다.

⑦ 증감표

x	$\cdots$	1	$\cdots$	2	$\cdots$
y'	$+$	0	$-$	$-$	$-$
y''	$-$	$-$	$-$	0	$+$
y	↗	극대 $\dfrac{1}{e}$	↘	변곡점 $\dfrac{2}{e^2}$	↘

위 결과를 이용하여 그래프 개형을 그려 보면 아래와 같다.

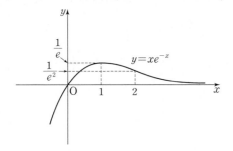

02 🖩 풀이 참조

$$y = x^2 e^{-x}$$

① 정의역 : 모든 실수

② 대칭성 : 없다.

③ 극점 : $y' = (2x - x^2)e^{-x} = x(2-x)e^{-x}$

$y' = 0$에서 $x = 0, 2$

④ 변곡점 : $y'' = (x^2 - 2x + 2 - 2x)e^{-x} = (x^2 - 4x + 2)e^{-x}$

$y'' = 0$에서 $x = 2 \pm \sqrt{2}$

$\therefore x = 2 \pm \sqrt{2}$에서 변곡점을 가진다.

⑤ 점근선 :

$$\lim_{x \to \infty} x^2 e^{-x} = 0, \ \lim_{x \to -\infty} x^2 e^{-x} = \infty$$이므로 점근선은 x축이다.

⑥ 절편 : $(0, 0)$을 지난다.

⑦ 증감표

x	$\cdots$	0	$\cdots$	$2-\sqrt{2}$	$\cdots$	2	$\cdots$	$2+\sqrt{2}$	$\cdots$
y'	$-$	0	$+$	$+$	$+$	0	$-$	$-$	$-$
y''	$+$	$+$	$+$	0	$-$	$-$	$-$	0	$+$
y	↘	극소 0	↗	변곡점	↗	극대 $4e^{-2}$	↘	변곡점	↘

위 결과를 이용하여 그래프 개형을 그려 보면 아래와 같다.

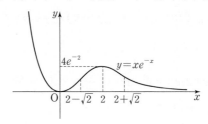

03 🖩 풀이 참조

$$y = x^3 e^{-x}$$

① 정의역 : 모든 실수

② 대칭성 : 없다.

③ 극점 : $y' = (3x^2 - x^3)e^{-x} = x^2(3-x)e^{-x}$

$y' = 0$에서 $x = 0, 3$

그런데 $x = 0$에서는 부호 변화가 없으므로 극값을 가지지 않는다.

④ 변곡점 :

$$y'' = (x^3 - 3x^2 + 6x - 3x^2)e^{-x} = (x^3 - 6x^2 + 6x)e^{-x}$$
$$= x(x^2 - 6x + 6)e^{-x}$$

$x = 0, \ x = 3 - \sqrt{3}, \ x = 3 + \sqrt{3}$에서 변곡점을 가진다.

⑤ 점근선 :

$$\lim_{x \to \infty} x^3 e^{-x} = 0, \ \lim_{x \to -\infty} x^3 e^{-x} = -\infty$$ 이므로

점근선은 x축이다.

⑥ 절편 : $(0, 0)$을 지난다.

⑦ 증감표

x	$\cdots$	0	$\cdots$	$3-\sqrt{3}$	$\cdots$	3	$\cdots$	$3+\sqrt{3}$	$\cdots$
y'	$+$	$+$	$+$	$+$	$+$	0	$-$	$-$	$-$
y''	$-$	0	$+$	0	$-$	$-$	$-$	0	$+$
y	↗	변곡점 0	↗	변곡점	↗	극대 $27e^{-3}$	↘	변곡점	↘

위 결과를 이용하여 그래프 개형을 그려 보면 아래와 같다.

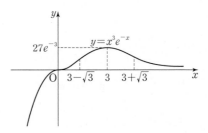

04 😊 풀이 참조

$$y=(x+2)e^{-x}$$

① 정의역 : 모든 실수

② 대칭성 : 없다.

③ 극점 :

$y'=e^{-x}-(x+2)e^{-x}=-(x+1)e^{-x}$에서 $x=-1$

④ 변곡점 :

$y''=-e^{-x}+(x+1)e^{-x}=xe^{-x}$이므로 $x=0$에서 변곡점을 가진다.

⑤ 점근선 :

$\lim\limits_{x\to\infty}(x+2)e^{-x}=0$, $\lim\limits_{x\to-\infty}(x+2)e^{-x}=-\infty$이므로

점근선은 x축이다.

⑥ 절편 : x절편은 $(-2, 0)$이고 y절편은 $(0, 2)$이다.

⑦ 증감표

x	$\cdots$	-1	$\cdots$	0	$\cdots$
y'	$+$	0	$-$	$-$	$-$
y''	$-$	$-$	$-$	0	$+$
y	↗	극대 $\dfrac{}{e}$	↘	변곡점 2	↘

위 결과를 이용하여 그래프 개형을 그려 보면 아래와 같다.

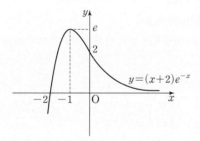

05 😊 풀이 참조

$$y=\frac{\ln x^2}{x}$$

① 정의역 : $x\neq 0$인 모든 실수

② 대칭성 : $f(-x)=-f(x)$이므로 원점에 대하여 대칭이다.

즉 $y=\dfrac{\ln x^2}{x}=\dfrac{2\ln|x|}{x}$에서 원점에 대칭이므로

$x>0$일 때를 먼저 그리고 $x<0$에서 원점에 대칭인 것을 그리면 된다.

③ 극점 :

$x>0$일 때는 $y=\dfrac{2\ln x}{x}$이므로

$$y'=\frac{\dfrac{2}{x}\times x-2\ln x\times 1}{x^2}=\frac{2-2\ln x}{x^2}$$

$y'=0$에서 $\ln x=1$, 즉 $x=e$

④ 변곡점 :

$$y''=\frac{-\dfrac{2}{x}\times x^2-2(1-\ln x)\times 2x}{x^4}=\frac{2(2\ln x-3)}{x^3}$$

$y''=0$에서 $2\ln x=3$, 즉 $x=e^{\frac{3}{2}}$에서 변곡점을 가진다.

⑤ 점근선 : $\lim\limits_{x\to\infty}\dfrac{2\ln x}{x}=0$, $\lim\limits_{x\to 0+}\dfrac{2\ln x}{x}=-\infty$이므로

점근선은 x축과 y축이다.

⑥ 절편 : $x>0$이므로 y절편은 없고, x절편은 $(1, 0)$이다.

⑦ 증감표

x	(0)	$\cdots$	e	$\cdots$	$e^{\frac{3}{2}}$	$\cdots$
y'		$+$	0	$-$	$-$	$-$
y''		$-$	$-$	$-$	0	$+$
y		↗	극대 $\dfrac{2}{e}$	↘	변곡점 $\dfrac{3}{2}e^{-\frac{3}{2}}$	↘

위 결과를 이용하여 그래프 개형을 그려 보면 아래와 같다.

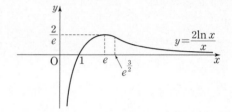

따라서 $y=\dfrac{\ln x^2}{x}=\dfrac{2\ln|x|}{x}$의 그래프는 아래와 같다.

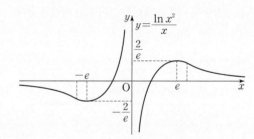

> **참고**
>
> $g(x)=\dfrac{\ln x^2}{x}=\dfrac{2\ln|x|}{x}$ 라 하면, $g(-x)=-g(x)$이므로
> 함수 $y=g(x)$의 그래프는 원점에 대칭이다.
>
> 이때 $f(x)=\dfrac{\ln x}{x}$ 라 하고 그래프를 그리면 아래와 같다.

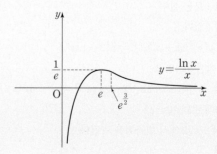

$y=g(x)$는 $f(x)=\dfrac{\ln x}{x}$의 값을 두 배하고 원점에 대칭이 되도록 그리면 된다.

06 ^{정답} 풀이 참조

$y = x \ln x$

① 정의역 : 진수 조건에서 $x > 0$

② 대칭성 : 없다.

③ 극점 :

$y' = \ln x + x \times \dfrac{1}{x} = \ln x + 1$이므로

$y' = 0$에서 $\ln x = -1$, 즉 $x = \dfrac{1}{e}$

④ 변곡점 :

$y'' = \dfrac{1}{x}$은 $x > 0$이므로 $y'' > 0$이다. 즉 곡선 $y = x \ln x$은

변곡점을 가지지 않고 $x > 0$에서 아래로 볼록이다.

⑤ 점근선:

$\displaystyle \lim_{x \to 0+} x \ln x = 0$, $\displaystyle \lim_{x \to \infty} x \ln x = \infty$이므로 점근선이 존재하지

않는다.

⑥ 절편 : $x > 0$이므로 y절편은 없고, x절편은 $(1, 0)$이다.

⑦ 증감표

x	(0)	$\cdots$	$\dfrac{1}{e}$	$\cdots$
y'		$-$	0	$+$
y''		$+$	$+$	$+$
y		$\searrow$	극소 $-\dfrac{1}{e}$	$\nearrow$

위 결과를 이용하여 그래프를 그려 보면 아래와 같다.

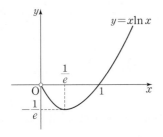

07 ^{정답} 풀이 참조

$y = 2 \ln (5 - x) + \dfrac{1}{4} x^2$

① 정의역 : 진수 조건에서 $x < 5$ 인 모든 실수

② 대칭성 : 없다.

③ 극점 :

$y' = \dfrac{-2}{5-x} + \dfrac{x}{2} = \dfrac{(x-1)(x-4)}{2(x-5)}$

즉 $y' = 0$에서 $x = 1$과 $x = 4$

④ 변곡점 :

$y'' = \dfrac{-2}{(x-5)^2} + \dfrac{1}{2} = \dfrac{(x-7)(x-3)}{2(x-5)^2}$

즉 $x < 5$이므로 $x = 3$에서 변곡점을 가진다.

⑤ 점근선 : $\displaystyle \lim_{x \to 5-} \left(2 \ln (5 - x) + \dfrac{1}{4} x^2 \right) = -\infty$이므로

점근선은 $x = 5$이다.

⑥ 절편 : $x = 0$에서 $y = 2 \ln 5$이므로 y절편은 $(0, 2\ln 5)$이다.

$y = 2 \ln (5 - x) + \dfrac{1}{4} x^2 = 0$은 $(4, 4)$를 지나고

$\displaystyle \lim_{x \to 5-} \left(2 \ln (5 - x) + \dfrac{1}{4} x^2 \right) = -\infty$이므로 사잇값 정리에 따라

$(4, 5)$에서 적어도 하나의 실근을 가진다. 즉 구체적인 값은

구할 수 없지만, x절편이 존재한다. (그래프 참조)

⑦ 증감표

x	$\cdots$	1	$\cdots$	3	$\cdots$	4	$\cdots$	(5)
y'	$-$	0	$+$	$+$	$+$	0	$-$	점근선
y''	$+$	$+$	$+$	0	$-$	$-$	$-$	
y	$\searrow$	극소 $2\ln 4 + \dfrac{1}{4}$	$\nearrow$	변곡점	$\nearrow$	극대 4	$\searrow$	

위 결과를 이용하여 그래프 개형을 그려 보면 아래와 같다.

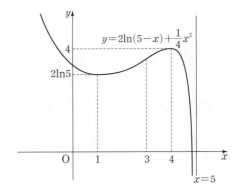

08 ^{정답} 풀이 참조

$y = \ln (1 + x^2)$

① 정의역 : $1 + x^2 > 0$이므로 모든 실수

② 대칭성 : $f(-x) = f(x)$이므로 y축에 대하여 대칭이다.

③ 극점 :

$y' = \dfrac{2x}{1 + x^2}$이므로 $y' = 0$에서 $x = 0$

④ 변곡점 :

$y'' = \dfrac{2(1 + x^2) - 2x}{(1 + x^2)^2} = \dfrac{2(1 - x)(1 + x)}{(1 + x^2)^2}$

$y'' = 0$에서 변곡점은 $(-1, \ln 2)$, $(1, \ln 2)$

⑤ 점근선 :

$\displaystyle \lim_{x \to \infty} \ln (1 + x^2) = \infty$, $\displaystyle \lim_{x \to -\infty} \ln (1 + x^2) = \infty$

즉 점근선은 없다.

⑥ 절편 : $(0, 0)$을 지난다.

⑦ 증감표

x	$\cdots$	-1	$\cdots$	0	$\cdots$	1	$\cdots$
y'	$-$	$-$	$-$	0	$+$	$+$	$+$
y''	$-$	0	$+$	$+$	$+$	0	$-$
y	$\searrow$	변곡점 $\ln 2$	$\searrow$	극소 0	$\nearrow$	변곡점 $\ln 2$	$\nearrow$

위 결과를 이용하여 그래프를 그려 보면 아래와 같다.

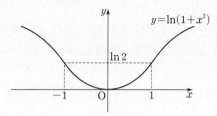

09 ⑤ 풀이 참조

$$y=\frac{x}{x^2+4}$$

① 정의역 : 모든 실수

② 대칭성 : $f(-x)=-f(x)$이므로 원점에 대하여 대칭이다.

③ 극점 :

$$y'=\frac{(x)'(x^2+4)-x(x^2+4)'}{(x^2+4)^2}=\frac{(x^2+4)-2x}{(x^2+4)^2}=\frac{-x^2+4}{(x^2+4)^2}$$

$x^2+4>0$이므로 $-x^2+4=0$에서 $x=\pm2$

④ 변곡점 :

$$y''=\frac{(-2x)(x^2+4)^2+4x(x^2-4)(x^2+4)}{(x^2+4)^4}$$
$$=\frac{2x(x^2-12)}{(x^2+4)^3}=\frac{2x(x-2\sqrt{3})(x+2\sqrt{3})}{(x^2+4)^3}$$

$x=0$ 과 $x=\pm2\sqrt{3}$에서 변곡점을 가진다.

⑤ 점근선 :

$$\lim_{x\to\infty}\frac{x}{x^2+4}=0,\ \lim_{x\to-\infty}\frac{x}{x^2+4}=0$$

이므로 점근선은 x축이다.

⑥ 절편 : $(0,0)$을 지난다.

⑦ 증감표

x	$\cdots$	$-2\sqrt{3}$	$\cdots$	-2	$\cdots$	0	$\cdots$	2	$\cdots$	$2\sqrt{3}$	$\cdots$
y'	$-$	$-$	$-$	0	$+$	$+$	$+$	0	$-$	$-$	$-$
y''	$-$	0	$+$	$+$	$+$	0	$-$	$-$	$-$	0	$+$
y	$\searrow$	변곡점	$\searrow$	극소	$\nearrow$	변곡점	$\nearrow$	극대	$\searrow$	변곡점	$\searrow$

위 결과를 이용하여 그래프 개형을 그려 보면 아래와 같다.

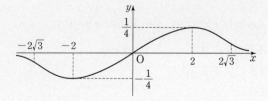

10 ⑤ 풀이 참조

$$y=\frac{x^2-3}{x-2}$$

① 정의역 : $x\neq2$인 모든 실수

② 대칭성 : $y=\dfrac{x^2-3}{x-2}=x+2+\dfrac{1}{x-2}$ $\quad$ …… ㉠에서

점 $(2,4)$에 대하여 대칭이다.

③ 극점 : ㉠을 미분하면

$$y'=1-\frac{1}{(x-2)^2}=\frac{x^2-4x+3}{(x-2)^2}=\frac{(x-1)(x-3)}{(x-2)^2}$$에서

$x=1,3$

④ 변곡점 : $y'=1-\dfrac{1}{(x-2)^2}$ 을 미분하면 $y''=\dfrac{2}{(x-2)^3}$

$x<2$일때, $y''<0$, $x>2$일 때, $y''>0$이므로 곡선 y는 $x<2$일 때 위로 볼록하고, $x>2$일 때 아래로 볼록하다. 그러나 $x=2$는 정의역에 속하지 않으므로 변곡점은 없다.

⑤ 점근선 :

$$\lim_{x\to\infty}\{y-(x+2)\}=\lim_{x\to\infty}\frac{1}{x-2}=0\ (\because ㉠)$$

$$\lim_{x\to2+}\left(x+2+\frac{1}{x-2}\right)=\infty,\ \lim_{x\to2-}\left(x+2+\frac{1}{x-2}\right)=-\infty$$

이므로 직선 $y=x+2$와 $x=2$가 점근선이 된다.

⑥ 절편 : $x=0$일 때, $y=\dfrac{3}{2}$이므로 y절편은 $\left(0,\dfrac{3}{2}\right)$이고, $y=0$일 때, $x=\pm\sqrt{3}$이므로 x절편은 $(\pm\sqrt{3},0)$이다.

⑦ 증감표

x	$\cdots$	1	$\cdots$	(2)	$\cdots$	3	$\cdots$
y'	$+$	0	$-$		$-$	0	$+$
y''	$-$	$-$	$-$		$+$	$+$	$+$
y	$\nearrow$	극대 2	$\searrow$		$\searrow$	극소 6	$\nearrow$

위 결과를 이용하여 그래프 개형을 그려 보면 아래와 같다.

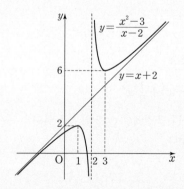

11 ⑤ 풀이 참조

$$y=\frac{x^2+x-1}{x^3}$$

① 정의역 : $x\neq0$인 모든 실수

② 대칭성 : 없다.

③ 극점 :

$y=\dfrac{1}{x}+\dfrac{1}{x^2}-\dfrac{1}{x^3}$ 이므로

$y'=-\dfrac{1}{x^2}-\dfrac{2}{x^3}+\dfrac{3}{x^4}=-\dfrac{(x+3)(x-1)}{x^4}$ 에서 $x=-3,\,1$

④ 변곡점 :

$y''=\dfrac{2}{x^3}+\dfrac{6}{x^4}-\dfrac{12}{x^5}=\dfrac{2(x^2+3x-6)}{x^5}$

즉 $x=\dfrac{-3\pm\sqrt{33}}{2}$ 에서 변곡점을 가진다.

⑤ 점근선

$\displaystyle\lim_{x\to\infty}\left(\dfrac{x^2+x-1}{x^3}\right)=0,\ \lim_{x\to-\infty}\left(\dfrac{x^2+x-1}{x^3}\right)=0$

$\displaystyle\lim_{x\to0+}\left(\dfrac{x^2+x-1}{x^3}\right)=-\infty,\ \lim_{x\to0-}\left(\dfrac{x^2+x-1}{x^3}\right)=\infty$

이므로 점근선은 x축, y축이다.

⑥ 절편 : $y=\dfrac{x^2+x-1}{x^3}=0$ 이므로 x절편은 $\dfrac{-1\pm\sqrt5}{2}$ 이다.

⑦ 증감표

$\left(\text{단 }\alpha=\dfrac{-3-\sqrt{33}}{2},\ \beta=\dfrac{-3+\sqrt{33}}{2}\right)$

x	$\cdots$	α	$\cdots$	-3	$\cdots$	0	$\cdots$	1	$\cdots$	β	$\cdots$
y'	$-$	$-$	$-$	0	$+$		$+$	0	$-$	$-$	$-$
y''	$-$	0	$+$	$+$	$+$		$-$	$-$	$-$	0	$+$
y	$\searrow$	변곡점	$\searrow$	극소 $-\dfrac{5}{27}$	$\nearrow$		$\nearrow$	극대 1	$\searrow$	변곡점	$\searrow$

위 결과를 이용하여 그래프 개형을 그려 보면 아래와 같다.

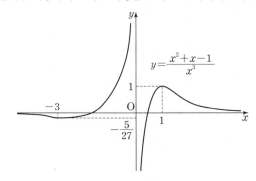

$y=\dfrac{x^2+x-1}{x^3}$

12 📖 풀이 참조

$y=e^x(\sin x-\cos x)\ (0\le x\le2\pi)$

① 정의역 : $0\le x\le2\pi$인 모든 실수

② 대칭성 : 없다.

③ 극점 :

$y'=e^x(\sin x-\cos x)+e^x(\cos x+\sin x)=2e^x\sin x$

즉 $y'=0$에서 $x=0,\,\pi,\,2\pi$

④ 변곡점 :

$y''=2e^x(\sin x+\cos x)=2\sqrt2\,e^x\sin\left(x+\dfrac{\pi}{4}\right)$

$y''=0$에서 $x=\dfrac{3\pi}{4},\,\dfrac{7\pi}{4}$

즉 $x=\dfrac{3\pi}{4},\,\dfrac{7\pi}{4}$ 에서 변곡점을 가진다.

⑤ 점근선 : 없다.

⑥ 절편 : $y=0$에서 $\sin x=\cos x$이므로

x절편은 $\left(\dfrac{\pi}{4},\,0\right)$, $\left(\dfrac{5}{4}\pi,\,0\right)$이고, $x=0$에서 $y=-1$이므로 y절편은 $(0,\,-1)$이다.

⑦ 증감표

x	0	$\cdots$	$\dfrac{3\pi}{4}$	$\cdots$	π	$\cdots$	$\dfrac{7\pi}{4}$	$\cdots$
y'		$+$	$+$	$+$	0	$-$	$-$	$-$
y''		$+$	0	$-$	$-$	$-$	0	$+$
y	-1	$\nearrow$	변곡점 $\sqrt2\,e^{\frac{\pi}{4}}$	$\nearrow$	극대 e^π	$\searrow$	변곡점 $-\sqrt2\,e^{\frac{7\pi}{4}}$	$\searrow$

위 결과를 이용하여 그래프 개형을 그려 보면 아래와 같다.

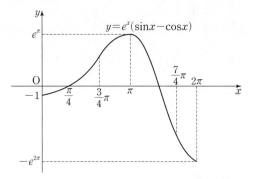

$y=e^x(\sin x-\cos x)$

참고

$y=e^\pi\fallingdotseq23$, $e^{2\pi}\fallingdotseq535$이므로 위 그래프는 실제보다 y축 방향으로 왜곡되어 나타나 있음을 감안한다.

13 📖 풀이 참조

$y=e^{-x}\sin x\ (0\le x\le2\pi)$

① 정의역 : $0\le x\le2\pi$

② 대칭성 : 없다.

③ 극점 :

$y'=-e^{-x}\sin x+e^{-x}\cos x=e^{-x}(\cos x-\sin x)$이고

즉 $y'=0$에서 $x=\dfrac{\pi}{4},\,\dfrac{5\pi}{4}\ (\because\ 0\le x\le2\pi)$

④ 변곡점 :

$y''=-e^{-x}(\cos x-\sin x)+e^{-x}(-\sin x-\cos x)$

$=-2e^{-x}\cos x$

즉 $x=\dfrac{\pi}{2},\,\dfrac{3}{2}\pi$에서 변곡점을 가진다.

⑤ 점근선 :

$-e^{-x}\leq e^{-x}\sin x\leq e^{-x}$이고

$\displaystyle\lim_{x\to\infty}e^{-x}=\lim_{x\to\infty}\frac{1}{e^x}=0$, $\displaystyle\lim_{x\to\infty}(-e^{-x})=0$이므로

$\displaystyle\lim_{x\to\infty}e^{-x}\sin x=0$이다. 즉 x축이 점근선이 된다.

⑥ 절편 : $(0,0)$, $(\pi,0)$, $(2\pi,0)$

⑦ 증감표

x	$\cdots$	$\dfrac{\pi}{4}$	$\cdots$	$\dfrac{\pi}{2}$	$\cdots$	$\dfrac{5}{4}\pi$	$\cdots$	$\dfrac{3}{2}\pi$	$\cdots$
y'	$+$	0	$-$	$-$	$-$	0	$+$	$+$	$+$
y''	$-$	$-$	$-$	0	$+$	$+$	$+$	0	$-$
y	$\nearrow$	극대 $\dfrac{e^{-\frac{\pi}{4}}}{\sqrt{2}}$	$\searrow$	변곡점 $e^{-\frac{\pi}{2}}$	$\searrow$	극소 $-\dfrac{e^{-\frac{5\pi}{4}}}{\sqrt{2}}$	$\nearrow$	변곡점 $-e^{-\frac{3\pi}{2}}$	$\nearrow$

위 결과를 이용하여 그래프 개형을 그려 보면 아래와 같다.

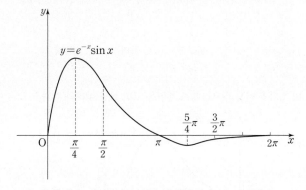

14 ⊕ 풀이 참조

$y=\sin x(1+\cos x)$ $(0\leq x\leq 2\pi)$

① 정의역 : $0\leq x\leq 2\pi$인 모든 실수

② 대칭성 : $f(-x)=-f(x)$이므로 원점에 대하여 대칭이다.

③ 극점 : $y=\dfrac{1}{2}\sin 2x+\sin x$에서

$y'=\cos 2x+\cos x=\cos^2 x-\sin^2 x+\cos x$
$\quad=2\cos^2 x+\cos x-1=(2\cos x-1)(\cos x+1)$

즉 $y'=0$에서 $x=\dfrac{\pi}{3},\dfrac{5}{3}\pi$, π이고 $x=\pi$일 때는 y'의 부호 변화가 없다.

④ 변곡점 :

$y''=-4\cos x\sin x-\sin x=-\sin x(4\cos x+1)$

$\cos\alpha=-\dfrac{1}{4}\left(\dfrac{\pi}{2}<\alpha<\pi\right)$라 하면

즉 $x=0,\alpha,\pi,2\pi-\alpha,2\pi$에서 변곡점을 가진다.

⑤ 점근선 : 없다.

⑥ 절편 : $\sin x(1+\cos x)=0$에서 x절편은 $x=0,\pi,2\pi$이다.
$x=0$에서 $y=0$이다.

⑦ 증감표

x	$\cdots$	$\dfrac{\pi}{3}$	$\cdots$	α	$\cdots$	π	$\cdots$	$2\pi-\alpha$	$\cdots$	$\dfrac{5}{3}\pi$	$\cdots$
y'	$+$	0	$-$	$-$	$-$	0	$-$	$-$	$-$	0	$+$
y''	$-$	$-$	$-$	0	$+$	0	$-$	0	$+$	0	$+$
y	$\nearrow$	$\dfrac{3\sqrt{3}}{4}$	$\searrow$		$\searrow$	0			$\searrow$	$\dfrac{3\sqrt{3}}{4}$	$\nearrow$

위 결과를 이용하여 그래프 개형을 그려 보면 아래와 같다.

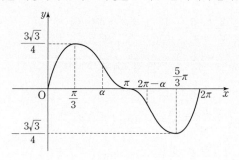

15 ⊕ 풀이 참조

$y=\sin x(1-\sin x)$ $(0\leq x\leq 2\pi)$

① 정의역 : $0\leq x\leq 2\pi$

② 대칭성 : 없다.

③ 극점 :

$y'=\cos x(1-\sin x)+\sin x(-\cos x)$
$\quad=\cos x(1-2\sin x)$

즉 $\cos x=0$ 또는 $\sin x=\dfrac{1}{2}$이므로

(i) $\cos x=0$에서 $x=\dfrac{\pi}{2}$ 또는 $x=\dfrac{3}{2}\pi$

(ii) $\sin x=\dfrac{1}{2}$에서 $x=\dfrac{\pi}{6}$ 또는 $x=\dfrac{5}{6}\pi$

④ 변곡점

$y''=(-\sin x)(1-2\sin x)+\cos x(-2\cos x)$
$\quad=4\sin^2 x-\sin x-2$

$y''=0$에서 $\sin x=\dfrac{1+\sqrt{33}}{8}$ 또는 $\sin x=\dfrac{1-\sqrt{33}}{8}$이다.

(i) $\sin x=\dfrac{1+\sqrt{33}}{8}$에서 $x=\alpha$ 또는 β

$\left(\text{단, } 0<\alpha<\dfrac{\pi}{2}<\beta<\pi\right)$

(ii) $\sin x=\dfrac{1-\sqrt{33}}{8}$에서 $x=\gamma$ 또는 δ

$\left(\text{단, } \pi<\gamma<\dfrac{3}{2}\pi<\delta<2\pi\right)$

에서 변곡점을 가진다.

⑤ 점근선 : 점근선을 가지지 않는다.

⑥ 절편 : $y=0$인 $x=0,\dfrac{\pi}{2},\pi,2\pi$에서 x축에 만난다.

⑦ 증감표

x	$\cdots$	$\dfrac{\pi}{6}$	$\cdots$	$\dfrac{\pi}{2}$	$\cdots$	$\dfrac{5\pi}{6}$	$\cdots$	$\dfrac{3\pi}{2}$	$\cdots$
y'		$+$	0	$-$	0	$+$	0	$+$	0	$+$
y	$\nearrow$	극대 $\dfrac{1}{4}$	$\searrow$	극소 0	$\nearrow$	극대 $\dfrac{1}{4}$	$\searrow$	극소 -2	$\nearrow$

위 결과를 이용하여 그래프 개형을 그려 보면 아래와 같다.

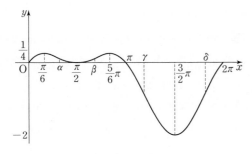

16 ⊕ 풀이 참조

$y=3\sqrt[3]{x^2}$

① 정의역 : 모든 실수

② 대칭성 : $f(-x)=f(x)$이므로 y축에 대하여 대칭이다.

③ 극점 : $y=3x^{\frac{2}{3}}$이므로 $y'=2x^{-\frac{1}{3}}=\dfrac{2}{\sqrt[3]{x}}$

　$x>0$에서는 $y'>0$이고, $x<0$에서는 $y'<0$이므로

　$x=0$에서 미분할 수 없지만 극값을 가진다.

④ 변곡점 : $y''=-\dfrac{2}{3}x^{-\frac{4}{3}}=-\dfrac{2}{3\sqrt[3]{x^4}}$

　$x\neq0$인 모든 실수에서 $y''<0$이므로 위로 볼록한 함수이다.
　즉 변곡점을 가지지 않는다.

⑤ 점근선 : 없다.

⑥ 절편 : $(0,0)$을 지난다.

⑦ 증감표

x	$\cdots$	0	$\cdots$
y'	$-$		$+$
y''	$-$		$-$
y	$\curvearrowleft$	극소 0	$\curvearrowright$

위 결과를 이용하여 그래프 개형을 그려 보면 아래와 같다.

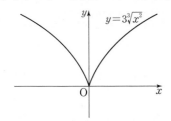

17 ⊕ 풀이 참조

$y=\sqrt[3]{x^2}\,(x-4)$

① 정의역 : 모든 실수

② 대칭성 : 없다.

③ 극점 :

　$y=\sqrt[3]{x^2}(x-4)=x^{\frac{2}{3}}(x-4)$에서

　$y'=\dfrac{2}{3}x^{-\frac{1}{3}}(x-4)+x^{\frac{2}{3}}=\dfrac{1}{3}x^{-\frac{1}{3}}(2x-8+3x)$

　$\quad=\dfrac{1}{3}x^{-\frac{1}{3}}(5x-8)=\dfrac{5x-8}{3\sqrt[3]{x}}$

　즉 $y'=0$에서 $x=0,\ \dfrac{8}{5}$이고, $x=0$에서 미분 불가능하다.

④ 변곡점 :

　$y''=\dfrac{1}{9}x^{-\frac{4}{3}}\{-(5x-8)+15x\}$

　$\quad=\dfrac{2}{9}x^{-\frac{4}{3}}(5x+4)=\dfrac{2(5x+4)}{9\sqrt[3]{x^4}}$

　$x=-\dfrac{4}{5}$에서 변곡점을 가진다.

⑤ 점근선 : 존재하지 않는다.

⑥ 절편 : $(0,0)$과 $(4,0)$을 지난다.

⑦ 증감표

x	$\cdots$	$-\dfrac{4}{5}$	$\cdots$	0	$\cdots$	$\dfrac{8}{5}$	$\cdots$
y'	$+$	$+$	$+$		$-$	0	$+$
y''	$-$	0	$+$	$+$	$+$	0	$+$
y	$\curvearrowright$	변곡점	$\curvearrowright$	극대 0	$\searrow$	극소 $-\dfrac{48\sqrt[3]{5}}{25}$	$\curvearrowright$

위 결과를 이용하여 그래프 개형을 그려 보면 아래와 같다.

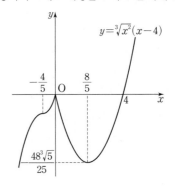

18 ⊕ 풀이 참조

$y=x\sqrt{1-x^2}$

① 정의역 : $-1\leq x\leq1$인 모든 실수

② 대칭성 : $f(-x)=-f(x)$이므로 원점에 대하여 대칭이다.

③ 극점 : $y'=\sqrt{1-x^2}+x\times\dfrac{-2x}{2\sqrt{1-x^2}}=\dfrac{1-2x^2}{\sqrt{1-x^2}}$

　즉 $y'=0$에서 $x=\pm\dfrac{1}{\sqrt{2}}$

④ 변곡점 :

$$y''=\dfrac{(-4x)\sqrt{1-x^2}-(1-2x^2)\times\dfrac{-2x}{2\sqrt{1-x^2}}}{1-x^2}$$

$$=\dfrac{(-4x)(1-x^2)+x(1-2x^2)}{(1-x^2)\sqrt{1-x^2}}=\dfrac{x(2x^2-3)}{(1-x^2)\sqrt{1-x^2}}$$

$-1\le x\le1$에서 변곡점이 될 수 있는 x는 0뿐이다.

⑤ 점근선 : 존재하지 않는다.

⑥ 절편 : $(0,0)$과 $(\pm1,0)$을 지난다.

⑦ 증감표

x	-1	$\cdots$	$-\dfrac{1}{\sqrt{2}}$	$\cdots$	0	$\cdots$	$\dfrac{1}{\sqrt{2}}$	$\cdots$	1
y'		$-$	0	$+$	$+$	$+$	0	$-$	
y''		$+$	$+$	$+$	0	$-$	0	$-$	
y	0	$\searrow$	극소 $-\dfrac{1}{2}$	$\nearrow$	0	$\nearrow$	극대 $\dfrac{1}{2}$	$\searrow$	0

위 결과를 이용하여 그래프 개형을 그려 보면 아래와 같다.

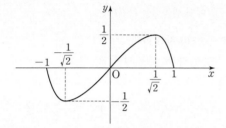

19 ⓐ 풀이 참조

$$y=\left(\dfrac{1}{x}\right)^{\ln x}$$

① 정의역 : $x>0$인 모든 실수

② 대칭성 : 없다.

③ 극점 : $\ln y=\ln x\times\ln\dfrac{1}{x}=-(\ln x)^2$

$\dfrac{y'}{y}=-2(\ln x)\times\dfrac{1}{x}$에서

$$y'=-\dfrac{2\ln x}{x}\times y=-\dfrac{2\ln x}{x}\left(\dfrac{1}{x}\right)^{\ln x}$$

즉 $y'=0$에서 $x=1$

④ 변곡점 :

$y'=\left(-\dfrac{2\ln x}{x}\right)y$를 미분하면

$$y''=\left(-\dfrac{2\ln x}{x}\right)'y+\left(-\dfrac{2\ln x}{x}\right)y'$$

$$=(-2)\left(\dfrac{1-\ln x}{x^2}\right)y+\left(-\dfrac{2\ln x}{x}\right)\left(-\dfrac{2\ln x}{x}\right)y$$

$$=\left(\dfrac{-2+2\ln x}{x^2}\right)y+\left(\dfrac{4(\ln x)^2}{x^2}\right)y$$

$$=\left(\dfrac{4(\ln x)^2+2\ln x-2}{x^2}\right)y$$

$$=\dfrac{2(2\ln x-1)(\ln x+1)}{x^2}\left(\dfrac{1}{x}\right)^{\ln x}$$

즉 $x=\dfrac{1}{e}$, $\sqrt{e}$에서 변곡점을 가진다.

⑤ 점근선 : $\displaystyle\lim_{x\to\infty}\ln x=\infty$, $\displaystyle\lim_{x\to0+}\ln x^2=-\infty$이므로

$\displaystyle\lim_{x\to\infty}\left(\dfrac{1}{x}\right)^{\ln x}=0$, $\displaystyle\lim_{x\to0+}\left(\dfrac{1}{x}\right)^{\ln x}=0$이고, x축이 점근선이 된다.

⑥ 절편 : 축과 만나지 않는다.

⑦ 증감표

x	$\cdots$	$\dfrac{1}{e}$	$\cdots$	1	$\cdots$	$\sqrt{e}$	$\cdots$
y'	$+$	$+$	$+$	0	$-$	$-$	$-$
y''	$+$	0	$-$	$-$	$-$	0	$+$
y	$\nearrow$	변곡점 $\dfrac{1}{e}$	$\nearrow$	극대 1	$\searrow$	변곡점 $\sqrt[4]{e}$	$\searrow$

위 결과를 이용하여 그래프 개형을 그려 보면 아래와 같다.

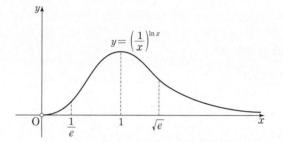

20 ⓐ 풀이 참조

$$y=x^x \ (x>0)$$

① 정의역 : $x>0$인 모든 실수

② 대칭성 : 없다.

③ 극점 : $y=x^x \ (x>0)$의 양변에서 로그를 취하면

$$\ln y=x\ln x$$

양변을 미분하면 $\dfrac{y'}{y}=\ln x+1$이므로

$$y'=(\ln x+1)y=(\ln x+1)x^x$$

즉 $y'=0$에서 $x=\dfrac{1}{e}$

④ 변곡점

$y'=(\ln x+1)y$을 다시 미분하면

$$y''=(\ln x+1)'y+(\ln x+1)y'$$

$$=\left(\dfrac{1}{x}\right)y+(\ln x+1)(\ln x+1)y$$

$$=\left(\dfrac{1}{x}+(\ln x+1)^2\right)x^x$$

$x>0$에서 $y''>0$이므로 y가 나타내는 곡선은 $x>0$에서 아래로 볼록하다.

⑤ 점근선 : $\displaystyle\lim_{x\to\infty}x^x=\infty$, $\displaystyle\lim_{x\to0+}x\ln x=0$이므로

$\displaystyle\lim_{x\to0+}x^x=1$이고, 점근선이 존재하지 않는다.

⑥ 절편 : 축과 만나지 않는다.

⑦ 증감표

x	(0)	$\cdots$	$\dfrac{1}{e}$	$\cdots$
y'		$-$	0	$+$
y''		$+$	$+$	$+$
y		$\searrow$	극소 $e^{-\frac{1}{e}}$	$\nearrow$

위 결과를 이용하여 그래프 개형을 그려 보면 아래와 같다.

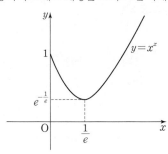

2 정적분 연습

01 📖 (1) 15　(2) $\dfrac{2}{5}$　(3) $\dfrac{1}{2}(1-\ln 2)$　(3) e^2-1

(1) $x^2+1=t$ 로 치환하면 $2xdx=dt$

$$\int_0^1 8x(x^2+1)^3 dx=\int_1^2 4t^3 dt=\Big[t^4\Big]_1^2=15$$

(2) $\displaystyle\int_0^{\frac{\pi}{2}} \sin^3 x \sin 2x \, dx=\int_0^{\frac{\pi}{2}} 2\sin^4 x \cos x \, dx$ 에서

$\sin x=t$ 로 치환하면 $\cos x\,dx=dt$

$$\int_0^{\frac{\pi}{2}} 2\sin^4 x \cos x \, dx=\int_0^1 2t^4 dt=\Big[\frac{2}{5}t^5\Big]_0^1=\frac{2}{5}$$

(3) $\displaystyle\int_0^{\frac{\pi}{4}} \tan^3 x \, dx=\int_0^{\frac{\pi}{4}} \tan^2 x \tan x \, dx$

$$=\int_0^{\frac{\pi}{4}} \tan x(\sec^2 x-1)\,dx$$

$$=\int_0^{\frac{\pi}{2}} \tan x \sec^2 x \, dx-\int_0^{\frac{\pi}{2}} \tan x \, dx$$

에서 $\tan x=t$ 로 치환하면 $\sec^2 x\,dx=dt$

$$(\text{주어진 식})=\int_0^1 t\,dt-\int_0^{\frac{\pi}{4}} \tan x \, dx$$

$$=\Big[\frac{1}{2}t^2\Big]_0^1+\Big[\ln|\cos x|\Big]_0^{\frac{\pi}{4}}$$

$$=\frac{1}{2}(1-\ln 2)$$

(4) $x=t^2$ 으로 치환하면 $dx=2tdt$, 이때

$$\int_0^1 (e^{x^2+x}+e^{x+\sqrt{x}})\,dx=\int_0^1 e^{x^2+x}dx+\int_0^1 e^{t^2+t}\cdot 2t\,dt$$

$$=\int_0^1 e^{x^2+x}dx+\int_0^1 2xe^{x^2+x}dx$$

$$=\int_0^1 (2x+1)e^{x^2+x}dx$$

$$=\Big[e^{x^2+x}\Big]_0^1=e^2-1$$

02 📖 (1) $-\dfrac{1}{\pi}$　(2) $2(e^2-e)$　(3) 14　(4) $\dfrac{1}{2}\ln\Big(\dfrac{3e-3}{e+1}\Big)$

(1) $\ln x=t$ 로 치환하면 $\dfrac{1}{x}dx=dt$

$$\int_{\sqrt{e}}^{e} \frac{\cos(\pi\ln x)}{x}\,dx=\int_{\frac{1}{2}}^{1} \cos(\pi t)\,dt$$

$$=\Big[\frac{1}{\pi}\sin \pi t\Big]_{\frac{1}{2}}^{1}=-\frac{1}{\pi}$$

(2) $\sqrt{x}=t$ 로 치환하면 $\dfrac{1}{2\sqrt{x}}dx=dt$

$$\int_1^4 \frac{1}{\sqrt{x}}e^{\sqrt{x}}\,dx=\int_1^2 2e^t dt=\Big[2e^t\Big]_1^2=2(e^2-e)$$

(3) $\sqrt{4-x}=t$ 로 치환하면 $4-x=t^2$

즉 $-dx=2tdt$

$$\int_0^3 3\sqrt{4-x}\,dx=\int_2^1 (-6t^2)\,dt=\Big[2t^3\Big]_1^2=14$$

(4) $\displaystyle\int_{\ln 2}^1 \frac{1}{e^x-e^{-x}}dx=\int_{\ln 2}^1 \frac{e^x}{e^{2x}-1}dx$ 에서

$e^x=t$ 로 치환하면 $e^x dx=dt$

$$(\text{주어진 식})=\int_2^e \frac{1}{t^2-1}dt=\frac{1}{2}\Big[\ln\frac{t-1}{t+1}\Big]_2^e$$

$$=\frac{1}{2}\ln\Big(\frac{3e-3}{e+1}\Big)$$

참고

$$\int \frac{1}{t^2-1}dt=\int \frac{1}{2}\Big(\frac{1}{t-1}-\frac{1}{t+1}\Big)dt$$

$$=\frac{1}{2}(\ln|t-1|-\ln|t+1|)$$

$$=\frac{1}{2}\Big(\ln\Big|\frac{t-1}{t+1}\Big|\Big)+C$$

03 📖 (1) $\dfrac{1}{10}\left(e^{\frac{3}{2}\pi}-3\right)$ (2) $e-2$ (3) $1-\dfrac{2}{e}$ (4) $2(e^2+1)$

---

(1) $u=\cos x,\ v'=e^{3x}$라 하면 $u'=-\sin x,\ v=\dfrac{1}{3}e^{3x}$이므로

$$I=\int e^{3x}\cos x\,dx=\dfrac{1}{3}e^{3x}\cos x-\int \dfrac{1}{3}e^{3x}(-\sin x)\,dx$$

$$=\dfrac{1}{3}e^{3x}\cos x+\dfrac{1}{3}\int e^{3x}\sin x\,dx$$

$$=\dfrac{1}{3}e^{3x}\cos x+\dfrac{1}{3}\left(\dfrac{1}{3}e^{3x}\sin x-\int \dfrac{1}{3}e^{3x}\cos x\,dx\right)$$

$$=\dfrac{1}{3}e^{3x}\cos x+\dfrac{1}{9}e^{3x}\sin x-\dfrac{1}{9}I$$

에서

$$I=\dfrac{1}{10}e^{3x}(3\cos x+\sin x)$$

따라서 $\displaystyle\int_0^{\frac{\pi}{2}}e^{3x}\cos x\,dx=\left[\dfrac{1}{10}e^{3x}(3\cos x+\sin x)\right]_0^{\frac{\pi}{2}}$

$$=\dfrac{1}{10}\left(e^{\frac{3}{2}\pi}-3\right)$$

(2) $u=(\ln x)^2,\ v'=1$로 놓으면 $u'=2(\ln x)\cdot\dfrac{1}{x},\ v=x$

$$\therefore \int(\ln x)^2\,dx=(\ln x)^2\cdot x-\int 2\ln x\,dx$$

$$=x(\ln x)^2-2(x\ln x-x)+C$$

이때 $\displaystyle\int_1^e(\ln x)^2\,dx=\left[x(\ln x)^2-2x\ln x+2x\right]_1^e$

$$=e-2e+2e-2$$

$$=e-2$$

(3) $\displaystyle\int_1^e\dfrac{\ln x}{x^2}\,dx=\left[-\dfrac{1}{x}\ln x\right]_1^e+\int_1^e\dfrac{1}{x^2}\,dx$

$$=-\dfrac{1}{e}+\left[-\dfrac{1}{x}\right]_1^e=-\dfrac{2}{e}+1$$

(4) $\sqrt{x}=t$로 치환하면 $x=t^2$에서 $dx=2t\,dt$

$$\int_0^4 e^{\sqrt{x}}\,dx=\int_0^2 2te^t\,dt=2\left[te^t-e^t\right]_0^2=2(e^2+1)$$

---

(1)

부호	미분	적분
① (+)	$\cos x$	e^{3x}
② (-)	$-\sin x$	$\dfrac{1}{3}e^{3x}$
③ (+)	$-\cos x$	$\dfrac{1}{9}e^{3x}$

$$\int e^{3x}\cos x\,dx=\dfrac{1}{3}e^{3x}\cos x+\dfrac{1}{9}e^{3x}\sin x-\dfrac{1}{9}\int e^{3x}\cos x\,dx$$

※ ③에서 ①과 같은 모양이 나왔으므로 이때는 가로로 곱하고 곱한 것에 적분 기호를 씌운다.

(2)

부호	미분	적분
① (+)	$(\ln x)^2$	1
② (-)	$2\ln x\times\dfrac{1}{x}$	x

$$\int(\ln x)^2\,dx=x(\ln x)^2-2\int \ln x\,dx$$

※ ②에서 가로로 곱하면 간단한 꼴이 되므로 가로로 곱하고 적분 기호를 씌우면서 끝낸다.

(3)

부호	미분	적분
(+)	$\ln x$	$\dfrac{1}{x^2}$
(-)	$\dfrac{1}{x}$	$-\dfrac{1}{x}$
(-)	1	$-\dfrac{1}{x^2}$
(+)	0	$\dfrac{1}{x}$

$$\int\dfrac{\ln x}{x^2}\,dx=-\dfrac{\ln x}{x}-\dfrac{1}{x}+C$$

※ 두 번째 줄에서 곱한 결과와 세 번째 줄에서 곱한 결과가 서로 같도록 할 때 미분 요소가 상수가 되도록 한다.

도표적분법에서 가로 방향으로 곱할 때는 곱한 것에 적분 기호를 씌운다고 생각한다.

최강
TOT

미적분

정답과 풀이